قطرہ قطرہ زندگی

حاصل موت ہے

کیپٹن (ر)

لیاقت علی ملک

پی پی ایم ۔ پی ایس پی

سنگِ میل پبلی کیشنز، لاہور

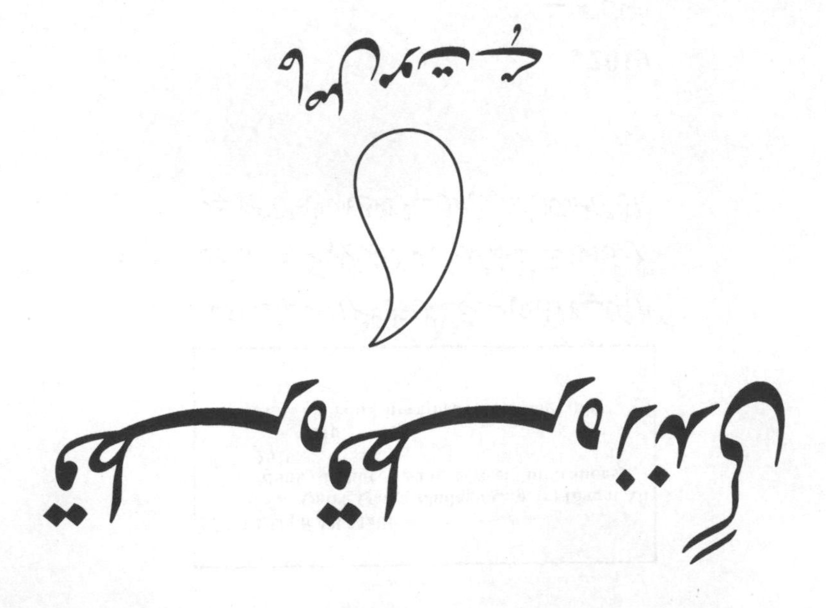

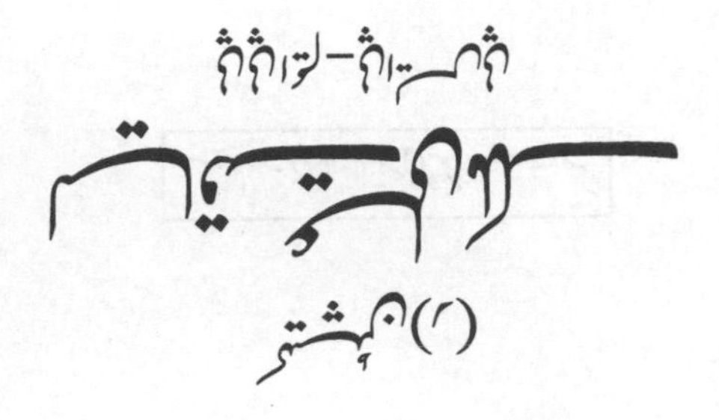

923.4 Liaqat Ali Malik
Qatra Qatra Zindagi/ Cap. (r) Liaqat Ali Malik.- Lahore : Sang-e-Meel Publications, 2019.
264p.
1. Urdu Literature - Autobiography.
I. Title.

2019ء
افضال احمد نے
سنگ میل پبلی کیشنز، لاہور
سے شائع کی۔

کمپوزنگ ــــ محمد علی سفیان اور زنیرہ لطیف

ISBN-10: 969-35-3203-1
ISBN-13: 978-969-35-3203-6

Sang-e-Meel Publications
25 Shahrah-e-Pakistan (Lower Mall), Lahore-54000 PAKISTAN
Phones: 92-423-722-0100 / 92-423-722-8143 Fax: 92-423-724-5101
http://www.sangemeel.com e-mail: smp@sangemeel.com

حاجی حنیف اینڈ سنز پرنٹرز، لاہور

عشق دا ذائقہ تُمّے ورگا جس دے منہ نوں لگّے

لکّھ مصری دیاں ڈَلیاں کھایئے کِرتن مُول نہ چھڈّے

انتساب

اخلاص کی اُن حدوں کے نام

جو اکثر بے اعتباری کو چھو لیتی ہیں!

حصہ اوّل کتاب ''حاصلِ محبت'' مطبوعہ سنگِ میل پبلی کیشنز، لاہور

میں بعنوان ''محبت روگ لگتی ہے'' شائع ہو چکا ہے۔

حرفِ سلامت

انسان ہمیشہ خود پسندی کا شکار رہا ہے۔ جیسا مرضی مکروہ چہرہ۔۔۔۔۔۔ داغ دار پیشانی۔۔۔۔۔۔ سیاہ دامن اور سیاہ کار ہو۔۔۔۔۔۔ آرسی دیکھ خود کو خوبصورت ہی دِکھتا ہے۔ داغ دھبے، سیاہ مسّے۔۔۔۔۔۔ غلیظ چہرے۔۔۔۔۔۔ ظاہر و باطن کی غلاظت نظر ہی نہیں آتی۔ سماعت، بصارت پر پردہ پڑ جاتا ہے۔ دل پر مہر ثبت ہو جاتی ہے اور ''**خَصِیْمٌ مُّبِیْنٌ**''۔۔۔۔۔۔ ''**صَلْصَالٍ كَالْفَخَّارِ**'' کی پیدائش۔۔۔۔۔۔ ''**مَّآءٍ دَافِقٍ**'' کا نتیجہ۔۔۔۔۔۔ انسان حقیقت جانتے ہوئے بھی خود سے نظریں چراتا ہے۔

میں اپنے ظاہری باطنی تمام داغوں۔۔۔۔۔۔ سیاہ کاریوں۔۔۔۔۔۔ گندگی اور پلیدی کے باوجود۔۔۔۔۔۔ عمر بھر خود کو دھوکا دیتا رہا۔ مگر اللہ کا شکر ہے اب کہیں جا کر شیشے میں حقیقی عکس دکھائی دینا شروع ہوا ہے۔۔۔۔۔۔ روشنیوں کے باوجود آئینے میں سیاہ رُو۔۔۔۔۔۔ تمام جسمانی اور روحانی سیاہ کاریاں۔۔۔۔۔۔ آنِ واحد میں۔۔۔۔۔۔ چہرے اور پیشانی سے نمایاں ہو جاتی ہیں۔ مجھے کسی سے پوچھنا نہیں پڑتا۔۔۔۔۔۔ کیونکہ اب مجھے اپنی گندگی دیکھنے کے لیے پتھر کے شیشے کی ضرورت نہیں رہی۔۔۔۔۔۔ میرا دل مجھے ہر وقت احساس دلاتا ہے۔ میری اوقات اور اصل یاد کراتا رہتا ہے۔۔۔۔۔۔ مجھے کسی سراب اور دھوکے میں نہیں رکھتا۔۔۔۔۔۔ میری اصل سے مجھ کو ملاتا رہتا ہے۔

جب میری مجھ سے پہلی ملاقات ہوئی۔۔۔۔۔۔ میں نے خود کو پہلی بار اپنی اصل شکل میں دیکھا۔۔۔۔۔۔ تو میں نے پہلے تو زور سے آنکھیں بند کر لیں۔۔۔۔۔۔ جیسے کوئی ڈراؤنا خواب۔۔۔۔۔۔ کوئی بھوت پریت۔۔۔۔۔۔ کوئی چڑیل بدذات۔۔۔۔۔۔ یا بدروح دیکھ لی ہو۔۔۔۔۔۔ مجھے ایک بے یقینی کی کیفیت لگی۔ جیسے آئینہ میرا عکس نہیں کچھ اور دِکھا رہا ہو۔۔۔۔۔۔

کوئی Vampire ہو۔۔۔۔۔۔ باہر نکلی آنکھیں۔۔۔۔۔۔ خونخوار۔۔۔۔۔۔ لمبے لمبے۔۔۔۔ دانت جن سے تازہ تازہ انسانی خون کی لکیریں بہہ رہی ہوں اور ہونٹوں پر خون کی سرخی جو ہونٹوں کے کناروں سے دھیرے دھیرے ٹھوڑی اور میرے گریبان کی طرف بہہ رہی ہو۔۔۔۔۔۔ میرے ناخن لمبے۔۔۔۔۔۔ خون آلود۔۔۔۔۔۔ سر پر عجیب سے سینگ۔۔۔۔۔۔ جیسے۔۔۔۔۔۔ جہنم میں پیپ پینے والی مخلوق۔۔۔۔۔۔ لعنت کیا ہوا شخص۔۔۔۔۔۔ ''حاویہ'' مقام کا باسی ہو۔۔۔۔۔۔

میں نے سر کو نفی میں جھٹکا۔۔۔۔۔۔ دوبارہ آنکھیں کھولیں۔۔۔۔۔۔ منظر پہلے سے زیادہ مکروہ۔۔۔۔۔۔ صورت پہلے سے زیادہ مطعون۔۔۔۔۔۔ کریہہ اور سیاہ و غلیظ نظر آئی۔۔۔۔۔۔ مگر تھوڑی زیادہ دیر تک میں نے اس کو دیکھا۔۔۔۔۔۔ ہمت جواب دے گئی۔۔۔ برداشت ختم ہوگئی۔۔۔ اور پھر آنکھیں بند کرلیں۔ میں خود سے ڈر گیا۔۔۔۔۔۔ خود کو یقین دلانے سے قاصر۔۔۔ دوبارہ تھوڑی دیر بعد خاطر جمع کرکے۔۔۔۔۔۔ آہستہ آہستہ آنکھوں کے کونوں سے دیکھا۔۔۔۔۔۔ دھیرے دھیرے۔۔۔۔۔۔ بصارت کو عادی کیا۔۔۔۔۔۔ غور سے دیکھا تو۔۔۔۔۔۔ میں خود کو یقین دلانے میں کامیاب ہوگیا۔۔۔۔۔۔ خود سے ملنے میں کامیاب ہوگیا۔ بصارت نے حقیقت کو پالیا۔۔۔۔۔۔ اپنی گندگی پر یقین آ گیا۔۔۔۔۔۔ میں سراب سے باہر آ گیا۔۔۔۔۔۔ حقیقت دیکھ کر اصل چہرے سے آشنا ہوگیا۔ جس ذات سے عمر بھر بھاگتا رہا۔ اس سے ملاقات ہوگئی۔ اپنے اصل سے۔۔۔۔۔۔ جو غلیظ تھا۔۔۔۔۔۔ پلید تھا۔۔۔۔۔۔ سیاہ کار۔۔۔۔ گنہگار۔۔۔۔۔۔ ملعون اور مطعون تھا۔۔۔۔۔۔ اس سے ملاقات ہوگئی۔۔۔۔۔۔

زندگی کی پوری فلم میری آنکھوں کے عدسوں پر آنِ واحد میں مکمل ہوگئی۔۔۔۔۔۔ خود کو لعنت ملامت کے علاوہ حاصل کچھ نہ تھا۔۔۔۔۔۔ جی بھر کر خود کو لعنت کی۔۔۔۔۔۔ گالیاں دیں۔۔۔۔۔۔ پتھر۔۔۔۔ جوتے۔۔۔۔۔۔ اور ٹُھڈے مارے۔۔۔۔۔۔ جتنے لوگ مجھ سے دھوکہ کھا چکے تھے سب کے پاس بار بار گیا۔ سب کو اپنا اصل چہرہ۔۔۔۔۔۔ منحوس سیاہ صورت۔۔۔۔۔۔ بدکاریوں اور بدکرداریوں کے قصے سنائے۔۔۔۔۔۔ کچھ فوراً مان گئے۔۔۔۔۔۔ کہنے لگے

''میں نہ کہتا تھا یہ بہت بڑا بہروپیا ہے۔۔۔ فراڈیا ہے۔۔۔ نوسر باز اور رنگ باز ہے۔۔۔''

کچھ نے کہا ''اس میں کوئی نئی چال ہوگی۔۔۔۔۔۔کوئی نئی واردات ہوگی۔۔۔۔۔۔خودشناسی کا کوئی نیا ڈھونگ ہوگا۔۔۔۔۔۔'' چند ایک نے یقین کرنے سے انکار کر دیا اور بدستور دھوکے کا شکار اور مجھے پارسا انسان سمجھتے اور جانتے رہے۔ میں ان کو بتاتا رہا کہ رات ہے مگر وہ دن مانتے رہے۔۔۔۔۔۔اور آج تک دھوکے میں ہیں۔ اللہ اُن کی بصارت پر رحم فرمائے۔۔۔۔۔۔اور فہم عطا فرمائے۔۔۔۔۔۔ وہ بیچارے قابلِ ترس سادہ لوگ جو میری چتر چالاکیوں میں پھنس جاتے ہیں۔۔۔۔۔۔

میں نے خلقِ خدا کو یقین دلانے کے لیے اور تحریری ثبوت کے طور پر ''حاصلِ محبت'' میں ''حرفِ ملامت'' لکھ کر اپنی غلطی کا خود احساس کیا۔۔۔۔۔۔شرمندگی کا اعلان کیا اور دوست احباب کو اپنی بابت خام خیالیوں سے نکال کر حقیقت آشنا کیا۔۔۔۔۔۔مگر کچھ کو یقین پھر بھی نہیں آیا۔۔۔۔۔۔ کچھ نے بڑی محبت کا معاملہ فرمایا اور جی بھر کر لعن طعن کی۔۔۔۔۔۔ٹھٹھہ مذاق کیا۔۔۔۔۔۔لفظوں کی بجائے سوچ کو بھی نشانہ بنایا اور لفظوں کے ساتھ ساتھ۔۔۔۔۔۔دامے، دِرمے، سُخنے۔۔۔۔۔۔ ہر طرح سے طعن و تشنیع کے تیر و تفنگ برسائے۔۔۔۔۔۔ مگر میں ڈھیٹ ہوں اور خبیث بھی ہوں۔۔۔۔۔۔سخت جان بھی ہوں۔۔۔۔۔۔ سخت جلد بھی رکھتا ہوں۔۔۔۔۔۔ کتے کی ڈھٹائی۔۔۔۔۔۔جو وہ مالک کی وفا میں کرتا ہے۔۔۔۔۔۔میرے اندر موجود ہے۔۔۔۔۔۔اس لیے مجھے بالکل کوئی فرق نہیں پڑا۔۔۔۔۔۔یاروں کی زبان سلامت رہے۔۔۔۔۔۔جوتے کھا کھا کر میں نہیں تھکا۔۔۔۔۔۔دوستوں کے نازک ہاتھ تھک گئے۔۔۔۔۔۔

میں نے خود کو ''ملامت'' کرنے کے بعد اور ذات کے چیتھڑے اُڑانے کے بعد۔۔۔۔۔۔ خودپسندی کی سرگُنج اتارنے کے لیے۔۔۔۔۔۔اصل سے ملاقات اور حقیقت آشنا ہونے پر۔۔۔۔۔۔ اور اپنی اصل صورت دیکھ لینے کے بعد۔۔۔۔۔۔ ''حاصل لاحاصل'' میں ''حرفِ ندامت'' لکھا۔۔۔۔۔۔خود کو دوستوں کی محبتوں کے حوالے کیا۔۔۔۔۔۔اپنے اندر اور باہر۔۔۔۔۔۔ظاہر اور باطن۔۔۔۔۔۔کی بابت جو دیکھا سوچا اور جو کچھ دوستوں نے کیا وہ بھی اپنے کھاتے میں ڈال کر بیان کیا۔ دوسروں کا بُرا اپنے ذمے لیا اور اپنا اچھا جو شاید بہت قلیل تھا وہ دوسروں کے نام کیا۔۔۔۔۔۔لکھا اور بتایا۔ سوچا جتنے جوتے، روڑے، وٹّے، طعنے، مہنے میرے حصے میں آئیں گے اتنا تسکینِ قلب اور

راحتِ جان ہوگی۔۔۔۔۔۔یقین کیجیے جتنا اہلِ علم و دانش۔۔۔۔۔۔مذاق اُڑاتے ہیں۔۔۔۔۔۔ مخول کرتے ہیں۔۔۔۔۔۔اُتنا زیادہ جان کو سکون ملتا ہے۔ ایک آرام ملتا ہے۔۔۔۔۔۔ایک طمانیت سی ملتی ہے۔ نفسِ امّارہ کی مہربانیوں میں اتنا مزہ نہیں جتنا نفسِ مطمئنہ میں ہے۔۔۔۔۔۔

کوئی تہمت، کوئی ٹھوکر، کوئی پتھر آئے

سر سلامت ہے میرے یارو، کوئی خنجر لائے

اِس کتاب میں بھی کچھ نیا نہیں۔۔۔۔۔۔کہیں ''نفسِ امّارہ'' کی باتیں ہیں اور کہیں ''نفسِ مطمئنہ'' کی۔۔۔۔۔۔کہیں کہیں ''نفسِ لوامہ'' اور ''ملہمہ'' آجائے گا اور کہیں دور سے کبھی کبھی ''نفسِ سوی'' سر اُٹھاتا نظر آئے گا۔۔۔۔۔۔پتہ نہیں یہ حقیقت ہے۔۔۔۔۔۔فسانہ ہے۔۔۔۔۔۔ داستان ہے۔۔۔۔۔۔قصہ ہے۔۔۔۔۔۔یا کوئی نامکمل بے ترتیب کہانی۔۔۔۔۔۔بس طبیعت کی روانی میں جو کچھ۔۔۔۔۔۔سمجھ آیا۔۔۔۔۔۔لکھا اور جو اُس نے لکھوایا وہ قرطاسِ ابیض پر آگیا۔۔۔۔۔۔''حرفِ ملامت'' اور ''حرفِ ندامت'' کے بعد اب ''حرفِ سلامت'' حاضر ہے۔۔۔۔۔۔سر سلامت ہونا چاہیے جوتوں کا کیا غم۔ ویسے بھی لفظوں کی قدر کون کرتا ہے۔ جہاں انسانوں کی قدر حیوانوں سے کم تر ہو اس معاشرے میں لفظ۔۔۔۔۔۔چہ معنی دارد۔۔۔۔خود آشنائی کے اس سفر میں۔۔۔۔۔۔ابھی تک سر بھی سلامت ہے، قلم بھی اور حرف بھی۔۔۔۔۔۔نہ جانے معاشرہ زیادہ ڈھیٹ ہے جو ابھی تک میرے الفاظ کو معاف کرتا آرہا ہے۔۔۔۔۔۔یا میں زیادہ ڈھیٹ اور بے شرم ہوں۔۔۔۔۔۔کیونکہ ابھی تک سر بھی سلامت ہے اور حرف بھی۔۔۔۔۔۔! دیکھئے انسان کب جاگے۔۔۔۔۔۔اور کب میرے پُرزے اُڑیں۔۔۔۔۔۔جس دن ایک بھی پتھر اُڑ کر میری طرف آیا۔۔۔۔۔۔سمجھوں گا پیغام پہنچ گیا۔۔۔۔۔۔بات جہاں پہنچنی چاہیے تھی وہاں جا پہنچی۔۔۔۔۔۔

سر اور حرف کے ریزہ ریزہ ہونے کا منتظر۔۔۔!

کیپٹن (ر) لیاقت علی ملک، پی ایس پی، پی پی ایم

۱۴رفروری ۲۰۱۹ء

۸رجمادی الثانی

الفاظ میں جادو

✍ حضرت مولانا عبدالحق

السلام علیکم ورحمتہ اللہ علیہ برکاتہٗ!

میرے بھائی اللہ آپ کو خوش رکھے۔ آپ کی تینوں کتابیں میں نے حرف بہ حرف پڑھی ہیں، آج مکمل ہوئی ہیں۔ بہت خوشی ہوئی۔ حضور نبی کریم صلی اللہ علیہ وآلہ وسلم کی ایک حدیث مبارکہ ہے کہ **"إِنَّ مِنَ الْبَيَانِ لَسِحْرًا"** کہ بات میں بھی کچھ جادو ہوا کرتا ہے۔ بعض باتیں ایسی ہوتی ہیں جو قاری پر جادو کی طرح اثر کرتی ہیں۔ ایسی ہی کچھ تحریریں آپ کی تھیں۔ جہاں تک آپ کا وہ کتابوں کے اندر کچھ منظوم حصہ ہے، وہ بہت دلی گہرائی سے ہے۔۔۔۔ بہت دلی گہرائی سے ہے۔ وہ الفاظ اثر رکھتے ہیں۔۔۔۔ جو پنجابی الفاظ ہیں آپ کے۔ جہاں تک تحریری معاملہ ہے، وہ معاشرے کے عین مطابق ہے۔ **"اللھم زد فازد"** اللہ تعالیٰ آپ کو اور برکت دے۔ بہت اچھی تحریریں ہیں۔ حرف بہ حرف پڑھی ہیں۔ دل سے دُعا نکلتی ہے اور خوشی ہوئی ہے۔ اللہ تعالیٰ آپ کو اور برکت دے۔

السلام وعلیکم ورحمتہ اللہ علیہ برکاتہٗ۔

☆☆☆

قلزمِ حیات

ڈاکٹر نور محمد اعوان

حروف سے الفاظ بنتے ہیں اور الفاظ سے جملے اور جملوں سے تحریریں! الفاظ کے بھی قبیلے ہوتے ہیں الفاظ پیدا ہوتے ہیں الفاظ جوان ہوتے ہیں اور پھر متروک ہو جاتے ہیں۔ الفاظ اثرات رکھتے ہیں۔ الفاظ قاری کے خیالات، کیفیات، جذبات، نظریات اور حالات بدل دیتے ہیں۔ صاحب لفظ ہونا بھی بڑی بات ہے۔ الفاظ کی اثر انگیزی صرف زبان و بیان اور فکر و نظر تک محدود نہیں بلکہ کامل الفاظ موج خیال سے مادی وجود کی تشکیل کا سبب بنتے ہیں۔ جب رب ذوالجلال نے کائنات کی تخلیق کا خیال کیا تو لفظ ''کُن'' فرمایا اور مادی کائنات وجود پذیر ہوگئی گویا اس کائنات کا وجود مالک کون و مکان کے ایک لفظ کی مرہون منت ہے۔ الفاظ مگر خیال کے مرہون منت ہیں۔ پہلے خیال آتا ہے جو الفاظ کی صورت اور لباس میں ظاہر ہوتا ہے۔ خیالات کی کئی قسمیں ہیں اور خیالات کے کئی سرچشمے ہوتے ہیں۔ کئی خیالات مثبت اور کئی منفی ہوتے ہیں۔ بعض خیالات منتشر اور بعض مرتکز ہوتے ہیں۔ بعض خیالات کا منبع اندیشے وسوسے اور خناس ہوتے ہیں اور بعض قدسی خیالات سماوی، نورانی عرفانی ہوتے ہیں۔ جن کے دھارے علیم و بصیر ذات باری تعالیٰ کے فیض و فضل سے پھوٹتے ہیں۔ الفاظ کے اثرات کا دارومدار اِن میں پنہاں خیال کے سرچشمہ پر ہوتا ہے مگر خیالات دل و دماغ میں جوئے رواں کی طرح بہتے رہتے ہیں اور اثر دکھاتے رہتے ہیں ان کو قابو میں لانا مشکل ہوتا ہے۔ مگر درویش، صوفی اپنے خیالات کے مرکز کو مالک کون و مکان سے جوڑ دیتا ہے۔ خیالات جب عرش بریں

کی تجلیات سے ٹکرا کر لوٹتے ہیں تو کچھ ساوی، نورانی، عرفانی اور تجلیاتی رنگ لیے ہوتے ہیں۔ جیسے عطریات کی دُکان سے ٹکرا کر آنے والے ہوا کے جھونکے نے اپنے دامن میں کچھ نا کچھ خوشبو سمیٹی ہوتی ہے۔ یہ نورانی عرفانی خیالات جب الفاظ میں ڈھلتے اور تحریر میں چھلکتے ہیں تو دل و دماغ کے بند دریچے واکرنے لگتے ہیں۔ کیپٹن لیاقت علی ملک بھی ایک درویش منش انسان ہیں۔ کچھ لوگ انہیں صوفی کہتے ہیں۔ پتہ نہیں ملامتی صوفی ہیں یا مقالاتی۔ کیپٹن لیاقت تزکیہ نفس، تصفیہ قلب اور تجلۂ روح کے راستوں پر گامزن ہیں۔ ان اجلی منزلوں اور مقامات کے کچھ نقوش ان کے فکر و خیال اور لفظ و بیان میں نظر آتے ہیں۔ ان کی موجودہ کتاب ''قطرہ قطرہ زندگی'' میں صوفیانہ سے زیادہ عارفانہ رنگ نظر آتا ہے۔ اسلوب تحریر جداگانہ اور ترکیبات، استعارات اور اصطلاحات کا استعمال یگانہ ہے۔ تحریر میں برجستگی اور خیالات میں پختگی ہے۔ انسان کی سرشت اس کے مزاج، طبیعت و احوال و افعال کو عمدگی سے لطیف انداز میں بیان کیا گیا۔ بات مجاز کے انداز میں کی گئی مگر حقیقت کو بے نقاب کرتی ہوئی تحریر دل و دماغ کو گرفت میں لئے رکھتی ہے۔ موضوعات بھی بہت عمدہ باندھے ہیں۔ مثلاً جسم پیار۔ دل محبت۔ روح عشق، وصل۔ طور۔ نور، عکس یار۔ زندگی کی بہار، من و تو۔ بدن و روح، سفر ذات۔ روح سے روح کی ملاقات وغیرہ۔ کیپٹن لیاقت کبھی احساس کو جگاتے، کبھی ہنساتے، کبھی رلاتے اور کبھی سوچ و فکر کو جگمگاتے نظر آتے ہیں۔ ان کی تحریر کو پڑھتے ہوئے آدمی کبھی اپنے روبرو اور کبھی دوبدو ہوتا ہے۔ ان کی یہ کاوش یقیناً اردو ادب میں گراں قدر اضافہ ہے۔

☆☆☆

قطرے میں دجلہ

✍ ڈاکٹر عارف ثاقب

''حاصلِ محبت'' سے ''حاصل لاحاصل'' کا سفر کرتے ہوئے لیاقت علی ملک ''قطرہ قطرہ زندگی'' تک آن پہنچا ہے، جہاں حاصل موت ہے۔ لیاقت علی ملک کی یہ تیسری کتاب واقعے سے واقعہ، اور خیال سے خیال جوڑنے کی کوشش میں اُس کی فکر کا ایک لامتناہی سفر ہے۔ جسم سے ہوتے ہوئے روح کی پاتال میں اُتر کر، طبیعات سے مابعد الطبیعات میں ڈھل کر، انسان، کائنات، روح، مادہ، جبر اور قدر کی گتھیوں میں اُلجھا ہوا اور اُنہیں سلجھاتا ہوا وہ فکر کی ٹھوس تجسیم سے بہت آگے نکل گیا ہے، جہاں ایک مرتبہ پھر سے سوال ہی سوال ہوتے ہیں، اور وہ واقعے کی ایک کڑی کو دوسری کڑی سے ملاتا ہوا، سوالوں کے جواب تلاش کرتا تصوف کی فکری دُنیا میں بھٹکتا جا رہا ہے۔

لیاقت محبت کے جس جذبے اور رویے کا متلاشی ہے۔ اُس میں حواسگی اور دیوانگی کا بڑا عمل دخل ہے۔ محبت اُس کے لیے اسمِ اعظم ہے۔ ایک ایسی رحمت جس سے انکار زحمت کا باعث بن جاتا ہے۔ ایسی محبت جس کے حصول میں بدن کے چیتھڑے اُڑانے پڑتے ہیں، اور مادی وجود کی نفی کر کے اُسے روح میں تحلیل کرنا پڑتا ہے۔ لیاقت ایسی ہی لاحاصل محبت سے محبت کشید کر رہا ہے۔ وہ جانتا ہے کہ روح جسم کے اندر مقیّد ہے اور روح تک پہنچنے کے سارے رستے جسم سے ہو کر گزرتے ہیں۔ اسی لیے وہ مادی زندگی سے روحانی زندگی کے تجربے کشید کر رہا ہے۔ ''قطرہ قطرہ زندگی'' اُس کی پہلی دونوں کتابوں کا ایک فکری تسلسل ہے، جسے سمجھنے کے لیے ایک خاص نوع کی فکری اور گرہ کشائی کی صلاحیت کا ہونا بہت ضروری ہے۔ لیاقت علی ملک نے جو موضوع چُنا ہے وہ انسانی جسم سے متعلق ہونے کے بجائے روح کی بالیدگی سے متعلق ہے۔ اِس لیے اس کے سامنے سیدھا رستہ تصوّف کا ہے۔ تصوّف کے

اِسی فلسفے کو بیان کرتے ہوئے وہ مادی زندگی کے راز پاتا ہے۔ سماجی زندگی کی ناکامی اور انسانی زندگی کی شکست وریخت اُس کے نزدیک باطنی زندگی سے دوری کا نتیجہ ہے۔

لیاقت علی ملک کی اِس تیسری کاوش کا مطالعہ کر کے مجھے محسوس ہوا کہ اُس کی جودتِ طبع اور نُدرتِ فکر کا بنیادی مسئلہ محبت اور اُس محبت کے اکھوّے سے پھوٹنے والے وہ تمام موضوعات ہیں جو انسان کو پستی سے اُٹھا کر بلندی پہ لے جاتے ہیں۔ جمالیاتی احساس سے مملو، لیاقت کی شخصیت کسی جمال پیکر میں ڈھل کر باطنی دُنیاؤں کے راز افشا کرتی نظر آتی ہے۔ ''قطرہ قطرہ زندگی'' کے اندر ذیلی عنوانات کے تحت اُس نے جتنے بڑے بڑے موضوعات کو گرفت میں لیا ہے، اُن کا مطالعہ آدمی سے انسان تک کے سفر کا مطالعہ ہے۔ اوسپنسکی (Ouspensky) نے کہا تھا: ''آدمی جبلت کی سطح پر زندگی گزارتا ہے اور انسان جوہر کی سطح پر۔'' شاید اسی لیے انسان اشرف المخلوق ہے، آدمی نہیں۔ لیاقت علی ملک کی یہ تحریریں دراصل آدمی سے انسان تک پہنچنے کی کوشش ہیں۔ آدمی حاصل کے پیچھے ہے اور انسان کے لیے حاصل موت ہے۔ اُس کے نزدیک جسم سے محبت جسم کے ڈھلنے کے ساتھ کئی جسموں میں ڈھل جاتی ہے۔ مگر حقیقی محبت جسم سے شروع ہو کر لمس سے ماورا ہو جاتی ہے۔ یہی آدمی سے انسان تک کا سفر ہے۔

لیاقت کا نثری اسلوب جن کیفیات میں ڈوبا ہوا ہے۔ وہ اپنے تاثر کے اعتبار سے شعری آہنگ سے مماثلت رکھتا ہے۔ جس نے تاثر و تاثیر کی کیفیت پیدا کر دی ہے۔ یہ چھوٹے چھوٹے مصرعے ہیں، اشعار ہیں اور اقوالِ زریں ہیں۔ شعور کی رو میں بہتا ہوا اُس کا نثری اسلوب اور اُس کی لفظیات موضوع کے ساتھ گُندھے ہوئے ہیں۔ وصل، جدائی، حاصل، لا حاصل، جسم، روح، وفا، بے وفائی، محبت، عشق ایسے بہت سے الفاظ تلازمۂ خیال کی صورت میں ڈھل کر اُس کے موضوع کو آگے بڑھاتے اور فکر کے نئے در وا کرتے دکھائی دیتے ہیں۔

''قطرہ قطرہ زندگی'' جینے والوں کے لیے لیاقت کی یہ تیسری کتاب ایک مقامِ فکر ہے۔ آپ حاصل کر کے موت سے ہمکنار ہونا چاہتے ہیں یا لاحاصل کے غبار میں بھٹک کر انسان اور کائنات کی پرتیں کھولنا چاہتے ہیں یہ آپ جانیں۔ مگر لیاقت کا اگلا پڑاؤ کیا ہوگا یہ کون جانے!! اُس کے اضطراب کی اگلی منزل کیا ہوگی نہیں معلوم!! کیونکہ اُس کی سیماب صفت شخصیت کو قطرے میں دجلہ دکھائی دیتا رہے گا۔

☆☆☆

حاصل ہستی اور لا حاصل ہستی

✍ نیاز حسین لکھویرا

بعض اوقات ہم اس غلط فہمی میں مبتلا ہوتے ہیں کہ کچھ حاصل کر کے ہم نے بہت کچھ حاصل کرلیا ہے۔ یہ ہماری خام خیالی ہی تو ہے کہ ہم بھول جاتے ہیں کہ کچھ حاصل کر کے ہم نے بہت کچھ لا حاصل کے خاکدان میں ڈال دیا ہے۔

میرے لئے یہ امر تحیّر کا سبب بنا جب مجھے ایک کرم فرما بی اے ناصر نے بتایا کہ لاہور میں ٹریفک کو قابو میں رکھنے والے پولیس آفیسر لیاقت علی ملک اعلیٰ ادبی ذوق کے مالک ہیں۔ ملک صاحب سے بات ہوئی اور انہوں نے اپنی 2 کتابیں ''حاصل لا حاصل'' اور ''حاصلِ محبت'' میری ذاتی لائبریری میں بے حد قیمتی اضافے کے لئے مجھے دیں اور میں نے یہ کتابیں پڑھیں تو میرا تحیّر تحریک میں تبدیل ہو گیا۔ ان کتابوں میں کیا ہے؟ افسانے، کہانیاں، مضامین، مشاہدات یا پھر یہ خود نوشت تاثرات ہیں جو زندگی کے ہر موڑ پر ایک حساس دل میں گھر کر لیتے ہیں اور پھر وہ حساس دل اپنی قلم سے خون میں ڈوبی ہوئی داستانِ غم بیان کرتا ہے۔ سب سے بڑی خوبی جو ملک صاحب کی تحریروں میں مجھے نظر آئی ہے وہ ان کے جملے کی کاٹ ہے۔ ایسے چند جملے ملاحظہ فرمائیں۔

''میری ندامت میرے اندر کی غلاظت کی بدولت ہے۔''

''صاحب نظر تو صاحب نظر ہوتے ہیں۔ وہ اندر کی گندگی اور ہوس لاکھ پردوں میں پہچان

جاتے ہیں۔''

''ہر انسان اپنی دوزخ ساتھ لے کر پیدا ہوتا ہے۔''

'' کہتے ہیں لڑائی کے بعد جو مُکا یاد آئے وہ اپنے منہ پر مار لینا چاہئے۔''

''انسان ہمیشہ کا جلد باز ہے اس لیے کبھی بھی حاصل پر خوش نہیں رہتا۔''

اور اسی طرح کے سینکڑوں تراش خراش سے مزّین جملے آپ کو ان کی ہر تحریر میں ملیں گے۔

حاصل لا حاصل پڑھ کر مجھے اپنا ہی ایک پرانا شعر یاد آ گیا۔

کوئی حاصل نہیں لا حاصلِ ہستی بھی نہیں
ایک ہی بات ہے ہونا یا نہ ہونا میرا

ملک صاحب کی تحریریں کبھی ہمیں تصوف کے مرغزاروں میں لے جاتی ہیں اور کبھی ندامت اور ملامت کے تپتے ہوئے ریگزاروں میں۔ یہی ان کی تحریروں کا سب سے بڑا اعجاز ہے۔

''حاصلِ محبت'' پڑھتے ہوئے جب میں آپا بانو قدسیہ کی بے مثال تحریر سے اپنے ذوق نگاہ اور دلِ مردود میں تازگی اور شگفتگی کے پھول کھلانے کی کوشش میں مصروف تھا تو آپا کا مشورہ سامنے آ گیا کہ ملک صاحب نے ''جدائی'' میں جو نظریہ اور فلسفہ پیش کیا ہے اگر اس موضوع پر میں بھی لکھنا چاہتی تو شائد ایسا نہ لکھ پاتی۔ ایک بہت بڑی شخصیت کا خراج ہے جو ملک صاحب کو پیش کیا گیا ہے۔

''جدائی'' کا مطالعہ کرتے ہوئے کبھی کبھار میں جوانی کے دشتِ بے باک کی سیر کرنے لگا اور کہیں کہیں احترام انسانیت، اعتبارِ محبت اور پاکیزگی کے سمندر کی خاموش اور اطمینان بکھیرتی لہروں میں سفر کرنے لگا۔ ''جدائی'' کا انجام پڑھتے ہوئے میری آنکھوں میں نمی تیرنے لگی اور مجھے وہ وقت یاد آیا جب میں کالے کی منڈی ضلع حافظ آباد سے گزر رہا تھا تو سڑک کے کنارے قبرستان میں دفنائے جانے والے 2 جنازوں کو دیکھ کر میں رک گیا، وہاں موجود ایک شخص نے مجھے بتایا کہ یہ میاں بیوی کے جنازے ہیں صبح نماز کے وقت بیوی کا انتقال ہوا ہے اور 2 تین گھنٹے بعد شوہر کی روح اس کا

ساتھ چھوڑ گئی ہے۔

ملک صاحب کی دونوں کتابوں میں شاعری کا عنصر موجود ہے اور اس میں تڑکا تصوف کا لگا ہوا ہے جس نے ان کتابوں کو کریسپی (Crispy) بنا دیا ہے۔ میں شاہنواز زیدی کی اس پینٹنگ کا ذکر ضرور کروں گا جو ملک صاحب کا پورٹریٹ ہے اور جس میں وہ اپنی جوان کشادہ آنکھوں اور سفیدی میں ڈھلتے ہوئے بالوں کے ساتھ موجود ہیں۔

نیاز حسین لکھویرا

جنوری 2019 کی چودھویں شام

☆☆☆

جسم پیار۔۔۔دل محبت۔۔۔روح عشق

محبت جسم سے شروع ہوکر لمس سے ماورا ہوجاتی ہے۔ ظاہری حسن، ابدی نور کی طرف کھینچ لیتا ہے۔ محبت ظاہر سے باطن کی طرف سفر پر مجبور کر دیتی ہے۔ فنا سے ہوکر بقا کی طرف چل نکلتی ہے۔ کیونکہ محبت زمان اور مکان سے پاک اور ابدان سے پرے کا کھیل ہے۔ جسم سے محبت پیار ہے جو وقتی اور سطحی ہوتا ہے جو جسم کے ڈھلنے کے ساتھ ساتھ مختلف جسموں میں ڈھلتا رہتا ہے۔ بدن کی محبت بدن سے ہوتی ہے اور ابدان کے توصل کے بعد اس کی موت واقع ہوجاتی ہے اور پھر ہر دو انسان نئے جسم کی تلاش میں چل نکلتے ہیں اور جسموں کے توصل کا یہ لامتناہی اور پُرہوس سلسلہ شروع ہوجاتا ہے۔۔۔

دل سے دل کا تعلق محبت ہے اور یہ ایک نہ ختم ہونے والا سلسلہ ہے۔ دل کی ہر دھڑکن میں خالق کا نام بولے نہ بولے مخلوق کا نام ضرور بولتا ہے۔ خون کی گردش کے ساتھ اور دل کی دھڑکن کے ساتھ یہ تعلق پورے جسم میں منتقل ہوجاتا ہے اور رگ رگ میں سما کر ریشے ریشے اور ہر خلیے کا حصہ بن کر پورے جسم پر طاری ہوجاتا ہے۔ حتیٰ کہ بون میرو کا حصہ بن کر اگلی نسل میں یہی سودا منتقل ہوجاتا ہے۔ اس اضطراب سے چھٹکارا خون کی گردش تک ممکن نہیں اور سکون اس وقت میسر ہوتا ہے جب گوشت کا یہ لوتھڑا ساکت یا گردشِ خون بند ہوجائے۔ اس طرح یہ محبت دل کی دھڑکن سے شروع ہوکر دل کی دھڑکن تک زندہ رہتی ہے۔

روح سے روح کا تعلق عشق ہے کیونکہ نہ روح مرتی ہے اور نہ عشق۔ دونوں عالمِ ارواح سے لے کر عالمِ ارواح تک زندہ رہنے کے لیے بنے ہیں لہٰذا ان کا تعلق بھی ابدی ہے۔ یہ Pre-destined تعلق ابدان میں ڈھلنے سے پہلے قائم ہوتا ہے۔ ابدان میں ڈھلنے یا دنیا میں اترنے کے بعد اس کو شناخت یا نام ملتا ہے اور ابدان کے تحلیل ہونے کے بعد بھی جاری وساری رہتا ہے۔ اس تعلق میں جسم کی ضرورت نہیں ہوتی۔ وصال کی خواہش نہیں ہوتی۔ ملنے کی طلب، رنگ، ڈھنگ، تن من، پیکر و رخسار، کمر وابرو کا دھیان کس کو ہوتا ہے۔ بس یک ٹک آنکھیں چار ہوتی ہیں اور ہر لمحہ پل اور ساعت اس کے نام، دھیان اور گیان میں گزرتا ہے اور اس تعلق سے نروان اور پھر یزدان ملتا ہے۔

"انسان ہر دور میں حضوری سے خوف زدہ رہا ہے چاہے خدا کی ہو یا خدا نما کی۔" میں بھی عمر بھر کی ریاضت اور کمائی کے حصول سے چند گھنٹے کی مسافت پہ تھا۔ دُعا اور زندگی کا حاصل گرچہ ہزاروں کوس کی دوری پر تھا مگر فاصلے کو اژدھے کی طرح نگلنے والے اژدھا نما جہاز کی موجودگی میں سفر صرف چند گھڑیوں کا تھا۔ آرام دہ جہاز، لش پش، چمک دمک، ادھر اُدھر کمر باندھے اودے اودے، نیلے نیلے، پیلے پیلے پیرہن، آنکھیں خیرہ کر دینے والے جسم اور انتہائی کاروباری آنکھیں۔ اگر دماغ میں دماغ کا مالک نہ ہوتا تو شاید بہت کچھ ہوتا۔۔۔ مگر اب جسم کو جسم کی ضرورت نہ تھی۔۔۔ مرمریں ہو یا مخملیں، غلافی ہو یا شرابی۔۔۔ سرو قامت ہو یا صراحی دار۔۔۔ مجھے جسم کی خواہش شاید آج سے چالیس سال قبل تھی۔ مگر اب نہیں رہی۔ انتظار اور مسلسل انتظار کی بے قراری نے یہ حس ختم کر دی تھی یا شاید میرے تعلق کی مضبوطی نے اس کو جسمانی واسطے اور رابطے سے مبرّا کر دیا تھا۔۔۔ پروفیسر احمد بولتے جا رہے تھے اور میں پورے انہماک سے سن رہا تھا۔

رختِ سفر۔۔۔ وصال اور ہجر

میں پوری کوشش کے باوجود کوئی خاص تیاری نہ کر سکا۔ رختِ سفر تھا کیا جو باندھنے کا اِذن کرتا۔ بس چند کپڑے، کچھ جوانی کی نامکمل نظمیں، اور بڑھاپے میں جوانی بھرنے کا سامان وہ ڈائریاں جو تیرے فراق میں خونِ جگر سے رقم اور آنسوؤں سے لبریز آئینوں سے تیس سال تک اس روز کی مسلسل

ملاقات کے لیے لکھی اور بار بار پڑھی گئیں۔ ہاں ماں جی نے آخری بار میری صورت دیکھنے سے قبل آخری ہچکی سے چند لمحے پہلے، میرا ہاتھ پکڑ کر دو سونے کی چوڑیاں، دو کانٹے، ایک ماتھے کا ٹیکا اور ایک سرخ جوڑا دیا تھا۔ تمہارے لیے اور ان کے آخری الفاظ۔۔۔ بیٹا پتہ نہیں تیرا نصیب وہ نہیں یا اس کے نصیب میں یہ نہیں مگر مجھے یقین ہے کہ ایک دن یہ چیزیں وہی پہنے گی۔۔۔ ضرور پہنے گی۔۔۔! مجھے شاید دیکھنا نصیب نہ ہو مگر وہ آئے گی۔۔۔ ضرور آئے گی۔۔۔! اس آخری حسرت بھری ہچکی کے ساتھ ماں ہم سب سے رخصت ہو گئی اور میں ماں کو منوں مٹی تلے دبا کر بھی تیری ہی طرح اپنے اردگرد ہر وقت محسوس کرتا۔۔۔ ماں کی دُعا۔۔۔ تیرے لوٹ آنے کی امید میں۔۔۔ ماں۔۔۔ تم۔۔۔ دُعا اور انتظار۔۔۔ بے قرار۔۔۔!

میرے پاس اور تھا ہی کیا۔۔۔ بس یہی کل اثاثہ تھا جو میں نے جلدی جلدی پیک کیا اور کئی بار پیک کیا۔ بار بار کھولا، دیکھا۔ اور ٹٹول ٹٹول کر دیکھا کہ شاید کچھ رہ نہ گیا ہو۔۔۔ پھر بند کر لیا۔ ماں کا دیا ہوا سامان تو میں نے ہینڈ کیری میں رکھ لیا۔ سوچا اتنی بڑی امانت میں کہیں ایئر لائن والے خیانت ہی نہ کر لیں۔

تمہیں تو معلوم ہے ناں کہ قیمت اشیاء کی نہیں اُن سے وابستہ جذبات کی ہوتی ہے۔ چاہے یہ انسان سے وابستہ ہوں یا انسان سے وابستہ اشیاء سے ہوں۔ بعض اوقات زندگی میں بالکل کسی عام شخص کے ساتھ وابستہ تمام اشیاء انتہائی قیمتی ہو جاتی ہیں۔ ایسا شخص جس میں کچھ بھی خاص نہیں ہوتا۔ رنگ، نسل، چہرہ، آنکھیں، باتیں، ملاقاتیں، راتیں۔۔۔ سب بالکل عام سی ہوتی ہیں مگر کوئی لمحہ، کوئی خاص بات، کوئی خاص ملاقات، یا قدرت کی طرف سے ہمارے اوپر مسلط کیے گئے خاص پیغامات اس شخص کی طرف ہمیں ''پُش'' کرتے ہیں اور وہ بالکل عام سا ہونے کے باوجود بالکل خاص ہو جاتا ہے۔۔۔ بالکل خاص۔۔۔ جس سے وابستہ ہو پھر، اُس کی ہنسی، مسکراہٹ، چلنا، مڑنا اور مڑ کے دیکھ کر مسکرانا، اس کا پہننا، اُس کے آنکھوں کے راستے دل میں اترنے والے پیغامات، جن راستوں سے وہ گزرا ہو اُس کی دھول۔۔۔ ماتھے کا پسینہ عطر و کافور لگتا ہے۔ قیمت شاید اُس انسان کی نہیں اُس سے وابستہ اشیاء کی نہیں بلکہ اُن جذبات اور لمحات کی ہوتی ہے جو اُس سے متعلق ہوتے ہیں۔ آپ سے

متعلق ہوتے ہیں اس لیے تو وہ لمحات انمول ہوتے ہیں۔۔۔جذبات انمول ہوتے ہیں اور جذبات کی قیمت اِس جہاں میں کوئی ادا نہیں کر سکتا۔ محبوب کے چہرے پر پیچھے مڑ کے دیکھ کر ہاتھ ہلاتے ہوئے وارد ہونے والی دھیمی سی مسکراہٹ کا بدل کل عالمین کی عنایات میں بھی نہیں۔۔۔!

میرے پاس تو کچھ بھی نہیں تھا۔ بس دو ملاقاتیں، انکار۔۔۔"ریجیکشن"۔۔۔ہجر ہی ہجر تھا وصال تو تھا نہیں۔ وصال تو میرے اندر تھا۔۔۔صبح وشام، دن رات ہر سانس اور ہر لمحے کا وصال تھا۔ اس خوبصورت اور مضطرب سفر میں میرے اندر بے شمار سوالات جنم لے رہے تھے۔ واہمے اور خوف۔۔۔ جہاز کے کیبن کا درجۂ حرارت۔۔۔مسافروں کے چہروں پر سفر کی اکتاہٹ۔۔۔اور جہاز کے اندر کا ارتعاش میرے جسم کے ارتعاش سے مل کر عجیب سی بے چینی پیدا کر رہا تھا۔ پیش آمدہ حالات کا انتظار۔۔۔دُور کی محبت کو قریب سے دیکھنے کا تیس سال کا مسلسل خواب۔۔۔ سچ ہونے جا رہا تھا۔

بڑوں سے اکثر سنتے آئے تھے کہ سچ ہمیشہ کڑوا ہوتا ہے۔ میں نے زندگی بھر کے خواب اپنے دماغ میں بڑے کیے تھے۔ بچے تو تھے نہیں بس ان خوابوں کی پرورش بچوں کی مانند کی۔۔۔جاگتی آنکھوں۔۔۔دن کی دھوپ۔۔۔یا منتظر آنکھوں کے ساتھ رات کی تاریکی میں۔۔۔نیند اور رتجگے میں۔۔۔نہ تم نظر سے اوجھل ہوئے اور نہ تمہارے خواب۔ جس طرح ہر انسان اولاد کی بابت خوش گمان ہوتا ہے اسی طرح میں اپنے خوابوں یعنی تمہاری بابت ہمیشہ خوش گمان رہا۔ ہر گزرتے لمحے کے ساتھ جب مایوسی کا احساس بڑھنے لگتا۔ اندھیروں اور ناامیدی کی آکاس بیل میرے ارد گرد اپنی تازہ "بُنتر" کے ساتھ مجھ تک پہنچنے والی امید کی روشنی کو محدود کرنے کی کوشش کرتی۔ تو میں اپنے اللہ سے یہ شکوہ کرتا۔۔۔بلکہ استدعا کرتا۔۔۔کیونکہ شکوہ کرنے کے لیے Frankness اور برابری کا تعلق ہونا ضروری ہے۔ جبکہ میرے جیسے باغی کا جس نے نہ کبھی سجدہ کیا، نہ رکوع اور نہ قیام کے لیے ہاتھ باندھے، نہ تسبیح کی نہ آدھی رات کو تقدیس بیان کی۔۔۔ایسے بندے کے ساتھ خدا کا محض تعلق ہونا ہی بڑی بات ہے۔۔۔! اُس تعلق کے بھروسے اور مان پر کہ میرا اللہ ہر کافر، آتش پرست، بت پرست، صابی، یہودی اور بچھڑے کو ماننے والے۔۔۔سب کو بلاتفریق نوازتا ہے۔ میں بھی سوچوں کے جنگل

سے نکل کر۔۔۔خوابوں کے ٹوٹنے سے ذرا پہلے، اپنے معصوم بچوں کی آخری ہچکی سے لمحہ بھر قبل۔۔۔ اللہ کے حضور اپنی تمام تر گندگی کے ساتھ۔۔۔مگر خلوصِ نیت سے استدعا کرتا ہوں کہ

میرے اللہ۔۔۔تو کہتا ہے کہ میں کسی شخص پر بھی اُس کی برداشت سے زیادہ بوجھ نہیں ڈالتا۔۔۔تو دیکھ میری برداشت ختم ہوتی جارہی ہے۔۔۔ میرے کندھے جھکے چلے جارہے ہیں۔۔۔بالوں میں۔۔۔سفیدی آگئی ہے۔۔۔ ہاتھوں میں رعشہ اور زبان میں لکنت آگئی ہے۔ میری مجھ پر گرفت کمزور ہوچکی ہے۔۔۔آنکھوں میں نا اُمیدی کے باعث یاس گھر کر گئی ہے۔اندر دھنسی ہوئی آنکھیں چڑیوں کا گھونسلہ تو بن سکتیں ہیں مگر شفاف آئینے نہیں۔ان میں موجود عکس ہمیشہ کے لیے ساکت ہو چکا ہے۔۔۔جم چکا ہے۔ پتھر ہو چکا ہے۔سرجری کی ضرورت تو اُس کو ہو جس نے کوئی نیا نظارہ۔۔۔کوئی منظر۔۔۔کوئی خوبصورت تخلیق سے آنکھوں کو منور کرنا ہو۔۔۔میرا نور، میرا سرور اور میرا طُور اور جلوۂ طُور تو میری آنکھوں کے راستے میرے دماغ اور اعصابی نظام کے ذریعے ایک ایک خلیے اور خون کی گردش کے ساتھ میرے جسم کے ہر چھوٹے سے چھوٹے ذرّے میں موجود ہے۔

میری امید اور حوصلہ ٹوٹ رہا ہے۔ برداشت ختم ہو رہی ہے۔اس لیے یا مجھے برداشت عطا کر۔۔۔یا میرا بوجھ گھٹا۔۔۔میری کمر جھکنے کے بعد اب ٹوٹنے کو ہے۔۔۔تو اے میرے خدا۔۔۔ عالمین کے رب، میرے حوصلہ اور برداشت کو بڑا کر۔۔۔میرا پیمانہ بڑھا دے۔۔۔تاکہ لبِ بام آکر۔۔۔ منزل پر آکر، میرے ہاتھ سے منزل نکل نہ جائے اور کہیں میں بھی اس عدمِ برداشت کی بدولت میرے سے نہ چاہتے ہوئے۔۔۔یاس میں۔۔۔عدمِ برداشت میں۔۔۔کوئی ایسی جلد بازی۔۔۔کوئی خطا سرزد نہ ہو جائے۔۔۔کوئی Excess نہ ہو جائے۔۔۔اوقات سے بڑی بات نہ ہو جائے۔۔۔کوئی ایسا گناہ نہ سرزد ہو جائے۔۔۔کوئی لغزش۔۔۔کسی بے دھیان غلطی سے۔۔۔تیرے کافروں میں شمار نہ کیا جاؤں۔۔۔منکر نہ کہلاؤں۔محبت کا منکر۔۔۔!

اللہ میاں چک لے مینوں
یا دُکھاں نوں واپس لے لے

محبت میں تجارت

وہ ذاتِ وحدت مجھے حوصلہ دیتی ہے۔ میں دوبارہ کسی انجانی سمت سے آنے والی روشنی، قوت اور طاقت کی لہر سے Energise ہوتا ہوں۔ میری سوچ کے بکھر جانے اور اُس Web کے ٹوٹے کنارے اور تار دوبارہ۔۔۔تارِ عنکبوت کی طرح آپس میں ملتے ہیں، کنکشن دوبارہ جڑتے ہیں۔۔۔ربط کا سلسلہ بحال ہوتا ہے۔ بن دیکھے اور کئی دہائیوں تک جدا جدا رہنے کے باوجود۔۔۔دوبارہ ایک تسلی اور حوصلہ ملتا ہے کہ وہ کہیں قریب ہی ہے۔سانس میں باس کی طرح۔۔۔میرے اردگرد۔۔۔یہیں کہیں۔۔۔پاس ہی۔۔۔دل کے پاس۔۔۔خون کے اندر گردش کرتی ہوئی۔۔۔جسم و جاں میں۔۔۔قہر اور اماں میں۔۔۔میرے پاس ہی تو ہے۔۔۔اچانک کہیں۔۔۔بلکہ میرے اندر سے نکل کر۔۔۔مجھ سے ظاہر ہو کر۔۔۔ابھی چھم سے میری آنکھوں پر ہاتھ رکھ کر پوچھے گی بوجھیں تو۔۔۔اور میں اسکے نرم و ملائم دونوں دودھیا ہاتھوں کو پکڑ کر چوم لوں گا اور بے اختیار کہوں گا۔۔۔بھلا جو ہر وقت ساتھ رہیں۔۔۔دل کے اندر لہو کی مانند گردش کریں دھڑکن کی طرح دھڑکیں۔۔۔خوشبو کی مانند آپ کے اردگرد تیرتے ہوئے اور سانس میں رچ بس گئے ہوں۔ اُن کو بھی سوچنے، بوجھنے اور پہچاننے کی ضرورت ہوتی ہے۔۔۔پگلی نہ ہو تو۔۔۔!

پھر وہ اپنے سرخ جوڑے میں میرے سامنے آ کر بیٹھ جاتی ہے۔۔۔میں اُس کے دونوں ہاتھ دیوانگی سے پکڑ کر چومتا ہوں۔۔۔وہ بڑے پیار سے کہتی ہے۔۔۔کیا پاگلوں والی حرکتیں کر رہے ہیں آپ۔۔۔میں آپ کے پاس ہی تو ہوں۔۔۔کہیں دور تھوڑی جا رہی ہوں۔۔۔کیا ہو گیا ہے آپ کو۔۔۔آپ کیوں ایسے کر رہے ہیں۔۔۔مجھے بعض اوقات آپ سے ڈر لگنا شروع ہو جاتا ہے۔۔۔ آپ سچ میں مجھ سے اتنی محبت کرتے ہیں۔۔۔؟اور میں اُس کے ہاتھوں کو اپنے ہاتھوں میں لیتے ہوئے اُس کی گہری مسکراتی آنکھوں میں دیکھ کر کہتا ہوں۔۔۔

محبت میں سچ جھوٹ کچھ نہیں ہوتا۔۔۔صرف محبت ہوتی ہے۔ صرف محبت۔۔۔ خالص۔۔۔بغیر کسی لالچ، نفع نقصان اور فہم و ادراک کے۔ یہ شعوری حرکت نہیں ہوتی۔ اس عمل میں کوئی

کام بھی سوچ کر نہیں ہوتا۔ یہ ایک خود کار نظام ہے۔It's a reflex action۔خود بخود بغیر کسی سوچ اور منصوبہ بندی کے ہوتی ہے۔ یہ بالکل ایسے ہے جیسے پاؤں میں کانٹا چبھے اور ہم خود بخود بغیر کسی جسمانی کاوش اعصابی اور دماغی حکم اور قلبی فیصلے کے۔۔۔سسکی بھرتے ہیں اور ایڑی خود بخود زمین سے اُٹھ جاتی ہے۔اسی طرح اس خود کار نظام میں محبت ہوتی ہے۔۔۔خود بخود۔۔۔بغیر کسی شعوری کوشش کے۔۔۔بغیر ارادے۔۔۔ بلامحنت۔۔۔ وگرنہ اگر سوچ کر کرنا مقصود ہوتو یہ عذاب کون پالے۔۔۔صدیوں کے دکھ چند لمحوں میں اُٹھانے کی ہمت۔۔۔سوچ کر انسان توبہ تائب ہو جاتا۔۔۔اس سفر کے دکھ اور تکالیف کو دیکھ کر کوئی ذی ہوش انسان اس گناہِ کبیرہ کا سودا پال کر گلی گلی پتھروں سے اپنی ذات کے حصے پرزے نہ ٹھکوا رہا ہوتا۔ نہ ٹھوکروں پر دھرا ہوتا۔۔۔

محبت میں نفع ونقصان نہیں دیکھا جاتا۔۔۔بس محبت کی جاتی ہے۔۔۔ذات سے نکل کر، مقام سے نکل کر، زمان اور مکان سے بڑھ کر۔۔۔اس لیے میری جان جو خود بخود ہو جائے وہ محبت اور جو سوچ سمجھ کر ہو وہ تجارت ہوتی ہے۔

میں محبت کی تجارت اور تجارت کی محبت میں اُس کو سامنے بٹھا کر محوِ گفتگو تھا کہ ایک نرم ونازک سنہرے بالوں والی فضائی میزبان نے ہاتھ کے اشارے اور منہ کے نقارے سے اپنی سریلی انگریزی زبان میں کہا سیٹ بیلٹ پلیز۔۔۔!

میں اپنے خوابوں کے طویل تر مگر مختصر سفر سے آنِ واحد میں واپس گوشت پوست کی حقیقی دنیا میں آموجود ہوا۔ مجھے ایسا محسوس ہو رہا تھا جیسے کچھ وقت کے لیے میں ٹائم مشین میں بیٹھ کر کوئی تیس سال پہلے کے وقت میں جا مقیم ہوا تھا جہاں میں اُردو کی کلاس میں موجود۔۔۔''کومل'' سے محوِ گفتگو اور برس ہا برس کے خواب دیکھنے میں مصروف تھا۔ کہ اچانک میری زبردستی کی میزبان نے اپنے اخلاقی فرض یا فرضی اخلاق سے مجبور ہو کر دوبارہ مجھے واپسی کے سفر پر لا موجود کیا تھا اور میں ایک بار پھر حقیقتِ حال میں اپنے اردگرد نظر دوڑانے اور وصل کے لیے مزید آٹھ گھنٹے کا انتظار کرنے پر مجبور ہو گیا تھا۔

انتظار۔۔۔لمحہ لمحہ موت۔۔۔قطرہ قطرہ زندگی!

انتظار زندگی کا ہو یا موت کا۔طویل تر مگر مختصر یا مختصر مگر طویل تر۔۔۔ہر ایک انتظار۔۔۔مسلسل موت ہوتا ہے۔لمحہ لمحہ موت۔۔۔قطرہ قطرہ زندگی! انسان اپنے ارد گرد نظر دوڑاتا ہے۔ موجود سے دل لگانے کی کوشش کرتا ہے۔۔۔انسانوں کے چہروں سے انسانیت اُدھار لے کر اپنی بے بسی کے لمحے کم کر کے۔۔۔جنت کے کچھ پل مستعار لیتا ہے۔بے قرار روح کے لیے قرار لیتا ہے۔ دوسروں کی بے زاری، عدم توجہی اور اپنی اپنی ذات میں مگن زندگی کو دیکھ کر ایک دکھ کا اظہار کرتا ہے۔۔۔ لمبی سانس لیتا ہے۔۔۔خود سے نفرت کے ساتھ ساتھ ماحول سے بھی متنفر ہو جاتا ہے۔۔۔حال سے فرار تلاش کرتا ہے۔۔۔انسان سے نفرت کر کے ذات میں گم ہونے کی کوشش کرتا ہے۔اپنے اندر سے ملاقات کرنے کی کوشش کرتا ہے۔جب تمام چہروں، نظروں، جسموں سے مایوس ہوتا ہے تمام عارضی پناہ گاہوں سے ناامید ہو جاتا ہے۔۔۔تو اپنی ذات سے ملاقات کرتا ہے۔اپنے اندر دھیان کرتا ہے۔۔۔خود سے ملاپ کرتا ہے سوال و جواب کرتا ہے۔۔۔اور جب تمام دنیاوی واسطوں سے لاتعلق ہو جاتا ہے۔۔۔صرف تعلقِ ذات میں کھو جاتا ہے۔۔۔تب وقت تھم جاتا ہے۔۔۔انتظار ختم ہو جاتا ہے۔۔۔زندگی رک جاتی ہے۔زمانوں پر کنٹرول حاصل ہو جاتا ہے۔ذات سے مل کر حاصلِ ذات سے ملتا ہے پاک سے ملتا ہے۔۔۔خالقِ کائنات سے ملتا ہے۔

ائیر ہوسٹس کی اُوٹ پٹانگ حرکات، بیلٹ کا بکل، مختلف رنگوں کی کتابوں کی نمائش، پلاسٹک کی مختلف بوتلیں اور نالیاں، سامنے کی سیٹ کی پشت پر سکرین کے بدلتے رنگ۔۔۔ننگی ٹانگیں۔۔۔ میرون کیپ۔۔۔ساتھ والی سیٹ پر بیٹھی انتہائی سرخ و سفید قندھاری انار جیسی شفاف میم اور اس کے بیگ کی ''کھٹر پٹر'' سے مجھے بالکل کوئی دلچسپی نہ تھی اور ہوتی بھی کیوں۔۔۔جب اس جہاز میں کسی کو میری تیس سال کی عبادت۔۔۔انتظار اور اپنی قسمت اور ستاروں کے اعتبار سے کوئی دلچسپی نہیں تھی۔جب کسی کو بھی میرے لرزتے ہاتھوں۔۔۔ زردی مائل گالوں پہ لوٹ آنے والی سرخی۔۔۔مدتوں بعد پہنے جانے والے نئے لباس۔۔۔اور پوشاک۔۔۔اور آنکھوں کے دھندلے

جالوں سے پاک۔۔۔ صاف ستھرے۔۔۔ چمکتے ہوئے آئینوں کا ادراک نہ تھا۔۔۔ خیال نہ تھا۔۔۔ احساس نہ تھا۔ تو پھر بھلا میں ان کے رنگ و رخسار سے اثر کیوں کر لیتا اور ویسے بھی میں اس وقت ذات اور حاصلِ ذات سے باہر سوچنے اور سمجھنے سے قاصر اور عاجز تھا۔

میرا دل کر رہا تھا کہ ہر کوئی مجھ سے پوچھے۔۔۔ مجھے دیکھ کر محسوس کرے۔۔۔ میری دھڑکن کو سن کر جان جائے۔۔۔ میرے سانس کے زیر و بم سے اندازہ لگا لے۔ کہ آج میں اپنی ابدی جنت کی طرف روانہ ہونے والا ہوں۔ میرا انتظار ختم ہونے والا ہے۔۔۔ چند گھنٹے کی مسافت اور ہزاروں میل کا سفر سمٹ جانے والا ہے۔ کوئی مل جانے والا ہے۔ خواب کی تعبیر ہونے جا رہی ہے۔ عالمِ ارواح میں کیا جانے والا وعدہ عالمِ اجسام میں تکمیل پا رہا ہے۔ لوگ میری خوشیوں پر شادیانے بجاتے۔۔۔ میری خوشی کے ساتھ خوشی مناتے۔۔۔ جھومتے اور لہراتے۔۔۔

میری ماں قبر سے نکل کر آتی ''اور کہتی'' احمد'' بیٹے میں بھی تیرے ساتھ چلتی ہوں۔ تیری زندگی گزر گئی جس زندگی کے لیے، اُس زندگی کو دیکھنے میں بھی تیرے ساتھ چلتی ہوں۔۔۔ تیرے کڑے، ٹیکا اور کانٹے مجھے خود نکال کر دیتی۔ تیرا سرخ سوٹ خود میرے سوٹ کیس میں ڈالتی۔۔۔ تیرا ماتھا چومتی، تجھے دیکھ کر تیری نظر اُتارتی، صدقہ دیتی۔۔۔ تیرے سر سے کچھ روپے سات دفعہ وارتی۔۔۔ اپنے اُنہی لرزتے ہاتھوں اور محبت بھرے جذبات کے ساتھ تیرے سر پر پیار دیتی۔۔۔ جو ہاتھ۔۔۔ اُٹھے رہ گئے۔۔۔ دعائیں مانگتے رہ گئے۔۔۔ خدا سے تجھے مانگتے رہ گئے۔ قبر میں۔۔۔ مٹی ہو گئے۔۔۔ ماں کے ارمان اور دُعائیں سب پوری ہو گئیں۔۔۔ مگر ماں قبر میں کھو گئی۔۔۔ میرے سہرے۔۔۔ تیرے گہنے۔۔۔ سب مسکین ہو گئے۔۔۔ سب کے لاڈ پیار مٹی کے ساتھ مٹی ہو گئے۔۔۔ میں زندگی کے خوبصورت ترین سفر پر، ایک ایسے سفر پر جس کی خواہش اور تصور میں زندگی۔۔۔ زندگی سے دور ہو کر رہ گئی تھی۔۔۔ میں اکیلا۔۔۔ تنہا۔۔۔ انہی تنہائی کے غموں اور غموں میں تنہائی کے دکھ کاٹنے کے بعد۔۔۔ سکھ کی دیوی کی طرف قدم وا کرنے اور اُس کے قدموں میں زندگی کے بقیہ دن نثار کرنے کے لیے۔۔۔ جب میں اپنی ابدی خوشی کے حصول کے لیے روانہ ہوا تو ایک بار پھر میں اکیلا تھا۔۔۔ بالکل اکیلا۔۔۔!

سُکھ میں دُکھ اور دُکھ میں سُکھ

زندگی میں دکھ دینے والے بے شمار اور خوشیاں بانٹنے والے قلیل ہوتے ہیں بلکہ خوشیوں میں ساتھ چلنے والے بھی میسر نہیں آتے۔ انسان بہت خود غرض ہے۔ اپنی ذات کے حصار سے۔۔۔ خود پسندی سے باہر نکلتا ہی نہیں۔۔۔ کسی کی خوشی تو دور کی بات دکھ میں بھی آسرا نہیں دیتا۔ بلکہ ہم شاید اپنی فطرت کے خلاف۔۔۔ اندر کے حیوان کی مرضی کے عین مطابق۔۔۔ خوشی میں دکھ دینے کی بھرپور کوشش کرتے ہیں۔۔۔ اس میں سے کیڑے نکالنے کی کوشش کرتے ہیں۔۔۔ نقص نکالتے ہیں۔۔۔ اور دوسرے کو۔۔۔ دکھ اور تکلیف میں دیکھ کر طعنہ زنی کرتے ہیں۔۔۔ زبان سے اقرار نہ بھی کریں اندر سے خوشی کا جوالا مکھی ضرور پھوٹ رہا ہوتا ہے۔۔۔ فطرت اور مذہب تو دکھ بانٹنے کا درس دیتے ہیں۔۔۔ مگر ہم تقسیم کی بجائے ان کو ضرب دیتے ہیں۔۔۔ اضافہ کرتے ہیں۔۔۔ اس لئے انسان سب کچھ ہونے کے باوجود ہمیشہ اکیلا ہوتا ہے۔۔۔ دکھ میں بھی اور سکھ میں بھی۔ وہ ادھر ادھر ڈھونڈھتا ضرور ہے۔۔۔ آوازیں دیتا ہے۔۔۔ پکارتا ہے۔۔۔ ترلے ڈالتا ہے کہ کوئی تو اس کی خوشیوں کے پھول دیکھنے کے لئے آجائے۔۔۔ وہ کہتا ہے

''میں آپ سے کچھ نہیں مانگوں گا۔۔۔ نہ دولت، نہ تحفہ، نہ پھول، نہ مالا۔۔۔ صرف میرے ساتھ چلو۔۔۔ میری خوشی کو دیکھو۔۔۔ میرے ساتھ میری خوشیوں کو Celebrate کرو۔۔۔'' مگر شومئی قسمت کوئی بے لوث، بے غرض، صرف محبت لے کر۔۔۔ اس کی خوشی اور غم میں کندھا دینے کے لئے بھی نہیں آتا۔۔۔ وہ اکیلا آتا ہے۔۔۔ اکیلا رہتا ہے۔۔۔ اکیلا چلا جاتا ہے۔۔۔ عالمِ ارواح سے مثال اور اجسام اور دوبارہ ارواح تک کا سفر۔۔۔ تنہا اکیلا۔۔۔ میں اور میرے دُکھ سُکھ۔۔۔

دکھ کے بعد سکھ نصیب ہو یا سکھ کے بعد دکھ۔۔۔ تناسب ایک ہی رہتا ہے اس لیے انسان کو دکھ کے بعد سکھ اور سکھ کے بعد دکھ کے لیے تیار رہنا چاہیے۔۔۔ اور ہر دو کو اگر منجانب اللہ تصور کر لیں تو زندگی رنج و الم میں بھی سکھ سے گزر جاتی ہے۔۔۔ وگرنہ انسان سُکھ میں بھی دُکھی رہتا ہے۔۔۔ ضرورت صرف توکّل کی ہوتی ہے۔۔۔ مگر شکر کرنے والے یقیناً کم ہوتے ہیں۔۔۔!

میرے دکھ کے ساتھی۔۔۔خشک آنکھوں کے پرنالوں کی آخری کمائی دو آنسو اور سالہا سال کی ویرانی کے بعد۔۔۔اُس سفر کی خوشی کی کمائی بھی دو آنسو تھے جو میرے گالوں سے الجھ کر میرے گریبان میں جذب ہو کر میرے دکھوں کی طرح آنِ واحد میں لاپتہ ہو گئے تھے۔

اپنے اردگرد سے بیزار ہو کر میں نے بار بار گھڑی کی طرف دیکھا۔۔۔پاکستان سٹینڈرڈ ٹائم اور منزل کے وقت میں فرق ذرا کم محسوس ہوتا تھا۔اس لیے دل کو ایک نامعلوم اور غیر محسوس جھوٹی تسلی کی خاطر اپنی گھڑی کے وقت کو جرمنی کے وقت کے مطابق نہ کیا تا کہ میں یہ محسوس کرتا رہوں کہ بغیر مسافت طے کیے بھی منزل قریب آ رہی ہے۔ بے بس انسان کتنا سادہ اور معصوم ہوتا ہے۔سب کچھ جانتے بوجھتے ہوئے بھی خود کو طفل تسلی دیتا رہتا ہے۔سو میں بھی اس طفل تسلی کے ساتھ دل کو بہلانے کی کاوش میں مصروف تھا۔۔۔

جہاز کی مسلسل گھوں۔۔۔گھوں۔۔۔ہلکی ہلکی لرزش۔۔۔دروازے بند۔۔۔کھڑکی کے شٹر کھولنے کے بعد باہر چلتے ہوئے رواں دواں جہاز۔۔۔گاڑیاں اور جہازی زینے۔۔۔اڑان بھرنے کی تیز آواز کے ساتھ جہاز ایک لمبا چکر لے کر سیدھا ہوا۔۔۔تمام انجن یک دم شور کرنے لگے۔۔۔رفتار میں تیزی۔۔۔تھرتھراہٹ۔۔۔ پہیّوں کی ٹھک ٹھک۔۔۔ انجن کی گڑ گڑاہٹ۔۔۔بے وزنی Weightlessness کی کیفیت۔۔۔جہاز کے اندر سب اپنی اپنی سیٹوں کے ساتھ چمٹے ہوئے۔۔۔اندر کا سکوت۔۔۔اور جہاز دھیرے دھیرے سیدھا ہوتا ہوا۔۔۔انسان پہلے بونے اور پھر کیڑے مکوڑے اور پھر نظر آنا بند ہو گئے۔۔۔تاریکی۔۔۔بادل۔۔۔اور بادلوں سے اوپر۔۔۔مختلف رنگ۔۔۔شکل کے بادلوں کے ٹولے ادھر اُدھر سلامی دیتے ہوئے ٹھاٹھیں مار رہے تھے۔

بادلوں کی اپنی ایک کہانی ہے۔انسان کی سوچ کا اثر ہوتا ہے یا قدرت کی مہربانی کارفرما ہوتی ہے یہ تو معلوم نہیں۔۔۔مگر آپ جن حالات میں سے گزر رہے ہوں۔۔۔ایسا محسوس ہوتا ہے جیسے بادل بھی بالکل آپ کے مطابق چل رہے ہوتے ہیں۔۔۔ویسے ہی شکلیں، صورتیں اور ہیئتیں بدلتے رہتے ہیں۔۔۔آپ کی سوچ میں ڈھلتے رہتے ہیں۔آسمان پر ویسے ہی نقش ونگار بناتے رہتے ہیں جیسے آپ کی سوچ میں ہوتے ہیں اور انسان اس اتفاق پر مسکراتا ہے۔ حیران بھی ہوتا ہے اور خوش

بھی۔۔۔بادلوں کی نیلی، سرمئی اور سیاہ ٹکڑیاں۔۔۔میرے ساتھ بھی ایسے ہی سینما سکوپ کھیل رہی تھیں جیسے سٹیج شو پر مختلف فنکار۔۔۔مختلف بہروپ اور روپ میں میرے سامنے پھر رہے تھے۔وہ سارے رنگ اور آہنگ سجا رہے تھے جو میں دیکھنا چاہتا تھا۔سوچ رہا تھا۔۔۔میرے خیالات اور میرے دماغ میں تھا۔۔۔میں ''کومل'' کو ان بادلوں پر تیرتے دیکھتا۔۔۔وہ ہنستی ہوئی آتی میرے قریب کھڑکی سے دیکھ کر میری آنکھوں میں دیکھتی، دھیرے سے نرم سرخ ہونٹوں سے مسکراہٹ بکھیرتی۔۔۔ساری فضا کو خوبصورت کر دیتی اور۔۔۔سورج کی لال سنہری کرنوں کے ساتھ اور بھی سونا ہوتی ہوئی۔۔۔ہاتھ ہلاتی۔۔۔اور مسکراتی آنکھوں کے ساتھ۔۔۔پھر کہیں گم ہو جاتی۔۔۔اور میں بادلوں پر چلتا ہوا اس کے پیچھے بھاگتا۔۔۔دھوئیں سے بادلوں میں ہاتھ مارتا۔۔۔اس کو ڈھونڈتا۔۔۔اور میرے ہاتھ میں صرف۔۔۔دھواں۔۔۔مٹھی سے نکل نکل جاتا۔۔۔اور میں سر جھٹک کر اِدھر اُدھر دیکھتا۔۔۔حقیقت کو محسوس کرتا اور پھر۔۔۔مسکرا کر رہ جاتا۔۔۔اور دوبارہ اس کو اِدھر اُدھر تلاش کرنے میں مصروف ہو جاتا۔۔۔

میں، بادل، سورج اور ''کومل''۔۔۔سفر کرتے رہے۔۔۔باتیں کرتے رہے۔۔۔اور میں جب تھک کر واپس جہاز کے اندر آتا تو میری نظر فی الفور اپنی کلائی کی گھڑی پر پڑتی۔۔۔جیسے ابھی صرف چند لمحے ہی گزرے ہوں۔۔۔بار بار گھڑی کی سوئیوں جہاز کے سکوت۔۔۔اور ہلکی ہلکی گھوں گھوں میں مجھے ایسے احساس ہوتا تھا جیسے جہاز ساکت ہو گیا ہو۔اور منزل ٹھہر گئی ہو۔۔۔

ہم سفروں کی طرف جب نگاہ ڈالتا تو مجھے ایسا محسوس ہوتا جیسے تمام لوگ میرے ساتھ سفر میں تھے۔۔۔اور میرے پیچھے پیچھے باراتیوں اور مصاحبوں کی مانند۔۔۔''کومل'' کے لیے بادلوں پر اڑانیں بھر رہے ہوں۔۔۔جیسے سارے لوگ ہی میرے ہمراز اور ہمزاد ہوں۔لاکھ چھپائیں۔۔۔عشق کی بے چینی کہاں چھپتی ہے۔۔۔مجھے لگتا جیسے جہاز کے اندر کے تمام مسافر بھی ابھی میرے ساتھ ہی اپنی اپنی سیٹ پر بیٹھے ہوں اور سانس درست کر رہے ہوں۔۔۔اور میرے چہرے پر موجود یاس اور امید کے درمیان تسلی دے رہے ہوں کہ صبر کرو۔۔۔منزل قریب شُد۔۔۔اور میں ان کی آنکھوں اور چہروں پر لکھی عبارت کے باوجود۔۔۔سرنیہوڑائے۔۔۔آنِ واحد میں۔۔۔جرمنی پہنچنے کا سوچ کر ایک بار پھر۔۔۔

ہونٹ چبانے لگا۔۔۔اور پہلو بدلنے لگا۔۔۔ایک اضطراب۔۔۔خواب۔۔۔عذاب۔۔۔بے حساب۔۔۔!

انتظار۔۔۔وسواس اور سُپر نووا

منتظر آنکھوں کا اضطراب بڑھتا جا رہا تھا۔ اضطراب اور اِنتظار میں جو سب سے بڑا چیلنج درپیش ہوتا ہے وہ انہونی کا خوف ہوتا ہے۔۔۔Fear of Unknown۔۔۔نہ جانے کیا ہو جائے۔۔۔اگر میں وہاں ائیر پورٹ سے اُتروں اور وہ مجھے لینے نہ آئے تو۔۔۔؟ اگر وہ یہ کہہ دے کہ میں تو انتظار کر کے تھک گئی اور میں نے فیصلہ بدل لیا ہے۔۔۔؟ کیونکہ میں نا امید ہوگئی تھی۔۔۔بھلا تیس سال کے بعد تین بچوں کے جہیز پر مشتمل بنجر اور اُجاڑ کھنڈر میں زندگی بسر کرنے کے لیے کون اہلِ دانش اور صاحبِ فراست ہزاروں میل کی مسافت طے کر کے اور اپنی Settle زندگی اور نوکری سب چھوڑ کر آئے گا۔۔۔

میں تو سمجھی تھی کہ آپ نے ازراہِ تفنن ہاں کر دی وگرنہ مجھے ذرّہ برابر بھی آپ کے آنے کا یقین اور امید نہیں تھی۔۔۔اور آپ ہی سوچیں بھلا کون اس پاگل پن پر یقین کر سکتا ہے۔۔۔

میں دل ہی دل میں اس کو جواب بھی دے دیتا کہ۔۔۔

بی بی احمد سے بڑا پاگل کون ملے گا تمہیں۔۔۔دیکھ لو۔۔۔میں تو آ گیا۔۔۔اب واپس چار کندھوں یا لکڑی کے ڈبے میں بند کر کے بھیج دو۔۔۔دو ٹانگوں میں اتنی سکت نہیں ہے۔۔۔

پھر میں سوچتا کہ ہو سکتا ہے وہ پہلے ہی کسی کے ساتھ کھڑی ہو اور کہہ دے کہ یہ میرے Husband ہیں۔۔۔؟

وسواس، واہمے اور شکوک وشبہات، Far Fetched Ideas، سے دماغ میں ایک Fusion کا عمل شروع ہو جاتا ہے۔۔۔اور اگر انسان کے ساتھ خالق نہ ہو تو اس عملِ انشقاق کے نتیجہ میں اتنی توانائی پیدا ہوتی ہے کہ انسان کا دماغ برداشت نہیں کر سکتا۔۔۔یہ تیئس فیصد ڈارک میٹر (Dark Matter) اور تہتّر فیصد ڈارک انرجی لگتا ہے انسان کے اندر آ جاتی ہے مادہ سے پرے

اور Out of nothing پیدا ہونے والی یہ قوت اور مادہ جو فوٹان اور نیوکلی کے ملنے سے لیپٹانز بناتے ہیں۔۔۔ الیکٹرانز اور پازیٹران بناتے ہیں۔۔۔ غیر مادہ سے مادہ تخلیق کرتے ہیں۔۔۔ یہ ڈارک انرجی۔۔۔ قوت کا منبع پوری کائنات کو چلانے والا۔۔۔ انسان کے دماغ میں پھٹتا ہے۔۔۔ بالکل ایسے ہی جیسے کسی ستارے کی موت کے وقت ایک شدید دھماکہ ہوتا ہے۔۔۔ آگ نکلتی ہے۔۔۔ شدید آگ سرخ وسیاہ۔۔۔ ٹکڑے ٹکڑے کر دیتی ہے۔ سب مادہ کا ذرّہ ذرّہ فنا ہو جاتا ہے۔۔۔ یہی سُپر نووا (Super Nova)۔۔۔ دھماکہ انسان کے اندر نمو پذیر ہوتا ہے۔۔۔ انسان ختم ہو جاتا ہے۔۔۔ جل جاتا ہے۔۔۔ فنا ہو جاتا ہے۔۔۔ ذات ختم ہو جاتی ہے۔۔۔ نیا انسان جنم لیتا ہے۔ اعصابی نظام کے تمام تار بالکل اس طرح جل کر راکھ ہو جاتے ہیں جس طرح 220 وولٹ کی تاروں میں اچانک 11000KVA کا کرنٹ آجائے تو نہ صرف ٹرانسمیشن لائنیں جل کر خاکستر ہو جاتی ہیں، پٹاخے مارنا شروع کر دیتی ہیں، شعلے اگلنا شروع کر دیتی ہیں بلکہ اُن سے وابستہ تمام بلب، AC، فریج، TV سب جل جاتا ہے۔ یہی حال وسواس کی صورت میں انسانی دماغ کا ہوتا ہے۔

ایسے وقت میں صرف **"لَاحَوْلَ وَلَا قُوَّۃَ"**، **"اَسْتَغْفِرُاللّٰہ"**۔۔۔ یا "اللّٰہ ھُو" کا نعرہ مستانہ ہی۔۔۔ انسان کو مکمل تباہی اور Brain Hemorrhage سے بچا سکتا ہے وگرنہ جسم کا ریشہ ریشہ جل کر راکھ ہو جاتا ہے۔ آنِ واحد میں۔

میرے مسلسل وسواس کی بدولت میرے دماغ میں درد کی لہریں حرکت کر رہی تھیں۔ پیٹ میں عجیب سے Cramps پڑ رہے تھے۔ Anxiety Disorder سے پسینہ، پیٹ کی گڑگڑ، ہاتھوں کی کپکپاہٹ میں مزید اضافہ ہو رہا تھا۔ مجھے بار بار واش روم کی طرف جانا پڑ رہا تھا۔۔۔ میرے خیالات منتشر اور جسم مضطرب تھا۔۔۔ مگر وقت کٹنے کا نام نہیں لے رہا تھا۔

جہاز کی اندرونی روشنیوں کے مدھم ہونے کے ساتھ ہی ہمراہی سیٹوں پر سیدھے ہو گئے مگر میری آنکھوں سے نیند کوسوں دور۔۔۔ اور دیارِ غیر کی سرزمین۔۔۔ اور بے شمار سوالات۔۔۔ بار بار سر جھٹکنے کے باوجود سامری جادوگر کے اژدھوں کی طرح حملہ آور ہو رہے تھے۔ بارہا آرام دہ مخملیں سیٹ کے ساتھ سر ٹکا کر آنکھیں بند کرنے کی کوشش کی۔۔۔ مگر مجھے تو کھلی آنکھوں خیالات کا اژدھام

گھیرے ہوئے تھا۔ بند آنکھوں تو میرا دماغ ہی پھٹ جاتا۔۔۔بے شمار فلموں، رنگ دار میگزین اور رسالوں کے باوجود دل بہل کر نہیں دے رہا تھا۔ ایک بے صبری لاحق تھی۔ مسلسل بے صبری میرے اندر باہر اور سر سے پاؤں تک مجھ پر طاری تھی۔۔۔میری سوچ اور حواس اور سانس پر بھاری تھی۔

سیٹ کے ساتھ لگے مختلف بٹنوں میں الجھنے کی کوشش کی۔۔۔سیٹ کے سامنے لگی سکرین کو بھی ہر طرح سے آزمایا۔۔۔کارٹون۔۔۔انگریزی۔۔۔اُردو ہر طرح کی فلم کو مرکزِ نگاہ بنانے کی کوشش کی۔ سامنے پاکٹ میں موجود تمام ضروری سفری ہدایات کے کتابچے الٹ پلٹ کر دیکھے۔۔۔ڈیوٹی فری سے ملنے والی اشیاء کی کوالٹی اور قیمتوں کا جائزہ بھی لیا۔۔۔کانوں پر ہیڈ فون چڑھا کر دیکھا۔۔۔مگر جو پارہ دماغ میں اور نس نس میں چڑھا تھا۔۔۔اس کا تریاق ان میں سے کسی میں بھی نہیں تھا۔۔۔الجھن۔۔۔سوچیں۔۔۔اضطراب۔۔۔اور پھر بے بسی۔۔۔!

صبر و شکر۔۔۔دکھ کی تقسیم اور محبت کی ضرب

صبر انبیاء کا شیوہ، اولیاء کا طریقہ اور درویشوں فقیروں کا قرینہ ہے دنیا داروں کا بھلا اس سے کیا تعلق۔۔۔ یہ جان جوکھم کا کام ہے۔۔۔یہ آسان اور آسانیوں کا راستہ نہیں۔۔۔انسان تو گنہگار ہے۔۔۔جو حاصل نہ ہو۔۔۔دسترس سے دور ہو یا جس پر کوئی اختیار نہ ہو۔۔۔جب وہ نہ ملے یا مالک دے کر واپس لے لے تو اس پر صبر نہیں کر سکتا۔۔۔شکوہ کی گردان صبح و شام کرتا ہے۔۔۔دہائی دیتا ہے۔۔۔جیسے کمائی لٹ گئی۔۔۔حالانکہ اس میں انسان کا اپنا کچھ بھی نہیں ہوتا۔۔۔جس کا تھا وہ لے گیا۔۔۔جو چیز آپ کی اپنی نہیں تھی اس کے جانے کا دکھ کیا۔۔۔؟

صبر تو اس پر کرنا چاہیے جو آپ کا ہو۔۔۔عطا کیا گیا ہو اور آپ دوسروں میں ضرورت مندوں میں تقسیم کر دیں۔۔۔سب کچھ لٹا دیں۔۔۔سب لوٹا دیں۔ جس نے دیا تھا اس کے بندوں میں لٹا دیں اور اسکے بندوں کو لوٹا دیں اور پھر صبر کریں۔۔۔اپنے مطمئن حال پر صبر کریں بلکہ شکر کریں۔ عطا کا شکر۔۔۔اور عطا کے بعد لوگوں میں تقسیم کرنے کی ہمت کا شکر۔۔۔

ہم دنیا دار تو کسی کو مفت میں بیماری نہیں دیتے۔۔۔ زر و جواہرات دینے کے لیے تو اندر کے لوبھی کتے کو۔۔۔ ہریس جانور کو مارنا پڑتا ہے۔۔۔ ختم کرنا پڑتا ہے۔۔۔ اللہ والے صبر نہیں شکر کرتے ہیں۔ سب حاصل کو لوٹا کر شکر کرتے ہیں۔۔۔ کیونکہ انکو مال و اسباب نہیں۔۔۔ اس کے مالک کی طلب ہوتی ہے۔ خالق کی طلب ہوتی ہے۔۔۔

جو چیز آپ کے پاس ہے ہی نہیں اس پر آپ کا اختیار ہی نہیں ہے تو اس پر آپ صبر کے علاوہ اور کیا کر سکتے ہیں۔ کیونکہ وہ آپ کی پہنچ میں نہیں اس لیے آپ یا چھین لیں یا صبر کریں۔۔۔ جو چیز آپ کے پاس ہو۔۔۔ تصرف میں ہو۔۔۔ اختیار میں ہو۔۔۔ وہ دوسروں کو دینے۔۔۔ ضرورت مندوں کو دینے کے بعد صبر کرنا دراصل۔۔۔ اصل کارنامہ ہے۔ حاصل کو چھپا کر رکھنا ہوس اور دوسروں میں تقسیم کر کے خوش ہونا قناعت ہے۔۔۔ محبت ہے۔۔۔ شکر ہے۔۔۔ صبر ہے۔

ہندو، سکھ، عیسائی اور مسلمان کسی سے بھی خدا اپنے لیے کچھ طلب نہیں کرتا کبھی نہیں کہتا میرے نام کی تسبیح کرو، سجدے کرو۔۔۔ قربانی دو۔۔۔ پیسے دو۔۔۔ وہ کہتا ہے ذکر کرو گے تو تمہاری روح پاک ہوگی۔۔۔ شکر اور صبر کرو گے تو قلب کو سکون ملے گا۔۔۔ رکوع و سجود کرو گے تو جسم کی تطہیر ہوگی۔۔۔ روحانی، بدنی اور قلبی عبادتوں سے ان کو ہی فائدہ ہوتا ہے جو عبادت کرتے ہیں۔ وہ کبھی نہیں کہتا کہ زکوٰۃ کے پیسے آسمان پر بھجوا دو۔۔۔ نہ قربانی اور صدقہ کا گوشت کہتا ہے کہ آسمان کی طرف پھینکو اور میں رکھ لوں گا۔۔۔ وہ تو کہتا ہے کہ میں نے تمہیں ہر نعمت دی ہے، ہر سہولت دی ہے، ہر آرام اور انعام دیا ہے اور بدلہ میں، میں اپنے لیے کچھ نہیں چاہتا۔۔۔ میں تو صرف یہ چاہتا ہوں کہ اپنے جیسے انسان کا خیال رکھو۔۔۔ ننگے کو کپڑے دو۔۔۔ بھوکے کو کھانا دو۔۔۔ محبتیں تقسیم کرو بلکہ ضرب کرو۔۔۔ اضافہ کرو۔۔۔ زیادہ کرو۔۔۔ ضرب دے کر ان کی بہتات کرو۔۔۔ دکھ تقسیم کر لو۔۔۔ بانٹ لو۔۔۔ کم کر لو۔۔۔ محبت واحد چیز ہے جو تقسیم کرنے سے ضرب ہوتی ہے، پھیلتی ہے۔۔۔ بڑھوتری ہوتی ہے۔۔۔۔!

صبر انبیاء کی صفت ہے۔ سب کچھ بس میں ہونے کے باوجود۔۔۔ دسترس میں ہونے

کے باوجود راضی بہ رضا رہنا صبر ہے۔ ہم انسان تو بے بس ہو کر بھی صبر نہیں کرتے۔۔۔ دراصل ہم جب اپنے تمام عارضی وسیلے۔۔۔ حیلے اور طریقے استعمال کر کے ہار جاتے ہیں تو پھر کہتے ہیں۔۔۔ اللہ میں نے صبر کیا۔۔۔ اس منزل پہ بھی شاید کم لوگ ہی پہنچتے ہیں۔۔۔ زیادہ تر تو اس بے بسی کے بعد بھی صبر کم اور شکوہ زیادہ کرتے ہیں۔۔۔ اور میرا خود ویسے بھی مذہب سے کوئی خاطر خواہ تعلق نہیں۔۔۔ اور میں صرف نام کا ہی مسلمان ہوں۔۔۔ اس لیے میں صبر کی بجائے۔۔۔ بے بسی میں شکوہ کرتا ہوں۔۔۔ اور اکثر کرتا ہوں۔ کیونکہ میں ایک عام گوشت پوست کا خواہش بھرا انسان۔۔۔ بھلا صبر کیسے کر سکتا ہوں۔۔۔ میری بے صبری تو لازمی ہے۔۔۔

وصل۔۔۔طُور۔۔۔نور

وصل کی تانگ انسان کی جبلت میں ہے۔ اس لیے خواہشِ وصل اور ملاپ کی مسرت ہر ذی روح میں موجود ہے۔ حیوانات ونباتات، جمادات وحشرات، جمرات وحجرات اور جنات ودیگر ارب ہا مخلوقات سب وصل کا جذبہ لیکر اس کی تکمیل کے مراحل طے کرنے کی کوشش کرتے رہتے ہیں اور اپنی ارضی زندگی اور طبعی عمر کا زیادہ حصّہ اس جذبۂ صادق اور الٰہی صفت کی تکمیل اور تسکین میں بسر کرتے ہیں۔ حصول کی یہ خواہش ملاپ کی یہ کاوش صرف انسانوں تک محدود نہیں۔ تخلیقِ کائنات، نورِ محمدی ﷺ، عالمِ ارواح، عالمِ مثال، سدرۃ المنتہٰی، قابِ قوسین، طُور اور منصور، خلیل اور آتشِ نمرود، سب وصل کے سلسلے ہیں۔ تکمیل کے مراحل ہیں وصل کے بغیر سب کچھ نامکمل ہے۔۔۔ ادھورا ہے۔۔۔ تکمیل کے لیے وصل ضروری ہے۔۔۔ چاہے ذات کی ہو یا صفات کی۔

میں وصل کے لیے اُتاولا ہوا جا رہا تھا۔ بے صبرا۔۔۔ جلد باز۔۔۔ انسان ازل سے بے صبرا ہے، میرے خالق نے تخلیقی نقائص میں سے ایک نقص بے صبری کا میرے خمیر میں رکھ چھوڑا ہے۔ اگر بے صبرا نہ ہوتا تو ''رحمان'' کے وعدے کے باوجود ''شیطان'' کی مان کر جنگلوں بیابانوں کا راہی کیوں بنتا۔ سوچ اور جسم کا ننگ کیوں حاصل کرتا۔ ''خضرؑ'' کی بات پر وعدہ کر کے بھی سوال کیوں کرتا؟۔۔۔ جب تابِ نظارہ نہیں کر سکتا تھا تو طُور میں۔۔۔ حضور کیوں مانگتا۔ نہ خود جلتا

اور نہ طُور۔۔۔! جنت کا من وسلویٰ چھوڑ کر ساگ پات کی فرمائش کیوں کرتا۔ دل میں گنجائش نہ تھی تو **''انا الحق''** کا نعرہ کیوں لگایا پھر تو ہاتھ پاؤں کٹنے اور کھال اتارنا بنتا تھا۔۔۔جلد بازی کی کچھ تو سزا چاہیے۔ دید کا کچھ تو صلہ چاہیے۔۔۔! طُور جلے نہ جلے خود تو جلا چاہیے۔۔۔ تیرے کافر کو تیری ادا چاہیے۔۔۔

جس اکھ نہ میرے حضور ہوون
اُس اکھ توں میں بے نور چنگا

میں اپنے وصل، حاصلِ زندگی اور حاصلِ بندگی سے لمحہ لمحہ قریب ہوتا جا رہا تھا۔۔۔

کیبن پریشر بڑھنا شروع ہو گیا۔ کانوں میں یک دم عجیب سی سیٹیاں بجنا شروع ہو گئیں۔ سامنے سکرین پر رفتار اور اونچائی کے ہندسے تیزی سے گرنا شروع ہو گئے۔ کیبن لائٹس آن اور مسافر یک دم چوکنا۔۔۔ ادھر ادھر دیکھتے ہوئے اپنے بال، سینے سے قمیص۔۔۔ درست کرنے لگے۔۔۔ ائیر فون رکھ کر۔۔۔ ہینڈ بیگ اور دوسری اشیاء سمیٹنے لگے۔۔۔

میں دل کی دھڑکن درست کرنے لگا۔۔۔ ہینڈ بیگ اتار کر اُس میں سے بالکل "دیسی پینڈو" جو کہ میں اصل میں تھا، کی طرح بیگ کو کھول کر ماں جی کی دی ہوئی سونے کی چیزوں کو دیکھنے لگا۔ تسلی کرنے کے بعد دوبارہ بیگ بند کیا، سیٹ بیلٹ باندھی۔۔۔ اور سیٹ سیدھی کر کے بیٹھ گیا۔۔۔

میرے دماغ میں امیگریشن کے مراحل کی بجائے باہر کی اکلوتی جنت کے خیالات گردش کر رہے تھے۔ میں چاہتا تھا کہ زندگی کے بہت سارے دوسرے شارٹ کٹ کی طرح یہ چند منٹ کے لینڈنگ، ٹیکسی، امیگریشن، بیگیج کولیکشن کے مراحل درمیان میں سے منہا ہو جائیں اور میں یک دم بیرونی گیٹ کے باہر آنِ واحد میں تیس سال کا سفر مکمل کر کے اُس کے سامنے جا موجود ہوں۔ بے صبری۔۔۔!

لینڈنگ کے مراحل مکمل ہونے کے بعد، بار بار کی انتباہ کے باوجود، میں بیسیوں سیٹوں اور آرام سے بیٹھے مسافروں کے درمیان سے گزرتا ہوا۔۔۔ دروازے کے پاس آ کر کھڑا ہو گیا۔ لمحہ لمحہ مختصر کرنے کی جلدی اور فاصلے عبور کرنے کی بے صبری مجھے، مجھ پر قابو رکھنے سے باز رکھ رہی

تھی۔۔۔میں بالکل روٹین سے ہٹ کر۔۔۔غیر فطری حرکات کر رہا تھا۔جیسے میرا اپنی حرکات وسکنات پر قابو ہرگز نہ ہو اور میں کسی ٹرانس یا ہپناٹائز کیے ہوئے معمول کی طرح حرکت کر رہا ہوں۔

عین عشق۔۔۔اور عزت

ریموٹ کنٹرول یا خود کار۔۔۔بغیر میرے کسی کنٹرول کے۔۔۔بے صبری یا وصل کی شدت۔۔۔خیالات اور حرکات پر غور کرنے کا وقت کس کافر کے پاس تھا کہ یہ دیکھے کہ کونسی چیز غلط ہے اور کیا درست۔۔۔کون کیا کہے گا۔۔۔کا مسئلہ تھا۔۔۔نہ کیوں کہے گا۔ویسے بھی جس راہ میں تیس سال تک ہر قسم کے طعنے، مہنے اور طنز و تشنیع برداشت کی ہے اور شریک و رفیق سب کی زہر خند باتیں ہنس کر سہی ہیں۔اگر عزت اور حیا کی اتنی پاسداری ہوتی تو گامِ اوّلین پر کان پکڑ، ہاتھ جوڑ معافی مانگ لیتے اور اس سفرِ مردود اور ذلت سے ہمیشہ کے لیے تائب ہو جاتے۔مگر کیا کیجئے اب جب سب کچھ لٹا چکے، عزت، شہرت، نوکری، خاندان سب چھوڑ دیا اور تیس سال تک اس دشت میں منہ اور دامن سیاہ کیا۔۔۔عزت ہوتی تو عشق کرتے۔۔۔اس لئے چند لمحوں میں کونسی عزت ہاتھ سے نکلی جا رہی ہے۔اور ویسے بھی عشق عزت والوں کا کام تھوڑا ہی ہے۔عزت نیلام کر کے تو اس راہ میں پہلا قدم رکھا جاتا ہے۔۔۔!

انہی سوچوں، خیالوں، خود سے کیے گئے سوالوں اور پھر اُن سوالوں کے جوابوں کا سوچتے ہوئے میں دھیرے دھیرے شور و غل کے درمیان سے ہوتا ہوا بیرونی جانب نکل آیا۔ایک دفعہ میرے ذہن میں پھر بے شمار خیالات جنم لینے لگے۔۔۔سوالات کے جن اور اژدھے سر اٹھانے لگے اور تلملانے لگے۔۔۔

تین دہائیوں پہلے کی اُس نرم و نازک، شوخ، ماہ جبیں، ماہ رخ، سرخ و سفید، سرو قد، گیسوؤں کو لہراتی ہوئی۔۔۔آنکھوں میں زندگی کی چمک اور شیش ناگ کی طرح صرف ایک نظر سے ہر ذی روح کی روح آنِ واحد میں قبض کر لینے والی، کوہِ قاف میں۔۔۔پرستان نگر کی رہنے والی۔۔۔کے خدوخال گھومنے لگے۔

میری پہنچ سے بہت دور۔۔۔ بہت دور مگر کلاس میں میرے سامنے چند گز کے فاصلے پر براجمان برہمن زادی۔۔۔ اپنے چہرے کی طرح پاک اور صاف اور میں دلّت، اپنی سوچوں کی طرح اندر اور باہر سے ناپاک۔۔۔ میرے اور اس کے درمیان میں لفظوں، سوچوں، حرفوں اور صدیوں کے فاصلے۔۔۔ میں نے جس کی بابت شاید سوچا بھی نہیں تھا۔۔۔ حصول اور قبول تو دور کی بات۔۔۔ دید و درشن بھی محال نظر آتا تھا۔۔۔ فاصلے حقیقت میں تو دور خوابوں میں بھی سمٹتے نظر نہ آتے تھے۔۔۔ خلیج پاٹتے اور سمندر کاٹتے۔۔۔ خواب سے بھی زیادہ خواب ناک اور ناممکنات تھے۔ دور دراز سے مانگے ہوئے خیالات اور بعید از قیاس۔۔۔ تصورات۔۔۔ آج میری دسترس سے حقیقت میں چند قدم کی مسافت پہ تھے۔ میرے خوابوں کے عذاب ختم ہونے کو تھے۔ صبحِ کاذب کے بعد۔۔۔ نور ہی نور کی برسات میری روح پر ہونے والی تھی۔ شفق کی پر نور ٹھنڈک اور سرخی، کلیوں کی کنواری مہک اور بادِ صبا کی لہروں پر تیرتی ہوئی مشک عنبر۔۔۔ میری منتظر تھی۔

خوابوں کی جنت اور جنت کے خواب۔۔۔ اِک عذاب!

انسان ہر عمر میں اور ہر دور میں خواب دیکھتا ہے۔ ہر عمر اور دور کے خواب الگ، منفرد اور جدا ہوتے ہیں۔ ضروری نہیں کہ خواب کی تعبیر بھی ممکن ہو۔ کیونکہ بیشتر خواب حقیقت سے بہت دور اور ہمارے تحت الشعور میں بسنے والے اُن خیالات پر مبنی ہوتے ہیں جو مادّی دنیا میں ممکن نہیں ہوتے۔ مگر کچھ خواب محض خواب ہونے کے باوجود بھی انسان ہر سانس اُن کی تعبیر اور تکمیل کی دعا کرتا رہتا ہے۔

خواب جتنے بڑے ہوں۔۔۔ جتنے زیادہ خواب آمیز اور خواب ناک ہوں اُن کی تعبیر اُتنی ہی زیادہ خوفناک۔۔۔ تکلیف دہ اور ہولناک ہوتی ہے۔ اسی لئے جب بند آنکھوں کے خواب ٹوٹتے ہیں تو سب سے پہلے اُن کی کرچیاں آنکھوں کے آئینوں کو زخمی کرتی ہیں۔ ان کے باریک نوک دار شیشے آنکھوں کے عدسوں میں پیوست ہو جاتے ہیں "کھب" جاتے ہیں۔ آنکھوں سے لہو نکلنے کا مسئلہ نہیں ہوتا اور نہ اس کی تکلیف ہوتی ہے۔ تکلیف تو اس بات کی ہوتی ہے کہ اس سے آنکھوں کا سرور اور نور بھی چلا جاتا ہے۔۔۔ مسئلہ آنکھیں ٹوٹنے کا نہیں۔۔۔ خواب ٹوٹنے کا ہوتا ہے۔۔۔ آنکھ تو جڑ سکتی ہے۔۔۔ خواب نہیں!

حاضر اور حضور تو رخصت ہوتے ہی ہیں۔۔۔نور اور سرور بھی ہمیشہ کے لیے رخصت ہو جاتا ہے۔ اس لئے خوابوں کی جنت اور جنت کے خواب ہر دو کا عذاب خوفناک ہوتا ہے۔ اور ان ٹوٹی کرچیوں، لہو رنگ آنکھوں کے کناروں سے حاصلِ خواب اور عذاب بچتا ہے۔۔۔دو آنسو۔۔۔جو کناروں سے اتر کر۔۔۔گالوں کے راستے۔۔۔چاک گریباں کے اندر ماتم کناں اپنی ہست و بود کا آخری نشاں چھوڑتے ہیں۔

روتی آنکھیں ٹوٹے خواب

سب عذاب سب عذاب

میں نے اپنی جوانی انہی خوابوں کی جنت اور جنت کے خوابوں میں گزاری تھی۔ اس لئے میں امید کے کنارے پر کھڑا ہمیشہ اُس کی دیوی کو آوازیں دیتا رہا کہ شاید میری آواز کے جواب میں کبھی تو کوئی۔۔۔کہیں سے۔۔۔جیون ڈگر سے۔۔۔پریم نگر سے۔۔۔دور گگن سے۔۔۔جواب دے گا۔۔۔کہ میں یہاں اس پار۔۔۔ایک عمر سے تیرے آنے کی منتظر ہوں۔۔۔روز صبح چڑھتے سورج کے ساتھ مشرق کی طرف سے لے کر زمین کے سینے میں دھیرے دھیرے اترتے آفتاب سرہانے۔۔۔تیرے آنے کی منتظر ہوں کہ سورج کی کرنوں سے نکل کر تم آؤ۔۔۔میرے پاس آؤ۔۔۔میری روح اور جسم میں سماؤ۔۔۔مجھے نور نہلاؤ۔۔۔میرے پاس آؤ۔۔۔!

دور افق پر چاند جب اپنے سفر کا آغاز تاریکی کے پہلو سے کرتا ہے۔۔۔چکور جب اُس کی طرف بے بس اُڑان بھرتا ہے۔۔۔تو میرا بھی دل کرتا ہے کہ میں تیری اور ایک لمبی مست، الست جست لوں۔۔۔تم میں سمو جاؤں۔۔۔تم میں کھو جاؤں۔۔۔ایک ہو جاؤں۔۔۔اور تیرے نور سے، جلوۂ طُور سے، میرا سینہ چاک ہو جائے۔۔۔اور میں مدھوش، بے ہوش دنیا و مافیہا سے بے خبر۔۔۔کسی کوڑے کے ڈھیر۔۔۔کسی کے پاؤں کی خاک بن کر، تم پر نثار ہو جاؤں۔۔۔اِک بار ہو جاؤں۔۔۔صرف ایک بار ہو جاؤں۔۔۔فنا ہو جاؤں۔

مگر ہر بار میری آواز دور ویران چوٹیوں سے، بیابان جنگلوں اور زندگی سے عاری صحرائی Sand Dunes سے ٹکرا کر واپس آ جاتی ہے۔ تمام چرند پرند، صحرا و دریا، جنگل اور منگل۔۔۔ہوا کے

زور پر مسلسل ریت کی شکلیں بدلتی ہوئی۔۔۔لق ودق صحرا۔۔۔اوران سب میں موجود کروڑ ہامخلوقات ارضی اور سماوی۔۔۔سمندری اور دریائی۔۔۔میری آواز کو سنتی ہیں۔۔۔پکار کو جذب کرتی ہیں۔۔۔Process کرتی ہیں۔۔۔اور پھراس کو لوٹا دیتی ہیں۔۔۔اس زور سے۔۔۔اس شدت سے۔۔۔اس محبت سے۔۔۔اس لگن اور چاہت سے اور اس اذیت سے جس سے میں پکارتا ہوں۔۔۔مجھے پیغام آتا ہے۔۔۔بیک وقت۔۔۔یک زبان۔۔۔متفقہ۔۔۔تواتر کے ساتھ۔۔۔ ہر بار۔۔۔بار بار۔۔۔

وہ تیرے پاس ہے۔۔۔جسے تم اِدھر اُدھر ڈھونڈ رہے ہو تلاش کر رہے ہو۔۔۔سوچ رہے ہو۔۔۔کھوج رہے ہو۔۔۔وہ تو تیرے پاس۔۔۔تیرے اندر۔۔۔تیری ذات میں ہے۔۔۔تیری بات میں ہے۔۔۔تیری سوچ میں ہے۔۔۔اس کو تلاش نہ کر۔۔۔مشاہدہ کی کوشش نہ کر۔۔۔دید کی کاوش نہ کر۔۔۔درشن کی خواہش نہ کر۔۔۔محسوس کر۔۔۔F e e l کر۔۔۔معاملات میں دیکھ۔۔۔اعمال میں دیکھ۔۔۔ذات میں دیکھ۔۔۔وہ ہر ہر بات، ملاقات، معاملات، صفات اور فہم و تخیلات میں نظر آئے گا۔۔۔اس کو روپ میں دیکھنے کی بجائے اس کا روپ دیکھنے کی کوشش کر۔۔۔

مشاہدہ اس کا ہوتا ہے جو ذات سے جدا ہو۔۔۔جو ذات کا حصہ ہو۔۔۔سانس میں بستا ہو۔۔۔دھڑکن میں رہتا ہو۔۔۔سوچ کے دھارے پر بہتا ہو۔۔۔لہو میں گردش کرتا ہو۔۔۔سانس سے سانس کو کیسے الگ کر سکتے ہیں۔لہو کو سرخ اور سفید Cell میں تقسیم کر سکتے ہیں مگر وہ رہے گا لہو ہی۔دل کے پانچ حصے کر سکتے ہیں مگر وہ دل ہی رہے گا۔۔۔جب وہ ہر جزو کا ان مٹ۔۔۔لافانی۔۔۔حصہ ہے تو پھر اس کا مشاہدہ کیسے کریں گے۔۔۔میری آواز واپس۔۔۔لوٹ آتی ہے۔۔۔بظاہر خالی۔۔۔بغیر کسی پیغام اور جواب کے۔۔۔میں عمر بھر کا جاہل۔۔۔کوڑھ مغز۔۔۔میں اپنی آواز اپنے کانوں سے سننے کے بعد۔۔۔سودا میں مبتلا ہو جاتا ہوں۔۔۔سودا۔۔۔میری ذات کا تیرا سودا۔۔۔تیری عطا۔۔۔میرا سودا۔۔۔!

میرے خواب سچ ہونے جا رہے تھے۔شعور اور تحت الشعور پر منقّش۔۔۔میرے خواب اور خوابوں کے خواب سچ ہونے جا رہے تھے۔ جاگتی آنکھوں دن کی روشنی میں اور رات کی تاریکی

میں۔۔۔تنہائی میں۔۔۔پسِ آئینہ۔۔۔آنکھوں کے نازک عدسہ کے پیچھے جمنے والے عکسِ مسلسل کو حقیقت آشنا ہونے کا وقت آیا چاہتا تھا۔مگر میری زندگی کے خوف۔۔۔میرا پیچھا نہیں چھوڑتے۔۔۔ہجر ہی ہجر دیکھا تھا، وصال کی کبھی امید تو دور کی بات سوچ بھی دل میں نہیں پلی تھی۔۔۔اس لئے میں اس ملاقات، اس درشن، اس دیدار کا سوچ سوچ کر پریشان ہو رہا تھا۔ جو انسان زندگی بھر نا کامی، نامرادی یاس اور ناامیدی کے پتھر اپنے دامن میں بھر کر گلی گلی پھرتا رہا ہو اس کو اگر کوئی امید کی کرن نظر آ بھی جائے یا منزل سامنے آ بھی جائے تو وہ عجب بے یقینی کی کیفیت میں مبتلا ہو جاتا ہے۔اپنے آپ کو محسوس کرنے کی کوشش کرتا ہے۔چھو کر حواسِ خمسہ کے ذریعے پرکھتا ہے اور اس کے اصلی اور حاضر ہونے کے باوجود باقی دسوں حواس کو پھر بھی یقین نہیں آتا۔میری صدا پہلی بار میری اصل سے ٹکرا کر واپس آ رہی تھی۔۔۔وہ مجھے بلا رہی تھی۔میرا انتظار کر رہی تھی۔میرے لیے کھڑی تھی۔۔۔منتظر۔۔۔آنکھیں۔۔۔!

اپنے نصیب، سال کے خواب اور میرے تمام کچے پکے، الجھے اور صاف خیالات اور ان خیالات پر بنے ہوئے محلات اور ان میں جلوہ افروز ان کے باسی۔۔۔میری نظر کے متلاشی۔۔۔ ایئرپورٹ کی عمارت سے باہر نکلتے ہی۔۔۔نظر کا بوسہ اِدھر سے، نظر سے طواف اُدھر سے، ماتھے پر گرم لب اور ان کی حرارت روح تک پہنچنے کا احساس اور میری جبیں کے تمام سجدے، قضا ہونے اور ادا ہونے والی تمام نمازیں۔۔۔نیت اور بنا نیت، قیام وقعود اور رکوع وسجود، سلام وجلوس۔۔۔کی عبادت ساری کی ساری اس منبعِ نور کے حضور مکمل ہو جاتی۔افکار کے اسپ ہائے احمری زمین اور آسمان کے قلابے ملا رہے تھے۔جذبات میرے اندر کلانچیں بھر رہے تھے۔ایک بار پھر Fear of Unknown، پسینہ، خوف، بے جان جسم، پیٹ کے کریمپ، Anxiety Disorder ، ہاتھوں کا رعشہ، ہونٹوں کی کپکپاہٹ، نظروں کی ہچکچاہٹ۔۔۔طبعی، فکری، دماغی اور جسمانی تبدیلیوں کا خیال۔۔۔میں مکمل طور پر بے حال، بدحال اور نڈھال۔۔۔صرف ایک خیال۔۔۔میرے خواب اور تیرا جمال۔۔۔

عکسِ یار۔۔۔زندگی کی بہار

انسان کوئی بھی کام کرنے سے پہلے اُس کا ایک عکس، خاکہ، ڈیزائن، نمونہ یا ڈھانچہ اپنے

دماغ کی پردہ سکرین پر بناتا ہے۔ پھر اُس کے اردگرد ایک مکمل عمارت بناتا ہے۔ ایک پلان اور ''بُنتر'' بناتا ہے۔ پھر اُس خیال کو، اپنی سوچ کو الفاظ کا جامہ پہناتا ہے۔ اور پھر اُس عکسِ دماغ کو اپنے سامنے On Ground بنانے کی کوشش کرتا ہے۔ مسئلہ تب پیدا ہوتا ہے جب ہمارے خیال میں بسنے والا خاکہ، پلاننگ، دماغی مراحل، لفظی جسم اور زمین پر حقیقت بننے کے مراحل طے کرنے کے دوران ہر مقام اور سٹیج پر اُس میں تھوڑا تھوڑا فرق آجاتا ہے۔ نتیجتاً ظہور میں آنے والی چیز سوچے جانے والے عکس سے قدرے مختلف ہوتی ہے۔ اس لئے جب ہم کوئی چیز اپنے، مقام، سوچ اور خیال سے مختلف پاتے ہیں تو ہم اُس سے زیادہ تر مواقع پر Reconcile نہیں کر پاتے اور نتیجتاً ایک اختلاف۔۔۔ ذہنی۔۔۔ نظری۔۔۔ جسمی اور طبعی سے گزرتے ہیں۔ اور یہ اختلاف نہ صرف جذبات اور احساسات کے مقدس رشتوں کو بھی سرِ دار لا کر۔۔۔ رویّوں کی سولی چڑھا دیتا ہے۔ بلکہ جان کو بھی جان پر نثار کر دیتے ہیں۔

میں بھی اپنے تیس سال پہلے کے خیالات، سوچ، جذبات، دماغ کے عکس اور خاکے کو بھلانے کے مخمصے میں تھا تاکہ کہیں میں اُس سب کا موازنہ آج کے اُس شخص سے نہ کرنا شروع کر دوں۔ کہیں وہ میری سوچ اور خیال سے بہت زیادہ مختلف نہ نکل آئے اور اگر ایسا ہوا تو میں اُس سے سمجھوتہ کر سکوں کیونکہ میرا رشتہ جسم کا یقیناً نہیں تھا۔۔۔ میرا رشتہ روح سے روح کا تھا۔ اور روح کبھی بوڑھی نہیں ہوتی۔ اُس میں کوئی تغیر و تبدیلی، گالوں کی لالی، ماتھے کی جھریاں، بالوں میں سفیدی، جسم میں ڈھلک، آنکھوں کی چمک ماند نہیں ہوتی۔۔۔ وہ تو ہر آن، ہر دم جوان، توانا، پاک صاف، روشن اور بہار کی اولین کلی کی مانند ہوتی ہے۔ اس لئے مجھے جسم اور اُس کے لوازمات کی ضرورت شاید اب نہیں رہی تھی۔

میرا دماغ یہاں آکر ایک جھٹکے سے رک جاتا۔۔۔ میں خود سے سوال کرتا۔۔۔ ٹھیک ہے مجھے جسم کی خوبصورتی کی ضرورت نہیں، جوانی اور جوانی کی کہانی کی ضرورت نہیں۔۔۔ اگر جسم کی ضرورت نہیں تو پھر اتنی دور سب کچھ چھوڑ چھاڑ کر۔۔۔ برسوں کے تعلق، رشتے۔۔۔ وطن کی مٹی کی خوشبو سب چھوڑ کر۔۔۔ ٹھوکر مار کر اس کی سمت کیوں چل پڑا!!

میرا ضمیر یک دم مجھ سے سوال کرتا تو میں بلا کسی خوف وخطر۔۔۔ بنا سوچے ہوئے اپنے اندر اور باہر کو سمجھاتا کہ۔۔۔ اگر صرف جسم کی ضرورت ہوتی تو اس سے بہتر وہاں موجود تھے۔۔۔ پھر یہی کیوں۔ جب کہ مجھے معلوم ہے کہ وہ شادی اور جوانی کی تمام بہاریں۔۔۔ خواہشیں لذتیں نہ صرف گزار چکی ہے بلکہ اب۔۔۔ ان تمام خواہشوں سے نہ صرف بیزار ہو چکی ہے بلکہ اس کے جسم کو شاید ابھی اس کی طلب بھی نہ رہی ہو۔۔۔ اور نہ ہی میرے جسم میں جوانی اُبل اُبل جا رہی تھی۔۔۔

خیر مجھ پر تو جوانی آئی ہی کب تھی۔۔۔ بچپن اور بڑھاپا۔۔۔ جوانی کا سیاپا تو ہم شاید جوانی سے پہلے ہی کر چکے تھے۔۔۔ میری جوانی، جوانی سے پہلے ہی بیوہ ہو چکی تھی۔۔۔ کھو چکی تھی۔۔۔ اس لئے شاید سفر کی وجہ اس کے جسم کا حصول نہ تھا۔۔۔ مگر یہ ضرور ہے کہ میں محبت کے لئے ملاپ کو ضروری سمجھتا ہوں۔۔۔ محبت کے معاملات پر جب انسان عبور حاصل کر لیتا ہے۔۔۔ پھر اس کو چھو کر دیکھنے کی کوشش کرتا ہے۔۔۔ اس کی حقیقت کو محسوس کرنا چاہتا ہے۔۔۔ اس کے قریب ہونا چاہتا ہے۔۔۔ روح میں اترنا چاہتا ہے۔۔۔

وہ جھٹ سے پوچھتا۔۔۔ روح کے لئے۔۔۔ اور روح سے ملاپ کے لئے ملاقات کب ضروری ہے۔۔۔ کس پیر نے آپ کو یہ درس دیا کس مصنف کی کتاب میں آپ نے یہ پڑھا ہے۔۔۔ مجھے بھی تو سمجھائیں۔۔۔!

میں نے خود کلامی کے انداز میں خود کو سمجھانا شروع کیا۔۔۔ خدا نے روح کو جسم میں اتارا ہے۔۔۔ آوارہ نہیں چھوڑا۔۔۔ خود پھونکا ہے۔۔۔ **"صَلْصَالٍ كَالْفَخَّار"** اور **"طِيْنٍ لَّازِب"** میں روح کو منتقل کیا ہے۔۔۔ اس لئے روح کے حصول کے لئے جسم کا انتقال ضروری ہے۔۔۔ اتصال ضروری ہے۔۔۔ روح کو جسم میں اتارا گیا ہے اس لئے۔۔۔ جسم کے ذریعے روح تک پہنچا جا سکتا ہے۔۔۔ روح سے جسم میں اور جسم سے روح میں۔۔۔ ہر دو کا اتصال ضروری ہے وصال ضروری ہے۔۔۔

انسان سے محبت کر کے خدا تک پہنچیں یا خدا سے محبت کر کے انسان تک۔۔۔ دونوں کا حاصل ایک ہے۔ انسان بن کر انسان کی خدمت کریں تو رحمٰن ملتا ہے۔ دراصل۔۔۔ سب کا اصل

انسان ہے۔۔۔انسان سے محبت رحمٰن تک اور رحمٰن سے محبت انسان تک لے جاتی ہے۔

اسی لئے جب ہم اپنی ذات کے جدا۔۔۔ بچھڑے حصے کو دیکھتے ہیں۔۔۔خوش ہوتے ہیں۔۔۔اس کے قریب ہوتے ہیں۔۔۔اس کو دیوانہ وار چومتے ہیں۔۔۔قلابے میں بھرتے ہیں۔۔۔آنکھیں بند کرتے ہیں۔۔۔دنیا سے آزاد ہو جاتے ہیں۔۔۔بے نیاز ہو جاتے ہیں۔۔۔سانس کی گردش۔۔۔دل کی حرکت۔۔۔سب سے بے پروا۔۔۔ذات سے ماسوا۔۔۔صرف ذات بچتی ہے۔۔۔دو انسانوں کی ایک ذات۔۔۔

وہ بولتا ہے استہزائیہ انداز میں مخاطب کرتا ہے۔۔۔واہ۔۔۔واہ کیا فلسفہ دیا ہے آپ نے۔۔۔اپنے اندر کے گند کو Justify کرنے کے لئے۔۔۔نفس کی خواہش کو بھرنے کے لئے،جسم کو پانی دینے کے لئے۔۔۔آپ کی باتیں سن کر بغاوت کرنے کو دل کرتا ہے۔۔۔کوئی بھی معصوم لڑکی۔۔۔کچے خیالات۔۔۔سادہ لوح۔۔۔آپ کی لچھے دار باتوں میں آکر۔۔۔سب کچھ لٹا بیٹھے گی۔۔۔اور آپ محبت کے نام پر سب کچھ اجاڑ کر۔۔۔تباہ کر کے۔۔۔برباد کر کے۔۔۔تخت رات کے بعد تخت و تاراج کر کے۔۔۔اگلے تخت بچھانے۔۔۔جال لگانے کی کوشش میں۔۔۔ہوس میں۔۔۔اور قفس میں گھیرنے کے لئے۔۔۔انہی معانی کو نئے الفاظ کی پوشاک پہنا کر۔۔۔نئے شکار کو ڈھونڈنے چل نکلیں گے۔۔۔کیونکہ اس جادو میں۔۔۔دل بھر آتا ہے۔۔۔اچھے بھلے پختہ۔۔۔''کھو چل'' آدمی کی آنکھوں سے پانی۔۔۔اور دل سے خون کی روانی تیز ہو جاتی ہے۔۔۔ساری اخلاقیات چھوڑ کر۔۔۔انسان تمام عزت کے پردوں کو خود نوچ لینے کے لئے خود سے الجھ جاتا ہے۔۔۔لڑ جاتا ہے۔۔۔اڑ جاتا ہے۔۔۔جھوٹ فریب سب۔۔۔جائز کرنے کو دل کرتا ہے۔۔۔سب کچھ بھول کر۔۔۔ذات کو فراموش کر کے۔۔۔ذات کا حصہ بننے کو دل چاہتا ہے۔۔۔

انسان سو لوگوں سے محبت کرے۔سو جسموں میں اترے، ہزار چہرے فتح کرے، لاکھوں روحوں کو قید کرے مگر اندر سے خالی رہتا ہے۔بھرتا نہیں ترستا رہتا ہے۔ہوس پوری نہیں ہوتی۔کہیں جسم کی۔۔۔کہیں آنکھ یا کان کی۔۔۔کہیں دل اور روح کی۔ایک خلش اور کمی ہمیشہ زندہ رہتی ہے جو منزل کے بعد اگلی منزل کی نوید دیتی ہے۔بدقسمتی یہ ہے کہ انسان کی تسلی نہیں ہوتی اور وہ کسی حاصل پر بھی

مطمئن نہیں ہوتا۔۔۔منزل پر پہنچ کر ہمیشہ انسان نفی میں سر ہلاتا ہے اور آگے چل نکلتا ہے نئی منزل کی طرف۔۔۔نئے راستے پر۔۔۔ چلتا رہتا ہے۔سر پٹختا رہتا ہے، اصل سے محبت کر کے۔۔۔اصل بن جاتا ہے وگرنہ عمر بھر بے اصل رہتا ہے۔ بھاگتا رہتا ہے۔۔۔بے چین اور مضطرب۔۔۔سودائی۔۔۔؟؟

میں اس کی بکواس سے پیچ و تاب کھا رہا تھا۔۔۔تلملا رہا تھا۔۔۔اس نے مجھے بالکل ننگا کر دیا تھا، میرا بھرم توڑ دیا تھا اور مجھے میری ہی نگاہوں میں گرا دیا تھا۔۔۔ مگر میں اس کے چپ ہونے کا منتظر تھا۔۔۔اس کے خاموش ہوتے ہی فل سٹاپ لگانے کے بعد ہی میں نے کہا۔۔۔

ہاں میں فریب ہوں۔۔۔ جھوٹ ہوں۔۔۔ فراڈ ہوں۔۔۔ گندا ہوں۔۔۔ غلیظ ہوں۔۔۔اندر اور باہر سے غلیظ ہوں۔۔۔ہوس پرست ہوں۔۔۔جسم پرست ہوں۔۔۔نفس کا غلام ہوں۔۔۔دنیا کا کتا ہوں۔۔۔مگر کبھی تو نے غور کیا۔۔۔اگر مجھے صرف یہ ہی لذت درکار تھی تو میں اس سفر میں کیوں ہوں۔۔۔اس اذیت اور تکلیف میں کیوں ہوں۔۔۔صرف ایک پر ہی نثار اور ایک کے لئے ہی بے قرار کیوں ہوں۔۔۔بار بار۔۔۔ بے شمار کے لئے بے قرار کیوں نہیں۔۔۔تم تو سب جانتے ہو۔۔۔میری تنہائی اور محفل کے ساتھی ہو۔۔۔میری خلوت اور جلوت سے واقف ہو۔۔۔اندر اور باہر۔۔۔ظاہر اور باطن آشنا ہو۔۔۔پھر تم کو۔۔۔میرے جذبات سے کھیلنے میں۔۔۔کچھ تو احساس ہونا چاہیے۔۔۔کچھ تو پاس ہونا چاہیے۔۔۔لحاظ ہونا چاہیے۔۔۔تم مجھے جانتے ہو۔۔۔مجھ سے زیادہ مجھ کو جانتے ہو۔۔۔میں کس کا شکار ہوں اور میرے شکار کتنے ہوئے۔۔۔تمہیں سب معلوم ہے۔۔۔ میری سوچ سے لے کر جسم تک۔۔۔ ہر چیز تم پر عیاں ہے، روزِ روشن کی طرح ظاہر ہے۔۔۔ کتنے سالوں کی تاریک راتیں۔۔۔تاریک دن۔۔۔اب اگر روشنی قریب آئی ہے۔۔۔تو۔۔۔تم بھی۔۔۔ مجھ سے مجھ کو متنفر کرنے چل نکلے ہو۔۔۔

اب جب کہ زندگی۔۔۔زندگی سے ملنے کو ہے۔۔۔اور میری زندگی کے چند پل جینے کو ہیں۔۔۔ چراغِ سحری کی مانند میری سانس بھی رکنے کو ہے اگر تم کہو تو۔۔۔باقی بچ جانے والے، چند سال مہینے اور دن بھی اس کی یاد میں گزار دوں۔۔۔ ہجر میں گزار دوں۔۔۔طلب میں گزار دوں۔۔۔تڑپ میں گزار دوں۔۔۔اور پھر یہ سب میرے اختیار میں تھوڑا ہی ہے۔۔۔

سر کے بالوں سے لے کر پاؤں کے ناخنوں تک۔۔۔ کچھ بھی آپ کے اختیار میں نہیں ہوتا۔۔۔ آپ ہوتے ہیں۔۔۔ اور بس آپ ہوتے ہیں۔۔۔ بلکہ آپ بھی نہیں صرف وہ ہوتا ہے جس کے آپ ہوتے ہیں۔۔۔ اصل تو صرف وہی ہے باقی سب سراب ہے۔۔۔ صرف وہ اور آپ اس کے زیرِاثر ہوتے ہیں مکمل طور پر۔۔۔ ذہن، جسم، سوچ۔۔۔ اور فکر کے ساتھ۔۔۔ مکمل صرف وہ اور اس کے آپ۔۔۔

میری ہمزاد سے گفتگو۔۔۔ لڑائی۔۔۔ جھگڑے یا خود کلامی کے اس مکالمے میں نہ جانے کب امیگریشن کے سارے مراحل طے ہوئے۔۔۔ ذات کی بدذات سے جنگ میں۔۔۔ اور اس مکالمہ بازی میں سفر کی تھکن بھی شامل تھی۔۔۔ مگر منزل قریب تھی۔۔۔ اور صحرا میں بھٹکا ہوا راہی آخری سانسوں پر بھی۔۔۔ سیراب کو دیکھ کر۔۔۔ پانی سمجھ کر۔۔۔ ساری جان اور قوت پاؤں میں مجتمع کر لیتا ہے اور چل پڑتا ہے۔۔۔ جبکہ میں تو آج اپنی زندگی کے عروج پر تھا۔۔۔ ایئرپورٹ کے تمام مراحل مکمل ہوئے اور میں اپنے سوالوں کے جواب۔۔۔ ملاقات۔۔۔ وصل اور اصل کو سوچ کر ایئرپورٹ سے بیرونی جانب روانہ ہوگیا۔۔۔

ایئرپورٹ سے باہر نکلتے ہی۔۔۔ سرخ پھولوں کا گلدستہ لیے وہ میری جانب بڑے آرام اور اعتماد سے بڑھی۔۔۔ مجھے اُس کو اور اُسے مجھ کو پہچاننے میں ذرّہ برابر بھی دقت نہ ہوئی۔ ہوتی بھی کیوں میرا اُس سے تیس سال کا نا ختم ہونے والا تعلق جو تھا۔ یہ تعلق نہ ہوتا تو آج میں بن ڈور بندھا ہوا اُس کی طرف کیوں چلا آتا۔ اُس کی چال میں وہی اعتماد۔۔۔ زمانے کی سختیوں نے اس کی پختگی میں مزید اضافہ کر دیا تھا۔۔۔ مجھے اتنے طویل عرصے کے اس انتظار کے بعد بھی سمجھ نہ آ رہی تھی کہ مجھے کیسے Behave کرنا چاہیے۔۔۔ دیکھ کر ہنسنا ہے۔۔۔ مسکرانا ہے۔۔۔ رونا ہے۔۔۔ خود کو مٹانا ہے۔۔۔ یا اس کے پاؤں کے سامنے۔۔۔ گردن جھکا کر سجدۂ تعظیمی کرنا ہے۔۔۔ کیا کہنا ہے؟ کیسے کہنا ہے؟ کیوں کہنا ہے؟. میں اس تک پہنچنے کے تمام منصوبے تو بناتا رہا مگر پہنچ کر کیا ہوگا یہ کبھی سوچا بھی نہ تھا۔۔۔ اور سوچتا بھی کیسے۔۔۔ پہنچنے کی امید ہوتی تو۔۔۔ اس کے بعد کا تصور کرتا۔۔۔ اس لمحے کی پلاننگ میں اتنے عرصے سے کر رہا تھا۔۔۔ لیکن اب دماغ کے تمام فیوز اڑ گئے تھے اور میں مکمل طور

پر کنفیوز۔۔۔کاٹو تو لہو نہیں کے مصداق اُس کے سامنے کھڑا ہو گیا۔۔۔میرے اردگرد کیا ہو رہا تھا مجھے معلوم نہیں۔۔۔

میں اُس کے رُوبرو ایسے کھڑا تھا جیسے اُس کے چہرے کی پختگی۔۔۔اور رویے کی مردانگی۔۔۔اور اس دیارِ غیر میں زندگی کے مراحل طے کرنے کی تکالیف، اذتیں اور سختیاں جھیلنے کی تمام تر ذمہ داری مجھ پر ہی عائد ہوتی ہے۔ میں اُس کے رُوبرو۔۔۔ساکت کھڑا۔۔۔اس کی طرف دیکھ رہا تھا۔۔۔یک ٹک دیکھ رہا تھا۔۔۔میرے اردگرد۔۔۔جیسے آہستہ آہستہ وقت رک گیا ہو۔۔۔ویرانہ گھنا جنگل۔۔۔ایک مکمل سکوت۔۔۔ہُو کا عالم۔۔۔انسانِ اولین۔۔۔کا ملاپ۔۔۔جہاں کوئی تیسرا موجود نہ تھا۔۔۔گپ اندھیرا۔۔۔دماغ ماؤف۔۔۔سوچ سمجھ سب مفقود۔۔۔دل کی دھڑکن محدود اور صرف ٹھک ٹھک کی آواز تک محدود رہ گئی تھی۔۔۔ہاتھ ساکن ہونے کے بعد لرزش۔۔۔ہونٹ دانتوں تلے دبانے کے باوجود کپکپاہٹ کا شکار اور آنکھوں کے نالے خشک جالے ہونے کے باوجود نہ جانے کیوں۔۔۔ٹپ ٹپ ٹپ۔۔۔برسنے لگے۔۔۔

میں شاید کائنات کے اس لمحہ میں، جب پرندے اُڑان بھول کر ساکت ہو جاتے ہیں۔ سیارے مدار میں اور ستارے گلیکسی میں گردش روک دیتے ہیں۔ وقت تھم جاتا ہے۔ کرۂ ارضی لمحہ بھر کے لیے ساکن ہو جاتا ہے۔ سورج کی کرنیں کہیں رستے میں رک جاتی ہیں۔ مہتاب اپنی دودھیا نورانی چاندنی لے کر اُفق کے اُس پار ٹھہر جاتا ہے۔ سانس کا تواتر الٹ پلٹ جاتا ہے۔ تمام مخلوقات آنِ واحد میں جامد ہو جاتی ہیں اور کائنات رب کے اشارۂ ابرو کی محتاج ہو جاتی ہے۔ میں اُس وقت کائنات کے اس چھوٹے سے حصّہ۔۔۔دُنیا کے ایک ملک کے چھوٹے سے حصّے پر تمام دنیا کو اپنی مٹھی میں لے کر کھڑا تھا۔۔۔ساکن، ساکت، جامد۔۔۔جیسے اس ارب ہا مخلوقات کا خالق مجھ سے کہہ رہا ہو کہ اگر تیری تکمیل ہو گئی ہو تو کائنات کا کاروبار چلائیں۔۔۔اور میں اُس کے حضور سجدہ ریز ہو کر کہہ رہا ہوں۔۔۔تیری انہی عنایات نے تو مجھے مغرور کر دیا ہے ورنہ میری اوقات کیا ہے۔۔۔گندے پانی کا ایک نطفہ۔

اور پھر وہ میرے سینے سے ایسے چپک گئی جیسے کششِ ثقل کسی چیز کو اپنی طرف کھینچتی ہے۔

میرے پاس اُس کو دیکھنے، سوچنے، محسوس کرنے کا وقت نہیں تھا۔ یا شاید میں یہ سب کرنا نہیں چاہتا تھا۔۔۔وہ میرے ساتھ لپٹ گئی۔۔۔میری چھاتی کے ساتھ میرے بالوں کی طرح چمٹ گئی۔۔۔اور سسک سسک کر رونا شروع ہوگئی۔۔۔میں اس سے کچھ بھی نہ پوچھ سکا۔۔۔نہ اُس کے آنسو پونچھ سکا نہ اس کے گالوں کو ہاتھوں میں لے کر اُس کی آنکھوں میں لکھے اُس کے دکھوں کی داستان اور مسلسل محفوظ رہنے والی فلم کو دیکھ سکا۔۔۔اب وہ مجھے اپنے ساتھ چمٹا کر۔۔۔میرے جسم کا حصّہ بن کر رو رہی تھی۔

بس میں نے صرف ایک جرأت کی۔۔۔بغیر سوچے بلا سمجھے۔۔۔بلا اِرادہ، خود کار طریقہ سے۔۔۔اُس کے ماتھے پر اپنے بوڑھے ٹھنڈے اور لرزتے ہونٹ رکھ دیئے۔۔۔میرے ٹھنڈے برف ہوتے ہوئے جسم اور جذبات کو حرارت کی ضرورت تھی۔۔۔زندگی کی ضرورت تھی۔

سالِ ہجر تمام شُد
وصلِ یار سرِ بام شُد
جلوہَ جاناں عام شُد
پَس زندگی تمام شُد

ماتھے کا لمس۔۔۔روح کا سفر

برف موسم میں، برف آدمی کی برف سانسوں، یخ ہوتے مسام اور موت کی مانند سرد جسم کو کسی منبعِ حرارت کی ضرورت تھی۔ بالکل اس طرح جیسے حرکتِ قلب رک جانے سے ساکت ہوجانے والے جسم کے دل کی دھڑکن اچانک تھم جائے۔۔۔رگِ جاں میں خون جم جائے۔۔۔سانس چلتے چلتے یونہی تھم جائے۔۔۔دماغ اور اعصاب کا جال آنِ واحد میں ٹکڑے ٹکڑے ہوجائے۔۔۔جیسے کسی ناہموار سطح پر جمع ہونے والا پانی اپنی اپنی جگہ پر جم جائے اور اُس کی باریک باریک تاریں۔۔۔تارِ عنکبوت کی طرح۔۔۔برفیلی سطح پر برف ہوجائیں۔ اور پھر اچانک ایک گرمائش، حرارت کی تیز لہر، جذبات میں لپٹی ہوئی، محبت اور الفت سے سمٹی ہوئی۔۔۔اپنی تمام تر زندگی کی گرمی کے ساتھ۔۔۔ڈارک انرجی، سُپر نووا کی حرارت لہو میں شامل ہوجائے۔ رکی سانس، تھمی حرکت، برف اعصابی دھاگے، سب آنِ واحد میں

زندگی کے ساتھ زندہ ہو جائیں، سب میں ایک زندگی کی لہر دوڑ آئے۔۔۔ایسے ہی اُس کے گرم ماتھے سے میرے سرد ہونٹوں نے دھیرے دھیرے حرارت اور زندگی کشید کرنا شروع کی۔ اور دھیرے دھیرے، اپنے آپ کو موت سے زندگی کی طرف لانا شروع کیا۔۔۔غیر محسوس طریقے سے، آرام سے ماتھے کے لمس سے روح تک کا سفر، موت سے زندگی کا سفر ایک نظر اور ایک لمحے میں طے کیا۔۔۔

اس کو چھوتے ہی میرے سوئے ہوئے جسم میں جیسے زندگی کے نئے سوتے پھوٹ اُٹھے ہوں، بِندیا پور میں برسوں سے سوئے ہوئے خواب اچانک شرمندۂ تعبیر ہو گئے ہوں، خوابیدہ خیالات اور آتش کدہ میں صدیوں سے بجھے جذبات میں جیسے آنِ واحد میں اس چنگاری نے آگ بھڑکا دی ہو۔ایک نئی آتش کو ہوا دی ہو۔میری نس نس میں زندگی بھر گئی اور ایک لاوا میری رگوں میں، ایک خوش کن احساس میرے جذبوں میں اور مسحور کن پیاس میری روح میں آ گئی۔ میرا جسم دھیرے دھیرے میرے ہونٹوں کے راستے پاؤں تک کو سیراب کر کے سرسبز کرنے لگا۔تنِ مردہ میں جان اور ارمان میں ہیجان بھرنے لگا۔ میرے اندر نروان اور یزدان اُترنے لگا۔رگ رگ میں سمانے لگا۔مجھ کو ایک آتشِ بے خود سے جلانے لگا۔نور اور طُور کی طرف نگاہ ڈالی تو احساس ہوا کہ مخلوق کی حدت میں اتنی شدت ہے تو اربوں تخلیقات کے مالکِ نور کی تجلی۔۔۔طُور تو طُور۔۔۔سینکڑوں طُور بھی برداشت نہیں کر سکتے۔

مجھے بالکل احساس نہیں ہوا کہ میں کتنی دیر اس حالت میں رہا اور کیا شعوری اور لاشعوری حرکات کرتا رہا۔ البتہ یہ ضرور ہے کہ میں نے بڑی مشکل سے خود کو اُس سے جدا کیا تھا۔ بلکہ خود کو خود سے جدا کرنے کا مرحلہ بہت تکلیف دہ تھا۔ سالہا سال کی حسرت اور نا اُمیدی میں لپٹی ہوئی خواہشوں کو جب ہلکی سی چنگاری ملی تو وہ آنِ واحد میں سارے کے سارے خرمن کو لپیٹ لینے کے لئے تیار بیٹھی تھی۔اور جذبات تو ریشمی کپڑے کی طرح نازک اور بارود کی طرح حرارت سے بھڑکتے ہیں۔اس لئے ہر دو کے قریب سے بھی گرمی یا آگ کا گزر ہو جائے تو ریشم اور بارود ہر دو لمحہ بھر سے بھی جلدی، نہ صرف خود جل جاتے ہیں بلکہ سب کچھ، گرد و نواح کو بھی تباہ و برباد کر دیتے ہیں اور جلے ہوئے گھر میں کوئلے ہی بچتے ہیں۔گھر نہیں۔۔۔!

میں اپنے آپ کو ایک عمر سے گیلی لکڑی کی طرح سلگا رہا تھا۔آج پہلی بار اندر اور باہر ایک

آتشِ بے بہا اور ''بھانبھڑ'' مچ گیا تھا۔ جو اس مصروف ترین ایئرپورٹ پر سب کچھ جلانا چاہتا تھا۔ خاک تو میں ایک عمر سے ہو چکا تھا مگر میں لبِ بام آکر ریزہ ریزہ نہیں ہونا چاہتا تھا۔۔۔ جینا چاہتا تھا۔۔۔ اس سے سانسوں کی آکسیجن، ہونٹوں کی مسکراہٹ، جسم کی حرارت، قلب کی گرماہٹ، ویران آنکھوں کا نور اور زندگی بھر کے لئے گزرے ہوئے اذیت ناک لمحوں اور گزرنے والے وقت کے لئے سرور مستعار لینا چاہتا تھا۔ اس لئے میں دوبارہ ملنے کی امید کے ساتھ اس سے جدا ہو گیا۔

بے صبر انسان علم الیقین اور عین الیقین پر بھی مطمئن نہیں ہوتا۔ انسان کی خامی یہ ہے کہ وہ حق الیقین پر عمل کرتا ہے اور اعتبار کرتا ہے۔ اگر علم الیقین کی ماننے لگتے تو سب صدیق ہوتے۔۔۔ ایک خدا کی وحدانیت اور رسول ﷺ کی نبوت کے قائل ہوتے۔ کیونکہ میں تیس سال کے بعد لمحہ غم، دکھ اور نا امیدی کے بعد اس کے سامنے تھا۔۔۔ بلکہ وہ میرے سامنے تھی۔۔۔ اور میں اس کو چھو کر۔۔۔ مس کر کے۔۔۔ چکھ کر۔۔۔ دیکھ کر۔۔۔ سونگھ کر پختہ یقین کر چکا تھا۔۔۔ خود کو اور اپنی تمام حسیات کو اس کے اصل ہونے کا یقین دلا چکا تھا۔۔۔ اس لیے مجھے امید ہو چلی تھی کہ وہ مجھے حاصل ہو چکی ہے۔۔۔ میرے نصیب میں آچکی ہے۔۔۔ میری دعائیں۔۔۔ التجائیں۔۔۔ اور ندائیں قبول ہو چکی ہیں۔۔۔ جو میں نے مانگا تھا وہ مجھے عطا کر دیا گیا ہے۔۔۔ اس لیے میں اس سے الگ ہونے کے باوجود مطمئن تھا۔۔۔ مسرور تھا۔۔۔

مجھے احساس ہوا۔۔۔ کہ جس طرح سب کچھ ہونے کے باوجود۔۔۔ عہد و پیماں۔۔۔ جہاز میں بیٹھنے۔۔۔ روانہ ہونے۔۔۔ اور اس کو ملنے تک مجھے ''وسواس'' تنگ کر رہے تھے۔۔۔ بے یقینی اور بے وسائی دل اور جان پر غالب تھی۔۔۔

ایک انسان۔۔۔ جو گوشت پوست کا ہو۔۔۔ جس سے سمعی گفتگو کے ساتھ عہد ہو۔۔۔ مگر پھر بھی اس سے ملنے تک انسان کو یقین نہیں آتا۔۔۔ جب تک پانچوں حواس کی کسوٹی پر اس کو پرکھ نہ لے اور اصل ہونے کا احساس نہ کر لے۔۔۔ جسمانی صورت میں اپنے سامنے نہ دیکھ لے۔۔۔ یقین نہیں آتا۔۔۔ اسی طرح۔۔۔ بالکل اسی طرح۔۔۔ خدا۔۔۔ اللہ۔۔۔ رب۔۔۔ رحیم۔۔۔ کریم۔۔۔ جو صفات میں ہر جگہ موجود ہے مگر جسمانی طور پر ایک جسم نظر نہیں آتا۔۔۔ ایک ہو

کر۔۔۔لامتناہی ہے۔۔۔بے شمار ہے۔۔۔ ہر جگہ ہر مقام پر موجود۔۔۔اور لامتناہی ہو کر۔۔۔ایک ہے۔۔۔واحد ہے۔۔۔جس کی صفات ہر چیز میں عیاں ہیں۔۔۔اس اللہ کو علم الیقین سے ماننا مشکل لگتا ہے۔۔۔اور جو حواسِ خمسہ کے زور پر اس کو۔۔۔دیکھ کر، چھو کر، مس کر کے، چکھ کر، سونگھ کر ماننا چاہتے ہیں۔۔۔حق الیقین چاہتے ہیں۔۔۔جو سینکڑوں۔۔۔ہاتھوں سے بنے خداؤں کی مورتیوں۔۔۔سورج چاند ستاروں کی ہیبت سے متاثر ہو کر۔۔۔حق الیقین سے خدا مانتے ہیں۔۔۔وہ شاید اپنے اپنے وقت میں۔۔۔ٹھیک ہی کرتے ہوں گے۔۔۔

میں انہی سوچوں میں گم تھا کہ اس نے میرا ہاتھ تھاما۔۔۔اور میری طرف دیکھے بغیر بولی۔۔۔

چلیں۔۔۔

اور میں چابی والے گُڈے کی طرح اس کے ساتھ ساتھ چل دیا۔ جیسے میری منزل Pre programmed ہو۔ جس پر مجھے کوئی اختیار نہ ہو۔

جب انسان اپنی زندگی کے تمام اختیار کسی کو سونپ دے۔۔۔اپنا آپ سونپ دے۔۔۔تو پھر اس سے کب۔۔۔کیوں۔۔۔کیسے۔۔۔کہاں۔۔۔تو نہیں پوچھا جاتا۔۔۔پھر تو ساری کشتیاں جلا کر۔۔۔ ہفت اقلیم ذات کی کنجیاں اس کی جھولی میں ڈال کر۔۔۔اس کو امام بنا کر۔۔۔بلا جھجک انسان اس کے پیچھے چل نکلتا ہے۔۔۔اِدھر اُدھر بالکل نہیں دیکھتا۔۔۔نہ سوچتا ہے نہ سوچ پر اختیار ہوتا ہے۔۔۔اور نہ ضرورت ہوتی ہے۔۔۔زندگی کو زندگی کے مالک کے حوالے کر کے چل پڑتا ہے۔۔۔اور پھر وہ اپنی سماعت دوسری آوازوں کے لیے۔۔۔اپنی بصارت دوسرے نظاروں کے لیے۔۔۔اپنی لذت دوسری لذتوں کے لیے۔۔۔لمس۔۔۔دوسرے لمسوں کے لیے۔۔۔خوشبو دوسری خوشبوؤں کے لیے۔۔۔ہمیشہ کے لیے بند کر لیتا ہے۔۔۔صرف ایک نظارہ آنکھ کے لیے۔۔۔ایک آواز کان کے لیے۔۔۔ایک خوشبو ناک کے لیے۔۔۔ایک لمس ہاتھ کے لیے۔۔۔اور اپنی زبان ایک لذت کے لیے ہمیشہ ہمیشہ کے لیے محفوظ کر لیتا ہے۔۔۔پھر وہی زندگی اور حاصلِ زندگی بچتا ہے۔ زندگی وہیں سے شروع ہو کر۔۔۔وہیں ختم ہو جاتی ہے۔۔۔

میں بھی زندگی اس کے حوالے کر کے۔۔۔زندگی کے ساتھ۔۔۔زندگی کے پیچھے۔۔۔ گردن جھکائے۔۔۔غیر مشروط سرنڈر کر کے چل پڑا تھا۔۔۔تیس سال پہلے کے فیصلے پر تیس سال کے بعد بھی اسی اخلاص۔۔۔محبت اور عقیدت کے ساتھ قائم۔۔۔۔!

نیلی جینز کے اوپر سرخ شرٹ اور جیکٹ پر نفاست سے دھرے ہوئے ابھی تک سیاہ بال۔۔۔میرے خیال کی طرح خوبصورت تھے۔میری ہونے کے باوجود میں اس کی طرف دیکھنے سے نہ جانے کیوں ڈرتا تھا۔۔۔میں عجیب ہچکچاہٹ کے ساتھ کبھی کبھی آنکھوں کے کونوں سے اس کی طرف دیکھ لیتا۔شاید وہ بھی ایسے ہی میری طرف دیکھتی ہوگی۔مگر چند قدموں کے سفر میں ایک بار ایسا ضرور ہوا کہ میں نے اس کی طرف دیکھنے کی چوری کی تو وہ بھی میری طرف ہی دیکھ رہی تھی۔میں اس کی نظروں کی تاب نہ لا سکتا تھا۔مگر اس نے خود ہی بڑی خوبصورتی اور ادا سے، ایک مسکراہٹ کے ساتھ، دوبارہ سامنے کی طرف دیکھتے ہوئے قدم بڑھا دیئے۔

ایئرپورٹ سے گاڑی تک کے سفر میں وہ مختلف باتیں کر رہی تھی۔مگر میری سمجھ سے اس کی سلیس اُردو اور ملے جلے انگریزی کے جملے باہر تھے۔جیسے میں کچھ بھی سننے، دیکھنے اور سمجھنے کی اہلیت نہ رکھتا تھا۔میں تو اپنی ونڈر لینڈ میں ورطہء حیرت میں سفر کناں تھا۔جو شاید خواب کی دنیا تھی یا دنیا کے خواب تھے۔اور ان خوابوں میں چلتے چلتے میں صرف یہ سوچ رہا تھا کہ یا خداوندِ موسیٰؑ وہارونؑ اس خواب کو کبھی ختم نہ کرنا۔۔۔میرے ساتھ ساتھ چلتے رہنے دینا۔اس نے جب میرا ہاتھ پکڑا تو مجھے ایسا محسوس ہوا جیسے کسی ریت کی بوری کو کسی نے سہارا دے دیا ہو۔جیسے میں گرنے والا تھا اور مجھے کسی طاقتور جسم کا سہارا میسر آ گیا ہو۔اس نرم ونازک لڑکی کے نرم گرم ہاتھ اس ٹھنڈی ہوا اور برفیلی فضا میں میرے جسم اور روح کے لئے نہ صرف زندگی اور میرے خوابوں کی تعبیر فراہم کر رہے تھے۔بلکہ مجھے احساس دلا رہے تھے کہ جیسے ہم ایک عمر سے یونہی ساتھ ساتھ، ایک دوسرے کا ہاتھ تھامے، گرمی اور سردی میں، مشکل اور آسانی میں، تنگی اور فروانی میں، زندگی کی ہر ایک کہانی میں، کائنات کی بلا روک روانی میں، رواں دواں چلتے جا رہے ہوں۔۔۔چلتے جا رہے ہوں۔۔۔جن کو جنت دوزخ، نیکی بدی، خیر وشر، اہرمن اور یزداں کی کوئی فکر نہیں، جو ہر غم اور خوشی، رنج وغم سے آزاد، محوِ سفر۔۔۔ایک عمرِ

خضر سے انہی راستوں اور برفیلے موسموں میں سفید برف کے میدانوں پر، اپنے قدموں کے نشان چھوڑ کر بڑھتے جا رہے ہوں۔

اس مختصر سفر میں سالوں کے فاصلے اور اجنبیت کا احساس آنِ واحد میں ہوا ہو گیا۔ ویسے بھی اجنبیت تھی کب۔ ایک عمر، جوانی کا ایک طویل عرصہ ہم نے اکٹھے گزارا۔۔۔ ایک ساتھ۔۔۔ سوتے جاگتے۔۔۔ ایک بستر پر۔۔۔ سر اونچا کرنے کے لئے، جب بھی تکیہ دوہرا کر کے میں سر کے نیچے رکھتا تو وہ ہمیشہ بولتی، کہ یار تکیہ خراب ہو جائے گا۔۔۔ پھر ایک ہی کتاب، راجہ گدھ، نسخہ ہائے وفا، امن ورسوا، واصف باصفا۔۔۔ اشفاق وقدسیہ ہم اکٹھے پڑھتے۔۔۔ دھواں دار بحث کرتے۔۔۔ پھر گردن میں بانہیں حمائل کر کے سو جاتے۔۔۔ کب سوتے، کب اٹھتے۔۔۔ مگر جب میں صبح سویرے بستر پر تجھے ڈھونڈتا۔۔۔ ہاتھ سے ٹٹولتا۔۔۔ تو بستر پر چند سلوٹوں کے علاوہ کچھ نہ ملتا۔۔۔ میں ادھر ادھر ہاتھ مارتا۔۔۔ ڈھونڈتا۔۔۔ دیکھتا۔۔۔ سوچتا کہ

شاید تم باورچی خانے میں ہو۔۔۔ اور ابھی آواز آئے گی۔۔۔

احمد۔۔۔ یہ لیں آپ کی گرم گرم چائے۔۔۔ اور جلدی جلدی فریش ہو جائیں۔۔۔ اور بتائیں ناشتے میں کیا لیں گے۔۔۔

آنکھوں کے بعد۔۔۔ دماغ کے مکمل بیدار ہونے کے عرصہ میں۔۔۔ میں تمہیں تلاش کرتا۔۔۔ خواب کا سلسلہ جہاں سے منقطع ہوا تھا۔۔۔ کھلی آنکھوں وہیں سے جوڑنے کی کوشش کرتا۔۔۔ بار بار ناکام ہونے کے باوجود یقین نہ آتا۔۔۔ مگر۔۔۔

تم کب کی جا چکی ہوتیں۔۔۔ خواب نگر سے۔۔۔ خواب نگر میں۔۔۔!

میری ہر تحریر کے ہر لفظ ردیف، قافیہ، تشبیہ و استعارہ، شعر یا نثر پارہ میں تیری خوشبو ہے۔ میرے حرفوں اور تراکیب میں تیری سوچ جلوہ فگن رہی۔ میری روح اور جسم کی ہر منزل میں تیری آشنائی رہی۔ تیرا ساتھ اور ہاتھ ہر وقت میرے ساتھ رہا۔ قدم بہ قدم، لمحہ بہ لمحہ، لحظہ بہ لحظہ، کُو بہ کُو۔۔۔ تو ہی تو۔۔۔ چارسُو۔۔۔ ہر سُو۔۔۔! تیری خوشبو۔۔۔! نجانے کیوں ہر شام کھڑکی کے اس طرف رات کی رانی۔۔۔ اور تیری خوشبو میری در و دیوار میں میلہ لگا دیتی تھی۔ میرے ویران گھر میں۔۔۔ رات کے

آخری پہر میں جب انسان سو جاتے ہیں اور رحمٰن اور شیطان اپنے اپنے بندوں کو آواز دیتے ہیں۔۔۔اچانک کمرے کے اندھیرے میں، چاند کی کرنوں کے ساتھ، خوشبو کی طرح شیشے کی کھڑکی سے نکل کر تم میرے پاس آ کر بیٹھ جاتی۔۔۔میرے ساتھ کھیلتی۔۔۔میرے ساتھ باتیں کرتی۔۔۔ ہاتھوں پر ہاتھ مار کر مسکراتی۔۔۔کھلکھلاتی۔۔۔میرے ٹوٹے جملے، روٹھے مصرعے۔۔۔تم بن نامکمل غزلیں۔۔۔ہجر کی نشانی نظمیں سنتی۔۔۔اور پھر نہ نجانے کب۔۔۔کس طرح اچانک چاند کے اندر۔۔۔چاند کی طرح سما جاتی جیسے زمین سے نکل کر۔۔۔چاند نگر سے ہوتی ہوئی۔۔۔کیپلر 10 سی (KEPLER) سے گزرتی ہوئی۔۔۔سائرس (SIRIUS-A) کو ٹھوکر مارتی۔۔۔ پولکس (POLUX) میں ڈبکی لگا کر۔۔۔پسٹل سٹار سے نور چراتی ہوئی۔۔۔مِلکی وے میں جذب ہو کر (SUPER CLUSTER OF GLAXIES)LANIAKEA کا حصّہ بن کر بالآخر کسی COSMIC WEB میں شامل ہو کر کسی دوسری یونیورس کا حصّہ بن جاتی۔۔۔مجھ سے ارب ہا نوری سالوں کے فاصلے پر اور میں ناری۔۔۔خاک پر بیٹھ کر۔۔۔تمہیں صدائیں دیتا رہتا۔۔۔میری غزلیں۔۔۔میری نظمیں، میرے مصرعے تجھے بُلاتے اور پکارتے رہتے۔ مگر تم ہمیشہ کی طرح موڈ اور من کی سننے والی۔۔۔دور کہیں بہت دور۔۔۔چاند تاروں کے جھرمٹ میں گم ہو جاتیں۔۔۔اور میں تیرے ساتھ گزرے دن کی تمام یادیں اکٹھی کر کے اگلے دن کا سامان باندھتا۔۔۔اور تیرے ساتھ ساتھ چلتا۔

گورنمنٹ کالج کے بلند ہوتے مینار کی بلندیوں پر بیٹھے بربک کبوتروں کے جوڑے کو غٹرغوں کرتا ہوا دیکھ کر کلاس میں چلا جاتا۔۔۔جہاں پھر تم ہمیشہ کی طرح لیٹ۔۔۔ہنستی ہوئی۔۔۔ آتی۔۔۔اور ہمیشہ سے تمہاری منتظر خالی کرسی پر آ کر براجمان ہوتی۔۔۔اور میں دوسروں کو پڑھانے والا تیری آنکھوں سے خود کو پڑھتا۔۔۔دن گزرتا رہتا۔۔۔تیرے ساتھ۔۔۔تیرے بغیر۔۔۔مگر ہر لمحہ تیرے ساتھ۔۔۔زندگی کا ہر لمحہ۔۔۔تیرے ساتھ۔۔۔تیرا ہاتھ۔۔۔!

وہ کبھی بھی اور کہیں بھی مجھ سے جدا اور الگ نہیں رہی تھی۔ ہر سانس میں اور کام میں میرے ساتھ رہی ہے۔ مگر آج، اس لمحہ بھر کے ہاتھوں کے ساتھ میں، سفر کے دوران سالوں کے سفر مکمل ہو گئے تھے۔

سوچ کا سفر۔۔۔۔۔۔حقیقت نگر

سوچ کی خوبصورتی یہ ہے کہ اس کو ایک سے دوسری جگہ جانے کے لئے کسی سواری کی ضرورت نہیں ہوتی۔ یہ جغرافیائی سرحدوں سے بالاتر ہے۔ پاسپورٹ، ویزہ، ٹکٹ، NOC، جہاز یا گاڑی، کسی کی محتاج نہیں۔ صبح وشام دوپہر، کام اور آرام، کسی وقت کی قید نہیں۔ یہ جب چاہے، جیسے چاہے، جہاں چاہے اور جسے چاہے اس کے پاس چلی جاتی ہے یا اس کو پاس بلا لیتی ہے۔ سوچ کو تکمیل کے لئے کسی کی اجازت کی ضرورت نہیں ہوتی۔

میری سوچ اس کے بارے میں مکمل آزاد، خودمختار اور اس کی طرح خودسر تھی۔ اور میں نے اپنی سوچ کی لہروں پر سفر کر کے اپنے دن اور راتیں اس کے ساتھ بسر کی تھیں۔ اس لئے وہ اکثر میری سوچ کے زور پر میرے ساتھ۔۔۔عمر کے سفر میں، میرے ہر دکھ اور سکھ میں، میرے ساتھ رہی۔۔۔ مجھے کبھی اپنے ارمان۔۔۔خوابوں کے ارمان اور ارمانوں کے خواب پورے کرنے کے لئے اس سے اجازت لینے کی ضرورت نہیں پڑی۔ میں اس کے ساتھ رہتا۔۔۔کھاتا پیتا۔۔۔کھیلتا۔۔۔ملتا سوتا اور جاگتا تھا۔ مشاعرے سے پہلے میری ہر غزل، نظم، رباعی یا سہ حرفی کا مضمون، خیال، ردیف اور قافیہ اس کی نذر ہوتا۔ وہ میرے لئے ہرگز اجنبی نہیں تھی۔ مگر اس حالت میں۔۔۔اصلی گوشت پوست کی دنیا میں۔۔۔حقیقی ''کومل'' ایک مدت کے بعد میرے سامنے آئی تھی۔ مجھے مس کیا تھا۔ مجھے لمس کے ذریعہ جینے کا لمس دیا تھا۔

وہ گاڑی کی ڈرائیونگ سیٹ پر بیٹھی، سیٹ بیلٹ باندھی۔ میں نے بکھرے ہوئے، ''تتر بتر''، منتشر خود کو باندھا۔۔۔اکٹھا کیا۔۔۔یکجا کیا۔۔۔اور ساتھ والی سیٹ پر سمیٹ کر رکھ دیا۔۔۔ اور اس کی طرف یک ٹک ندیدوں کی طرح دیکھتا رہا۔ جیسے غریب کا بچہ برف کا گولہ کھاتے ہوئے کسی کو دیکھ کر۔۔۔ نہ چاہتے ہوئے بھی مکمل معصومیت سے۔۔۔انتہائی مزے کے ساتھ۔۔۔ہوا میں ہی کھانے والے کی چسکی کے ساتھ اسی وقفے اور تواتر کے ساتھ۔۔۔سی۔۔۔سی۔۔۔ کر رہا ہوتا ہے۔ جیسے وہ خود بھی آئس کینڈی کھا رہا ہو۔۔۔برف کا گولہ کھا رہا ہو۔ میں بھی اس کی طرف دیکھ رہا تھا۔۔۔

ندیدوں کی طرح۔۔۔مگر معصومیت کے ساتھ۔۔۔بے یقینی کی کیفیت کے ساتھ!

وہ بڑی بیبا کی سے بولی۔اب بس بھی کریں۔۔۔ایسے تو نہ دیکھیں!

میں نے جھینپ کر کہا''سوری۔۔۔بس۔۔۔ایسے ہی۔۔۔''

وہ کھلکھلائی ''ایسے ویسے کو چھوڑیں۔۔۔بہت ہو گیا۔۔۔بہت دکھ دیکھ لئے۔۔۔(بات کرتے کرتے وہ انتہائی سنجیدہ ہوگئی جیسے کسی ویران اندھے کنوئیں سے بول رہی ہو۔۔۔) زندگی کے بڑے خواب عذاب ہو گئے اب میں مزید خواب اور عذاب نہیں پال سکتی۔''

''میں آپ کی ہوں۔۔۔بلا شرکتِ غیرے۔۔۔مکمل۔۔۔غیر مشروط۔۔۔اور لامحدود۔۔۔اس لئے پرائے لوگوں کی طرح Behave نہ کریں۔۔۔!''

میرے اندر کے لفظوں کا کھلاڑی ایسے وقت کا ہی تو منتظر ہوتا ہے۔سو وہ فی الفور اپنے تمام حساب کھاتوں اور لغات و دیوان اور الفاظ معانی اور صرف ونحو منطق کے تمام اصول اور فلسفہ کے اصول اور دلائل و براہین لے کر للکارے مارتا ہوا سکندر اعظم کے جنگجوؤں کی طرح مقابل کو پکارتا ہوا۔۔۔میدانِ کارزار میں آ موجود ہوتا ہے۔کیونکہ کھلاڑی ہمیشہ اپنی مرضی کے گراؤنڈ، کراؤڈ اور آب و ہوا پر کھیلنا پسند کرتا ہے۔ہوم گراؤنڈ اور کراؤڈ کے سامنے کھیل کا مزہ دوبالا، قوت میں کئی گنا اضافہ اور فتح یقینی ہو جاتی ہے۔میں نے بھی اپنے الفاظ کے تیر و تفنگ سوچ کی ڈھال، فہم کی تلوار سنبھالی اور ہلکا سا گلا صاف کر کے گویا ہوا۔

میں آپ کے لئے پرایا ہو سکتا ہوں۔۔۔مگر آپ میرے لئے نہیں۔میں نے اپنی زندگی کا کوئی بھی لمحہ آپ کے بغیر بسر نہیں کیا۔۔۔میرے تمام حواس اور ان حواس کے حامل احساسات پر بھی آپ کا قبضہ رہا ہے۔۔۔آپ کی صورت، نظر، جھلک اور ہیولہ میرے ساتھ محوِ سفر رہا ہے۔میری زندگی کے صبح و شام، روشن و تاریک تمام گوشوں میں آپ میری ہم سفر رہی ہو۔ہاں بلا شرکتِ غیرے اور غیر مشروط ہمیشہ تم میرے تصرف میں رہی ہو۔۔۔اس وقت بھی جب تمہاری مرضی شامل نہ تھی۔مگر میرے خیالات میں آپ Unconditional and Unlimited میری تھیں۔البتہ اب جب آپ میرے سامنے ہو، میرے رُوبرو ہو۔۔۔اور اپنی مرضی سے ہو تو صدیوں کے خواب جب سچ ہونے جا رہے ہوں تو

یقین آنے میں وقت تو لگتا ہے۔اور عمر بھر کی محرومیاں لمحہ بھر میں مٹ بھی جائیں۔۔۔تو یہ عمر بھر کی بے یقینی کے فولادی سرکنڈے اور کانٹے صاف ہوتے بھی ایک عمر لگ جاتی ہے۔اندھے کو آخری عمر میں آنکھیں مل بھی جائیں تو صاحبِ بصارت نہیں ہوتا۔کیونکہ جب تک اس کو یقین آتا ہے کہ وہ صاحبِ بینا ہے تب تک موت اس کا نور واپس لے چکی ہوتی ہے۔

انسان سیر بینی کے باوجود۔۔۔بے یقینی میں رہتا ہے۔۔۔اس کے پردۂ سکرین پر۔۔۔آنکھوں کے آئینوں پر، دماغ کے نہاں خانوں پر۔۔۔شعور اور لاشعور پر کوئی عکس نہیں جمتا۔۔۔کچھ بھی نہیں دِکھتا۔۔۔سب کچھ دیکھنے کے باوجود کچھ دکھائی نہیں دیتا۔۔۔کچھ سجھائی نہیں دیتا۔۔۔عین اس شخص کی طرح جس کی سماعت اور بینائی خالق چھین لے۔۔۔وہ سن سب کچھ رہا ہوتا ہے دیکھ بھی ہر رنگ رہا ہوتا ہے۔۔۔اس کے کان بظاہر درست ہوتے ہیں Tympanometry سو فیصد درست ہونے کے باوجود وہ سن نہیں سکتا۔۔۔سماعت سب کچھ ٹھیک۔۔۔قابلِ سماعت ہونے کے باوجود۔۔۔آواز کے معنی۔۔۔دماغ اخذ کر کے پراسس کرنے میں ناکام ہو جاتا ہے۔۔۔آنکھوں کے تمام آئینے قارنیہ۔۔ریٹینا۔۔۔سفید، سیاہ نور۔۔سب کچھ درست ہوتا ہے۔عکس آنکھ کے آئینے پر بنتا بھی ہے۔۔۔اعصاب اس کو دماغ تک پہنچاتے ہیں۔نیوران سگنلز میں بھی تبدیل کرتے ہیں۔۔۔مگر دماغ پراسس کرنے سے عاری ہوتا ہے۔۔ایسے ہی میں سب کچھ ہونے کے باوجود ایک تحیّر میں۔۔۔عالمِ حیرانی میں تھا۔۔یقین ہونے کے باوجود بے یقینی کی کیفیت میں تھا۔۔ پریشانی میں تھا۔۔۔

وہ میرے پاس تھی۔۔۔موجود تھی۔۔۔مکمل گوشت پوست میں۔۔۔عالمِ اجسام میں۔۔۔اپنے خوبصورت مقام میں۔۔۔مگر مجھے یقین نہ تھا۔۔۔آتا بھی کیسے۔۔۔تیس سال کا نامکمل۔۔۔خواب۔۔۔اچانک حقیقت میں میرے سامنے تھا۔۔۔جس خواب کو حقیقت میں بدلنے کو تیس سال درکار ہوں اس حقیقت کو تسلیم کرنے کے لئے۔۔۔تیس گھنٹے بھی تھوڑے ہیں۔۔۔ !

لمحہ لمحہ زندگی۔۔۔مکمل شکست اور مستقل فتح

وہ بولی ’’حضور لمحہ جینے کی عادت ڈالیں۔۔۔ زندگی کے Pace کے ساتھ چلنا سیکھیں۔

لکھنوی دور کے مشاعروں کی باتیں چھوڑیں۔ جب مسلمان شراب کے نشے میں دھت مشاعرہ پڑھنے کے بعد بغل میں بستہ دابے گھر کا رخ کرتے تھے ''گورا'' اس وقت اُمورِ حکمرانی کی انجام دہی میں آدھی سلطنت کا چکر لگا آتا تھا۔

طرزِ کہن کو چھوڑ یئے۔ آج کو جینے کی کوشش کریں۔ کل گزر گیا اس کے ماتم میں خوبصورت آج کو تباہ نہ کریں۔ لکیر پیٹنے کی ضرورت نہیں۔ اور آنے والے کل کے خوف میں۔۔۔ آج کے مخمل کو آگ نہ لگائیں... لمحہ جینے کی عادت ڈالیں Live the moment، جیسا وقت آئے۔۔۔ جب آئے ویسا گزاریں۔ کل کا کل دیکھیں گے۔''

جس تہذیب میں وہ رہ رہی تھی۔ وہ یقیناً صحیح تھی۔ وہاں صرف اپنی زندگی تھی اور آج کی زندگی تھی۔ ماضی اور مستقبل کے بارے میں نہ کوئی پریشان تھا اور نہ کسی کو سوچ تھی۔ اس نے اپنے گالوں کے ڈمپل کی طرح اپنے آپ کو مزید گہرا اور خیالات کو پختہ کر لیا تھا۔ مکمل طور پر وقت کی ضرورت کے مطابق اپنے آپ کو ڈھال لیا تھا۔ زندگی گزارنے کے طور طریقے سیکھ لیے تھے یا شاید زندگی نے اس کو سکھلا دیئے تھے۔ اس کے خیالات اور ڈرائیونگ کی رفتار اور مہارت کو دیکھ کر مجھے احساس ہو رہا تھا کہ شاید میں تو ابھی ذہنی اور جسمانی طور پر Snail کی طرح رینگ رہا تھا۔ میرا پہلے بھی اس سے کوئی مقابلہ نہ تھا۔ میں تو بہت عرصہ پہلے ہی اس سے ہار چکا تھا۔

مکمل مات۔۔۔! ذہنی، قلبی، جسمانی اور روحانی۔۔۔ شکست۔۔۔ مکمل۔۔۔ ایک ایسی شکست جس کے بعد انسان ابدی فتح سے ہمکنار رہتا ہے۔ مکمل فتح نصیب ہوتی ہے فتحِ کامل۔ میرے خیالوں کی روانی نے اچانک مجھے روکا اور کہا

''کہ محبت میں کبھی فتح اور شکست نہیں ہوتی۔ محبت خود سپردگی کا نام ہے۔ مکمل طور پر اپنا آپ سرنڈر کرنے کا نام ہے۔ اس میں دوسری طرف سے کوئی Reciprocation کوئی جوابی سرنڈر، کوئی جوابی خود سپردگی اور بے خودی کی ضرورت نہیں ہوتی۔ اس میں صرف اپنے من کا کھیل ہوتا ہے۔ اپنے آپ کو مارنے کا نام محبت ہے۔ خود کو خود سے اور خود ہی ختم کرنے کا نام محبت ہے۔ اس جان کی بازی میں وزیر، مشیر، پیادہ، فیل یا چالیں چلنے کی ضرورت نہیں ہوتی۔ اس میں تو سر خود کاٹ کر ہتھیلی پر رکھ کر

محبوب کے قدموں تلے رکھ دیا جاتا ہے۔اور اگر وہ راضی ہو تو اس کی راہ پر، گردن جھکا کر کند چھری سے اپنے آپ کو کاٹ کر، خون کا صدقہ اس کے قدموں میں اور گوشت اس کے کتوں کے لئے اپنے ہاتھوں ڈال دینا ہوتا ہے۔''

''کون سی فتح اور کونسا مقابلہ اور کیسا مسابقہ۔ مقابلہ تو دو برابر میں ہوتا ہے۔ بھلا خالق اور مخلوق، محبّ اور محبوب، عاشق و معشوق میں کونسا مقابلہ کونسی فتح اور نصرت۔۔۔! میں تو اپنے سانس اس سے مستعار لیتا ہوں۔ سوچ ادھار لیتا ہوں۔ دھڑکن کا قرار لیتا ہوں۔ وہ نظر ہٹا لے تو میرا سب ختم ہو جاتا ہے۔۔۔ اجڑ جاتا ہے۔۔۔ تباہ ہو جاتا ہے۔۔۔ برباد ہو جاتا ہے۔۔۔! اس کی نظرِ التفات ہے تو زندگی کا ربط ہے۔۔۔ وگرنہ زندگی کی ضرورت زندگی کو نہیں''۔

زندگی کا براہِ راست تعلق زندگی دینے والے کے ساتھ ہوتا ہے۔۔۔ اس کے بغیر زندگی میں جتنی مرضی رنگینی ہو۔۔۔ وہ پھیکی اور روکھی لگتی ہے۔۔۔ اس لیے زندگی، زندگی کے مالک کے ساتھ زندگی لگتی ہے۔۔۔ ورنہ شرمندگی ہوتی ہے۔ زندگی مستعار دینے والے کے ساتھ کونسا ہار جیت کا مقابلہ ہوتا ہے۔ زندگی اس کی امانت ہے جب چاہے واپس لے لے۔۔۔ یا مانگ لے۔۔۔ واپس لینا اس کا اختیار ہے۔ انکار کرنے والا۔۔۔ بے اختیار ہے۔۔۔ اس لیے محبت کا تقاضا یہ ہے کہ محبوب کو واپس نہ مانگنا پڑے۔۔۔ بلکہ محبّ خود بخود۔۔۔ زندگی کو محبوب کے قدموں میں نچھاور کر دے۔۔۔ کیونکہ محبوب کے قدموں کے نیچے زندگی دے کر زندگی حاصل ہوتی ہے۔۔۔ ہمیشگی حاصل ہوتی ہے۔۔۔ زندگی دے کر زندگی امر ہو جاتی ہے۔۔۔ ہمیشہ کے لیے۔۔۔ اس لیے محبت میں ہار کر فتح نصیب ہوتی ہے۔۔۔ جان دے کر زندگی نصیب ہوتی ہے۔۔۔ شرطِ محبت ہے۔۔۔ مستقل سے۔۔۔ مستقل محبت۔۔۔!

وہ شاید جن حالات سے گزر رہی تھی اس کے مطابق اس کو آج ہی جینا چاہیے۔ اسے شاید لکیر پیٹنے کی بجائے وقت کو وقت اور حالات اور ضرورت کے مطابق ہی گزارنا چاہیے۔ انسان کو صورتِ حال کے مطابق ایڈجسٹ کر لینا چاہیے۔ بدل لینا چاہیے مگر میں اپنے بظاہر دقیانوسی خیالات اور اٹھارویں صدی کی محبت کو بھلانے پر راضی نہ تھا۔ یادِ ماضی میرے لئے اثاثہ بھی تھا اور تازیانہ بھی۔

اور میری تکلیفیں اتنی خوبصورت تھیں اذیتیں اتنی پُر کیف تھیں کہ میں ان سے بھی محبت کرتا تھا۔۔۔ سالہا سال کے شب و روز کے ساتھ کی بدولت ہم بِن وصل کے بھی۔۔۔ ایک دوسرے کے عادی ہو چکے تھے۔

یہ انسانی فطرت ہے کہ مشکل کے بعد آسانی آجائے تو ہم مشکل کو بھول جاتے ہیں جبکہ بے شمار آسانیوں کے بعد ایک معمولی مشکل پڑ جائے تو ہم تمام آسانیوں کو بھول جاتے ہیں۔ بے شمار خوشیوں کے بعد ایک دکھ یا بے شمار دکھوں کے بعد ملنے والی ایک خوشی۔۔۔ دکھ اور خوشی کو بھلا دیتے ہیں۔

ہم دونوں کو شاید زندگی کے ابتدائی سالوں اور بھرپور جوانی کے دنوں میں دکھ ملے تھے۔۔۔ مگر دونوں کے دکھوں اور غموں کی نوعیت یکسر مختلف تھی۔۔۔ وصل کے بعد۔۔۔ فراق کا ایک ایک دکھ، کرب، غم اور تکلیف مجھے اب خوب صورت اور اثاثہ لگتی تھی۔۔۔ عبادت، ریاضت اور مجاہدہ لگتی تھی۔۔۔ اور اس کو یاد کر کے مجھے خوشی ہوتی تھی۔۔۔ اسکی یاد میرے لیے تمغے سے کم نہ تھی۔۔۔ جبکہ دوسری طرف ''کومل'' کے دکھ۔۔۔ آج بھی سلگتے تھے اور اس کی آنکھوں میں سرخی اور پانی لے آتے تھے اور لہجے میں تلخی اور جسم میں اضطراب بھر دیتے تھے۔۔۔ فراق کے غم انعام اور رفاقت کے غم آلام۔۔۔ عمر تمام ہوتے ہیں!

میری سوچ کے دھاگے میرے اردگرد الجھے ہوئے تھے اور میں ایک سنکی بوڑھے کی طرح مکمل طور پر اپنے وسواس اور اوہام کے ساتھ اپنے ذہن اور اپنے ساتھ مسلسل دنگل کرتا ہوا۔۔۔ خوبصورت کشادہ سڑکوں پر فراٹے بھرتی ہوئی گاڑی میں، گاڑی کے اندر اور باہر کی جنت کو یکساں نظر انداز کرتے ہوئے اندر کے جہنم کے ساتھ ایک ''یُدھ''۔۔۔ مہابھارت لڑ رہا تھا۔

میں راضی۔۔۔ تیری رضا

انسان واقعتاً بدنصیب ہے کیونکہ وہ راضی بہ رضا نہیں رہ سکتا۔ عمر بھر جس خواہش، تمنا، حاصل اور منزل کے خواب دیکھتے گزارتا ہے۔ جب وہ ہاتھ آجائے تو یا اس کو یقین نہیں آتا اور حصول کا یقین آ بھی جائے تو۔۔۔ وہ عطا تصور نہیں کرتا۔ اس میں کوئی سازش، کوئی بڑا منصوبہ، گندا ارادہ، کوئی

دنیاوی مقصد، یا خودغرضی کا کوئی نہ کوئی پہلو ڈھونڈ ضرور لیتا ہے۔اور اگر بفرضِ محال ایسا وقتی طور پر محسوس نہ ہو یا قرینِ قیاس نہ بھی لگے تو پھر مسلسل اس الجھن کا شکار رہتا ہے کہ ایسا ہے تو کیوں اور اگر ایسا نہیں تو کیوں نہیں اور اگر نہیں تو پھر کیا ہے۔۔۔

انسان ہمیشہ عطا پر ناخوش اور دوری پر بھی ناراض رہتا ہے۔عطا پر ناخوش اس لئے کہ جو حاصل ہو اس کو زورِ بازو کا کمال تصور کرتا ہے کیونکہ حاصل محنت کی کمائی سمجھتا ہے اس لئے خالق کا احسان نہیں مانتا اور اکثر اس شکوہ میں رہتا ہے کہ جو ملا وہ محنت کے تناسب سے کم ہے۔۔۔اور حق اس کو میسر نہ آیا ہے بلکہ اس کی حق تلفی ہوئی ہے۔۔۔اور دوسری طرف اگر اس کو کچھ نہ ملے یا سوچ سے کم ملے۔۔۔دسترس سے باہر رہے۔۔۔پھر تو ہتھے سے ہی اُکھڑ جاتا ہے۔۔۔رونا، پیٹنا ڈالتا ہے۔شور مچاتا ہے۔۔۔آنسو بہاتا ہے۔۔۔شکوہ شکایت کی گردانیں کرتا ہے۔۔۔حتیٰ کہ۔۔۔خالق کو جھٹلاتا ہے کہ تیرے اختیار میں اگر ہوتا تو مجھے ضرور عطا کرتا۔۔۔خود کو بے اختیار مانتے ہوئے بھی۔۔۔خدا کو بے اختیار تصور کرتا ہے۔۔۔کیونکہ راضی بہ رضا نہیں رہتا۔۔۔حالانکہ وہ اشارہ کرے تو جسم۔۔۔جان۔۔۔روح۔۔۔قلب۔۔۔ایمان سب کچھ اس پر قربان سوچنے کا مقام ہی کیا ہے جس نے ''چنی ہوئی مٹی سے خلق کیا''۔۔۔ترتیب دیا۔۔۔خوبصورت۔۔۔صورت میں تشکیل دیا۔۔۔پھر اپنی روح پھونکی اور فرشتوں سے سجدہ کروایا۔۔۔نائب اور خلیفہ بنایا۔۔۔اشرف المخلوقات کہلوایا۔۔۔اور جس نے سجدۂ تعظیمی نہ کیا وہ شیطان کہلوایا۔۔۔اور ازل سے ابد تک اس کو ملعون اور مطعون بنوایا۔۔۔اس عنایات اور کرم ھائے بے بہا کے باوجود اگر حضرتِ انسان اس سے شکوہ کرے۔۔۔اس کی عطا کو Question کرے۔۔۔ حاصل کو محنت سمجھے اور لا حاصل کو خدا کی کمزوری تصور کرے۔۔۔ایسے انسان کے نصیب میں سکون کیسے ہو سکتا ہے۔۔۔؟ جنت بھی مل جائے اور غیر مشروط مل جائے۔۔۔تب بھی وہ مضمحل۔۔۔ بے چین اور مضطرب رہے گا۔راضی بہ رضا رہنا سیکھتا تو جنت سے بہتر کوئی مقام نہیں تھا۔اس لئے آج تک یہ وسواس، اوہام اور حاصل پہ ناخوشی اور ''**ھَلْ مِن مزید**'' کی صدا اس کے سودا میں اضافہ کئے جا رہی ہے۔اور یہ اضطرابِ مسلسل اس کو قناعت کے قریب نہیں جانے دیتا۔

قناعت ایک ''سٹیٹ آف مائنڈ'' ہے۔ جب انسان حاصل پہ شکر اور لاحاصل پہ صبر کرنا سیکھ جائے۔۔۔ تو وہ اپنی ذات سے بیگانہ ہو جاتا ہے۔ جب ذات کی نفی ہو جائے۔۔۔ تو پھر صرف توکّل بچتا ہے۔۔۔ توکّل علی اللہ کے بعد ذات، اسباب اور املاک کی ہوس ختم ہو جاتی ہے۔ انسان کی جبیں میں سجدے تڑپنے لگتے ہیں اور انسان وسواس اور اوہام سے بہت آگے خدا کے حضور کائنات کی ہر دوسری مخلوق کی طرح ہر لمحہ سجدہ ریز ہوتا ہے۔ اپنے ہونے اور حاصل پر سجدۂ شکر بجا لاتا ہے۔ مزید کی تمنا، چھن جانے کا خوف، موت کا لرزہ اور زندگی کی محبت ختم ہو جاتی ہے۔ مقصدِ حیات۔۔۔ ہر سانس۔۔۔ ہر لمحہ سجدہ تسبیحات وصلوٰۃ اور مناجات رہ جاتا ہے۔۔۔ ذات اور اسمِ ذات کی تسبیح کی جگہ۔۔۔ آفاقیت میں کھو جاتا ہے۔ قیام وقعود اور غیب وشہود ہر چیز میں ایک ہی وجود نظر آتا ہے۔۔۔ لاموجود سے موجود اور لامحدود تک محدود۔۔۔ ایک وجود۔۔۔ صرف ایک وجود۔۔۔!

میری زندگی کا ہر لمحہ
تیری بندگی کے کام آئے

سرخ اشارہ۔۔۔ باندر تماشا

میری سوچوں کی طرح گاڑی کی رفتار بھی دھیرے دھیرے کم ہونا شروع ہوئی اور رینگتی ہوئی ایک پارکنگ میں جا کھڑی ہوئی۔۔۔ گاڑی سے باہر ایک بار پھر اجنبیت کے ساتھ میں سیاہ تارکول کی سڑک پر، جہاں جا بجا سفید برف کا دودھیا کارپٹ موجود تھا۔۔۔ کھڑا ہو گیا۔ میں نے اپنی ریڈار نما آنکھوں اور گردن کو ادھر اُدھر گھمایا۔ نامانوسیت کے باوجود۔۔۔ میں اپنے آپ کو ایڈجسٹ کرنے کی کوشش کر رہا تھا۔

''ہمارے پینڈو پروڈکشن اور جوائنٹ فیملی میں رہنے والے پاکستانیوں کا بڑا مسئلہ ہے۔ کسی بھی نئی جگہ پر۔۔۔ جب تک سگنل پر سرخ بتی کے باوجود۔۔۔ پرزوں کی تیز آواز کے ساتھ۔۔۔ کوئی موٹر سائیکل سوار۔۔۔ بغیر ہیلمٹ اور بلا نمبر پلیٹ گاڑی والا کالے شیشوں اور سبز نمبر کے ساتھ نہ گزرے۔۔۔ اور جہاں کوئی ریڑھی والا گدھا گاڑی کے اوپر رانگ سائیڈ سے۔۔۔ سب سے تیز

لین میں۔۔۔ بڑے آرام سے دوسری جانب سے آنے والی گاڑی کے ڈرائیور کو غصے سے اشارہ کر رہا ہوتا ہے، جیسے کہہ رہا ہو۔۔۔ اندھے ہو دیکھ نہیں رہے۔ ایسے لوگوں کا ایک پرشور ہجوم اور پھر، جلدی میں آگے نکلنے کی خواہش میں، زیبرا کراسنگ سے بھی آگے جانے کے چکر میں، ساتھ والی گاڑی کا بیک ویو مرر توڑنے پر جھگڑا ہو رہا ہوتا ہے۔ اور پھر معمول میں ٹریفک کا رش کم کرنے میں ایک آدھ گھنٹہ لگ جاتا ہے۔ بلکہ اکثر چوک کے بیچ میں پہنچنے والے سواروں کو ٹریفک اہلکار ہاتھ سے یا ہینڈل سے پکڑ کر روک لیتے ہیں۔ تاکہ وہ مزید آگے نہ بڑھ سکیں۔ سرخ اشارے کے سبز ہونے کا انتظار کون کافر کرے۔۔۔ ابھی زرد بتی نہیں جلتی اور پچھلی گاڑیوں کے ایکسلریٹر۔۔۔ گھوں گھوں۔۔۔ ٹیں ٹیں۔۔۔ پاں پاں۔۔۔ کے ہارن کی آواز بے ہنگم شور۔۔۔ ایسے لگتا ہے کہ پورے کا پورا شہر فائر بریگیڈ کے کام پر مامور ہو۔ اور کہیں آگ لگی ہو۔ اور سب بجھانے جا رہے ہوں۔۔۔ بندر تماشہ دیکھنے کے لئے دو گھنٹے رک جائیں گے۔ یا سڑک کنارے کسی کا حادثہ ہو جائے تو گھنٹوں کھڑے ہو کر سڑک بلاک کر دیں گے۔۔۔ ہر کوئی گردن نکال کر پوچھے گا کیا ہوا ہے۔۔۔ اچھا۔۔۔ اوہ۔۔۔ ہو۔۔۔ چچ چچ۔۔۔! کوئی سیلفی بنائے گا کوئی سڑک کے درمیان میں گاڑی کھڑی چھوڑ کر چل دے گا۔۔۔ مگر حرام ہے متاثرہ شخص کی کوئی مدد کرے۔۔۔ یا سڑک پر رفتار کم کریں۔''

''ائیرپورٹ سے اس دفتر نما جگہ تک اجنبیت ہی اجنبیت تھی۔۔۔ نہ رنگ برنگے ہارن کی آواز، نہ کسی نے موٹروے پر ایک سو بیس کلومیٹر فی گھنٹہ کی سپیڈ سے چلتے ہوئے گاڑی کا شیشہ کھول کر کیلے کا چھلکا، Lays اور کُرکُرے کا خالی پیکٹ پھینکا۔۔۔ نہ ٹھاہ کر کے پانی کی خالی بوتل اور کوک کا ٹِن گاڑی کی ونڈ سکرین پر لگا۔۔۔ نہ کوئی سیاسی نعرہ Billboard۔۔۔ نجومی، عامل اور جوانی بانٹنے والے حکیموں کی وال چاکنگ نظر آئی۔ کہیں بھی رانگ سائیڈ سے اوورٹیکنگ نہ ہوئی اور نہ زیبرا کراسنگ پر گاڑی کھڑی کرنے کی جرأت۔ نہ کہیں سڑک پر پانی، بجلی، گیس والوں نے کھدائی کی ہوئی تھی۔۔۔ صاف ستھری نہلائی ہوئی پاکیزہ سڑکیں۔۔۔ نہ کہیں VVIP روٹ لگا ہوا اور نہ جگہ جگہ ہر چھت، مکان اور دوکان پر پولیس کا پہرہ۔۔۔ کہیں کوڑے کے کنٹینر یا زمین پر پڑا کوڑے کا ڈھیر نظر نہیں آیا۔ اور نہ اس غلاظت کے ڈھیر سے چھوٹے چھوٹے بچے روٹی کے ٹکڑے اٹھا کر اپنے ننھے ہاتھوں

کے ساتھ، بغیر کسی انفیکشن کے خوف سے، دودھ کے دانتوں سے چباتے ہوئے نظر آئے۔۔۔نہ کسی نے آنکھیں پھاڑ کر میری طرف جاتے ہوئے دیکھا کہ یہ کالا سیاہ حبشی۔۔۔اتنی خوبصورت عورت کے ساتھ کہاں سے آرہا ہے اور کدھر جارہا ہے۔نہ کسی نے دیدے پھاڑ کر گاڑی میں یا کومل کے لباس کے اندر جھانکنے کی کوشش کی۔ ہر طرف سکوت، سکون اور سرور تھا۔۔۔جیسے ہر چیز اپنی جگہ بڑے ربط سے ایک ضابطے اور ترتیب اور خود کار نظام کے تحت چل رہی ہو۔یا اللہ یہ کیسے لوگ ہیں۔۔۔! یہ کیسی بستی ہے۔۔۔''

اتنی ترتیب کے ساتھ۔۔۔تحمل کے ساتھ۔۔۔ضبط۔۔۔ربط اور بُردباری کے ساتھ۔۔۔زندگی کیسے گزر سکتی ہے۔۔۔میں نے سوچا شاید یہ غذا، خوراک، پانی، آب وہوا یہ قدرتی نشوونما کا فرق ہے۔۔۔جو یہ سارے لوگ اتنے Disciplined طریقہ سے تمام اخلاقی اور سماجی قوانین کو خود بہ خود بغیر کسی ڈنڈے اور خوف کے فالو کررہے ہیں۔۔۔

''ہمارے ہاں تمام قوانین موجود ہیں مگر ہم کہتے ہیں کہ قانون بنتے ہی توڑنے کے لئے ہیں۔کبھی سنتے تھے قانون امراء کے لئے نہیں ہوتے صرف غریبوں کے لئے ہوتے ہیں۔ارضِ پاک کی اس دہائی میں تو غریب بھی قانون کو نہیں مانتا۔۔۔ہر ٹریفک سگنل کی پابندی کے لئے دو چار ٹریفک کے اہلکار کھڑے کرنا پڑتے ہیں۔۔۔جہاں دل کرے دو چار لوگ۔۔۔غربت کے نام پر سڑک بند کر کے جس کے چاہے خلاف پرچہ کٹوالیں یا بے گناہ کروالیں۔۔۔وہ سڑک ہی کیا جس کے دونوں طرف غیر قانونی پارکنگ جب اور جہاں چاہے نہ ہو۔۔۔دوکان داروں نے انجمنِ تاجران کے نام پر دوکان سے بڑے دوکان کے آگے تھڑے نہ بنائے ہوں۔۔۔اور پھر ہر تھڑے کے آگے ایک گول گپے بیچنے والے، پھل فروخت کرنے والے یا لنڈے کی جرابیں اور شرٹیں بیچنے والے کی ریڑھی بھی لگائی جاتی ہے۔۔۔اور پھر اس سے آگے دوکان کی پارکنگ گاڑی، موٹر سائیکل، رکشہ سب کچھ۔۔۔اور سب سے کرایہ لیا جاتا ہے۔۔۔کسی کی جرأت ہے کہ ان کو ہٹالے۔۔۔ہٹانے والا بعد کے احتجاج کا سوچ کر۔۔۔اور پبلک پریشر پر ہونے والی ٹرانسفر کی پریشانی سے بچنے کے لئے۔۔۔سب سے بیس، پچاس لے لیتا ہے۔۔۔جیب بھرتا ہے اور نوکری بچاتا ہے اور ان کا حصہ بن جاتا ہے۔۔۔کیونکہ یہ

سب تو ادھر ہی رہنے کے لئے بنے ہیں اور رہیں گے۔۔۔اس کے آنے سے پہلے بھی اور جانے کے بعد بھی۔۔۔اس لیے لوگوں کی بہتری کی خاطر جو لوگوں کو خود منظور نہیں وہ اپنی نوکری کیوں داؤ پر لگائے۔۔۔''

یہ ہی سوچتے ہوئے۔۔۔ہم ایک سرکاری دفتر میں داخل ہوئے۔۔۔جہاں ایک ادھیڑ عمر شخص بڑے شستہ لہجے میں ہم سے مخاطب ہوا۔چند جملوں کا تبادلہ، زندگی بھر کا فیصلہ۔۔۔زندگی گزارنے کے بعد جب زندگی کا سورج دھیرے دھیرے زمین کے دامن میں آ رہا تھا۔۔۔مجھے زندگی دان کرنے کے لئے کافی تھا۔زندگی کے چند پل بھی پوری زندگی کو چند لمحوں میں مکمل کر دیتے ہیں۔شاید میں بھی زندگی کی اس شمع کی ٹمٹماتی لَو کے بجھنے سے پہلے پوری زندگی کے خواب، چند لمحوں میں مکمل کرنا چاہتا تھا۔شاید میرا مالک مجھ سے یہی چاہتا تھا۔۔۔! اتنا بڑا فیصلہ۔۔۔چند سیاہی کی لائنیں۔۔۔

لفظ زندگی اور لفظ موت۔۔۔لفظ انسان، لفظ نروان

غور سے دیکھیں تو ہماری ساری زندگی چند آڑھی ترچھی لائنوں پر محیط ہے۔چند سیاہی کے قطرے، نوکِ قلم سے نکلے چند جملے اور چند لائنیں۔۔۔! لوحِ محفوظ سے لے کر۔۔۔منکر نکیر کی ڈائری تک۔۔۔قلم سے سکھانے والے نے۔۔۔سب کچھ نقطۂ قلم میں رکھ چھوڑا۔۔۔اور ہم ازل سے روزِ محشر تک۔۔۔کسی کے لکھے یا کسی کے لکھنے۔۔۔کے رحم و کرم پر رہتے ہیں۔۔۔! چند سطریں کسی کو ملک کی تقدیر کا مالک بنا دیتی ہیں اور کسی کی تقدیر بدل دیتی ہیں۔۔۔کسی کے سر پر تاج اور کسی کا سر۔۔۔دار پر۔۔۔سب لفظوں کا ''ہیر پھیر'' ہے۔سب لفظوں کا۔۔۔چند لائنوں کا گورکھ دھندا۔

آپ الفاظ کی طاقت کا اندازہ اس بات سے لگا سکتے ہیں کہ آدم کی سرشت میں قلم کے ذریعے تحریر ڈالی، دماغ میں ''اسماء'' کی پروگرامنگ کی اور انہی ''اسماء'' کی بدولت، ڈی کوڈنگ سے کائنات میں رنگ، ترقی اور تعمیر کا عمل جاری ہے۔اس لئے یہ چند لفظ ہماری زندگی کا حاصل ہیں۔لفظ زندگی دیتے ہیں اور زندگی لیتے ہیں۔زندگی اور آخرت الفاظ کے درست استعمال سے ہے۔قلم کی

درست لائنوں سے ہے۔ میں نے اپنی زندگی کے خوابوں کو بظاہر ایک صفحے پر چند لائنیں لگا کر حاصل کر لیا تھا۔ ایک صفحے کی چند لائنیں۔۔۔ پوری زندگی۔۔۔ !الفاظ۔۔۔ کا انتخاب۔۔۔ زندگی بھر کا خواب۔۔۔ !چند لفظوں کا درست۔۔۔ انتخاب۔ زندگی کی ابتداء لفظ سے اور انتہا لفظ پر ہے۔ کائنات کی تشکیل و تخلیق کے مراحل لفظ ''**کُن**'' سے شروع اور ''**فَیَکُون**'' پر ختم ہو جاتے ہیں۔

لفظوں کی خوبصورتی یہ ہے کہ یہ زندگی دیتے ہیں اور موت بھی۔ لفظ زندگی ہیں۔ لفظ موت ہیں۔ لفظ میں ہوں۔ لفظ تم ہو۔ لفظ حیات اور کائنات ہیں۔ اس لئے ہماری پوری زندگی لفظوں کے اردگرد اوران سے کھیلتے گزرتی ہے۔ کبھی لفظ ہم سے کھیلتے ہیں اور کبھی ہم لفظوں کے ساتھ۔ انسان لفظوں کے ساتھ کھیلے یا لفظ انسان کے ساتھ فتح بالآخر لفظوں کی ہوتی ہے۔ لفظوں کا زخم تلوار سے گہرا اور سانپ سے زیادہ مہلک ہوتا ہے۔ جس کا تریاق کسی کے پاس نہیں۔ لفظوں کا ریکارڈ انسان کی تخلیق سے لے کر تکمیل تک محفوظ رہے گا۔ اس لئے الفاظ کا کم استعمال انسان کی زندگی میں اضافہ کر سکتا ہے۔ جہاں قدرت نے انسان کی زندگی سانسوں سے منسلک کی ہے اسی طرح عین ممکن ہے کہ انسان کی زندگی الفاظ کے ساتھ منسلک ہو کہ ہر انسان عمر بھر میں اتنے الفاظ ادا کرنے کے بعد مرے گا۔ اس لئے زیادہ طویل عمر کے لئے، زندہ رہنے کیلئے، لفظوں کا کم اور اچھا استعمال انسان کو امر کر سکتا ہے۔

تمام الہامی کتابوں کا مجموعہ قرآن، تمام ادیان کا خلاصہ اور تمام انبیاء کی صفات کا حامل نبی ﷺ۔۔۔ مگر اس سب سے بے پروا اُمت۔۔۔ اس سب پہ ناشکری کرنے والے مسلمان۔۔۔! میں ہمیشہ الفاظ کے اثرات کی بابت سوچتا رہتا تھا کہ یہ الفاظ کس طرح ہمارے کانوں کے راستے۔۔۔ دماغ کے پروسیسر تک پہنچ کر، اعصابی نظام میں ہلچل مچا دیتے ہیں۔ کچھ الفاظ ہمارے نروس سسٹم کو یک دم شانت کر دیتے ہیں۔۔۔ سکون۔۔۔ سمندر کی لہروں پر بادِ صبا کی طرح۔۔۔ دھیرے دھیرے۔۔۔ بڑے پریم سے، جو بِنا پتوار کشتی کو بھی ساحل آشنا کر دیتی ہیں اور کبھی کبھار چودھویں کے چاند کی طرح جذبات کے مدوجذر اور جوار بھاٹا کی طرح انسان کے روم روم میں آگ لگا کر۔۔۔ ایک سودا۔۔۔ بھر دیتے ہیں۔۔۔ پاگل پن یا سودا۔۔۔ انسان کو سینہ چاک کرنے۔۔۔ دل نکال کر ہتھیلی پر رکھنے اور جس آنکھ میں یار نہ ہو وہ آنکھیں نکال ہاتھ پر جما دینے پر مجبور کرتے ہیں۔۔۔ انسان کو سلگنے

نہیں پگھلنے پر مجبور کرتے ہیں۔۔۔ آتش فشاں کی طرح۔۔۔ راکھ۔۔۔ خاک۔۔۔ زمین و افلاک، سب پہلے آگ پھر خاک اور اس آگ خاک اور راکھ کے رستے میں آنے والا سب کچھ خاک، راکھ اور آگ بن جاتا ہے۔ یہی الفاظ فساد، قتل و غارت گری کا باعث بنتے ہیں۔ یہی کانوں میں رس گھولتے ہیں، سینے میں ٹھنڈ اور جذبات میں تسکین اور سرور بھر دیتے ہیں۔ انہی سے ہیجان اور طوفان انسان کے اندر اور باہر نازل ہوتا ہے۔ یہی انسان کو آنِ واحد میں حیوان، انسان یا مسلمان بناتے ہیں۔ الفاظ سے ملک فتح ہو نہ ہو انسان ضرور فتح ہو جاتے ہیں اور جو چیز الفاظ سے مفتوح ہو جائے اس کو کسی پہرے، تلوار اور ڈھال کی ضرورت نہیں رہتی۔ لفظوں کی محبت، انسانوں کی محبت میں بدلتی ہے۔ لفظوں کا استعمال انسان کو یزدان یا یزدان کو حیوان بنا دیتا ہے۔

لفظوں کا جاپ آدمؑ کو معافی، ایوبؑ کی صحت، ابراہیمؑ کو آتشِ نمرود، یونسؑ کو مچھلی اور موسیٰؑ کو فرعون سے نجات دلاتا ہے اور اشرف المخلوقات کو مالکِ کائنات بناتا ہے۔ لفظ انسان کو رحمٰن سے ملاتے ہیں اور لفظ انسان کو شیطان بناتے ہیں اور لفظ ہی نروان دیتے ہیں۔

سانس۔۔۔عمر۔۔۔زندگی

طویل مدت تک زندہ رہنے کیلئے طویل عمر ضروری نہیں۔ انسان کی انسانیت کے لئے بسر کی ہوئی چند سال کی زندگی۔۔۔ انسانیت کے خلاف ہزار سال کی زندگی سے زیادہ بہتر اور طویل وقت تک زندہ رہتی ہے۔ عمر کی طوالت کا تعلق دنوں، مہینوں اور سالوں سے نہیں بلکہ انسان اور انسانیت سے ہے۔ کچھ لوگ مر جلدی جاتے ہیں لیکن دفن طویل مدت کے بعد ہوتے ہیں۔ ان میں بھی دو طرح کے انسان پائے جاتے ہیں۔ ایک وہ جو بہت نازک، حساس اور شیشے کی مانند ہوتے ہیں۔۔۔ جو آب پہ حباب ہوتے ہیں۔۔۔ ہلکی سی ٹھیس، ٹھوکر اور درد ملا تو پھٹ پڑے۔۔۔ اپنی ذات میں زندہ در گور ہو گئے۔۔۔ دوسروں کے دکھ اپنے اندر سمو لیتے ہیں اور ان کے غموں کو اپنے غم تصور کرتے ہیں اس لیے سانس سانس مرتے ہیں۔۔۔ قطرہ قطرہ جیتے ہیں۔۔۔ یہ لوگ اپنے لیے نہیں دوسروں کے لیے جیتے اور مرتے ہیں۔۔۔ بلکہ اپنی زندگی دوسروں کے سکھ کے لیے وقف کر دیتے ہیں۔ انسان کے لیے آسانیاں پیدا

کرتے ہیں۔۔۔انسان کے لیے جیتے ہیں اس لیے مر کر بھی زندہ رہتے اور طویل عمر جیتے ہیں۔

دوسری قسم میں وہ لوگ ہوتے ہیں۔۔۔ جو خیر نہیں صرف شر کے پیروکار ہوتے ہیں۔ جو ذات کے لیے جیتے ہیں۔ اس لیے دوسروں کو مارتے ہیں اور اذیت دیتے ہیں۔ دکھ، تکلیف، اذیت اور غم کا باعث بنتے ہیں۔ یہ لوگ انسان اور انسانیت کے لیے باعثِ شرم ہوتے ہیں۔ ایسے لوگ موت سے بہت پہلے مر جاتے ہیں۔۔۔ مگر دفن بہت بعد میں ہوتے ہیں۔ ان کی سوچنے، سمجھنے اور دیکھنے کی صلاحیتیں مفقود ہو جاتی ہیں۔ قدرت ان کے حواسِ خمسہ کی صلاحیت اور استطاعت سلب کر لیتی ہے۔ وہ زندہ ہو کر بھی زندہ نہیں ہوتے۔۔۔ کیونکہ زندہ رہنے کے لیے صرف سانس چلنا ضروری نہیں بلکہ انسان میں انسانیت کا ہونا ضروری ہے جو کہ ان میں نہیں ہوتی۔ ایسے لوگ طویل عمر کے باوجود بہت جلد مر جاتے ہیں۔۔۔ اور لوگ ان کی جلد تدفین کی دعائیں کرتے رہتے ہیں۔۔۔ مگر برائی کی عمر ہمیشہ زیادہ طویل ہوتی ہے اس لیے ان کی تدفین طویل عرصہ بعد ہوتی ہے۔

ہم تو صدیوں سے مر چکے صاحب
بس اِک دفن ہونا باقی ہے

شادی۔۔۔مبارک۔۔۔زندہ لاش

دفتر کی سیڑھیاں اترتے ہوئے میں نے کومل سے کہا۔۔۔ یار یہاں زندگی بڑی بورنگ ہے۔ وہ چونک کر بولی۔۔۔ کیسے۔۔۔ کیا ہوا۔۔۔؟

میں نے بغیر سوچے سمجھے کہا یار بالکل مزہ نہیں۔۔۔ ایسے جیسے مردہ لوگوں کا شہر ہے۔ یار سرکاری دفتر سے نکل کر آیا ہوں۔۔۔ شادی کی رجسٹریشن کروائی ہے۔ سمجھو جیسے نکاح نامہ رجسٹر کروایا ہے۔ مگر نہ کسی کلرک سے واسطہ پڑا نہ کسی نے فارم بھرنے کے پیسے مانگے۔۔۔ نہ کسی نے کہا سر مبارک ہو، صاحب جی اللہ خوشیاں دے۔۔۔ مٹھائی کھلا دیں۔۔۔ نہ کسی نے نظرِ بد سے بچنے کی دعا دیتے ہوئے بھیک مانگی۔۔۔ دیکھو ہم گاڑی تک پہنچ گئے ہیں مگر کوئی پانی کی بوتل کی پچکاری مار کر زبردستی گاڑی صاف کرنے کی کوشش نہیں کر رہا۔۔۔ یار زندگی میں اتنا سکون مشکل سے برداشت ہوگا۔۔۔

میں تو ایک ہنگامے سے نکل کر آ رہا ہوں اور یہاں زندہ لاشیں ہیں۔۔۔ پُرسکون۔۔۔ چلتے چلتے۔۔۔ بتیسی دکھا کر ہیلو۔۔۔ اور بس۔۔۔ کسی کو دوسرے میں کوئی دلچسپی نہیں۔۔۔ کیسے لوگ ہیں۔۔۔! گم سم۔۔۔ چُپ۔۔۔ چُپ۔۔۔ ذات میں مگن!

اور ہم باتیں کرتے گاڑی میں بیٹھ گئے۔۔۔ میں قانونی طور پر اس کا مجازی خدا بن چکا تھا۔۔۔ میرے پاس اس کے حصول کا قانونی سرٹیفکیٹ آ چکا تھا۔۔۔ اس کا ہاتھ تھامے باتیں کرتے میں اس کی گاڑی کی ہمسفری میں، مسجد کی طرف روانہ ہو گیا۔ یہاں پر یہ رواج بھی الٹ ہے۔

پاکستان میں پہلے نکاح ہوتا ہے اور پھر رجسٹریشن کے مراحل وہ بھی کئی کئی سال تک لوگ نہیں کرواتے، مگر یہاں پہلے رجسٹریشن کرواتے ہیں اور پھر اپنے اپنے مذاہب کے مطابق رسومات ہوتی ہیں۔ یعنی مسلمانوں کے لئے رجسٹریشن کے بعد مسجد میں نکاح کے مراحل طے ہوتے ہیں۔ اس دیس کے تمام معاملات الٹے اور پُٹھے تھے۔ یا شاید میرا حال چمگادڑ جیسا تھا۔ جسے ہر الٹی چیز سیدھی اور سیدھی اُلٹ نظر آ رہی تھی۔

پنجابی نکاح اور انگریزی سِول سرمنی

میں جس تہذیب کا عادی تھا۔ جس شور وغل اور ہنگامے میں پلا بڑھا تھا۔ مجھے تو وہی عین اسلام، حیا، تہذیب اور تکریم و تقدیس کے پیمانے پر پورا نظر آتا تھا۔ مگر جب میں نے صرف چند لمحوں میں اس سب کا موازنہ کیا تو مجھے اپنے اندر کلمہ طیبہ کے علاوہ اسلام کہیں نظر نہ آیا جبکہ ان کافروں، بے حیا بدتہذیب اور مادر پدر آزاد لوگوں میں، کلمہ کے علاوہ مکمل اسلام عملی صورت اور معاملات میں چلتا پھرتا نظر آیا۔

اسلام کے ٹھیکیداروں نے اپنے وسیع تر مفاد کے لئے اسلام میں سے سلامتی اور اس سے وابستہ تمام اقدار کو منفی کر دیا ہے۔ اب اسلام میں سلامتی کے علاوہ باقی سب کچھ ہے۔ اور مسلمان، امن کے علاوہ باقی ہر برائی کا استعارہ بن چکے ہیں۔ ائیر پورٹ پر اتر کر جوتے اور کپڑے تک اتارنے کے باوجود تسلی نہیں ہوتی۔ اور اگر داڑھی رکھی ہو تو خون کی ''سکیننگ'' کے باوجود بھی ایک واہمہ ڈر اور خوف ایک بے ضرر انسان کو.... حیوان سے بدتر بنا کر پیش کرتا ہے۔ اسلام تلوار سے نہیں اخلاق سے پھیلا تھا۔

اگر صرف تلوار ہوتی تو عرب سے زیادہ جنگجو، ہٹ دھرم اور خونخوار شاید ہی کوئی ہوتا۔۔۔یقین نہ آئے تو پندرہ سو سال پہلے مسلمان ہونے والوں کی اولاد کو آج بھی حرم کے گرد کھڑا دیکھ لیں۔

میں بھی چونکہ مسلمان تھا اس لئے ہر کوئی مجھے دیکھ کر ایک بار چونکتا ضرور تھا۔ مسلمان اور پاکستان کا مسلمان۔۔۔اور پھر داڑھی والا۔۔۔ایک کریلا دوسرا نیم چڑھا۔۔۔ ہر ایک شخص مجھے ایسی نظر سے دیکھتا جیسے میں تازہ تازہ مُلّا عمر سے مل کر آیا ہوں اور دو چار سو کا گلا خود چھری سے کاٹ کر اب چھاتی پہ خود کش جیکٹ پہن کر کسی نئے فدائی مشن پر جرمنی آیا ہوں۔ مسلمان انسانیت کے لئے اتنے خوفناک اور پاکستانی اتنے ہیبت ناک ہوں گے میں اس کا تصور پاکستان میں رہ کر کبھی نہ کر سکتا تھا۔۔۔

میرے ذہن میں اس وقت پاکستان اور پاکستانیت سے زیادہ۔۔۔میری زندگی کی پہلی اور آخری خوشی کی تکمیل تھی۔ اس لیے میں نے سر جھٹک کر باقی سوچوں کو سر سے بھگانے کی کوشش کی۔

شادی کی رجسٹریشن کے لئے سول سرمنی ضروری تھی۔ اس کے لئے فرینکفرٹ کے Baroque City Hall جس کو رومر (Romer) کہا جاتا ہے وہاں مجسٹریٹ بہادر یا Standesamter کے رُوبرو حاضر ہونا ضروری تھا۔ خوبصورت، نفاست سے سجائے ہوئے پھولوں، آئل پینٹنگ اور سرخ دبیز کارپٹ، عیسائیت سے لبریز اس سنٹر کے اندر داخل ہوتے ہی میرے اندر کا وہ مسلمان جاگ اٹھا جو اپنے علاوہ دنیا کی کسی چیز کو برداشت نہیں کر سکتا۔ جسے اسلام کے علاوہ باقی سب ناپاک اور غلیظ لگتا ہے۔ جس کو اپنے ماڈل کے اسلام کے علاوہ باقی ہر چیز سے نفرت ہے۔ جس میں رواداری، بھائی چارہ اور امن و آشتی نام کے Genes تنگ نظری اور اصل اسلام سے دوری نے رفتہ رفتہ ختم کر دیئے ہیں۔

ہماری باری پر جرمن زبان کی کچھ نہ سمجھ آنے والی بات چیت، برتھ سرٹیفکیٹ اور دوسرے ضروری کاغذات کی پڑتال۔۔۔ پینتالیس فرینک اور چند کاغذات پر چند لکیریں....جرمنی کے قانون کے مطابق میں ''کومل'' کے ساتھ ہمیشہ کے لئے ایک زندگی کے بندھن میں بندھ گیا تھا۔ وہ بندھن جو شاید یک طرفہ طور پر تیس سال قبل بندھ چکا تھا مگر اس کی دوسری knot آج لگی تھی۔

Romer میں رجسٹری آفس کی کچھ دیر کی مصروفیات میں مجھے معلوم ہوا کہ یہاں منگنی کی

انگوٹھی یا ''چھلاّ'' جس کو ہمارے ہاں امارت کے بعد ٹائر رنگ Tyre Ring بھی کہتے ہیں اس انگوٹھی کو منگنی کے بعد دائیں ہاتھ کی Ring Finger میں پہنتے ہیں۔اور شادی کے بعد یہی گولڈ کی انگوٹھی بائیں ہاتھ کی رنگ فنگر میں پہنا دی جاتی ہے۔شادی سے پہلے اور بعد میں نہ صرف انگوٹھی کی جگہ تبدیل ہوتی ہے بلکہ پوری زندگی بھی۔۔۔!

اس سادہ سی کاروائی میں جہاں نہ رسم ورواج کا جھنجھٹ تھا اور نہ خرافات و اخراجات کا۔۔۔عورتیں سفید گاؤن میں ملبوس اور مرد سیاہ جیکٹ اور سوٹ زیب تن کئے ہوئے۔۔۔ چند پھولوں کی کلیوں اور کچھ فرینک خرچ کر کے اپنی اپنی زندگی، اپنی اپنی باقی زندگی کے لئے لے کر روانہ ہو رہے تھے۔

دلہا دلہن اور ان کے دوست کرائے کے کپڑے چند گھنٹوں کے لئے مستعار لے کر یہاں آتے ہیں۔ جو صاحبِ ثروت ہوتے ہیں وہ بعد میں چرچ میں جا کر سادہ سی تقریب مقرر کرتے ہیں۔وگرنہ چند دوستوں کے ساتھ ادھر ہی سے اپنی Better Half کا ہاتھ تھامتے ہیں اور (شادی شدہ کی صورت میں Matron of Honor اور غیر شادی شدہ کی صورت میں Maid of Honor اور مرد کے دوست خاص کو Best Man کہا جاتا ہے اور دراصل یہ شادی کے گواہ بھی ہوتے ہیں۔) اس طرح اگر کسی نوعمر لڑکی کو دلہن کے ساتھ جانا ہو تو اس کو Junior Maid of Honor کہا جاتا ہے اس کا گاؤن احتیاط سے پکڑ کر سیڑھیاں اترنے میں مدد دیتی ہے۔اور وہ گاڑی میں بیٹھ کر ہارن بجاتے ہوئے روانہ ہو جاتے ہیں۔ہاں البتہ شادی (Wedding Procession) کی نشانی کے طور پر گاڑیوں کے انٹینے پر سفید ربن باندھے جاتے ہیں۔اور گاڑیاں مسلسل ہارن بجاتی ہوئی جاتی ہیں۔

چاچا فیقا اور ''جج'' طریقہ

ایک سادہ سی کم خرچ تقریب، نہ شریکوں کو گھنٹوں منانے کا جھگڑا ہوتا ہے۔نہ عین اس وقت چاچا رفیق ناراض ہو کر چھپ جاتا ہے۔جب تمام بارات گاؤں سے باہر گاڑی پر بیٹھ چکی ہوتی

ہے۔ہم برصغیر کے لوگ بھی بڑے عجیب قماش اور خیال کے جانور ہیں۔ پوری بارات کی تیاری۔۔۔ دن رکھنے۔۔۔ باراتیوں کی تعداد۔۔۔ بسوں کا کرایہ۔۔۔ ولیمے کا مینیو۔۔۔لاگ۔۔۔ دوسرے رسم ورواج کی ایک ایک تفصیل مل کر اکٹھے طے کرتے ہیں۔ یہاں تک کہ مہمانوں کو اپنے گھر سلاتے ہیں۔کھانا کھلاتے ہیں اور بارات والے دن صبح کا ناشتہ تک کراتے ہیں مگر۔۔۔

جونہی بارات تیار ہوتی ہے، دولہے کو سہرا باندھا جاتا ہے۔۔۔نوٹوں کے ہار گلے میں اور تمام ''سلامیاں۔۔۔ یا نیوندرا'' لکھا جاتا ہے۔اور بارات ڈھول ڈھمکے کے ساتھ۔۔۔شُرلیوں اور پٹاخوں کی ٹھاہ ٹھاہ اور سر کے اوپر سے پھینکے جانے والے چھوٹے کرنسی نوٹوں۔۔۔سکوں اور ریز گاری کے درمیان روانہ ہوتی ہے۔سبز اور سرخ وردی۔۔۔ ٹی ٹی، پاں پاں، براس بینڈ کی آواز اور بے سُری بے ترتیب دھنوں کے درمیان۔۔۔ رشتے دار لڑکے کے بھائی یا باپ کی طرف دیکھ کر لڑکے کے سر پر ''ویلیں'' دیتے ہیں اور بارات ''ریز گاری'' لوٹتے ٹانگوں میں گرتے پڑتے بچوں کو بچاتے ہوئے گاؤں سے باہر بس کی طرف روانہ ہوتی ہے۔

پرانے ماڈل کی کار میں دولہے کے ساتھ بیٹھنے پر بہنوں اور بھابیوں کا جھگڑا بڑی مشکل سے ختم ہوتا ہے۔کوئی بزرگ ڈانٹ کر عورتوں اور بچوں کو گاڑی سے اتار کر واپس گھر بھجواتا ہے۔تمام مرد بس پر سوار ہو جاتے ہیں۔ جوان سیٹ چھوڑ کر چھت پر چلے جاتے ہیں یا درمیانی پائپ کے سہارے کھڑے ہو جاتے ہیں۔ دو چار لاڈلے بچے سیٹ چھوڑ کر بابا جی کی گودی میں بیٹھ جاتے ہیں۔اتنے میں دروازے سے آواز آتی ہے۔''سبھی ادھر اُدھر دیکھ لو سارے جی آ گئے ہیں'' اور پھر جی گننے کا مرحلہ شروع ہو جاتا ہے۔ایک ایک گھر۔۔۔ بابا۔۔۔ چاچا اور تایا نام لے کر دیکھا جاتا ہے۔اور عین روانگی سے پہلے معلوم ہوتا ہے کہ چاچا رفیق موجود نہیں ہے۔پھر دولہے کا باپ، سیانے بابے، چاچے رفیق کو تلاش کرنے نکلتے ہیں۔گھر، حویلی، دوکان اور مکان سب دیکھتے ہیں۔اور پھر بڑی مشکل سے پتا پڑتا ہے کہ چاچا جی زندگی میں پہلی بار درانتی لے کر چارا کاٹنے کھیتوں کی جانب جاتے دیکھے گئے ہیں۔اور پھر ترلے اور منتیں کرنے کا ایک اور لامتناہی سلسلہ شروع ہوتا ہے۔میرے گھر بیماری کا پتا لینے نہیں آئے تھے۔عید پر گوشت نہیں بھجوایا تھا۔کارڈ خود نہیں دیئے یا فلاں کو شادی پر کیوں بلایا ہے اور فلاں کو کیوں

نہیں بلایا وغیرہ وغیرہ۔۔۔

پوری بارات فصلوں میں کئی بار پیشاب کرنے کے بعد سیٹوں پر بیٹھ کر اٹھتی ہے۔ سگریٹوں کی ڈبیاں خالی ہو جاتی ہیں۔ دلہن والے انتظار کی سولی پر لٹک رہے ہوتے ہیں۔ بارات کا انتظار کر کے دیگوں میں گھی جم جاتا ہے۔ بار بار گرم کرنے سے کھانا خراب ہو جاتا ہے۔۔۔ واپسی کے سفر کی پریشانی شروع ہو جاتی ہے۔۔۔ مگر چاچا فیقا مان جائے تو ابوجہل کا ماننا کونسا مشکل تھا۔۔۔ سورج جب دوپہر کے بعد ڈھلنا شروع ہوتا ہے اور اپنے مسکن کی طرف چلنا شروع ہوتا۔۔۔ معافیوں اور ''ترلوں'' کے بعد جب دولہے کا والد بالآخر کہتا ہے کہ ''پا اگر توں نہ گیا میرے پتر نوں وھیان۔۔۔ تے اج بارات نہیں جائے گی۔۔۔'' پھر چاچے کا دل پسیجتا ہے اور وہ پہلے سے استری کیے ہوئے، تیار کپڑے پہن کر، بڑے چوڑے چھاتے اور فخر کے ساتھ۔۔۔ بس میں اگلی سیٹ پر بیٹھتا ہے۔ اور سب بسم اللہ پڑھ کر اپنی اپنی حیثیت کے مطابق کہتے ہیں ''استاد جی جان دیو۔۔۔!'' اور یوں بارات ایک مکمل ''پواڑے'' اور مصیبت کے بعد روانہ ہوتی ہے۔ خوشی کے تمام مواقعوں کا مکمل طور پر ستیاناس کرنے کے بعد۔۔۔ اور ہر قسم کا سیاپا کرنے کے بعد شادی کے مراحل کی طرف قدم بڑھائے جاتے ہیں۔۔۔

ہم لوگ خوشی کو ماتم میں بدلنے کے ماہر ہیں۔۔۔ مجال ہے کسی کو خوش دیکھ سکیں یا کسی کی خوشی دیکھ سکیں۔۔۔ رنگ میں بھنگ ڈالنا۔۔۔ اور خوشی میں غم ڈالنا ہماری خوبی اور خصلت ہے۔۔۔ اور شاید اس خطے میں رہنے والوں کی فطرت ہے۔ اس لئے شادی بارات، سالگرہ، منگنی یا کسی دیگر رسم کا موقع ہو۔۔۔ کسی انتہائی واہیات بات کو۔۔۔ کسی بے تکی دلیل پر اور کسی انتہائی گھٹیا سطحی سوچ پر مبنی واقعات کو بنیاد بنا کر ہم پورا فنکشن تباہ کرنے کی اہلیت بخوبی رکھتے ہیں۔۔۔ شکر ہے اس ملک میں۔۔۔ میرے اردگرد میرا کوئی ایسا شریک نہ تھا۔۔۔ جو میری خوشی کو کرکرا کرتا۔۔۔ نقص نکالتا۔۔۔ خوامخواہ میں روٹھتا۔۔۔ وگرنہ میری شادی پچپن سال میں بھی سرے نہیں چڑھنی تھی۔

فرینکفرٹ کے اس خوبصورت ہال میں شادی کی اس تقریب میں بس کوئی چاچا فیقا نہ تھا۔ نہ کوئی ناراض ہونے اور عین وقت پر ''رُسنے والا'' تھا۔ خوشی سے تمام لوگ اپنی اپنی گاڑیوں میں ہارن بجاتے ہوئے روانہ ہو گئے۔ میں ملکی قانون میں اس کے ساتھ شادی کے بندھن میں بندھ چکا

تھا۔اور اپنی اس زندگی کی کامیابی یا کامیابی کی زندگی پر مسرور اور آنے والے خوبصورت پلوں کی بابت مخمور ہوا جارہا تھا۔۔۔میرا ذہن بار بار اب سے کچھ وقت بعد کے وصل کی بابت سوچ رہا تھا۔۔۔خوشی کے اس آبِ بیکراں میں ڈبکیاں لگا رہا تھا اور بڑھاپے کے جذبات اور جذبات کے بڑھاپے کو جوانی فراہم کررہا تھا۔اور میں اپنے سر کو جھٹک کر اردگرد کے ماحول اور واقعات میں دل لگانے کی کوشش کررہا تھا۔

شادی۔۔۔دوخاندانوں کا وصال

میں نے ان سادہ اور انتہائی پروقار شادی کی تقاریب کو دیکھ کر پوچھا کہ یار بس یہی شادی ہے یا کوئی کھانا یا کوئی پارٹی وغیرہ بھی کرتے ہیں یہ لوگ۔۔۔

وہ بولی ہمارے ہاں میرج لائسنس یا میرج رجسٹریشن کے بعد جو صاحبِ ثروت ہوں وہ اپنے عزیز واقارب اور رفقاء کو پارٹی دیتے ہیں۔جس کو Polterrend کہا جاتا ہے۔اس میں اچھا اور عمدہ کھانا، ڈرنک اور ڈانس ہوتا ہے۔اس کی خاص بات یہ ہے کہ کھانے کے بعد مہمان پلیٹیں توڑتے ہیں۔شیشہ اور کرسٹل کو نہیں توڑا جاتا۔پلیٹیں توڑ چکنے اور مکمل طور پر گندڈالنے اور شور شرابا کرنے کے بعد دولہا اور دلہن ان ساری کرچیوں اور ٹکڑوں کو مل کر سمیٹتے ہیں۔باہم مل کر صفائی کرنے کے اس عمل کو دولہا دلہن کے لئے نیک شگون، خوشی قسمتی اور Good Luck کی علامت تصور کیا جاتا ہے۔اور خیال کیا جاتا ہے کہ اس سے نئے جوڑے میں باہم انڈرسٹینڈنگ اور مل کر زندگی گزارنے کا جذبہ بڑھے گا۔اس کے بعد دو قسم کا ڈانس ہوتا ہے۔پہلا ڈانس جو صرف دولہا اور دلہن کرتے ہیں۔اس کو Waltz (والٹز) کہتے ہیں۔دوسرے ڈانس میں دلہن اور اس کا باپ دولہا اور اس کی ماں اور پھر دلہن کی ماں دولہے کے باپ کے ساتھ ڈانس کرتی ہے۔اور اس طرح نہ صرف دولہا دلہن بلکہ دونوں خاندانوں کا ملن ہوتا ہے۔اس سے دراصل یہ پیغام دینا مقصود ہوتا ہے کہ شادی صرف دو لوگوں کی نہیں بلکہ پورے دو خاندانوں کا آپس میں تعلق ہوتا ہے۔

دولہا دُلہن کا نئے عروسی لباس میں ملبوس اور محبت سے چُور، اور مخمور ہونے کے باوجود۔۔۔

پورے گھر سے کرچیاں اٹھانا۔۔۔ پلیٹوں کے ٹکڑے۔۔۔ گندہ فرش۔۔۔ کرچیوں کے پاؤں نیچے آنے کے باوجود مختلف قسم کی آوازیں۔۔۔ مل کر یہ گند اُٹھانے کے پیچھے شاید یہ فلاسفی ہوتی ہوگی کہ ''آج سے آپ دونوں ایک ہوکر۔۔۔ زندگی کا گند بھی سمیٹو گے۔۔۔ ایک دوسرے کا گند۔۔۔ ٹوٹا ہوا سامان۔۔۔ بکھرے ہوئے خواب۔۔۔ اپنے اپنے خوبصورت ہاتھوں۔۔۔ سے سمیٹو گے۔۔۔ دامن سے صاف کرو گے۔۔۔ مشکلات میں ایک دوسرے کو اکیلے نہیں چھوڑو گے۔ ایک دوسرے کے ساتھ اور ہمراہ رہو گے۔۔۔ اس عہد کا دن کہ دونوں زندگی کے پاؤں میں چبھنے والی کرچیاں۔۔۔ آنکھوں میں پڑنے والی ریت اور نوک دار کرچیاں مل کر نکالیں گے۔۔۔ ایک دوسرے کو سنبھالیں گے۔۔۔ برے دن بِتالیں گے۔۔۔ زندگی نبھالیں گے۔۔۔ مل کر سجالیں گے۔۔۔!

وہ بولی شادی صرف جسم کا اتصال نہیں، روح، سوچ، فکر کا ادغام ہے۔ دو خاندانوں اور دو خیالوں کا وصال ہے۔ ایک Perfect Compromise ہے۔ یہ جسم کی تسکین نہیں اس سے بہت آگے اور مقدس بات ہے۔

''میں شادی کے اس کھانے یا ولیمہ نما تقریب کا سوچ رہا تھا کہ میرے ذہن میں خیال آیا کہ دلہنوں کی رخصتی کے وقت اس کے اوپر سے چاول پیچھے کی جانب پھینکے جا رہے تھے۔ اس سے مجھے اپنے گاؤں کی شادیاں یاد آ گئیں۔ جس میں دلہن رو رو کر اپنا ستیاناس کر لیتی ہے۔ بلکہ بعض اوقات رحم دل اور کمزور دل دولہا حضرات بھی آنکھوں میں نمی سے بھرپور، محبت آمیز شفقت اور شفقت آمیز محبت کا اظہار فرما رہے ہوتے ہیں۔ اور محلّہ کی ہر چاچی، تائی لڑکی سے گلے ملنا اپنا اخلاقی فرض تصور کرتی ہے۔ پوری زندگی قرآن کو ہاتھ لگائیں نہ لگائیں، دلہن کے سر پر قرآن کا سایہ کر کے اور چاول پھینکتے ہوئے روانہ ہوتے ہیں۔''

چاول پھینکنے کی روایت کے پسِ پشت حقائق سے تو میں آج تک ناآشنا ہوں مگر حیران ضرور ہوا ہوں کہ شاید یہ رسم برصغیر سے ''یہاں'' پہنچی ہو یا یہاں سے برصغیر میں... مگر یہ ضرور یقین آ گیا کہ دراصل ہم ارتقاء کے عمل میں ایک دوسرے سے چیزیں مستعار اور ادھار ضرور لیتے ہیں۔ چاول نچھاور کرنے سے مراد شاید صدقہ ہو یا یہ شگون کہ اس طرح دلہن پر رزق کی فراوانی رہے گی۔ مگر قرآن سر

پر رکھ کر روانہ ہونے سے مراد یقیناً یہ ہے کہ اللہ تعالیٰ ہر دو سروں پر قرآن کا سایہ اور ایمان کی سلامتی اور قرآن کی رہنمائی سلامت رکھے۔

ویڈنگ رجسٹری اور سپلٹ گفٹ

ان سارے مراحل میں مجھے دولہا اور دلہن ایک ٹیبل سے چند نیلے پیلے کاغذوں میں قرینے سے پیک کی ہوئی اشیاء گاڑی میں رکھ کر روانہ ہوتے نظر آئے۔ میں نے بے اختیار پوچھ لیا کہ جہیز کا تو مجھے علم ہے کہ یہاں کوئی Concept نہیں۔ ہمارے ہاں تو جہیز کے ہاتھوں بیٹیاں بالوں میں چاندی لے کر Menopause تک پہنچ جاتی ہیں۔ کہیں گاڑی کہیں موٹر سائیکل، فریج اور ٹی وی یا گھر بنگلہ، کوٹھی اور زمین کی وجہ سے شادی نہیں ہوتی یا طلاق ہو جاتی ہے۔ اور اگر بار بار کی مار کٹائی کے بعد بھی حسبِ وعدہ جہیز نہ آئے تو سلنڈر دھماکہ، تیل کا چولہا پھٹنا یا گلے میں پھندہ، کھانے میں زہر اور خودکشی کے نام پر زندگی ختم ہو جاتی ہے۔

یہاں تو شاید تحائف کا بھی خاطر خواہ رواج نہ تھا۔

کومل مجھے بتانے کے لئے بولی۔۔۔ ایسی بات نہیں ہے یہاں ایک مکمل رکھ رکھاؤ ہے... لوگ بہت مہذب اور پریکٹیکل ہیں۔ ویڈنگ رجسٹری یا ویڈنگ ٹیبل (Hochzeitstisch) کا رواج ہے۔ دولہا اور دلہن کسی اچھے سٹور پر جو ان کی رہائش یا ویڈنگ ہال کے قریب ہو وہاں پر اپنی ضرورت کی اشیاء ایک مخصوص ٹیبل پر رکھوا دیتے ہیں۔ اور مہمانوں کی لسٹ کے ساتھ اس سٹور کا پتا دے دیتے ہیں۔ مہمان وہاں جاتے ہیں ٹیبل سے اپنی حیثیت کے مطابق تحفہ خریدتے ہیں اور شادی والے دن نو بیاہتا کو دے دیتے ہیں۔ اس میں مہنگے گفٹ کو دو تین مہمان مل کر بھی خرید لیتے ہیں۔ اس کو سپلٹ گفٹ کا نام دیتے ہیں۔ اور یوں جوڑے کی ضروریات پوری ہو جاتی ہیں۔ اور مہمانوں پر بوجھ بھی نہیں پڑتا۔

یہ سلسلہ دراصل اوّلین صورت میں شکاگو میں 1924ء میں شروع ہوا تھا۔ جس میں مارشل فیلڈ کے ڈیپارٹمنل سٹور پر ویڈنگ لسٹ کا آغاز کیا گیا۔ اس میں نو بیاہتا جوڑا ایک مکمل لسٹ بنا کر سٹور پر رکھ چھوڑتا تھا۔ اور پھر وہی لسٹ بمعہ پتہ ہر مہمان کو بھجوا دی جاتی تھی۔ مہمان اپنی حیثیت کے مطابق اس

لسٹ میں سے تحائف خرید لیتے اور وہ شے لسٹ میں سے کاٹ دی جاتی تا کہ Duplication سے بچا جا سکے۔ ان میں زیادہ تر گھر کو سجانے، روزمرہ استعمال کی اشیاء شامل ہوتیں۔ آج کل تو اس کام میں بہت جدت آ گئی ہے۔ ہنی مون گفٹ دیئے جا رہے ہیں۔ اور بیرون ملک Resort وغیرہ کی بکنگ کروائی جاتی ہے۔۔۔

So practical & realistic ناں... میں نے فی البدیہہ کہا۔

یوں میرا دماغ اور گاڑی کی رفتار مسلسل چلتے رہے۔ سڑکیں گزرتے ہوئے اور زندگی کی طویل تر مگر مختصر سفر میں انتظار۔۔۔ اور اس انتظار کے انتظار۔۔۔ کے اختتام کا سوچتا رہا۔ وصل کے لمحات اور خیالات میری سوچ کو کچھ اور سوچنے نہ دیتے تھے۔ اور میں ان رسومات، جو کہ دراصل قانونی تقاضے تھے سے اُکتانے لگا۔ کئی سالوں کے سفر کے بعد جب دریا پار اترے بھی تھے تو پانی کی فراوانی کے باوجود ہونٹوں کو چھونے کے لئے پانی میسر نہ تھا۔ اور کنارِ آب جُو آ کر بھی۔۔۔ پیاسا پیاسا ہی رہا۔۔۔

میری ذہنی اور جسمانی تھکاوٹ کی بدولت میری سوچ کی طرح گاڑی کی رفتار بھی آہستہ ہونے لگی اور ہم دونوں ایک پارکنگ میں پہنچ کر گاڑی سے اتر کر صاف ستھری عمارت میں داخل ہوئے۔ چند گز کے اس کمرے میں جہاں زمین پر خوبصورت دبیز کارپٹ، صاف اور دودھیا دودھیا ماحول، دودھ دُھلے اجلے در و دیوار۔۔۔ ایک نسبتاً جوان سیاہ داڑھی۔۔۔ سر پر عمامہ باندھے شخص نے انتہائی مشرقی انداز میں چند کلمے پڑھائے۔۔۔ قبول ہے، قبول ہے، قبول ہے کی گردان دھرائی۔۔۔ اور نکاح کی سنت مکمل کر کے مبارک باد میری جھولی میں ڈال دی۔ مبارک باد کیا جیسے ہفت اقلیم اور تمام دنیا میرے دامن میں رکھ دی۔

اس کا نور۔۔۔ میرا سرور

میں نے سوچا عمر بھر ماں باپ جس کام سے روکتے رہتے ہیں، منع کرتے ہیں بچاتے رہتے ہیں، قرآن کی چند سورتیں پڑھنے کے بعد وہی سب کچھ حلال، بابرکت اور پاک ہو جاتا ہے۔ سب لفظوں

کا کمال ہی تو ہے۔

میں نے مبارک باد وصول کرنے کے بعد اس کے چہرے کی طرف دیکھا۔۔۔ وہ مجھے بہت پاکیزہ، معصوم اور مقدس لگی۔۔۔ بالکل بہار کی اس دھلی ہوئی صبح کی مانند جب اوس قطروں کے درمیان موتیے کی سفید کلی۔۔۔ ایک ہلکی آواز کے ساتھ اپنے لب وا کرتی ہے۔ اور اس کے اندر سے کنواری خوشبو کا ایک تازہ جھونکا۔۔۔ مہک کا ایک لپٹا، اپنی پوری قوت اور شدت کے ساتھ نکلے اور آنِ واحد میں پورے چمن کو معطر کر دے۔۔۔ اپنی خوشبو سے عنبر کر دے۔۔۔ ہر تنکے کو صندل کر دے۔۔۔ وہ پہلے سے زیادہ معصوم اور مقدس۔۔۔ مندر میں رکھی مورتی کی مانند۔۔۔ یونانی کہانیوں کی دیوی۔۔۔ مسجد کی پاک فضا اور ہوا کی طرح۔۔۔ پاکیزہ۔۔۔ جس کو چھونے سے رنگ میلا ہو اور پتیاں بکھر بکھر جائیں۔۔۔ وہ پھول۔۔۔

میں نے اس کی آنکھوں میں دیکھنے کی کوشش کی۔۔۔ تو مجھے ایسے محسوس ہوا جیسے نور کے ماخذ میرے سرور کو کھینچ رہی ہوں اور اپنی اور۔۔۔ اپنے اندر جذب کرنے کے درپے ہوں۔۔۔ اس کی آنکھوں میں ایک سکون۔۔۔ سونامی کی تباہی کے بعد جیسے سمندر ایک دم سنبھل جائے، ٹھہر جائے، بہل جائے، قرار میں آجائے، سرور میں آجائے۔ وہ بالکل اسی طرح پرسکون۔۔۔ محبت کے شہر میں۔۔۔ آگ کے دریا میں۔۔۔ سکون کے ساتھ دھیرے دھیرے۔۔۔ پرانے دور کے تالاب کنارے پانی بھرتی ہوئی برہمن زادی۔۔۔ جو سر پر مٹکا لئے۔۔۔ ننگے دودھیا پاؤں پر مہندی کی آگ لگائے۔۔۔ پازیب کی چھن چھن کے ساتھ۔۔۔ جیسے دیپک راگ کی تھاپ۔۔۔ اور اس کے پاؤں کی چھن۔۔۔ چھن۔۔۔ کا میل۔۔۔! قدم پرانے دور کی چھوٹی اینٹوں کی سیڑھیوں پر جوں جوں اترتے چلے جائیں، پانی کی سطح دھیرے دھیرے نیچے نیچے بالکل ایسے چلتی جائے جیسے چودھویں کے چاند کی کشش میں پانی پہلے نیچے جاتا ہے اور پھر چاند کو چومنے چل نکلتا ہے۔ وہ آہستہ آہستہ میرے اندر اتر رہی تھی۔ اس کی شوخی۔۔۔ تیزی و پرکاری کب کی کہیں دور ہرن کی مانند جو شیر کی کچھار میں آ کر چوکڑی بھول جاتا ہے۔ اسی طرح سب بھول چکی تھی، وہ تو آج ہی۔۔۔ عالمِ ارواح سے عالمِ مثال اور اجسام میں آئی تھی۔ اس مقام میں آئی تھی۔۔۔

شادی کے دن سب کے چہرے پر نور کیوں آ جاتا ہے یہ مجھے آج معلوم ہوا تھا۔ ہر نو بیاہتا جوڑا۔۔۔جیسا مرضی گناہ گار، تجربہ کار، کسبی اور حسبی ہوگا۔۔۔ بدکار اور پاپی ہوگا، مگر شادی کے روز اس کے چہرے پر معصومیت، ایک نور اور سرور ضرور ہوتا ہے۔ نور کا تعلق رنگ سے قطعاً نہیں۔۔۔ بلکہ یہ ایک روشنی ہے جو انسان کے چہرے سے اس کے جسم سے جاری ہوتی ہے۔

نور کا تعلق یقیناً انسان کے ظاہری رنگ سے نہیں۔ اس میں جسمانی خدوخال کا کوئی عمل دخل نہیں۔ ظاہری خوبصورتی، نقش ونگار، پیکر و رخسار۔۔۔ ظاہری حسن کا معیار تو ہو سکتے ہیں۔ باطنی خوبصورتی میں شمار نہیں ہوتے۔۔۔ عارضی حسن کا تعلق رنگ سے اور ابدی نور کا تعلق ڈھنگ سے ہے۔ پہلا عارضی اور دوسرا ابدی ہے۔ پاکیزہ انسان کی پاکیزگی اس کے نور سے ظاہر ہوتی ہے۔ وہ نور جو اس کے اعمال کی بدولت اسکے انگ انگ سے ہویدا ہوتا ہے۔ جس کی چکاچوند اور جلوہ خیرہ کن۔۔۔ صرف اس کو نظر آتا ہے جس کو اللہ نے۔۔۔ قدرت نے وہ ریسیپٹر اور آلہ دیا ہو۔۔۔ جو محسوس کر سکے۔ یہ جلوہ۔۔۔ نور۔۔۔ سرور اور خوشبو صرف صاحبِ نظر کو ہی نظر آتی ہے وگرنہ جسمانی خوبصورتی سے عاری لوگ۔۔۔ بھدے چہرے، بدنما داغ لے کر، منحنی اور غیر متناسب شکل والے، سیاہ اور بد صورت، برص اور جذام کا شکار لوگ۔۔۔ روشن ضمیر اور روشن دماغ ہوتے ہیں کیونکہ وہ باطن سے پاکیزہ اور پر نور ہوتے ہیں۔۔۔ نور اور سرور خدا کے حضور۔۔۔

انسان کا پاکیزہ جسم جو خوبصورت، پرسکون، محبت اور نروان کی لہریں Radiate کرتا ہے وہ نور ہے اور سرور ہے۔ اور یہ نور اس کی نس نس سے جاری ہو رہا تھا۔ مجھ پر طاری ہو رہا تھا۔

میں اپنی سوچوں کے ساتھ اس کی خوبصورتی اور خوشبو کی معیت میں اس کے گھر کی طرف روانہ ہوا۔ میرے لئے جذبات سے لے کر سفر تک اور ایئر پورٹ سے رجسٹری آفس، مسجد میں نکاح، اور یہ چھوٹا سا سٹوڈیو ہاؤس سب کچھ نیا تھا۔ زندگی میں پہلی اور آخری بار تین بچوں کی کنواری ماں سے شادی کی تھی۔ جو تین بچوں کو جنم دینے، شادی شدہ زندگی کے تیس سال گزارنے کے باوجود میرے لئے بالکل کنواری، تازہ، نئی نویلی اور معصوم صورت اور سیرت تھی۔

گاڑی پارکنگ میں کھڑی کرنے کے بعد، ہم دونوں نے سامان اپنے ہاتھوں میں اٹھایا،

کندھے پر لٹکایا۔۔۔ صاف ستھری دھوئی لفٹ پر سوار ہو کر ساتویں منزل پر آموجود ہوئے۔ کچھ قدم سیدھا چلنے کے بعد دائیں اور پھر بائیں، راہداری میں چلتے ہوئے ایک دروازے کے عین سامنے پہنچ گئے۔

ماضی، حال۔۔۔۔ تیرا مال

میں ابھی تک ماضی اور حال میں چل رہا تھا۔ بلکہ ماضی کے خوابوں اور خواہشوں کی لہروں پر بنا پتوار، ادھر اُدھر، ہوا کے زور اور پانی کے شور کے ساتھ ساتھ بہہ رہا تھا، تیر رہا تھا۔ اس لئے میرے خیالات کی ترتیب نہ بن رہی تھی۔ کبھی کوئی کونہ، کوئی سرا، کوئی نقطہ پکڑ لیتا اور پھر اسکی ''بنتر'' کے زور پر جدھر کو ''تانی'' لے جاتی اس طرف کو دماغ چل نکلتا۔۔۔ زندگی کے گنجل دماغ کے ''نیورونز'' کے گنجل کو بھی حیران کر رہے تھے۔۔۔

جولاہے کی ''نالی'' کی طرح ٹھک ٹھک کبھی اس کونے کبھی اس کونے، جب دھاگہ پھنس جاتا، ٹوٹ جاتا یا ختم ہو جاتا تو ''کھڈی'' کے عین درمیان میں رک جاتا۔۔۔ تاکہ جولاہا اپنی سالہا سال کی مہارت کے ساتھ دھاگوں کے نازک جال کے اندر سے اپنی انگلیاں گھماتا ہوا عین ''نالی'' تک پہنچتا اس کو باہر نکالتا۔ شہادت کی انگلی کو اپنے ہونٹوں اور زبان سے لگاتا اور دھاگے کے دونوں سرے انگوٹھے اور شہادت کی انگلی کے درمیان رکھ کر بل دیتا۔ ایک ''مروڑ'' دیتا نئی ''Reel'' کو دوبارہ اندر ڈالتا اور نالی کو دوبارہ اسی مقام پر رکھ کر چھوڑ کر ٹھک سے مشین کو دوبارہ چلا دیتا۔

میرا دماغ ''جولاہے'' کی مانند ٹوٹے خیالات کو جوڑنے، نازک دھاگوں کو بنا جوڑ ملانے۔۔۔ ٹوٹے ہوئے اُلجھے ہوئے ''تانے'' کو سدھارنے اور سلجھانے کی نہ ہی مہارت رکھتا اور نہ اتنے نازک معاملات اور ان کے بیچوں بیچ، نازک دھاگے سے زیادہ ناپائیدار اور نرم و ملائم جذبات کو جوڑنے کی صلاحیت رکھتا ہے۔ میں تو موٹے دماغ کا مالک، ایک بات کے سہارے زندگی گزارنے کا قائل ہوں۔۔۔ اک در، اک نگر، اک سفر، اک ہجر، اک صبر اور ایک توحید کا

حامل، جس کا خدا بھی ایک اور خدا نما بھی ایک۔ جو زندگی میں کبھی دوئی کا شکار نہ ہوا۔۔۔ اگر دوسری سوچ، خیال، فکر، وسواس اور اوہام دماغ اور سوچ میں بھی آتے تو۔۔۔ شاید خود کو تو کافر قرار دیتا ہی بلکہ مرتد ہونے کی سزا بھی خود کو خود ہی دیتا۔۔۔!

من و تو۔۔۔ بدن اور روح

زندگی کے خوبصورت سال۔۔۔ جب زندگی جسم میں بھی زندہ تھی اور روح و فکر میں بھی۔۔۔ وہ دور جب ہر چیز جوان۔۔۔ اور خوب اور خوبصورت لگتی تھی۔ اس دور میں بھی وحدانیت کا شکار رہے۔ تم سے آگے بھی اگر کچھ سوچا، دیکھا، دھیان کیا اور گیان لیا تو تم ہی نظر آئے۔ تم سے تم تک کے اس سفر میں سے میں کو نکال باہر کیا۔ میں کو میں سے نکالنے کے لئے جو کشٹ کاٹے، تکلیفیں ملیں وہ اس وقت لہو رُلاتی تھیں۔۔۔ مگر اب نہیں۔ بدن سے میں کو نکالنے کے لئے ضروری ہے کہ بدن کو ختم کیا جائے۔ پس رکھ، رکھاؤ، بناؤ، سبھاؤ سب چھوڑا کھدر کا جوڑا کئی کئی دن۔۔۔ شکل کی سلوٹیں، آنکھوں کے ویران گھونسلے، بالوں میں خاک اڑاتی ہوئی۔۔۔ رہن سہن، خوراک اور پوشاک سب کو بھلایا۔۔۔ تیری سوچ اور خیال سے جمال لے کر اس کو اپنی سوچوں اور خیالات کا محور بنایا۔ مجنوں اور پاگل کا لقب پایا۔ جتنا کوئی مسکرایا، جتنا حظ اُٹھایا اس قدر مزہ پایا۔۔۔ بدن کو تکلیف دے کر سرور پایا۔۔۔ مَیں کو بدن سے نکال کر تُو کو اپنا بدن اور گردشِ خون و جگر کا محور اور مرکز بنایا تب قرار پایا۔ اگر بدن کی خوبصورتی کا احساس رہتا تو بدن میں ''میں'' ہی رہتا۔ اور گر صرف ''میں'' رہتا تو۔۔۔ ''تو'' کبھی نہ ملتا۔۔۔ کبھی نہیں۔۔۔ ''میں'' نکلے گی تو۔۔۔ ''تو'' آئے گا۔ اپنا جسم ختم کریں گے تو۔۔۔ اس کا جسم اپنے پر چڑھے گا۔۔۔ کھال کی جگہ کھال، لہو کی جگہ لہو، دل کی جگہ دل۔۔۔

بدن کے بعد روح کی ضرورت ہے۔۔۔ میں جب جسم سے نکلتی ہے تو بالکل ویسے ہی لگتا ہے کہ جیسے انسان ایک مصری ریشم کا نازک اور مہین کپڑا ہو۔ اور اس کو جنگلی بیری کے کانٹوں پر بچھا دیں۔ اور جب بیری کے چھوٹے بڑے کانٹے کپڑے کے ایک ایک ریشے میں مکمل طور پر پیوست ہو جائیں اور ان کانٹوں کے سرے، سیاہ نوکدار منہ، کپڑے کے آر پار ہو جائیں اور ہر ریشے سے خون

کے دھارے بہہ کر کانٹوں کو سرخ کر دیں۔۔۔ اور ہر چبھن کے ساتھ۔۔۔ ہلکی سی سسکی، آہ اور زیرلب چیخ کو روکنے کے لئے دانتوں کے نیچے ہونٹوں کو دابنا پڑے، کیونکہ اس دکھ، غم رنج والم اور جان لیوا تکلیف کے باوجود اگر چہرے سے شکایت، آنکھوں سے شکوہ اور منہ سے آہ نکلی تو عبادت ضائع۔۔۔ محبت سے دیس نکالا اور محبت کا ہر عمل خودنمائی کی برائی سے تعبیر ہوگا۔اس لئے کپڑے کے ہر دھاگے سے خون نکلے گا، پہلے زور سے، پھر دھیرے دھیرے۔۔۔ جب یہ سرخی اور لالی ختم ہونے لگے گی۔۔۔خون جمنے لگے گا۔۔۔ دکھ میں راحت، چبھن میں سکون ملنے لگے۔۔۔تو اچانک ہوا کا جھونکا تمام کانٹوں میں ایک حرکت۔۔۔جسم میں ہلچل اور زخموں کو تازہ کردے گا۔۔۔ بے آواز نالے۔۔۔ بنا سسکی کراہ۔۔۔تمام بند پوروں کو پھر سے کھول دے گا۔۔۔ اور جب ایک عمرِ خضر کے بعد۔۔۔تکلیفِ مسلسل کی تسکینِ مسلسل کے عادی ہونے لگیں۔۔۔دکھ میں راحت پانے لگیں۔۔۔ تو جسم کا مالک۔۔۔ریشم اور قباءِ ریشم کا مالک ایک جھٹکے سے آنِ واحد میں، ایک کونے سے پکڑ پوری قوت، زور اور طاقت سے، کپڑے کو ان پیوست کانٹوں سے کھینچ لے۔۔۔ پھٹے ہوئے نازک دھاگے۔۔۔ لیرلیر اور تارتار ریشے۔ایک ایک دھاگہ اور بل، خون آلود۔۔۔ کچھ سلامت نہیں بچتا۔۔۔ کپڑا تو جابجا سے زخمی ہوکر نڈھال اور بدحال ہوجاتا ہے۔۔۔ پھر نہ تن کے استعمال کے لئے رہ جاتا ہے۔۔۔ اور نہ ہی کسی کو دکھانے کے۔۔۔ بھلا ''چھلنی'' کی طرح ہزاروں سوراخوں کو، کوئی چھوٹا۔۔۔ کوئی بڑا۔۔۔ کوئی لمبی پھٹی ہوئی لکیر۔۔۔کہیں کئی ٹکڑوں میں تقسیم ہونے کے قریب۔۔۔ایسے کپڑے اور جسم کو جتنا مرضی قیمتی ہو کوئی کیا کرے گا۔۔۔ پھٹے ہوئے کپڑے کے کچھ حصے۔۔۔نشانِ عبرت یا دکھ سے محبت کی نشانی کے طور پر کانٹوں کے ساتھ الجھے ہوئے رہ جاتے ہیں تاکہ۔۔۔ اگلی نسل کو خبردار کرسکیں۔۔۔ کہ ریزہ ریزہ ہوئے بغیر۔۔۔ ذات کے ٹکڑے کئے بغیر ''میں'' ختم نہیں ہوتی۔اور باقی بچے ہوئے کپڑے کو ناقابلِ استعمال تصور کرتے ہوئے۔۔۔ راہگیروں کے پاؤں، گندگی کے ڈھیروں، صفائی کے کام اور جھاڑ پونچھ کے لئے استعمال کیا جاتا ہے۔ اسی طرح جسم میں سے ''میں'' نکالنے کے لئے جسم کو ریزہ ریزہ کئے بغیر۔۔۔ پاؤں کی خاک، رُوڑیوں کی راکھ۔۔۔ کانٹوں سے چاک ہوئے بغیر۔۔۔ ذرّہ ذرّہ راہِ شوق میں بکھرے۔۔۔ٹھوکروں

سے نکھرے۔۔۔ تب جا کر۔۔۔ جسم کی ''میں'' تم میں بدلتی ہے۔جسم کو مٹی ملتی ہے۔۔۔ محبت کی لو جلتی ہے۔۔۔موت میں زندگی ملتی ہے۔۔۔ ابدی زندگی عطا ہوتی ہے۔دکھ میں خوشی اور رنج میں شفا ملتی ہے۔۔۔ عطا ملتی ہے۔۔۔ وفا ملتی ہے۔۔۔

وفا کے لئے شہرِ وفا اور اہلِ وفا ضروری نہیں۔ یہ ذات کا معاملہ ہے۔کسی سے وابستہ توقعات، خیالات اور احساسات انسان کی منزل کھوٹی کر دیتے ہیں۔ذات کا مسئلہ ذات سے شروع ہو کر ذات پر ختم ہو جاتا ہے۔اس میں غیر ذات سے امید رکھنا، آس رکھنا، فریاد کرنا اہلِ وفا کا شیوہ نہیں۔ ذات کا مسئلہ اپنی ذات کی تطہیر ہے۔ اپنی قربانی ہے۔ اپنا شوق ہے۔ اور راہِ شوق میں ''سر جاتا ہے گامِ اوّلیں پر'' اس لئے منزل کی طرف قدم وا کرنے کے لئے خود کو جلانا ضروری ہے۔ ذات کو جلانا ضروری ہے۔ذات کو بھلانا ضروری ہے۔نہ کہ ذاتِ ثانی سے امید رکھی جائے۔

وفا Unidirectional کام ہے یک سمتی راستہ ہے۔مخالف سمت سے کوئی توقع رکھنا عبث ہے۔۔۔یہ ذات کی محبت دراصل ذات سے ہے۔خود سے ہے اس لئے اس سفر میں تنہا چلئے۔ بغیر کسی انعام کے۔۔۔ لالچ۔۔۔اور Reward کی سوچ اور حاصل کی کھوج کے چلئے۔دیوانہ وار چلئے، پیچھے مڑ کر دیکھے بغیر، عزت، انا، عہدہ، کرسی، ذات اور صفات اور مقام کے سب کی ''سر کنج'' اتار کر ننگ دھڑنگ۔۔۔ذات کے ساتھ۔۔۔ ذات کے حصول کے لئے چلئے۔۔۔خود سے ملاقات کے لئے چلئے۔اس سفر میں اگر دنیاوی مال، املاک، شہرت و دولت کا ذرّہ بھی ساتھ ہو لیا تو پورا سفر ضائع اور عبادت فسق اور ساری ریاضت مسخ ہو جائے گی۔۔۔ذات کی تمام آلائشیں پھینک کر چلیں گے تو ٹھیک وگرنہ کافر۔۔۔ گامِ اولین پر کافر۔۔۔ اور کافر کی تمام عبادت۔۔۔ تمام سجدے۔۔۔تمام ریاضتیں کافر ہوتی ہیں۔۔۔

اس لئے سفرِ ذات میں جب نکلیں تو غیر ذات کی طرف Reciprocation کے لئے مت دیکھیں۔۔۔ صرف اپنا کیا نبھائیں۔۔۔ اپنی منزل کو پائیں۔۔۔کیونکہ جن کی منزل ابھی پختہ نہیں ہوتی صرف وہی۔۔۔دوسری جانب دیکھتے ہیں۔دیوانگی سے دیوانہ وار۔۔۔ بِنا پتوار۔۔۔بغیر تلوار بحرِ ظلمات میں اترنے کا نام ہے۔اگر سمجھ بوجھ، فکر اور سوچ، کشتی اور پتوار اور راہ ہموار دیکھ کر چلنا

ہے۔۔۔ تو پھر دنیا تو مل سکتی ہے۔ حاصلِ دنیا نہیں۔

مسجد مندر چھڈ کے جی
کفر اندر دا کڈھ کے جی
زندگی جنت ہو جائے گی
مَیں نوں اپنی وڈھ کے جی

سفرِ ذات۔۔۔روح سے روح کی ملاقات

جسم کو پاک کرنے کے بعد، ذات سے ''میں'' نکالنے کے بعد۔۔۔روح سے ملاقات ضروری ہے۔ روح سے ملاقات روح کے ذریعہ ممکن ہے۔ روح کی تلاش نرم مخملیں بستروں، پُر آسائش حجروں، رقص وسرود کے مجروں میں نہیں ملتی۔ اس کے لئے رات کے آخری پہر، جب آسمان سے رحمٰن انسان کے بہت قریب آجاتا ہے۔ بند تاریک کمرے میں اچانک نہ جانے کہیں سے سبز اور سفید روشنی اتر آتی ہے۔۔۔ ایک مسحور کن ٹھنڈک، ایک سرور کسی انجانی سمت سے آپ کے گرد نازل ہوتا ہے۔ آپ کو جگاتا ہے۔۔۔ آپ کی سوچوں اور خیالوں پر چھاتا ہے۔ زیتون کے تیل کی روشنی سے نکلنے والی معطر اور مطہر نورانی روشنی کے خوبصورت نور کی طرح، جو طُور کی دائیں طرف شعلے کی مانند چمکتا ہے۔۔۔ جو درخت کے اندر سے ندا دیتا ہے۔۔۔ اپنی طرف پکارتا ہے۔۔۔ بلاتا ہے۔۔۔ وہ انسان کے قریب آتا ہے ''حبل الورید'' کے قریب آتا ہے۔۔۔ محبت کے ساتھ، شفقت کے ساتھ، نرمی کے ساتھ، رحمت کے ساتھ۔۔۔ سوماؤں سے زیادہ محبت کے ساتھ۔۔۔ دھیرے دھیرے انسان کے قریب آتا ہے۔ اور اس کو لپیٹ لیتا ہے۔ اپنے اندر سما لیتا ہے۔ شناخت ختم کر دیتا ہے۔ انسان کو اپنے اندر جذب کر لیتا ہے۔ انسان کی حیثیت ختم ہو جاتی ہے۔ انفرادیت۔۔۔ اجتماعیت میں بدل جاتی ہے۔ ذات ختم ہو جاتی ہے۔ حاصلِ ذات میں ضم ہو جاتی ہے۔۔۔ انسان کا جسم اس روشنی کے اندر تحلیل ہو جاتا ہے۔۔۔ فنا ہو جاتا ہے۔ فنا ہو کر۔۔۔ اصل میں کھو کر۔۔۔ بقا ہو جاتا ہے۔ دوام پاتا ہے۔۔۔ اس میں سماتا ہے۔۔۔ خاک اور نور کا فرق ختم ہو جاتا ہے۔۔۔ خاک معراج کی معراج کو

پہنچتی ہے۔۔۔انسان زمین چھوڑ کر۔۔۔گلیکسی سے دور۔۔۔کاسمک ویب سے بھی آگے۔۔۔طُور چھوڑ کر۔۔۔حضور کے حضور پہنچ جاتا ہے۔۔۔گند اور گندگی کی اَلائشیں نکل جاتی ہیں۔سوچوں کی پراگندگی۔۔۔سیاہ دھوئیں کی مانند جسم سے چیخیں مارتی ہوئی۔۔۔ماتم کرتی ہوئی۔۔۔تاریکی کی جانب روانہ ہو جاتی ہے۔مسکن چھوڑتے ہوئے۔۔۔مکان چھوڑتے ہوئے۔۔۔قبضہ ختم کرتی ہوئی بد اور بدکار کی سوچیں۔۔۔شدید تکلیف میں ہوتیں ہیں۔رگِ جان کو نڈھال کر دیتی ہیں۔۔۔بدحال کر دیتی ہیں مگر نور کی قوت۔۔۔سرور کی قوت۔۔۔خلا کو پر کرتی ہے۔۔۔زندگی دیتی ہے۔۔۔طاقت عطا کرتی ہے۔پاک کرتی ہے۔۔۔"سڑے ہوئے گارے" میں سے سڑانڈ نکال کر اس کو خوبصورت بناتی ہے۔پاکیزہ۔۔۔صاف۔۔۔خوبصورت۔۔۔مقدس،معطر،مطہر اور منور کرتی ہے۔۔۔مگر

اس انسان کا ازلی دشمن۔۔۔قربت سے خوف زدہ۔۔۔ ازل سے اس وصل سے ناخوش۔۔۔کتوں کی طرح گلی گلی،کوچے کوچے بھونکتا ہے۔۔۔خلل ڈالتا ہے۔اس قربت میں خلل ڈالتا ہے۔۔۔فریکونسی کو یکجا نہیں ہونے دیتا۔۔۔لہروں کے سسٹم کو گڑبڑ کرتا ہے۔۔۔کیونکہ وہ اصل کے وصل سے خوف زدہ ہے۔جب انسان اصل سے مل لیتا ہے تو پھر اس کو دھوکا نہیں دیا جا سکتا۔پھر سارے فریب اور دھندے ختم ہو جاتے ہیں اس لئے وہ اپنے دھندے کو بچانے کے لئے ملنے نہیں دیتا ڈراتا رہتا ہے۔

اس روشنی کو جذب کرنے کے لئے،منبعِ نور کو اپنے جسم کے اندر اتارنے کے لئے سرایت کرنے کے لئے۔۔۔ذات کو۔۔۔روح کو منور کرنے کے لئے۔۔۔انسان کو چاہیے،کبھی کبھی جب ذات کے ساتھ ہو۔۔۔"میں" کو نکال کر صرف "تو" کے ساتھ ہو۔۔۔تو آنکھیں بند کر کے سوچے۔۔۔نور کا نور۔۔۔اس کا سرور کیسا ہے۔اس پر نازل ہو رہا ہے۔۔۔دھیرے دھیرے۔۔۔ایک بہت بڑے بادل کے ٹکڑے کی صورت جو پوری کائنات کو ڈھانپے ہوئے ہے وہ بادل۔۔۔سبز خوبصورت بادل دھیرے دھیرے ایک فنل (Funnel) کے ذریعہ اس کے دل پر اتر رہا ہے۔بڑا سا ٹکڑا دھیرے دھیرے آہستہ آہستہ Funnel کے اندر سما رہا ہے۔اور اس کے دوسری طرف سے ایک نالی سے دل کے اندر داخل ہو رہا ہے۔۔۔دل کے اندر۔۔۔دھڑکن میں۔۔۔ونٹریکل سے شریانوں

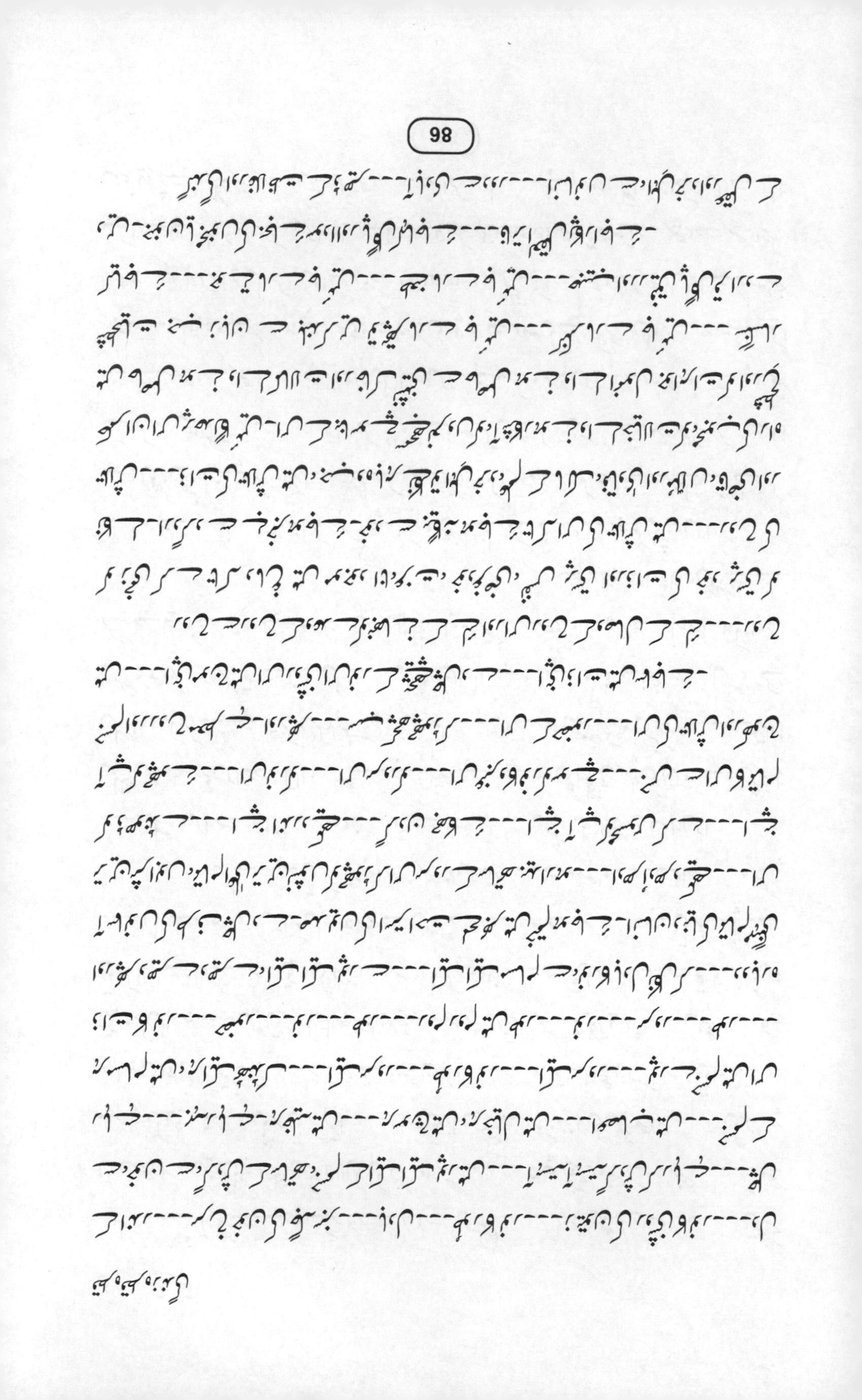

حامل اور ناصح کی پہنچ سے باہر۔۔۔ ویرانے میں کسی برگد کے درخت کے نیچے۔۔۔ پھٹے کپڑوں کے ساتھ۔۔۔ زخمی جسم۔۔۔ پاؤں اور پھٹی جلد۔۔۔ آنکھوں میں سکون اور سرور کو لئے۔۔۔ اس کی راہ کی طرف آنکھیں ٹکائے، صدیوں بیٹھا رہے۔ ایک پل کے نور اور سرور کے لئے دنیا کے تمام سرور اور امور چھوڑ کر اس نور کی تلاش میں۔۔۔ امید میں کشکول لے کر۔۔۔ بار بار اوپر کی طرف امید و بیم کے ساتھ دیکھے۔۔۔ خود کو ٹٹولے اپنے جسم کو سونگھے اس نور کی خوشبو کو ڈھونڈے۔ جتنی مار زیادہ پڑے گی۔۔۔ پتھر اور جوتے زیادہ پڑیں گے طعنے اور مہنے زیادہ عطا ہونگے ...کھال اترے گی۔۔۔ ہاتھ کٹیں گے۔۔۔ پاؤں اتارے جائیں گے۔۔۔ جگہ جگہ جسم میں کٹ لگا کر نمک پاشی کی جائے گی۔ سلگتی موت دی جائے گی۔۔۔ سرخ پھولوں کے موسم میں، خوشبو کے جھونکوں میں، شبنم کے موتیوں کی برسات کے موسم میں، گیلی لکڑی کی مانند سلگتی موت ملے گی۔ اتنا جسم کی تطہیر ہوگی اور جتنا زیادہ آوازے کسے جائیں گے۔۔۔ گالیاں۔۔۔ لفظوں کے تیر برسائے جائیں گے اتنی زیادہ روح کی تسکین ہوگی۔۔۔ جب سارے تھک جائیں گے۔۔۔ پتھر مارنے والے ہاتھ، کاٹنے والے خنجر اور روح کو زخمی کرنے والی زبانیں اپنی تسلی کرلیں گی۔۔۔ تمام محبتیں کرنے والے جب اپنے اپنے طریقے سے محبتوں کا قرض چکالیں گے۔۔۔ اپنی اپنی مہربانیوں کا خراج ادا کر کے تسلی کرلیں گے اور روح اور جسم بغیر کسی شکوہ کے۔۔۔ سکون اور سرور میں اپنے طُور کی طرف نور کے منتظر رہیں گے۔۔۔ تو پھر اچانک رات کے پچھلے پہر، دور آسمان سے۔۔۔ سفید پروں والے اتریں گے، وہی سبز روشنی، دھیرے دھیرے۔۔۔ اور دل کے راستے اور جسم کے اندر۔۔۔ خون میں مل کر، خون کے اندر گردش کرنے لگے گی۔۔۔ سانس کو سکون ملنا شروع ہوگا۔۔۔ جسم کو روح ملنا شروع ہوگی۔۔۔ قلب کو نور ملنا شروع ہوگا۔۔۔ اور پھر اس نور سے اس سرور سے۔۔۔ دل لگ جائے گا۔۔۔ وہ نور شریانوں میں بہتا ہوا۔۔۔ قلب سے نکل کر قلب میں چلا جائے گا۔۔۔ دھیرے دھیرے۔۔۔ آہستہ آہستہ۔۔۔ دوبارہ جسم وجاں سے نکل کر۔۔۔ رگِ جان سے نکل کر۔۔۔ سفید پروں والے کے ساتھ۔۔۔ دل کے راستے۔۔۔ دل میں آکر دل کو بہلا کر۔۔۔ جسم کو سہلا کر۔۔۔ روح کو مہکا کر۔۔۔ روح کے تمام زخم سہلا کر۔۔۔ ان کے نشان تک مٹا کر۔۔۔ ہمیشہ کے لئے دل کے راستے پاک روح اور پاک قلب کو

لے کر۔۔۔قلب کے راستے۔۔۔سفید پروں والوں کے ساتھ۔۔۔روانہ ہو جائے گا۔۔۔روح اور جسم۔۔۔تیرے حضور۔۔۔اور تیرا۔۔۔میں۔۔۔گناہگار۔۔۔تیرے حضور۔

جسم کی تطہیر جسم سے اور روح کی روح سے ہوتی ہے۔جسم کی تطہیر کے لئے جسم کی زکوٰۃ ضروری ہے جو کہ جسم کو انسانیت کی فلاح کے لئے وقف کرنے سے ہوتی ہے۔جب کہ روح کی اصلاح دوسری ارواح کے لئے بہتر سوچنے سے ہوتی ہے۔ ہر دو کے لئے ضروری ہے کہ انسان مکمل طور پر انسان بن جائے۔انسان انسان کے لئے بن جائے تو وہ یزدان بن جاتا ہے۔

تین بچوں کی کنواری ماں اور نو بیاہتا دلہن میرے سے چند قدم آگے چل رہی تھی۔اور میری سوچوں اور دماغ کے کینوس پر مختلف عکس اور تصاویر جلدی جلدی دائیں بائیں اوپر نیچے سے آ جا رہے تھے۔دماغ پر وصل کی یلغار تھی۔۔۔ملن کا خمار۔۔۔محبت کا حصار میرے چار سو تھا۔اور میں ازل سے اس کا بیمار۔۔۔زندگی کی آخری سانسوں۔۔۔چراغِ سحری کی ٹمٹماتی لو کے ساتھ۔۔۔لرزتا۔۔۔کبھی بھڑکتا۔۔۔دروازے کے سامنے آن موجود ہوا۔

میری زندگی کے تمام حساب کتاب، بہی کھاتے، ٹونے ٹوٹکے، گنڈے تعویذ، ورد اور معجزے، تسبیح اور نوافل سب کا حاصل آج کا لمحہ تھا۔اس سے آگے کا میں نے کبھی سوچا بھی نہ تھا۔حتیٰ کہ حاصل کے بعد کی خواہشات، حرکات اور جذبات، Feelings کی بابت کبھی دماغ میں خیال تک نہ آیا تھا۔ میں اگرچہ خود لمحہ جینے کا قائل نہ تھا مگر کومل کی حد تک میں نے کبھی لمحے سے آگے نہ سوچا تھا۔وصل کا ایک لمحہ، دید کا ایک پل، قرب کی ایک ساعت اور زندگی سفل ہو جاتی۔۔۔امر ہو جاتی۔۔۔اور اس ایک لمحے کے لیے میں نے کیا کیا جتن نہ کیے تھے۔

خالق سے بے وسائی۔۔۔مخلوق سے دل لگائی

انسان شاطر ہونے کے باوجود بھی بہت سادہ لوح ہے۔اور فطرتاً فطرتِ سلیم کا مالک ہے۔ اس لیے بعض اوقات بالکل سامنے کی بات بھی اس کو سنائی اور دکھائی نہیں دیتی۔سب جانتے ہوئے بھی اکثر انجان بن جاتا ہے۔جب کہیں اٹک جاتا ہے۔کسی حاصل سے دل لگا بیٹھتا ہے۔۔۔تو پھر اس

کے حصول کے لیے زمین آسمان ایک کر دیتا ہے۔ مشکل کا شکار ہوتا۔۔۔ زندگی سے بے زار اور ''اوازار'' ہوتا ہے۔۔۔ تو سب جانتے ہوئے بھی کہ یہ اختیار خالق کے پاس ہے۔۔۔ وہ خالق کی طرف رجوع نہیں کرتا۔ کیونکہ خدا ہر جگہ موجود ہونے کے باوجود۔۔۔ مادی جسم میں اس کو نظر نہیں آتا۔۔۔ اس کو ایسی قوت کی ضرورت ہوتی ہے جو اس کا ہاتھ پکڑے اور کہے کہ میرے ساتھ چل اور وہ اس کو اندھیرے سے نکال روشنی کی طرف لے آئے۔۔۔ دلدل سے باہر لے کر محبت کی آغوش میں بٹھائے، تھپک کر سلا دے۔۔۔ اس کو اس سے ملا دے۔۔۔ خود سے۔۔۔ زندگی سے ملا دے۔ مگر جب اس کو کوئی ایسی مادی طاقت نظر نہیں آتی تو وہ ''بے وسائی'' کا شکار ہو جاتا ہے۔ اس کو ایک انہونا خوف۔۔۔ وسواس اس بات پر اکساتے ہیں کہ

''تو اکیلا ہے۔۔۔ بے بس ہے اور کوئی تیری مدد کرنے والا نہیں۔۔۔ تو بے یار و مددگار ہے۔۔۔ اکیلا ہے۔۔۔ تنہا ہے''۔ اور اس کو یقین دلانے میں کامیاب ہو جاتے ہیں کہ جو خدا ہاتھ بڑھا کر لے نہ جائے اس کا کیا معلوم وہ آخری لمحے بچاتا بھی ہے۔۔۔ پار لگاتا بھی ہے۔۔۔ یا نہیں۔

اللہ کے پاس جائیں بھی تو کس لیے۔۔۔ اللہ نے کونسا ہاتھ پکڑ کر ساتھ لے جانا ہے اور میرا مسئلہ حل کر کے یقین دلانا ہے۔۔۔ بڑھک مارنی ہے۔۔۔ فخر سے سینہ پھلا کر چھاتی پر ہاتھ مار کر کہتا ہے کہ

''دیکھا۔۔۔ میں نے کر دکھایا ناں۔۔۔''

وہ سب کچھ عطا کرتا ہے۔۔۔ مگر جتلاتا نہیں۔۔۔ بتلاتا نہیں۔۔۔ رام کو پکارو یا رحیم کو، ایک کو پکارو یا تین کو، پتھر کو پوجو یا بھیم کو۔۔۔ درحقیقت سب کو دیتا ہے۔۔۔ بے شمار دیتا ہے۔۔۔ بے حساب دیتا ہے۔ مگر جاہل انسان کو ادراک نہیں۔۔۔ کیونکہ درخت سے پھل گرتا نظر آتا ہے مگر اس درخت کو پھل عطا کرنے والا نہیں۔۔۔ اور ہم عقلمند۔۔۔ جاہل مشاہدہ مانگتے ہیں اور جب وہ گوشت پوست کی صورت میں۔۔۔ ہماری زبان میں۔۔۔ ہماری طرح ہم سے ہمکلام نہیں ہوتا۔۔۔ جھوٹی تسلی نہیں دیتا۔۔۔ تو۔۔۔ ظالم انسان۔۔۔ دو ٹکے کے۔۔۔ اپنے جیسے ظالم انسان کو خدا مانتا ہے۔۔۔ خدا نہیں تو خدا جیسا ضرور مانتا ہے۔۔۔ اور خدائی کی تلاش میں۔۔۔ اپنی روٹھی قسمت اور

محبت مانگنے۔۔چل نکلتا ہے۔۔۔ڈھونڈنے۔۔۔چل نکلتا ہے۔۔۔سوچ بچار میں کھو جاتا ہے۔۔۔ حقیقت کے مخالف ہر سوچ سوچتا ہے۔۔۔اور وہ دلیل۔۔۔Logic جو اصل سے دور لے جائے اُس کی بابت سوچتا ہے۔۔۔

اسی سوچ بچار۔۔پریشانی۔۔ہیجانی کیفیت میں انسان جنت سے نکلوانے والے کے بہکاوے میں آجاتا ہے اور پھر کسی سنیاسی، پیر، فقیر، باوے، عامل، جوگی کے پاس جاتا ہے۔چنگل میں پھنس جاتا ہے اور پھر ان منتروں، لکیروں، ستاروں اور جھوٹی امیدوں کے تاروں کے جال میں پھڑ پھڑاتا رہتا ہے۔۔کسی کو ہاتھوں کی لکیروں کو بدلنے کا کہتا ہے۔کسی سے ستاروں کی چال اور مقام تبدیل کرنے کی درخواست کرتا ہے۔ستاروں کی چال بدلوانے سے لے کر، محبت کا حصول، مال اور اولاد کی بھیک مانگتا ہے۔کسی بے بس سے سفارش کرواتا ہے۔دنیا کے تمام جعلی وسیلوں کو ڈھونڈتا ہے، ٹٹولتا ہے، پھر سفارشیں کروا کر یا گھنٹوں انتظار کر کے ان سے ملتا ہے۔مگر نہیں لوٹتا تو اصل کی طرف نہیں لوٹتا۔۔۔فطرت کی طرف نہیں جاتا۔۔ **''کُنْ فَیَکُوْن''** کہنے والے کی طرف نہیں جاتا۔۔۔**''الحیُّ القیوم''** کی طرف نہیں دیکھتا۔۔''احد'' اور ''الصمد'' کی طرف نہیں دیکھتا۔جس نے کائنات تخلیق کی، ستاروں کی ترتیب بنائی، سات آسمان اور زمین خلق کیں، پہاڑوں کو میخیں لگائیں۔۔بادل سے بنجر زمین کی کوکھ کو سہاگن کیا، دریاؤں میں کشتی چلائی اور کھانے کے لیے ہر قسم کا رزق دیا۔۔بدقسمت انسان اسکی طرف نہیں دیکھتا، جو کائنات کی ترتیب دے سکتا ہے کیا وہ ایک انسان کی قسمت ترتیب نہیں دے سکتا؟ بدقسمت انسان۔۔اس سے قسمت تبدیل کروانا چاہتا ہے جس کو اپنی قسمت پر قدرت نہیں۔۔!

میں اپنی قسمت تبدیل کروانے کے لیے کبھی کبھی اللہ کے پاس اور زیادہ تر اللہ کے بندوں کے پاس چکر لگاتا رہا۔مگر میرا سارا زور۔۔۔ساری ضرورت اس در تک پہنچنے تک محیط تھی۔اس سے آگے میں نے بالکل نہیں سوچا تھا۔

میخانے میں ملتا ہے نہ بت خانے میں
رب تو ملتا ہے دل کے نہاں خانے میں

محبت اور اجنبیت۔۔۔

دروازہ کھلتے ہی۔۔۔جہیز میں ملنے والے تین بچے پندرہ سال کا علی، گیارہ سال کی ارم اور چھ سال کا ارحم میرے سامنے کھڑے مجھے عجیب نظروں سے دیکھ رہے تھے۔۔۔جیسے مجھے کہہ رہے ہوں۔۔۔اچھا تم ہو وہ شخص۔۔۔جو بابا کے بعد بابا کے فرائض سرانجام دو گے۔انہوں نے کچھ سلام اور کچھ ہیلو، ہائے سے گزارا کیا۔۔۔اور میں راہداری حاصل کر کے اس اپارٹمنٹ میں داخل ہو گیا۔۔۔اندر سے مجھے ایسے محسوس ہو رہا تھا جیسے میں کراچی کے ناظم آباد کے کسی پلازہ کے فلیٹ میں آ گیا ہوں۔الٹی کرسی۔۔۔بکھری کا پیاں۔۔۔جوتے اور کپڑے۔۔۔ساتھ ہی کچن کے عین سامنے صوفے پر دھڑام سے وہ گر گئی۔۔۔میں۔۔۔اجنبیت کے ساتھ۔۔۔اِدھر اُدھر۔۔۔دیکھ رہا تھا۔۔۔

انکل۔۔۔بابا۔۔۔! کیوں۔۔۔کیا۔۔۔میں ان چھ آنکھوں کو اور وہ مجھے دیکھ اور پوچھ رہی تھیں۔۔۔حقیقت کا احساس ابھی پہلی دفعہ ہوا۔اس سے پہلے سب خواب اور خواب کا سفر تھا۔۔۔مسلسل سفر۔۔۔گورنمنٹ کالج لاہور کے کلاس روم سے نکل کر۔۔۔پروفیسرز روم کا سیاہ دھواں، تیس سال کا روزانہ کا حساب، یاد۔۔۔حساب اور عذاب۔۔۔اور حاصلِ خواب ایک اجنبیت۔۔۔

میں خود بھی۔۔۔صوفے پر ایک طرف بیٹھ گیا۔مجھے سمجھ نہیں آ رہا تھا، میں نے کیا کیا ہے اور ابھی مزید کیا کرنا باقی ہے۔دل اور روح کا تعلق اگرچہ میرا سالوں کا تھا۔مگر خوابوں کے تعلق حقیقت میں خواب نہیں ہوتے۔حقیقت تو حقیقت ہوتی ہے ظالم، برحق، سچ اور اصلی بالکل خالص۔۔۔میں خالص حقیقت کے سامنے دوزانو بیٹھا تھا۔۔۔حقیقت کی تلخی میرے حلق میں چُبھ گئی تھی۔۔۔حلقوم میں برچھی کی مانند پیوست ہو چکی تھی۔۔۔خواب سے حقیقت کا پہلا جھٹکا مجھے ابھی ملا تھا۔

دیارِ غیر میں۔۔۔کسی اپنے کے رحم و کرم پر۔۔۔ایسا اپنا جس کے اپنا ہونے پر حق تو جتایا جا سکتا ہے مگر وہ اپنا ہے یا نہیں یہ تو خدا جانتا ہے کیونکہ دلوں کے حال اور اخلاص تو خدا جانتا ہے۔میں تو اپنی جانتا تھا کہ میں سر سے پاؤں تک پیکرِ اخلاص اور sencerity & loyalty تھا۔۔۔ہوں اور رہوں گا۔۔۔کیونکہ میرے پاس اس کے علاوہ اور کچھ تھا نہیں اور اس سے قیمتی کوئی اثاثہ میرے ہاتھ اور

دسترس میں تھا نہیں۔ اور مجھے اس کے سوا کسی کی پروا نہیں تھی۔۔۔ میرے اندر کھٹکا ضرور تھا کہ میں بھرا ہوا گھر۔۔۔ تابعدار کاشف۔۔۔ جو رات کے آخری پہر بھی ہلکی سی آہ۔۔۔ اور صدا سن کر کہتا

"جی صاحب جی۔۔۔ خیریت ہے۔۔۔ پانی لا دوں"۔

کاشف سالہا سال سے میرے ساتھ رہ کر میرا حصہ بن گیا تھا۔ اتنے بڑے گھر میں، میں اکیلا۔۔۔ ماں کی رخصتی کے بعد بالکل ہی اکیلا ہو گیا تھا۔ لیکن اب بھی کبھی جب میں رات کو تمام لائٹیں گُل کر کے کھڑکی کی جانب رخ کر کے باہر کی طرف دیکھتا۔۔۔ گھپ اندھیرے میں سگریٹ کا سرا سانس کشید کرتے ایک دم اچانک بہت زیادہ سرخ ہو جاتا۔۔۔ تو میرے آس پاس ایسے لگتا جیسے کوئی بھوت پریت اپنی لال لال انگارہ آنکھوں کے ساتھ رقص کر رہا ہو۔

عاشقِ نامراد سے زیادہ نڈر، ڈھیٹ اور بے ضرر شے دنیا میں کہاں پیدا ہو گی۔۔۔ بس میں کھڑکی کنارے چاند کی طرف دیکھتا۔۔۔ گھنٹوں باہر ہوا کے زور پر حرکت کرتے جُھومتے سیاہ گلاب کے پودے کو اور رات کی رانی کو دیکھتا۔۔۔ تو اچانک ماں جی اپنا بوڑھا ملائم ہاتھ میرے کندھے پر رکھ دیتیں۔۔۔ میں چونک کر اٹھنے کی کوشش کرتا۔۔۔ تو میرا کندھا دبا کر مجھے بیٹھے رہنے کا اذن دیتیں۔۔۔ میں جلدی سے گیلی آنکھوں کو خشک کرنے کی کوشش کرتا۔۔۔ لمبی آہ بھرتا۔۔۔ تو ماں جی بولتیں۔۔۔

احمد پُتر۔۔۔ ماں کی دعا کبھی رد نہیں ہوتی، ضائع نہیں جاتی۔۔۔ سات آسمان پار سیدھی اللہ جی کے پاس جا کر اترتی ہے۔ "بنتی" کرتی ہے۔ ہاتھ جوڑتی ہے اور تب تک واپس نہیں آتی۔۔۔ جب تک منظوری کا پروانہ جاری نہ ہو۔۔۔ پتّر میری دعا نہیں دعائیں۔۔۔ اس کے حضور کھڑی ہیں کچھ رکوع میں، کچھ سجدے میں، کچھ قیام میں۔۔۔ موجود ہیں۔۔۔ پتر منظوری آنے والی ہے۔۔۔ سب مل جائے گا۔۔۔ میں رُندھی ہوئی آواز میں کہتا۔۔۔ اماں جی میری باری۔۔۔ اتنی دیر کیوں۔ میں اتنا برا ہوں یا میری خواہش۔۔۔!

ماں جی میرے بالوں میں ہاتھ پھیر کر کہتیں

"پتر میرے بس میں ہوتا تو میں اپنی جان دے کر تیرے سہرے کی خوشیاں ادھار لے

آتی مگر میں۔۔۔ روسکتی ہوں۔ ہاتھ جوڑ سکتی ہوں۔۔۔ منّتیں مانگ سکتی ہوں۔۔۔ عرش کو جھنجھوڑ سکتی ہوں۔۔۔ مگر تیرے دکھ۔۔۔ لے نہیں سکتی۔۔۔ ماں کے بس میں ہوتا تو دنیا کی کوئی ماں اپنے بیٹے کو غم میں نہ دیکھ سکتی۔ اور پتر اللہ مانے نہ مانے۔۔۔ مانگنے سے نہیں رکتے۔ انسان کا کام مانگنا ہے۔۔۔ سو بے تکلف مانگئے اور بے شمار مانگئے۔۔۔! وہ خالقِ کائنات ہے۔ اچھا ہوگا تو فوراً دے گا۔۔۔ نہ اچھا ہوگا تو اچھا کر کے دے گا۔۔۔ اس کے پاس کونسی کمی ہے۔۔۔ ''اودھے گھر وچ دیر ہے اندھیر نہیں''۔۔۔

اور امی یہ کہتی کہتی۔۔۔ آہستہ آہستہ دور ہوتی جاتی۔۔۔ اور میں اکیلا چاند کی طرف دیکھتا۔۔۔ کرسی سے اٹھنے لگتا۔۔۔ آنکھوں کے آگے اندھیرا چھا جاتا۔۔۔ سر چکراتا۔۔۔ گلاس پاؤں سے ٹکراتا۔۔۔

کاشف کہتا ''صاحب جی''۔۔۔ اور جھٹ سے آنکھیں ملتا ہوا سرخ آنکھوں والے جن کی طرح آموجود ہوتا۔

کہتا صاحب جی سب ٹھیک ہوجائے گا۔۔۔ آئیں۔۔۔ سو جائیں۔ آرام کریں۔۔۔

اور میں کمرے میں آتا بستر پر دراز ہوتا۔۔۔ کھلی آنکھوں چھت کی طرف دیکھتا۔۔۔ اور وہ میرے پاس کرسی پر بیٹھ کر میرا دل بہلانے کے لیے پوچھتا۔۔۔

صاحب جی۔۔۔ واقعی باجی جی بہت اچھی ہیں۔ جو آپ ہر وقت یاد کرتے، روتے رہتے ہیں اور سوچتے رہتے ہیں۔۔۔

کاشف میرا راز داں تھا۔۔۔ اس کو سب پتہ تھا۔۔۔ کہ کب میں نے چائے، پانی، کھانا۔۔۔ کھانا ہے۔ کس دن کیا کھانا ہے۔ نمک مرچ۔۔۔ کپڑے استری۔۔۔ میں تو روبوٹ کی طرح زندگی گزار رہا تھا بلکہ زندگی مجھے گزار رہی تھی۔۔۔ اور کاشف اس گزرن میں میری مدد کر رہا تھا اس گزرن کو آسان کر رہا تھا۔۔۔ وہ میرے ملازم سے زیادہ میرے ہر لمحے کا محرم بن چکا تھا۔۔۔ میرے موڈ مزاج۔۔۔ پنسل کاغذ۔۔۔ کتابوں۔۔۔ نظموں غزلوں کا راز داں تھا۔۔۔ میرے لفظوں بلکہ لفظوں کے محرک اور ماخذ کا آشنا بھی تھا۔۔۔ اس لیے مجھے کبھی اس کو یہ نہ کہنا پڑتا

تھا کہ کاشف پانی پلانا یا فلاں کپڑے لانا۔۔۔ بیگ ادھر رکھنا۔

اس نئے گھر میں آ کر مجھے گھر کی، وسعت، آزادی اور تنہائی کی محبت تو یاد آئی ہی تھی مگر کاشف کی کمی بھی شدت سے محسوس ہوئی تھی۔ میں اندر کی جہنم کے باوجود اس گھر میں آزاد تھا۔۔۔ ایک کونے میں کرسی پر بیٹھ کر رات بسر کر لی۔۔۔ بستر میں کروٹیں لیتے۔۔۔ روتے۔۔۔ رات بیت جائے۔۔۔ سب اپنے اختیار میں تھا۔

میرے دماغ کی تاریں ایک بار پھر ایک دوسرے کے ساتھ ٹکرا رہی تھیں۔ آڑے ترچھے خیال اور سوال بُن رہی تھیں۔ میری سوچ کے لیے یہ پہلا حقیقت آشنائی کا جھٹکا تھا۔ عشق اور محبت کے خواب سے حقیقت کے عذاب کے سفر میں پہلا عملی پڑاؤ تھا۔

خواہش کے دکھ۔۔۔ قناعت کے سکھ

خواہشوں کے پیچھے بھاگتا بھاگتا انسان تھک جاتا ہے۔ ان کے حصول کی جدوجہد میں انسان اور انسانیت ختم ہو جاتی ہے۔ مگر نہ خواہشیں ختم ہوتی ہیں اور نہ ان کے حصول کی جدوجہد۔ خواہشوں کے اس لامتناہی سمندر کے آگے اگر بند نہ باندھے جائیں یا اس کے پُشتے مسلسل رضائے الٰہی، قناعت اور صبر سے تسلسل کے ساتھ repair نہ کیے جائیں تو یہ سب کچھ تباہ کر دیتا ہے۔ سب بہا کر لے جاتا ہے۔ تہس نہس ہو جاتا ہے سب کچھ۔ کچھ بھی نہیں بچتا۔۔۔ بس تباہی۔۔۔ شدید تباہی۔

مجھے سوچوں میں گم دیکھ کر بولی۔۔۔

یار اٹھو فریش ہو لو۔۔۔ کئی گھنٹے کے مسلسل سفر کے بعد پہنچے ہو۔۔۔ اور میرا ہاتھ پکڑ کر مجھے کمرے میں لے گئی۔۔۔

کمرے میں داخل ہوتے ہی وہ دروازے کے ساتھ لگ کر کھڑی ہو گئی۔۔۔ اور میرے ہاتھ پکڑ کر ''بُسک بُسک'' کر رونے لگی۔۔۔ میرے سینے سے لگ کر چیخ چیخ کر۔۔۔ رونے لگی۔۔۔ نا جانے دکھ سے یا خوشی سے۔۔۔ محبت سے یا پیار سے۔۔۔ مگر رو رہی تھی۔۔۔ بہت روئی۔۔۔ میں

نے اس کو بے اختیار اپنے بازوؤں میں لے لیا۔ مگر وہ رو رہی تھی۔ مسلسل رو رہی تھی۔۔۔ میرے پاس الفاظ کم پڑ گئے تھے۔ عمر بھر لفظوں کی کمائی کھانے والے کے پاس لفظ نہ تھے۔ تسلی کے چند لفظ۔۔۔ سکون کے چند لفظ۔۔۔ دل کے بہلانے کے چند لفظ۔۔۔ مسکرانے کے لیے چند لفظ۔۔۔ دل کو لبھانے والے چند لفظ۔۔۔ دکھوں کو مٹانے والے چند لفظ۔۔۔ رنج و غم بھلانے والے چند لفظ۔۔۔ کچھ بھی نہ تھا۔۔۔

وہ لفظ جو ہاتھ باندھے کھڑے رہتے تھے سب بغاوت کر چکے تھے۔۔۔ جا چکے تھے۔۔۔ کہیں گم ہو چکے تھے۔۔۔ کھو چکے تھے۔۔۔ میں خود ایک عمر سے ٹوٹا ہوا تھا۔۔۔ بس میں زندگی بھر کی تھکن لیے۔۔۔ بے بس ہو چکا تھا۔۔۔ مکمل طور پر۔۔۔ میری آنکھوں کے آگے بندھے۔۔۔ پُشتے اور بند ٹوٹ گئے۔۔۔ میں نے اس کے ہاتھوں کو چومنا شروع کر دیا۔۔۔ اس کے ماتھے۔۔۔ اس کے گالوں اور کانوں۔۔۔ اس کے بالوں کو۔۔۔ اس کی ٹھوڑی اور کندھوں کو اس۔۔۔ کو اپنے اندر سمانے کی کوشش میں، میں اس کے ساتھ چپک گیا۔۔۔ مجھے احساس ہی نہ رہا کہ ہم دونوں مسلسل رو رہے تھے۔۔۔ مسلسل رو رہے تھے۔۔۔ بغیر کسی لفظ کے، بغیر کسی وجہ کے یا شاید بے شمار وجوہات کی بنا پر۔۔۔ آنسو مسلسل آنسو!۔۔۔ ٹپ۔۔۔ ٹپ۔۔۔!

اِک بار جی کے دیکھیں
مر مر کے تھک گئے ہیں

خوشی کے موتی۔۔۔ غم کے آنسو

انسان بھی عجیب مخلوق ہے، خوش ہو، تب بھی روتا ہے دکھ میں ہو تب بھی روتا ہے۔ انسان کے جسم میں شاید آنکھیں سب سے زیادہ حساس ہوتی ہیں، اس لیے، ہر دو احساسات یا Feeling کے بعد ان کے پیمانے چھلک جاتے ہیں۔۔۔ ڈھلک جاتے ہیں۔۔۔ آنسو جب بھی بہیں۔۔۔ ضرورت ان ہونٹوں کی ہوتی ہے، جو پلکوں سے لرز کر گالوں پر اترنے سے قبل ہی۔۔۔ ان موتیوں کو۔۔۔ اس آبِ حیات کو۔۔۔ اس جنت کی سوغات کو۔۔۔ چن لیں۔۔۔ وگرنہ اگر آنسو زمین میں جذب

ہو جائیں تو وہ زمین بنجر ہو جاتی ہے بانجھ ہو جاتی ہے۔

میں اس کے آنسوؤں کو پلکوں سے نیچے نہیں گرنے دینا چاہتا تھا۔ میں اس کو یقین دلانا چاہتا تھا کہ میرے ہوتے ہوئے تیرے دکھ میرے ہیں۔۔۔ اُپنے سارے دکھ میرے دامن میں ڈال دو۔۔۔ تیرے لیے تو میں نے زندگی کے سارے سکھ چھوڑے ہیں۔۔۔ تمام آسائشیں ترک کی ہیں۔۔۔ تمام تکلیفیں مول لی ہیں اور اگر پھر بھی تم نے رونا ہی ہے۔ تو پھر میری عبادت، میری ریاضت، میرا مجاہدہ کس کام کا۔

میں نے دھیرے سے اس کے گالوں کو اپنی ہتھیلیوں سے صاف کیا۔۔۔ اس کو خود سے جدا کیا۔۔۔ زندگی سے زندگی کو جدا کیا اور فریش ہونے کے لیے روانہ ہو گیا۔

ذات کا سکون۔۔۔ ذات میں

تھکاوٹ، پژمردگی، نقاہت کا تعلق عمر، کام کی زیادتی اور رنج والم کی شدت اور تسلسل سے نہیں ہوتا بلکہ تسکینِ ذات سے ہوتا ہے۔ ذات کا سکون، ذات میں ہے۔ ملاقات میں ہے۔ خود سے خود کی بات سے ہے۔ اپنی اصل سے ہے۔ جب ذہن اور جسم کو سکون ہوتا ہے۔ آرام ہوتا ہے تو پھر نس نس سے نروان جھلکتا ہے۔ انگ انگ سے چستی نکلتی اور ڈھنگ ڈھنگ سے مستی ظاہر ہوتی ہے۔ آنکھوں میں چاندکی آخری رات کے گہرے سمندر کی لہروں جیسا سکون چھلکتا ہے۔۔۔ کیونکہ جو خواب دیکھے تھے، جو لگن لگی تھی۔۔۔ جو حسرتِ ناکام تسکین نہیں لینے دیتی تھی۔۔۔ جو دکھ اور آلام آرام نہیں لینے دیتے تھے۔۔۔ جو وجہ رنج اور غم دماغ کا خلل بنا ہوا تھا۔۔۔ جو مرکز اور سوچ کا محور تھا۔۔۔ جو دسترس سے باہر اور فہم سے پرے تھا۔۔۔ وہ ذات۔۔۔ وہ اپنا۔۔۔ نصف کھویا ہوا۔۔۔ احساس۔۔۔ جو ہمزاد کی طرح ساتھ مگر۔۔۔ بہت دور کہیں آنکھوں کے نور اور روح کے سرور سے باہر اور پرے تھا۔۔۔ جو میلوں کی مسافت پر۔۔۔ صدیوں کی دوری۔۔۔ اور میرے دسترس سے باہر تھا۔۔۔ جو میری نقاہت، تھکاوٹ، پژمردگی کی وجہ اور علامت تھا۔۔۔ آج جب وہ میرا حاصل تھا۔۔۔ میری منزل میری زندگی تھا۔۔۔ تو میرے تمام سفر کی تھکاوٹ اور پریشانی۔۔۔ ختم اور

بڑھاپے میں جوانی حاصل ہو چکی تھی۔

ذات کا سکون، ذہن اور جسم کے سکون نے میرے تمام رنج وغم لے کر مجھے تازہ دم کر دیا تھا۔ میں اس ایتھلیٹ کی مانند تھا جو چھبیس کلو میٹر کی ''میراتھن'' بھاگ کر تھکا ہوا جب آخری Lap/Leg کے قریب آتا ہے۔۔۔اختتام یا Finish Point کو دیکھتا ہے تو اس کے جسم میں اچانک بجلی بھر جاتی ہے، ایک کرنٹ اس کی ٹانگوں میں اور نیا جذبہ تازہ اس کے دماغ میں بھر جاتا ہے اور وہ آنکھیں بند کر کے بنا دیکھے لمبی جست لیتا ہے۔ اس کے پاؤں خود بخود تیزی اور سرعت سے اٹھتے ہیں اور وہ نشانِ منزل، آنِ واحد میں عبور کر جاتا ہے۔۔۔فتح کی خوشی اس کی تمام تھکاوٹ، نقاہت اور پژمردگی دور کر دیتی ہے۔۔۔منزل کو چوم کر وہ تازہ دم اور اگلی ریس کے لیے تیار ہو جاتا ہے۔ میری منزل میرے سامنے تھی۔۔۔تسکینِ ذات اور خواب کی تکمیل ہو چکی تھی۔ اس لیے میں بالکل ترو تازہ تھا۔۔۔!

محبت کے گہنے اس نے پہنے۔۔۔!

میں نے اپنے بیگ کو کھولا۔۔۔کپڑے ادھر ادھر کیے اور ایک سرخ گوٹے کناری والا دوپٹہ۔۔۔بڑا سا لہنگا۔۔۔اور دو کانٹے، ایک ٹیکا اور چار سونے کی چوڑیاں نکال کر بیڈ پر رکھ دیں۔

وہ بڑی حیرانگی سے بیٹھی یہ سب دیکھ رہی تھی۔۔۔بولی یہ سب۔۔۔کیا ہے۔۔۔

میں نے کہا۔۔۔ماں جی نے تیرے لیے رکھ چھوڑی تھیں۔۔۔خود بنوا کر کہتی تھیں ''پتر معلوم نہیں مجھے دیکھنا نصیب ہو یا نہیں مگر یہ ایک دن میری بیٹی ضرور پہنے گی۔ مجھے دیکھنا نصیب ہو یا نہیں مگر وہ تیرا نصیب ضرور ہے''۔

یہ اس وقت کی بات ہے جب میرے اردگرد صرف مایوسی، اندھیرا اور یاس کا بسیرا تھا۔۔۔دُور دُور تک کوئی آثار۔۔۔کوئی آغاز۔۔۔ملاقات، بات، ملاپ اور وصال کا نہ تھا۔۔۔مگر ماں کے خیالات یہی تھے اور مرتے دم تک یہی رہے۔۔۔میں ان کی باتوں کو ان کی خواہش تصور کرتا رہا۔۔۔جو ہر ماں اپنے بچوں کی خوشی کے لیے اور ان کے دکھ سے نجات کے لیے کرتی ہے۔۔۔مگر وہ اپنی اس بات پر ہمیشہ پکی رہیں۔۔۔ہمیشہ کہتیں۔۔۔

''پتر پریشان نہ ہو۔۔۔وہ تیری ہے۔۔۔تیری ہی رہے گی۔۔۔تیرے پاس آئے گی، میری زندگی میں نہ سہی میرے بعد سہی۔۔۔لیکن تیری ہے اور تیرے پاس رہے گی۔۔۔''

سادہ ماں کی محبت بھی کتنی سادہ اور صاف۔۔۔مگر کتنی طاقتور اور جاندار ہوتی ہے۔۔۔مر کر بھی نہیں مرتی۔۔۔زندہ رہتی ہے۔۔۔محبت کبھی نہیں مرتی۔۔۔کبھی نہیں مرتی۔۔۔

میں باتیں کرتا کرتا کئی سال پیچھے چلا گیا. جہاں ماں بسترِ مرگ پر آخری ہچکی لیتے ہوئے میرے لیے دعائیں مانگ رہی تھی۔۔۔اور اپنی بہو کے لیے اپنی محبت میرے حوالے کر رہی تھی۔۔۔ دعاؤں اور التجاؤں سے بھرپور محبت۔۔۔

اور ''کومل'' عجیب نظروں سے کبھی میری طرف اور کبھی بیڈ پر بغیر استری، سلوٹوں سے بھرے اور مسلے ہوئے کپڑوں کو اور مدت سے ڈبوں میں پڑے ہوئے دھندلائے ہوئے، گہنائے ہوئے، گہنے دیکھ رہی تھی۔

گہنے پہنے ہوئے خوبصورت لگتے ہیں وگرنہ گہنا جاتے ہیں۔۔۔دھندلا جاتے ہیں۔ اشیاء جتنی بھی خوبصورت ہوں۔۔۔اُن کی خوبصورتی استعمال کرنے والوں کے ساتھ وابستہ ہوتی ہے۔۔۔کوہِ نور بابر کے تاج میں ہی سجتا ہے۔۔۔گنگو تیلی کی گدڑی میں نہیں۔ میرے خوابوں اور ماں کی دعاؤں کی طرح یہ اشیاء بھی شاید اپنے استعمال کی امید کھو چکی تھیں۔۔۔اس لیے دھندلا گئی تھیں۔۔۔گہنا گئی تھیں۔

میں نے کہا یہ اب تمہارے لیے ہیں۔۔۔جب میں مکمل ناامید تھا تب ماں نے تمہارے لیے بنائے تھے۔ میرے سے زیادہ ماں جی کی خواہش ہے کہ بہو رانی شادی کے دن یہ سب پہنے۔۔۔

اس کے چہرے پر ہلکی سی ناگواری کا جھونکا آیا اور آ کر گزر گیا۔۔۔بولی، ہاں ایک تو اس سوٹ کو استری کرنے کے لیے گھنٹوں درکار ہیں اور دوسرا آج کل اس گوٹے کناری کا رواج تو پاکستان میں نہیں رہا جرمنی میں کون پہنے گا۔۔۔سونے کی چوڑیاں۔۔۔ٹیکا۔۔۔کانٹے۔۔۔ورکنگ ویمن۔۔۔کے لیے یہ چیزیں بے معنی ہیں اور ویسے بھی یہ سارا کچھ out dated اور out of fashion ہے۔۔۔ان کی افادیت اور استعمال آج کل ختم ہو چکا ہے۔ اب تو گاؤں میں لوگ نہیں پہنتے ایسی جیولری۔ متروک ہو

چکا یہ سب اور فیشن بھی پرانا ہو چکا ہے۔

اس کے خیال اور چہرے کے تاثرات دیکھ کر میں ملتجی نظروں سے بولا:

''ماں جی نے بڑی محبت سے بنائے ہیں تمہارے لیے۔۔۔تھوڑی دیر کے لیے ہی سہی پہن لو۔۔۔میرے لیے۔۔۔ماں جی کے لیے۔۔۔وہ خوش ہو جائیں گی اور میں بھی۔۔۔انہوں نے اتنی دعائیں مانگی تھیں میرے لیے۔۔۔تیرے لیے۔۔۔''

اور وہ بے دلی سے۔۔۔کپڑے اٹھا کر۔۔۔باہر نکل گئی!

میں ہمیشہ اس بات کا قائل رہا ہوں کہ قیمت اشیاء کی نہیں ہوتی ان کے پیچھے اور ان سے وابستہ خیالات اور افراد کی ہوتی ہے۔سونے کے کانٹے اور سرخ گوٹا کناری کا رواج کب ہے۔۔۔وہ ٹھیک کہتی ہے۔۔۔مگر اس محبت کا رواج بھی کب ہے۔۔۔جس سے یہ سب بنایا گیا۔۔۔خریدا گیا۔۔۔سلوایا گیا۔ماں کے کون سے کارخانے اور فیکٹریاں چل رہی تھیں۔۔۔

سو،سو روپیہ جوڑ کر اپنی جان اور کپڑوں سے بچا کر۔۔۔عمر بھر کی جمع پونجی۔۔۔اپنے خیال میں دنیا کی مہنگی ترین چیزوں پر اس نے صرف کر دی۔۔۔کئی سالوں کی کنجوسی، بچت اور ''صرفے'' کے بعد۔۔۔دعاؤں اور محبتوں کے ساتھ، ماں نے اپنے بیٹے کے سہرے کی بجائے۔۔۔بہو کے سہاگ کے لیے یہ سب بنوایا۔۔۔سلوایا اور پھر سنبھال سنبھال کر رکھا۔۔۔مرتے دم تک۔۔۔!ان محبتوں، معصوم دعاؤں اور تمناؤں، خواہشوں اور نداؤں کا جو ایک ایک پل کے لیے میرے اس سفر میں، حاصلِ منزل کے لیے، ماں نے مجھ پر نچھاور کیں تھیں۔۔۔وہ سب اس پرانے سلوٹوں بھرے سرخ سوٹ۔۔۔چند گرام سونے کے اولڈ فیشن بڑے بڑے کانٹوں میں شامل تھیں۔یہ صرف کپڑا نہ تھا۔اس کے ایک ایک تار میں، ایک ایک ٹانکے اور سلائی میں، ایک ایک ستارے میں۔۔۔لازوال محبتیں شامل تھیں۔سونے کے ان زیورات میں سونا کم اور کندن جذبات، خالص، بغیر کسی میل ملاوٹ، غلاظت، تلچھٹ اور آمیزش شامل تھے۔

لو۔۔۔اور لو میکنگ

اخلاص اور محبت کی ضرورت ہر ایک شخص کو تھوڑی ہوتی ہے۔یہ خاص اور خالص جذبات،

خاص اور خالص لوگوں کے لیے مخصوص ہوتے ہیں۔اب تو محبت کا رواج ختم ہو گیا ہے۔۔۔لومیکنگ کا دور آ گیا ہے۔جس طرح Plotanic Love کا رواج ختم ہو گیا۔۔۔روح سے محبت مفقود ہو گئی ہے۔۔۔عشق کا رواج ختم ہو گیا ہے۔۔۔جسم کا رواج شروع ہو گیا ہے۔۔۔پاکیزہ جذبات، خیالات، احساسات سے وابستہ تمام اشیاء پرانی اور دقیانوسی ہوتی جا رہی ہیں۔۔۔ہاں البتہ جسم سے وابستہ تمام اشیاء۔۔۔لباس اور فیشن۔۔۔سیلون۔۔۔میک اپ۔۔۔مہنگے پرفیوم اور میک اپ کٹ۔۔۔بیوٹیشن اور ان کے لوازمات۔۔۔سادگی اور حسن کی جگہ۔۔۔تصنّع اور ملمّع سازی آ گئی ہے۔جسم کی خوبصورتی پر توجہ بڑھ گئی ہے۔۔۔روح فراموش ہو گئی ہے۔۔۔کھو گئی ہے۔۔۔دور ہو گئی ہے۔۔۔اس لیے جسموں کا کھیل عام ہو گیا ہے اور جذبات سے کھیلنے کا رواج ہو گیا ہے۔جن جذبات اور خیالات کی وجہ سے روح پاک ہوتی تھی اور جسم میں حیا اور حسن میں نکھار آتا تھا وہ جذبات ابھی صرف پینڈو اور غریب دقیانوسی خیالات کے مالک لوگوں میں ہی رہ گئے ہیں اور ان لوگوں کو مہذب دنیا میں۔۔۔روٴسا کی محفل میں۔۔۔امراء کی مجلس میں۔۔۔تھرڈ ورلڈ کے تھرڈ کلاس شہری اور Backward ہونے کا لقب دیا جاتا ہے۔کیونکہ جس طرح سچے اور سُچے جذبات بے معنی ہو گئے ہیں اس طرح جسم اور اجسام کی ارزانی ہو گئی ہے۔۔۔فراوانی ہو گئی۔۔۔Love کی بجائے لومیکنگ کا فیشن عام اور دور سے دیدارِ یار کرنے، عمر بھر جلنے، سلگنے اور مجازی سے حقیقی کی طرف جانے کا اختتام ہو گیا ہے۔

سرِ شام اور ہر شام محبتیں بدلنے کا دور۔۔۔کپڑے کی طرح لائف پارٹنر بدلنے کا شوق اور بال صفا کریم کے کمرشل کی طرح جسم دِکھانے اور بل بورڈ (Billboard) پر لگانے کا دور ہے۔اتنے طویل انتظار، دیدار اور صبر میں ہجر و فراق کے رنج کون اٹھائے۔جذبات پر تین حرف بھیجو۔۔۔فون پر یا انٹرنیٹ پر وقت طے کرو۔۔۔پارٹی کرو۔۔۔گھنٹہ بھر اچھل کود۔۔۔چند پیگ۔۔۔بھرے ہوئے سگریٹ۔۔۔کوک کی تین لائنیں۔۔۔ہیجانی میوزک پر اچھل کود۔۔۔محبت کی تکمیل اور کل نیا دن۔۔۔نئے لوگ۔۔۔نئی گاڑی۔۔۔نئے پارٹنر۔۔۔نیا کمرہ۔۔۔نیا ہوٹل۔۔۔تازہ کھانا۔۔۔آزادی۔۔۔محبتیں ہی محبتیں۔۔۔سکون ہی سکون۔۔۔آرام اور نروان۔۔۔! شیطان خوش اور رحمان

حیران۔۔۔انسان ہمیشہ کا نادان۔۔۔ہمیشہ کا معاشرتی حیوان۔۔۔سب بھول کر۔۔۔نئے جوش جذبے کے ساتھ۔۔۔حیوانیت کی طرف دوبارہ رواں دواں۔۔۔انسان اور شیطان!

محبت کا پجاری

ماں کی نشانی سرخ جوڑا۔۔۔جبر و اِکراہ کے ساتھ، وہ استری کر کے لائی اور میری درخواست پر پہن بھی لیا۔ میں نے ابھی تک اس کو نہ مشرقی بیوی اور نہ مغربی دلہن تصور کیا تھا۔ میں تو ابھی تک کسی مندر کا پجاری تھا۔۔۔جو صبح صبح گھُپ اندھیرے میں۔۔۔ننگے پاؤں۔۔۔شدید دھند اور سردی میں، دھوتی باندھے۔۔۔تِلک لگائے۔۔۔چھوٹے چھوٹے نوکیلے پتھروں اور کنکروں سے ہوتا ہوا۔۔۔ٹھنڈے یخ موسم میں، ٹھنڈے برف پاؤں لیے ہوئے بغیر کسی آہ و سسکی کے۔۔۔بڑے خشوع و خضوع، عقیدت اور محبت کے ساتھ، عبادت کی غرض سے سیڑھیاں چڑھتا ہوا۔۔۔ہر سیڑھی کو چومتا ہوا۔۔۔ماتھا ٹیکتا ہوا۔۔۔خوبصورت دیوی کے حضور جانے سے پہلے پیتل کی گھنٹی کو چھوتا ہوا۔۔۔جس کی خوبصورت۔۔۔مدُھر۔۔۔موسیقیت سے بھرپور آواز دُور دُور تک نرم اور گرم بستروں میں مخمور آنکھوں والیوں کے کانوں میں رس گھولتی ہے اور بولتی ہے کہ

''آؤ۔۔۔محبت کی عبادت کرتے ہیں۔ محبت کی پوجا کرتے ہیں۔۔۔محبت ہی نروان اور رحمٰن ہے۔ محبت ہی کرشن اور یزدان ہے۔۔۔!''

وہ آنکھیں جھکاتا ہے۔۔۔دھیرے سے۔۔۔محبت کی دیوی کے سامنے پڑا ہوا نرسنگھا اُٹھاتا ہے۔۔۔آنکھیں بند کر کے۔۔۔منہ آسمان کی طرف کر کے۔۔۔پھیپھڑوں میں سانس بھر کر۔۔۔محبت کا پیغام بھر کر۔۔۔اپنا دل اور جان بھر کر۔۔۔نرسنگھا منہ سے لگا کر زور سے اپنی جان اس میں پھونکتا ہے۔۔۔محبت دھونکتا ہے۔۔۔اس کی آواز۔۔۔محبت کی صدا۔۔۔ندی نالے رک جاتے ہیں۔۔۔پرندے پرواز بھول جاتے ہیں۔۔۔درختوں کی حرکت تھم جاتی ہے۔۔۔کائنات رک جاتی ہے۔۔۔جن و انس اپنے معمولات ترک کر دیتے ہیں۔۔۔محبت کی صدا۔۔۔ارض و سما سے ٹکرا کر واپس آتی ہے۔۔۔سودا اور عطا لاتی ہے۔۔۔خدا لاتی ہے۔۔۔ایک نشہ طاری ہو جاتا

ہے۔۔۔خمار جاری ہو جاتا ہے۔۔۔

پجاری خوبصورت پاروتی کے قدموں میں گر جاتا ہے۔۔۔اس کو دیکھنے اور چھونے کی ہمت نہیں رکھتا۔۔۔اسے ڈر ہے کہ کہیں اس کی ''پاروتی''، ''پدما''، ''لکشمی'' یا ''رتی'' اس کے Touch سے، چھونے سے، لمس سے، میلی نہ ہو جائے۔اس کا اجلا اور نکھرا تن اور من اُس کارن۔۔۔کالا نہ ہو جائے۔۔۔داغدار نہ ہو جائے۔۔۔خراب نہ ہو جائے۔۔۔وہ پنچا پوجا (Five Step Puja) یا چھتوشیستی پوجا (64 Step Puja) کرے۔۔۔اس کے دھیان اور گیان میں ہر دم، ہر قدم دیوی جی رہتی ہیں۔۔۔جو آرتی اتارتے، پشپا (پھول پیش کرنا) کے دوران بھی اس کی طرف دیکھنے کو گناہ سمجھتا ہے۔جو صرف اور صرف نظر جھکا کر پردکھشنا (طواف کرنا) کے دوران۔۔۔اس محور اور مرکز کے گرد کبھی دھیرے اور کبھی تیز بھاگنے کو ہی زندگی تصور کرتا ہے۔جو چھونے کے تصور سے لرز جاتا ہے۔۔۔اس کو گناہ اور مذہب کے دائرہ سے خروج تصور کرتا ہے۔عبادت کا فسخ ہو جانا تسلیم کرتا ہے۔۔۔میں تو وہ پجاری ہوں۔ وہ میرا مندر، میرا کلس میرا بھگوان۔۔۔میرا ایمان سب کچھ تو ہے۔۔۔

میں اپنی دیوی کے حضور۔۔۔نظر جھکا کر۔۔۔بیٹھا ہوا تھا۔۔۔نہ جانے میں غلط Behave کر رہا تھا یا درست مگر۔۔۔عمر بھر جس انسان کو سوچا تھا وہ آج میرے سامنے تھا۔۔۔میرا تھا۔۔۔مکمل۔۔۔ہر طرح سے مکمل۔۔۔اپنی تمام محبتوں کے ساتھ۔۔۔خوبصورتیوں اور رعنائیوں کے ساتھ۔۔۔میں نے اس کے قدم چھونے کی کوشش کی۔۔۔اس نے دھیرے سے پاؤں پیچھے ہٹائے۔۔۔بولی۔۔۔

یہ کیا کر رہے ہیں آپ۔۔۔میرے ساتھ لپٹی۔۔۔میرے سینے سے سر ٹکایا۔۔۔مجھے یقین آیا!

میں نے درخواست کی۔۔۔کہ تم چل کر اتنا سفر کر آئی ہو۔۔۔ایک دشت کے پار اتر آئی ہو۔۔۔زندگی کا ایک سفر مکمل کر کے۔۔۔ایک نئی زندگی لے کر آئی ہو۔۔۔زندگی بن کر آئی ہو۔۔۔میری تصویر۔۔۔میری تقدیر اور تعبیر بن کر آئی ہو۔۔۔فسانے سے حقیقت میں اتر آئی ہو۔۔۔!

میں نے دھیرے سے اس کا ہاتھ اپنے ہاتھ میں لیا۔۔۔ میری ہتھیلیوں پر پسینہ تھا۔۔۔ ہاتھوں میں رعشہ اور زبان کی لکنت۔۔۔ تمام بیان بھول گئی تھی۔۔۔ الفاظ ہاتھوں کی طرح لرز رہے تھے۔ میں نے سب سے پہلے دونوں چوڑیوں کو ان کے اصل مالک کے حوالے کیا۔۔۔ ایک ماہرِ منہار کی طرح اسے اس کے ہاتھ کو دھیرے سے ہاتھ میں پکڑ کر تمام انگلیوں کو اکٹھا کر کے دل کی صورت بنا کر بڑے پریم سے۔۔۔ سونے کی چوڑی۔۔۔ ہیرے کے ہاتھ میں پہنائی۔۔۔ آزاد ملک کی آزاد باسی جس کی طبیعت میں آزادی یقیناً ایک طویل عمر گزارنے کے بعد روح میں بس گئی تھی۔۔۔ وہ سر پر سرخ گوٹے والا دوپٹہ لیے، بالوں کو اس کے اندر سلیقے سے سمیٹے۔۔۔ میرے رُوبرو ایسے بیٹھی تھی، جیسے بھگوان کرشن کے سامنے ''کشن کنیّا''۔۔۔! ''کرشنا'' کی ''رادھا''۔۔۔!

سرخ ہوتے ہوئے کان۔۔۔ اور تپتی ہوئے کانوں کی لو (Ear lobs) میں بڑا سا کانٹا پہنانے سے پہلے میں نے ایک لمحے کے لیے سوچا کانوں میں چھید ہے یا نہیں مگر پھر مجھے کالج کی کلاس میں بیٹھی۔۔۔ دھان پان سی ''کومل'' کے کان میں چمکتے ہوئے وائٹ گولڈ کے Ear Pin یاد آ گئے۔۔۔ میں نے کانٹے کو اس کے کان میں ایسے ٹانکا جیسے Blue Hope ہیرے کو ملکہ برطانیہ کے تاج میں۔ اس کے تپتے ہوئے کان لگتا تھا تمام بدن کا خون اسی مقام پر جمع ہو رہا ہے اور اگر میں نے مزید چند لمحے اس کو پکڑے رکھا۔۔۔ یا غور سے دیکھا بھی تو اس کی لو خون کے دباؤ سے پھٹ جائے گی۔ اور آنِ واحد میں اس کا سارا خون اس راستے سے بہہ جائے گا۔ یہ گرمی۔۔۔ شرم کی تھی یا حدتِ جذبات کی۔۔۔ سرخی خون کی تھی یا عمر بھر کی ملاقات کی۔۔۔ اس کا احساس اور ادراک کرنے کے قابل اس لمحے میں یقیناً نہیں تھا۔۔۔

میں نے آہستہ سے اس کے سر سے پلّو ہٹایا۔۔۔ اپنے کانپتے ہاتھوں کے ساتھ۔۔۔ اس کے بالوں میں چھوٹی چھوٹی سیاہ پنّیں چپکائیں اور اس کے پہلی جماعت کی صاف، شفاف اور خوبصورت و پاک تختی کی مانند۔۔۔ جس پر ابھی گاچی۔۔۔ سیاہی اور حرفِ اوّل رقم کرنا باقی ہو۔ جیسے خوبصورت اور کشادہ ماتھے پر ٹیکے کو ٹکایا۔۔۔ وہ یونانی دیو مالائی کہانیوں کی ملکہ جیسے Troy کی ہیلن، یا قلوپطرہ اور Hera ہو۔ میرے تصوراتی خاکے۔۔۔ حوروں جیسی گلابی آنکھوں کے Aphrodite

احوال، صراحی گردن کے خیالات۔۔۔سرو قد کے تصورات اور ملکوتی حسن کے کمالات۔۔۔سارے کے سارے۔۔۔میرے سامنے انسانی شکل میں مصوروں سے رنگ چرا کر، ماہرین اور نقشہ بین سے نقوش ادھار لے کر، خدا سے خوبصورت روح مستعار لے کر۔۔۔ایک پیکرِ حسن و زیبا۔۔۔دِلرُبا و رعنا۔۔۔میرے رُوبرو جلوہ نما تھا۔۔۔اور میں حرکات و سکنات، الفاظ اور معانی، مفردات اور مرکبات، تشبیہات واستعارات کے جمِ غفیر اور مجموعہ ہائے کبیر کے باوجود۔۔۔اظہار سے مجبور ہو کر۔۔۔زبانِ گنگ۔۔۔حرکت مفقود۔۔۔جسم مفلوج۔۔۔آنکھوں سے پرد کھشنا کرنے پر مجبور تھا۔۔۔!

اس کی حرارت میری برف آنکھوں کے آئینوں کو پگھلا رہی تھی۔ نہ چاہتے ہوئے بھی میری پلکوں سے گرنے والے پانی کے قطرے میرے لیے باعثِ تکلیف نہیں تھے بلکہ میرے دھندلے عدسوں کو صاف کر رہے تھے۔ میرے Blurred ویژن کو صاف اور شفاف کر رہے تھے۔ مجھے رنگوں کی دنیا میں، عکس و آہنگ کے جہاں میں واپس لا رہے تھے۔ زندگی اور اس کے رنگ دکھا رہے تھے۔۔۔خوبصورت، سمٹی ہوئی، سرخ اور سفید زندگی سے آشنا کر رہے تھے۔ اور میں اس کو دیکھ رہا تھا۔ جی بھر کر اس کا طواف کر رہا تھا۔ گیارہ ہزار نو سو بہتر دنوں کی دوری کی پیاس آنکھوں کے راستے بجھا رہا تھا۔۔۔آنسوؤں کے ساتھ مسکرا رہا تھا۔ لہرا رہا تھا۔۔۔بن پیئے۔۔۔مخمور۔۔۔مدہوش۔۔۔لڑھک رہا تھا۔۔۔ڈگمگا رہا تھا۔۔۔لرز رہا تھا۔۔۔

محبت۔۔۔عبادت۔۔۔ریاضت

زندگی میں جو چیز جتنی آپ کی دسترس سے باہر ہو اس کی طلب اتنی شدید ہوتی ہے۔۔۔اور جب وہ آپ کی دسترس میں آ جائے۔۔۔مل جائے۔۔۔تصرف میں آ جائے۔۔۔تو پہلے پہل یقین نہیں آتا اور اگر یقین آ بھی جائے تو سمجھ نہیں آتا کہ اس کا کریں کیا۔ اس کو دیکھیں، مس کریں، چاٹیں، کھائیں۔۔۔سینہ کھول کر اس میں سمائیں۔۔۔کیا کریں؟ اور پھر اس سوچنے، سمجھنے، خواہش کرنے، حاصل کرنے کے عمل کے دوران۔۔۔پیش آنے والی تمام مشکلات، غم، دکھ، رنج، مسائل اور مصائب۔۔۔آنِ واحد میں ہرن ہو جاتے ہیں اور باقی صرف حاصل بچتا ہے۔

حاصل کو رُو برو کر کے انسان یک ٹک اس کو دیکھتا ہے۔۔۔ مسلسل سرتا پا۔۔۔ بار بار، لمحہ لمحہ، لحظہ لحظہ۔ پھر اس کا نظری طواف کرتا ہے۔ بالوں کی لمبائی، ماتھے کی خوبصورتی، آنکھوں کی گہرائی، ناک کی اونچائی، ہونٹوں کی نرمائی، گالوں کی سرخائی، ٹھوڑی کی گولائی، دانتوں کی چمکائی، کانوں کی گرمائی، گردن کی صراحی، کندھوں کی چوڑائی، سینے کی انگڑائی، کمر کی گولائی، انگلیوں کی طولائی، ساقِ بلورین کی گولائی اور اس کے پاؤں کی خوبصورت جلد تک رسائی کو دیکھتا ہے۔ دور رہ کر درخت کی اوٹ سے۔۔۔ طُور سے دور۔۔۔ کبھی چھپ چھپ کر کن انکھیوں سے، کبھی مکمل طور پر، یک ٹک۔۔۔ ایک نظر۔۔۔ بنا جنبش۔۔۔ اس کو دیکھتا ہے۔۔۔ محبت سے۔۔۔ عبادت سے۔۔۔ یا ریاضت سے۔۔۔ جذب کے اس عمل کی تکمیل کرتا ہے۔ اپنے آپ کو سیر کرتا ہے۔ دماغ کے خالی حصوں کو، دل کے سوالی خانوں کو اس عکسِ خوبصورت سے منور کرتا ہے۔۔۔ پُر کرتا ہے۔۔۔ جذب کرتا ہے۔۔۔ جو اس کے جذبات میں تحرک لاتے ہیں۔۔۔ اس کی آنکھیں دل کو پیغام دیتی ہیں۔۔۔ اور پھر وہ دھیرے سے۔۔۔ محسوس کرنے کی ہمت کرتا ہے۔ کوشش کرتا ہے۔۔۔ عکس کو۔۔۔ بدن کی صورت دیتا ہے۔۔۔ جذبات کو جسم دیتا ہے۔۔۔ خیالات کو جسم دیتا ہے۔۔۔ سوچ کو حقیقت آشنا کرتا ہے۔۔۔ دماغ کے نہاں خانوں میں عمر بھر پلنے والے سوالوں اور خیالوں کو حقیقت کے روپ میں دیکھنا چاہتا ہے۔ یقین کرنا چاہتا ہے۔۔۔ اپنے لفظوں اور خیالوں کو عملی جامہ پہنانا چاہتا ہے۔ کچھ پل زندگی کے حقیقت میں بتانا چاہتا ہے۔ سُرور میں جانا چاہتا ہے۔ جنت میں جانا چاہتا ہے۔ تکمیل چاہتا ہے۔ اپنے جذبۂ صادق کو حقیقت کا رنگ دینے کے لیے، وہ پہلے سے، ایک انجانے خوف کے ساتھ، ایک ان دیکھی قوت کے زور پر۔۔۔ ایک تلاطم اور تغیر کے بل پر۔۔۔ ابلتے ہوئے جذبات کے ساتھ۔۔۔ کانوں کی گرمی۔۔۔ گالوں کی سرخی۔۔۔ آنکھوں میں نرمی۔۔۔ ہونٹوں کی کپکپاہٹ کے ساتھ۔۔۔ دھیرے سے اپنے ہاتھوں کی پشت سے انگلیوں کے لمس سے۔۔۔ اس کے گال کو چھونے کی کوشش کرتا ہے۔ محسوس کرنے کی کوشش کرتا ہے۔ یقین کرنے کی کاوش کرتا ہے۔ جس سے عالمِ ارواح میں وعدہ کیا تھا۔ بچھڑا تھا۔ جس کا امیج پالتے ہوئے عمر بیت گئی۔۔۔ جس کو خوابوں میں روز دیکھا۔۔۔ خیالوں میں ہر وقت ساتھ رکھا۔ ہر ہر سانس میں جس کو زندہ رکھا۔۔۔ جو خون کی گردش میں آکسیجن کی مانند

شامل رہا۔ گوشت پوست کی دنیا میں۔۔۔ عالمِ مثال و اجسام میں۔۔۔ کیا یہ وہی شخص ہے۔۔۔؟

لمس کا طوفان۔۔۔۔ جذبات کا ہیجان

عالمِ ارواح سے مثال اور اجسام کا یہ سفر۔۔۔ خواب سے حقیقت کا یہ وقت اور ہجر سے وصال کا یہ عمل خوف ناک، خوابناک اور ہیبت ناک ہوتا ہے۔ لمس۔۔۔ زندگی دیتا ہے۔ کئی لاکھ وولٹ کا کرنٹ۔۔۔ ایک جسم سے دوسرے جسم میں منتقل ہوتا ہے۔ فریکونسی درست ہو۔۔۔ کنکشن ٹھیک ہو اور اندر کی وائرنگ مضبوط ہو تو انسان مزید مضبوط، طاقتور اور نا قابلِ شکست ہو جاتا ہے۔ فاتحِ عالم ہو جاتا ہے۔ Confidence کا کمال، زندگی کا جمال اور قوت کا گنج ہائے بے شمار بن جاتا ہے۔ جس کی آنکھوں میں حقیقی، ازلی چمک پیدا ہو جاتی ہے۔۔۔ جس سے تنِ مردہ میں زندگی کی رمق پیدا ہو جاتی ہے۔ جو اپنی فطرت کی بلندیوں پر پہنچ کر خالق کے رُوبرو چلا جاتا ہے۔ جس کے اندر کے تمام خوف اور ڈر ختم ہو جاتے ہیں۔۔۔ جو تجلیات اور انوار کے مقامِ کمال پر پہنچ جاتا ہے۔۔۔ شرابِ خام سے شرابِ پختہ، کمالِ ذوقِ الٰہی، شرابِ بے ساگرو جام و ساقی آشام، شرابِ بے خودی سے اپنے آپ کو سیراب کر لیتا ہے۔ اور ہمہ تن محوِ تجلّی ہو جاتا ہے۔ شہود المجمل فی المفصل اور شہود المفصل فی المجمل کا جھگڑا ختم ہو جاتا ہے اس شیدا میں حرفِ خدا نظر آتا ہے خدا۔۔۔! ۔۔۔ ایک خدا۔۔۔ سب سے جُدا۔۔۔ ایک خدا!

جو کمزور ہوں، فریکونسی درست نہ ہو اور اندر مضبوط نہ ہو تو وہ آنِ واحد میں جل کر خاک ہو جاتے ہیں۔۔۔ ریزہ ریزہ۔۔۔ ہوا کے دوش پر۔۔۔ سب کچھ چھوڑ کر۔۔۔ گردِ راہ، غبارِ خاک اور زمین و افلاک میں سر مارتے پھرتے ہیں۔ نہ سودا ملتا ہے۔۔۔ نہ شیدا۔۔۔ نہ خدا۔۔۔ اور عمر بھر رسوا رہتے ہیں۔

لمس طوفان برپا کر دیتا ہے۔۔۔ اس کو چھونے سے میرے اندر بھی طوفان برپا ہو چکا تھا۔۔۔ کرنٹ۔۔۔ شدید جھٹکا۔۔۔ کرنٹ کی ترسیل میرے جسم کے ایک ایک خلیہ تک جا رہی

تھی۔۔۔اور روشنی سے زیادہ تیز رفتار سے پہنچ رہی تھی۔ میرے اندر اس قوت کا خزانہ جمع ہو رہا تھا۔ ایک قوت اور طاقت کا چشمہ میرے اندر اُبلنا شروع ہو گیا۔ ایک نئی feeling، ایک نیا جذبہ، ایک نئی امنگ اور ولولہ میرے اندر پیدا ہونا شروع ہو گیا۔ میں نے اپنے لرزتے ہونٹ اسکے ماتھے پر رکھ دئے۔۔۔میرے سینے کی دھڑکن تیز ہونا شروع ہو گئی۔۔۔میری آنکھیں خود بخود بند ہو گئیں۔۔۔ میرے جسم میں اک گرمی، اک حرارت، ایک آگ بھڑکنا شروع ہو گئی۔ ایک آتش اور آتش فشاں۔۔۔ ایک لاوا متحرک، اِدھر اُدھر سر مارنے لگا۔ میرے اندر گُلبلانے لگا۔۔۔سر اٹھانے لگا۔ میرے بُوڑھے ہونٹ۔۔۔زندگی کی تلاش میں سرکتے ہوئے۔۔۔اسکے سرخ۔۔۔گالوں سے ہوتے ہوئے، نمکین آنسوؤں کو چُنتے ہوئے۔۔۔اس کے گلابی ہونٹوں تک پہنچ گئے۔ اسکے چاند کی مانند باریک مگر خوبصورت نرم ہونٹ۔۔۔میرے تنِ مردہ۔۔۔برف کی مانند، برف جسم میں میرے لبوں کے ذریعے حرارت منتقل کرنا شروع ہو گئے۔ میں اس منبعِ حرارت سے آتش کشید کر رہا تھا۔۔۔ایک ترسیل ٹرانسفیوژن کا عمل شروع ہوا۔ جما ہوا جسم۔۔۔برف کی سِل کی مانند۔۔۔بتدریج۔۔۔ پگھلنے لگا۔ برفیلی سفیدی سے، گندمی رنگت میں بدلنے لگا۔۔۔میرے ہونٹوں میں سرخی، گالوں کی لالی، آنکھوں کی روشنی۔۔۔سینے کی دھڑکن۔۔۔ناف کی جلد۔۔۔سب بیک وقت سر کی طرف اور پاؤں کی طرف اپنے مرکزِ حرارت سے، مخرج سے بیرونی کناروں کی سمت۔۔۔سفیدی پگھلنے لگی۔۔۔میرے جسم میں آگ جلنے لگی۔۔۔ مسلسل آگ بھڑکنے لگی۔۔۔جس کی تپش سے میرا جسم برف سے گزر کر پگھلنے کے مراحل طے کرنے لگا۔۔۔میرے ہوش و حواس ختم ہونے لگے۔۔۔کھونے لگے۔۔۔ہم دونوں پگھل رہے تھے۔۔۔ایک دوسرے کے ساتھ۔۔۔ایک دوسرے میں مسلسل۔۔۔گھلنے لگے تھے۔۔۔دو قالب سے یک جان ہونے کا وقت آ گیا تھا۔۔۔گرمی، حرارت، پسینے اور اندر کی شرارت سے۔۔۔جسم۔۔۔دھواں ہو رہے تھے۔۔۔ایک دوسرے میں ڈھل رہے تھے۔۔۔جل رہے تھے۔۔۔جذبات کے اس سمندر میں ہر طرف آگ تھی۔۔۔آتشِ نمرود کی اس گرمی میں۔۔۔ایک سکون تھا۔۔۔ایک سرور تھا۔ ہم دونوں مخمور اور مسرور تھے۔۔۔بانہوں کے اندر۔۔۔مچلتے ہوئے سرتا پا۔۔۔ایک ذات۔۔۔دو قالب یک جان۔۔۔ایک دھڑکن۔۔۔سینے کے اندر دھک دھک کرتے

ایک دوسرے کو اسکی دھمک محسوس ہو رہی تھی۔ اجسام کی گرمی ایک دوسرے میں منتقل ہو رہی تھی۔ ایک دوسرے میں سمو رہی تھی۔۔۔ لاکھوں کروڑوں مساموں کے ذریعے خارج ہو کر دوسرے میں جذب ہو رہی تھی۔۔۔ زندگی بھر رہی تھی۔۔۔ دو جسم۔۔۔ سانسوں کے راستے ہونٹوں کے راستے، لبوں کے راستے، جسم کے راستے۔۔۔ تمام پوروں، خلیوں اور مساموں کے راستے یکجا ہو رہے تھے۔ وہ میرے ساتھ ایسے چمٹی ہوئی تھی، جیسے میرے سینے کے بال ایک عمر سے میرا حصہ تھے۔ وہ میرے جسم کا، میرے بدن کا حصہ بن چکی تھی۔ ایک عالمِ مدہوشی میں۔۔۔ جہاں۔۔۔ جینے کا ہوش نہ موت پر دوش۔۔۔ ایک دوسرے میں ہم آغوش۔۔۔ ایک جذب، ایک خماری کی کیفیت میں۔۔۔ ایک دوسرے کا جزو لاینفک۔۔۔ ہمیشہ سے ایک جسم اور جان کی مانند۔۔۔ ایک دوسرے کے اندر سماتے ہوئے، الجھتی، ابھرتی، لرزتی گرم سانسوں کے درمیان۔۔۔ ہم اپنے آپ کو مکمل کر رہے تھے۔۔۔

ماتھے سے ماتھے کا ملن، آنکھوں سے آنکھوں کی لگن، ہونٹوں سے ہونٹوں کی اگن، سینے سے سینے کے سپنے، دل سے دل کی دھڑکن، ہاتھوں سے ہاتھوں کی گرمی، پاؤں سے پاؤں کے راستے۔۔۔ جسم کے ہر حصے کا ملن۔۔۔ ایک مسلسل اگن۔۔۔ لاوا۔۔۔ مچلتا ہوا۔۔۔ آنکھوں۔۔۔ کانوں۔۔۔ سانسوں۔۔۔ نسوں، شریانوں کے راستے۔۔۔ گزرگاہ۔۔۔ نکاس اور راستہ بنانے کے لئے بے تاب مچلنے لگا۔۔۔ میرے اختیار سے باہر میری حدود و قیود اور وجود سے باہر۔۔۔ میرے جسم سے باہر۔۔۔ زندگی کے جذبات۔۔۔ بڑھاپے کے جوان جذبات۔۔۔ میرے ساتھ۔۔۔ زندگی کی ملاقات۔۔۔ زندگی کے ساتھ۔۔۔ میری زندگی تیرے ساتھ۔۔۔ تیرے ہاتھ۔۔۔!

اور اسکے ہاتھ میرے گرد ایسے لپٹے ہوئے تھے، جیسے آکٹوپس اپنے Tenticles لپیٹ لیتا ہے۔۔۔ پور پور میں پیوست کر لیتا ہے۔۔۔ وہ میرے گرد ایسے Clamped تھی۔۔۔ جیسے صدیوں سے میرے جسم کا حصہ ہو۔ میرے چہرے بالوں، گالوں اور سینے کو چومتی ہوئی۔۔۔ مدہوشی میں۔۔۔ والہانہ انداز میں، بے خودی و بے اختیاری سے۔۔۔ جذبات کی برسات کر رہی تھی۔ آنسوؤں کے ساتھ۔۔۔ ہونٹوں کے ساتھ۔۔۔ ہاتھوں کے ساتھ۔۔۔ پورے جسم کے ساتھ محبت کرنے کے بعد۔۔۔ نڈھال ہو کر میرے اوپر ایسے پڑی تھی جیسے ریت کی دیوار۔۔۔ ریزہ

ریزہ۔۔۔اور میں اپنے ہاتھوں سے۔۔۔ اکٹھا کر رہا تھا۔۔۔سمیٹ رہا تھا۔۔۔بالوں کو سنوار رہا تھا۔۔۔ ہونٹوں اور گالوں کو محسوس کر رہا تھا۔۔۔گرم سانسوں کی حدت سے مانوسیت بڑھ رہی تھی۔۔۔میری انگلیوں کی پُوریں اسے محسوس کر رہی تھیں۔۔۔میرے ہاتھ جو صرف قلم اور سگریٹ کا لمس جانتے تھے۔۔۔وہ محبت کا لمس محسوس کرنے کے قابل نہ تھے۔۔۔سگریٹ کی بدبو اور سیاہی سے ہاتھ ہمیشہ اٹے رہے۔ ان پر نازک جذبات و احساسات اور محبت سے بھرپور ساتھ میں۔۔۔نئے تجربات سے آشکار ہو رہے تھے۔

لمس یقیناً طوفان برپا کر دیتا ہے۔آگ لگا دیتا ہے۔۔۔اور ہر انسان کی خواہش ہوتی ہے۔۔۔لمس کو مکمل کرے۔۔۔مکمل طور پر محسوس کرے۔۔۔جسم کا ہر حصہ، ہر حصہ سے ملاقات کرے۔۔۔

محبت لمس سے ماوراء ہے

محبت لمس سے ماوراء ہے۔۔۔مگر وصل محبت کی انتہا ہے۔ایک دوسرے کو ملنے کے بعد جو اوّلین خواہش جنم لیتی ہے۔وہ چھو لینے کی ہوتی ہے اور چھو لینے کے بعد، Touch کرنے کے بعد، دل مزید شدید اور قریب کی رٹ لگا لیتا ہے۔ایک ہونے کی خواہشیں کرتا ہے۔دونوں جانب آگ لگ جاتی ہے۔ یہ آگ ایک لاوے کو، حرارت کو اور قوت کو جنم دیتی ہے۔ جو راستہ ڈھونڈتی ہے۔ جو ادھر اُدھر سر مارتی ہے۔۔۔بپھری ہوئی سونامی کی موجوں کی طرح بڑھتی چلی جاتی ہے۔۔۔شدت میں اضافہ ہو جاتا ہے۔ طاقت میں بڑھوتری ہوتی ہے۔۔۔آگ کے طوفان کی صورت۔۔۔ریت، پتھر، ماس، مچھی، اینٹ، روڑہ، درخت کی لکڑی، چرند پرند، حیوانات و نباتات، حجرات و جمرات سب کو پگھلا دیتی ہے۔۔۔آگ بنا دیتی ہے۔۔۔سرخ گولے کی شکل میں جہاں سے گزرتی ہے، سب جلا دیتی ہے۔۔۔آگ بنا دیتی ہے۔۔۔اس آتش کو نکاس مل جائے۔۔۔مقام مل جائے۔۔۔آرام مل جائے تو۔۔۔سب شانت ہو جاتا ہے۔۔۔سکون مل جاتا ہے۔۔۔یک دم چودھویں کے چاند کے رخصت ہوتے ہی، جیسے سمندر کی لہریں آسمان سے اتر کر۔۔۔دوبارہ سمندر میں گر کر۔۔۔اصل سے

مل کر۔۔۔شانت ہو جاتی ہیں. ہیجان سے نروان کی طرف آجاتی ہیں۔۔۔ اسی طرح جلتا ہوا انسان۔۔۔ تپتے ہوئے ابدان اور آگ اگلتے اجسام، یک دم۔۔۔سکون میں آجاتے ہیں۔۔۔ تکمیل کے مراحل طے کر کے تعمیر کی طرف چل نکلتے ہیں۔

ہاں البتہ آتش فشاں کو اگر نکاسی نہ ملے۔۔۔تو سب جل جاتا ہے۔سودا کی بجائے پاگل پن حاصل ہوتا ہے۔انسان جل جاتا ہے۔ پوشاک اتار کر پھاڑ پھینکتا ہے۔ اپنے جسم سے نکل نکل کر جاتا ہے۔۔۔تمام اعضاء کا ماتم کرتا ہے۔ ان کو کاٹتا ہے۔ خود کو کاٹتا ہے۔۔۔ اپنے ناخنوں سے کھرچتا ہے۔نوچتا ہے۔ سر کے بالوں سے لے کر پاؤں کے ناخنوں تک کو۔۔۔خود کو تکلیف دیتا ہے۔۔۔اپنے کو مارنے کی کوشش کرتا ہے۔۔۔مگر آگ جلتی رہتی ہے۔ پکتی رہتی ہے۔ دھیرے دھیرے۔۔۔کبھی کم کبھی زیادہ۔۔۔کبھی تیز کبھی مدھم۔۔۔نس نس میں۔۔۔ ریشے ریشے میں۔۔۔خلیے خلیے میں۔۔۔ عضو عضو میں۔۔۔آگ جلتی رہتی ہے۔۔۔انسان کبھی سلگتا ہے کبھی بھڑکتا ہے۔کبھی دھکتا ہے۔۔۔کبھی مچلتا ہے۔۔۔اور بالآخر بے بسی کی اس آگ میں۔۔۔ دور کہیں بن میں۔۔۔کسی جنگل میں۔۔۔کسی کنارِ آبِ جُو پر۔۔۔ننگ۔۔۔دھڑنگ۔۔۔ملنگ۔۔۔وصل کی حالت میں وصال کر جاتا ہے۔

محبت وصل ہے اور وصل اجسام کا ادغام ہے۔اجسام میں روح اترتی ہے۔روح تک پہنچنے کے لئے عالمِ مثال اور عالمِ اجسام سے ہو کر جایا جا سکتا ہے۔جسم دوسری روح تک جسم کے ذریعے ہی پہنچ سکتا ہے۔اتصال معراج ہے۔محبت کی معراج وصال ہے اور وصال اتصال وادغامِ اجسام ہے۔ اس کے بغیر محبت نامکمل ہے۔ محبت وصال ہے۔ جسم کا جسم سے اور روح کا روح سے اتصال محبت ہے۔محبت کا آغاز خیال سے، عروج وصال سے اور انتہا روح کے ادغام سے ہوتی ہے۔

اگر جسم کی ضرورت نہ ہوتی۔۔۔لمس غیر ضروری ہوتا۔۔۔تو یقیناً کائنات کی تخلیق ضروری نہ تھی۔ عالمِ ارواح میں ایک میلہ لگا ہوتا۔روحیں ایک دوسرے کی روحوں سے ملاقاتیں، باتیں اور محبت عشق کی راتیں گزارتیں۔ کیونکہ پیار، محبت، پریم وفا کے لئے جسم کی ضرورت تھی وگرنہ۔۔۔ازل سے ننگے بدن انسان کو نکالنے کی ضرورت کب تھی۔۔۔ جذبات کا Climax وصل، اجسام کے

بغیر ناممکن تھا۔

خالق کے لئے ضروری نہ تھا کہ وہ تخلیق کے عمل کو جاری رکھنے کے لئے Sex کے Organ بھی بناتا۔ کیا ہم انسان بھی Paramecium، Euglena، Ameba جیسے یک خلیاتی۔۔۔ Unicellular جانداروں کی طرح۔۔۔ بغیر کسی جذبات اور ادغام کے۔۔۔ Sexual Intercourse کے بغیر پیدا نہیں ہو سکتے تھے؟ کیا انسان سر سے۔۔۔ پاؤں سے۔۔۔ کندھے سے۔۔۔ ہتھیلی سے۔۔۔ پسلی سے۔۔۔ خود بخود جنم نہیں لے سکتا تھا؟۔۔۔ مرد و زن کی ضرورت کیا تھی؟۔۔۔ ہر مخلوق میں جنسِ مخالف بنانے کی ضرورت کیا تھی؟۔۔۔ اور اگر بنائی تھی تو۔۔۔ ان میں جذبات اور کشش رکھنے میں کیا اصول کارفرما تھا۔ کیا مصلحت تھی؟

اس سب کے پیچھے نظر نہ آنے والے مگر محسوس کرنے والے لامتناہی جذبات ہیں جو ہمیں راہ چلتے، ایک نظر میں، سفر و حضر میں، ایک دوسرے کی طرف Attract کرتے ہیں۔ متوجہ کرتے ہیں۔ ہمارے اندر تحریک پیدا کرتے ہیں۔۔۔ ہمیں لمس آشنا کرتے ہیں۔ ہمیں ایک دوسرے کے اندر جھانکنے، محسوس کرنے اور پھر زندگی گزارنے پر مجبور کرتے ہیں۔ محبت لمس سے محروم ہو جائے تو صرف روبوٹ رہ جائے۔۔۔ بے لذت، مجبور۔۔۔ حکم ماننے پر مجبور۔۔۔ بغیر احساسات، جذبات، خیالات اور حسیات کے زندہ مشین۔۔۔

محبت زندگی ہے۔ زندہ لوگوں کا کام ہے۔ جسم کا نام ہے۔ جسم سے روح میں۔۔۔ روح سے جسم میں۔۔۔ داخل اور شامل ہونے کا نام محبت ہے۔

محبت جسم سے نکال دیں۔۔۔ پھر عبادت ہے۔ ان دیکھے خدا کی عبادت، ہر جگہ موجود۔۔۔ مگر نظر سے اوجھل۔ ذاتِ واحد کی تسبیح و تقدیس محبت ہے۔ انسان مجاز سے نکل کر جب بنا جسم کے محبت کرتا ہے تو خدا تک پہنچتا ہے۔ رضا تک پہنچتا ہے۔ فلاح تک پہنچتا ہے۔ انتہا تک پہنچتا ہے۔ بقا تک پہنچتا ہے۔ حق اور حقیقت تک پہنچتا ہے۔ کیونکہ محبت عبادت اور عبادت محبت ہے۔

میرے سینے پر گرم پانی کا ایک قطرہ ٹپکا۔۔۔ جو دھیرے سے میرے اندر پیوست ہو گیا۔ ابھی میں سمجھا نہ تھا کہ بن بارش برسات کدھر سے ہونا شروع ہو گئی ہے۔ قطار در قطار موسمِ بہار میں جیسے

کسی خوبصورت تناور درخت کے پتوں سے شبنم کے قطرے موتی کی صورت ایک دوسرے کے پیچھے۔۔۔ہاتھ باندھے اپنی اپنی باری پر آسمان پر سے اپنی پوری پاکیزگی اور تعطر کے ساتھ زمین پر نازل ہوتے ہیں۔اسی طرح گرم پانی کے قطروں کی برسات۔۔۔قطار در قطار میرے سینے پر گرنے لگی۔

میں چونکا۔۔۔

کومل اپنی پوری ''کوملتا'' کے ساتھ میرے ساتھ لپٹی ہوئی تھی۔اس کی خوشبو میرے جسم کو معطر کر رہی تھی۔ اور صندل وعنبر کی طرح مس ہوتے ہی، میرے سارے بدن کو صندل کر رہی تھی۔سنہری کر رہی تھی۔میرے بدصورت، کریہہ، سیاہ اور بوڑھے جسم کو۔۔۔عنبر دے رہی تھی۔مکمل کر رہی تھی۔۔۔میری داخلی اور خارجی ذات کو مکمل کر رہی تھی۔۔۔منور کر رہی تھی۔۔۔صدیوں کے گھپ اندھیروں سے دھیرے دھیرے مجھے روشنیوں کی طرف، محبتوں کی طرف لے جا رہی تھی۔ادھورے، نامکمل، دھندلے خوابوں کو۔۔۔مکمل کر رہی تھی۔حقیقت میں بدل رہی تھی۔۔۔

اس سے پہلے اس کے بہتے آنسو، آنکھوں کے راستے برسنے والی گرم بارش، اور سیپ سے نکلے تازہ سفید موتیوں کو اپنے ہاتھوں اٹھاتا، ہونٹوں سے گالوں اور پلکوں سے چراتا۔۔۔انگلیوں کی پوروں سے ان کی نمی محسوس کرتا۔۔۔دماغ کے راستے دل تک لے کر جاتا۔۔۔

اس نے میرے دائیں ہاتھ کو اپنے دونوں ہاتھوں سے تھاما۔۔۔اپنے ہونٹوں کے پاس لے جا کر اس کو دیوانہ وار چوما۔۔۔اور پھر دھیرے دھیرے میری ہتھیلی کو اپنے ہونٹوں۔۔۔گالوں اور آنکھوں پر مس کرنا شروع کیا۔۔۔محبت اور چاہت سے رگڑنا شروع کیا۔۔۔وہ اپنی رندھی ہوئی آواز میں بولی۔۔۔

پلیز میری آنکھوں پر اپنا ہاتھ رکھیں میں سکون چاہتی ہوں۔آنکھوں کی ٹھنڈک اور دل کا آرام چاہتی ہوں۔۔۔چند پل کا آرام چاہتی ہوں۔ایک عمر گزر گئی۔۔۔ان آنکھوں کو۔۔۔برستے ہوئے۔۔۔آئینوں کو ترستے ہوئے۔۔۔محبت کے لمس کے لئے ترستے ہوئے۔۔۔جھلستے ہوئے۔۔۔بدن کو سلگتے ہوئے۔۔۔زندگی کے خوبصورت پل بنجر ہو گئے۔۔۔میرے خوابوں اور

میرے جسم کی طرح ویران ہو گئے۔۔۔ بانجھ ہو گئے۔۔۔ میں اس پل کی اک مدت تک منتظر رہی جب کوئی مجھ سے محبت کرے۔۔۔ محبت۔۔۔ صرف مجھ سے محبت۔۔۔ میری محبت۔۔۔ بغیر کسی دوسری سوچ کے اور احساس کے۔۔۔ اخلاص کی محبت۔۔۔ اعتبار کی محبت۔۔۔ ضرورت کی محبت نہیں۔۔۔ مجھے محبت کی ضرورت ہے۔۔۔ مجھے بچے پیدا کرنے۔۔۔ کمائی کا ذریعہ اور خانساماں سے بڑھ کر سمجھے۔۔۔ اپنا سمجھے۔۔۔ میں اس کی اور وہ میرا ہو۔۔۔ صرف میرا۔

خواب۔۔۔ خیال۔۔۔ جذبات اور پرائس ٹیگ

اس دیس میں جہاں جسم کی کوئی قیمت نہیں۔۔۔ بے مول ملتے ہیں۔۔۔ ہر گلی کوچے میں ملتے ہیں۔۔۔ جہاں جذبات کی وقعت نہیں۔۔۔ ہر چیز صرف ''یورو'' میں ملتی ہے۔ کوئی ایسی چیز یہاں Exist ہی نہیں کرتی جس کا پرائس ٹیگ نہ ہو۔ جس کی قیمت نہ ہو۔۔۔ جو بازار سے نہ ملتی ہو۔۔۔ یہاں صرف مادہ یا Mass کی دنیا بستی ہے۔ خواب، خیال اور جذبات۔۔۔ اس مشینی دنیا کی ضرورت نہ ہیں۔ نہ دل و دماغ، حساسیت اور خواہشات نام کی کوئی چیز۔

صبح اٹھو، بچوں کو تیار کرو۔۔۔ اپنا اپنا بیگ۔۔۔ اپنا اپنا سینڈوچ۔۔۔ اور اپنے اپنے کام کے لئے روانہ۔۔۔ دن بھر ٹیکسی چلاؤ۔۔۔ جرمنی بولو۔۔۔ جرمنی کھاؤ۔۔۔ جرمنی پہنو۔۔۔ شام کو چند گھنٹے کسی ریسٹورنٹ میں کام کر لو۔ برتن اٹھاؤ۔۔۔ نیپکن، ٹشو، بچے ہوئے کھانے، پلیٹیں۔۔۔ بوتلیں۔۔۔ گلاس۔۔۔ اور کبھی کبھی انگلی مار کر تلچھٹ کو چکھ لو۔ جب جسم مکمل طور پر ٹوٹنے لگے۔ آنکھوں کے آگے اندھیرے آنے لگیں۔ دماغ چکرانے لگے تو سر نیچے پھینک کر دھیرے دھیرے گھر کی جانب ایسے چل دیں، جیسے۔۔۔ قبرستان کی طرف قدم بڑھا رہے ہوں۔ یا رات کو کسی بار پہ۔۔۔ چند پیگ۔۔۔ نہ کوئی ہوش، نہ کسی کا دوش، نہ کسی پر کوئی حق۔۔۔ مدہوش گھر واپس آ جائیں۔۔۔ لڑکھڑاتے۔۔۔ لڑھکتے۔۔۔ گرتے پڑتے۔۔۔ بڑی مشکل سے بستر کے اندر۔۔۔ کس کے ساتھ سوئے تھے۔ کون ساتھ سویا تھا۔۔۔ کیسے سویا تھا۔۔۔ کہاں سوئے تھے۔۔۔ اور کب جاگے۔۔۔ کیسے کہاں اور کیوں کا مسئلہ نہیں۔۔۔ اور اگلا دن شروع۔۔۔ نہ کسی نے پوچھا کہ کہاں، کدھر، کیسے

اور کیوں۔۔۔نہ ہی کسی کے پاس وقت ہے۔بچوں کے اپنے حقوق ،فرینڈز اور دوست ہیں۔پارٹنر کے اپنے۔۔۔اپنی اپنی زندگی۔۔۔اپنے اپنے طور طریقے۔۔۔اور رہنے کے سلیقے۔۔۔زندگی بسر کرنے کے طریقے۔

شاید اس دیس میں گھر کی تعریف یہی ہے کہ جہاں رات ہو جائے۔۔۔بلکہ جہاں سو جائیں۔۔۔اس رات کے لیے وہی گھر ہے۔۔۔اور جس کے ساتھ سو جائیں۔۔۔وہی زندگی کا ساتھی ہے۔۔۔خاوند یا لائف پارٹنر ہے۔۔۔کیونکہ جس طرح گھر ایک رات کا ہے۔۔۔اس طرح ساتھی بھی ایک رات کا ہوتا ہے۔۔۔نہ مستقل گھر نہ مالک اور نہ ساتھی۔۔۔نہ وہ جذبات جو گھر کو گھر میں تبدیل کرتے ہیں۔جس گھر میں تین وقت چولہا نہ جلے۔۔۔وہ گھر کیسے ہو سکتا ہے۔۔۔اور جو عورت خاوند کو تین وقت کا کھانا نہ پکا کے دے سکے۔۔۔وہاں خاوند اسکا نہیں ہو سکتا۔۔۔اور جو عورت بچوں کو ہاتھ سے کھلا نہ سکے وہ بچے اسکے عمر بھر نہیں ہو سکتے۔۔۔گھر کو گھر بنانے کے لیے عمر لگتی ہے۔۔۔جان لگتی ہے۔۔۔ایک ایک چیز میں محبت گھولنی پڑتی ہے۔پھر محبت پیدا ہوتی ہے۔انمٹ رشتے بنتے ہیں۔لگاؤ اور سبھاؤ بنتا ہے۔۔۔وگرنہ گھر۔۔۔گھر نہیں ہوتا۔۔۔شاید مہمان خانہ بھی نہیں ہوتا۔۔۔سرائے بھی نہیں ہوتا۔۔۔نحوست ہوتی ہے۔یہاں نہ گھر ہوتا ہے اور نہ کوئی اس میں جذبات کی چاشنی بھرتا ہے۔۔۔نہ کھانے پہ انتظار۔۔۔نہ پیار کا اظہار۔۔۔۔کھانا کسی فاسٹ فوڈ سے۔۔۔چلتے چلتے اور اسی طرح محبت کا اظہار بھی۔۔۔گزرتے گزرتے جہاں مرضی جسم سے جسم۔۔۔منہ سے منہ۔۔۔ہونٹ سے ہونٹ جوڑے۔۔۔کھانا اور محبت دونوں۔۔۔جہاں ضرورت پڑی۔۔۔جس جگہ ضرورت پڑی اور جس سے ضرورت پڑی۔۔۔جس وقت ضرورت پڑی وہیں بلا جھجک پوری کر لی۔کھانا اور محبت دونوں بازار میں۔۔۔بازار سے خرید کر حاصل کیے جاسکتے ہیں۔دونوں سے پیٹ بھر کے۔۔۔اگلے کام کے لیے تیار۔۔۔

نہ اقرار۔۔۔نہ انتظار۔۔۔نہ اصرار۔۔۔نہ اظہار۔۔۔اس لیے یہاں سب کچھ میسر ہے۔۔۔مگر رشتوں میں اخلاص نہیں۔۔۔شاید اس مادی دنیا میں۔۔۔بھاگ دوڑ میں۔۔۔دنیا داری میں۔۔۔نفسا نفسی میں۔۔۔جذبات کی قیمت نہیں۔۔۔اور ضرورت بھی نہیں۔اس لیے نہ بچے

کو باپ کا پتہ ہے اور نہ ماں کو بچے کی پروا۔ بیوی کو خاوند کی خبر نہیں اور خاوند کو۔۔۔ بیوی کی ضرورت نہیں۔۔۔ نہ مرنے کا پتہ نہ جینے کا ساتھ۔ صرف عارضی سہارا۔۔۔ کنارہ۔۔۔ اور ساتھ۔۔۔۔!

زندگی ایک مسلسل مشقت کا نام۔۔۔ نہ کوئی خواب، نہ خیال نہ سوچ نہ آرام اور ان خرافات کے لئے کس کے پاس وقت ہے۔ یہاں انسان نہیں مشینیں بستی ہیں، روبوٹ رہتے ہیں جن کی پروگرامنگ روزانہ کی یکساں ہے۔ اس پروگرام کے مطابق وہ زندگی گزارتے ہیں۔ چند گھنٹے کے لئے بیٹری چارج کرتے ہیں اور پھر اگلے دن کے کام خود کار طریقے سے سرانجام دیتے ہیں۔ سوچنے، سمجھنے کی حس مفقود اور پروگرام میں موجود ہی نہیں۔ اس لئے ان حالات میں خواب دیکھنے، جینے اور پانے کی فرصت کس کو ہے۔

خواب پالنے کے لئے۔۔۔ فرصت ضروری ہے؟ یا یہ ایک خود کار عمل ہے۔۔۔ جو نہ چاہتے ہوئے بھی شروع ہو جاتا ہے۔

خواب تو خواب ہوتے ہیں۔۔۔ خواہشات ہوتی ہیں، کچے پکے خیالات ہوتے ہیں۔ اور انہی خیالات، خواہشات کو جب ہم مسلسل شعوری اور لاشعوری طور پر سوچتے رہتے ہیں تو وہ خواب بن کر ہمارے حواس پر سوار ہو جاتے ہیں اور اکثر و بیشتر گھپ اندھیرے میں، تنہائی کے عالم میں، موتِ صغریٰ کے دوران، ہمارے ذہن میں، عملی صورت میں۔۔۔ ایک خاکہ، ایک تصویر اور فلم کی صورت، دماغ کے پردۂ سکرین پر نمودار ہوتے ہیں۔ اپنے بھرپور رنگوں کے ساتھ خوبصورت الفاظ کے ساتھ، بھرپور جذبات اور احساسات کے ساتھ اور پھر چلتے جاتے ہیں۔۔۔ کبھی خوشگوار اور حیرت ناک اختتام کی طرف۔۔۔ کبھی اذیت ناک انجام کی طرف۔ مگر خوابوں کا خوابوں میں بھی ایک انجام ہوتا ہے۔ ایک اختتام ہوتا۔۔۔ تمام ہوتا ہے۔ جو بعض اوقات ہماری سوچ سے الگ ہوتا ہے۔ ہمارے خیال سے یکسر مختلف ہوتا ہے۔ اور ہم خواب میں بھی سوچنے پر مجبور ہو جاتے ہیں کہ ہم نے ایسا تو نہیں سوچا تھا۔ یوں تو نہیں چاہا تھا۔۔۔ مگر خواب تو خواب ہوتے ہیں جن کا شاید حقیقت سے دور کا بھی تعلق نہیں ہوتا۔۔۔ اس لئے ہر خواب حقیقت اور ہر حقیقت خواب نہیں ہوتا۔ ہاں البتہ کچھ خواب حقیقت اور کچھ حقیقتیں خواب لگتی ہیں۔ اس میں اچھے اور برے کی تخصیص نہیں کی جا سکتی۔۔۔!

صرف یقین آنا ضروری ہے۔ کہ خواب خواب ہی رہے اور حقیقت حقیقت۔ اگر حقیقت اور خواب آپس میں گڈ مڈ ہو جائیں تو دماغ میں بھی ایک گڑبڑ شروع ہو جاتی ہے۔ سودا آ جاتا ہے۔۔۔ بے بہا آ جاتا ہے۔۔۔!

کومل ٹھیک کہہ رہی تھی کہ خواب دیکھنے کے لئے فرصت نہیں ہوتی۔ کیونکہ مشین خواب نہیں دیکھتی۔۔۔ اور یہاں زندگی مشینوں اور روبوٹوں کی طرح تھی۔ خود کار۔۔۔ حقیقت پر مبنی پریکٹیکل جہاں سب کچھ اصلی اور حقیقت کے روپ میں نظر آتا ہے۔ جہاں زندہ رہنے کے لئے اور زندہ رکھنے کے لئے کوئی آپ پر ترس نہیں کھائے گا۔۔۔ جہاں آپ نے زندہ رہنے کے لئے کھانا ہے اور کھانے کے لئے خود کمانا ہے۔ اپنے ہاتھ سے۔ اپنے دست و بازو سے۔۔۔ محنت سے۔۔۔ مشقت سے۔۔۔ ایسے ماحول میں خواب کون پالے۔ محبتیں کون سنبھالے اور پیار کے لئے کون وقت نکالے۔ اس لئے یہاں سب نے اپنے اپنے لائف پارٹنر کے علاوہ۔۔۔ سیکس پارٹنر اور بوائے فرینڈز رکھے ہوئے ہیں۔۔۔ اتنے تو لوگ کپڑے نہیں بدلتے جتنے یہاں سیکس پارٹنر اور لائف پارٹنر بدلتے ہیں۔ اور کسی کے پاس بھی اس کو سوچنے کا ٹائم نہیں نہ بدلنے کی وجہ اور بدلنے والے۔۔۔ لوگ بھول جاتے ہیں۔۔۔ لمحہ بھر میں بھول جاتے ہیں۔۔۔ نہ کوئی مسلسل جاسوسی میں لگا ہے۔ اور نہ کوئی ''کن سویاں'' لے رہا ہے۔ نہ ٹوہ میں لگا ہے۔ کہ کون کس کے بیڈ میں کیا کر رہا ہے۔ کس کی ممی کس کے ڈیڈ کے ساتھ جا رہی ہے۔ کس کا بوائے فرینڈ اس کی ممی کے جسم کی نذر ہو کر بیٹی سے دور ہو گیا ہے۔ ماں باپ بچوں کو خود Date پر تیار کر کے بھیجتے ہیں۔ خود مختار زندگی کے لئے۔ سب اپنے اپنے کام میں لگے ہیں۔ زن کو انہوں نے غیر اہم کر دیا ہے۔ صرف اہمیت رہ گئی ہے تو زر کی۔۔۔ اور زر کے حصول کے لئے صبح و شام۔۔۔ کام۔ کام۔ کام اور بس کام چل رہا ہے اور ہر چیز کا دام چل رہا ہے۔۔۔! جسم۔۔۔ سوچ۔۔۔ فکر۔۔۔ سب کا دام۔۔۔ صبح و شام!

اہلِ مغرب کے پاس محبت کے لئے وقت نہیں بچا۔ نہ جذبات اور احساسات کے لئے۔ یہ فارغ، مشرقی لوگوں کا کام ہے۔ کئی کئی سال تک روتے رہنا۔ دیکھنے کے لئے ترستے رہنا۔ رُقعے، تحفے، خط اور محبت نامے بھیجتے رہنا۔ بھائی سے ڈرنا، بہن سے شرمانا، ماں باپ کے جوتوں کا خوف

Honour Killing کا ڈر۔۔۔ مسلسل خوف کی حالت میں محبت کے نام پر زندہ رہنا۔ رات گئے گھر سے نکلنا، کالج جاتے ہوئے راستے میں ملنا۔ ملنے کے لئے مناسب جگہ کا ڈھونڈنا اور پھر ہر نظر کے تیر سے بچنا۔ شادی شدہ زندگی خراب ہونے کا خطرہ اور عذاب ہونے کا خوف۔۔۔! خوف ہی خوف۔۔۔! ہر طرف۔۔۔ ہر لمحے خوف۔۔۔ سوتے جاگتے۔۔۔ اُٹھتے۔۔۔ بیٹھتے۔۔۔ سوچتے۔۔۔ خوف ہی خوف۔۔۔!

گورے نے زندگی سکھی کر لی ہے۔ اور اس طرح کی فضول خوابوں اور خیالوں کی محبت نہیں کرتا۔ بہت حقیقت پسند اور پریکٹیکل ہے اس لئے وہ خیالات سے نکل آیا ہے۔ شاید وقت کی کمی کی وجہ سے یا آزادی کی زیادتی کی وجہ سے۔ اس لئے وہ اب خیالات سے محبت نہیں کرتا۔ جسم سے کرتا ہے۔ ''فال اِن لوَ'' کی بجائے ''لو میکنگ'' پر یقین رکھتا ہے۔ وقت برباد کرنے کی بجائے Pleasure Drive کرتا ہے۔ بہت کم وقت میں بہت زیادہ Pleasure۔ دھیرے دھیرے سلگنے کی بجائے دھماکہ دار خوشی...جل کر۔۔۔ خاکستر ہو کر۔۔۔ اس لئے وہ ایک محبت کی بجائے بیک وقت کئی کئی لائنیں چالو رکھتا ہے۔ بے شمار جسموں سے محبت کرتا ہے۔ اور ہر دو پارٹنر اس بات کو بالکل برا نہیں سمجھتے۔ بس فون اٹھاؤ پوچھو ''آر یو فری ٹو نائٹ'' اور پہنچ جاؤ۔ رات بھر، چند گھنٹے، نہ نخرے نہ خرچہ، نہ کمرے کی پریشانی، نہ دیکھ لئے جانے کا ڈر، نہ پکڑے جانے کا خوف، نہ پولیس کا خدشہ، نہ ابا، امی، بھائی اور بیگم کا کھٹکا۔۔۔ کپڑے پہنو اپنے اپنے گھر۔۔۔ محبت کی نئی تلاش یا نئی محبت کی تلاش میں نیا سفر شروع۔۔۔ جی بھر جاتا ہے۔۔۔ دونوں کا بہت جلد۔۔۔ یا دونوں بھر جاتے ہیں۔۔۔! جسم اور خیال کی محبت۔۔۔ ایک محبت کا کمال دوسرا محبت کا زوال۔ ایک جمال اور دوسرا اضمحلال۔۔۔!

وہ میرا ہاتھ اپنی آنکھوں پر رکھ کر بولی۔ جب میں اس شہر میں آئی تھی۔ تو میں ایک مشرقی لڑکی کی طرح تھی۔ مگر جس طرح ہر لڑکی جس سے اظہارِ عشق اور محبت کے دعوے دار زیادہ ہوں تو اس کا دماغ خراب ہو جاتا ہے۔ میں بھی ایک نشے میں تھی۔ خود پسندی کے حصار میں تھی۔۔۔ میں اپنے کو ''وینس'' ''قلوپطرہ'' ''ڈیانا'' سے کم تر نہ سمجھتی تھی۔ شاید یہ میرا قصور نہ تھا کیونکہ وہ ایسی عمر تھی شاید جس دور میں شیشے میں خود کو دیکھیں تو خود سے زیادہ حسین دنیا میں کوئی نظر نہیں آتا۔۔۔ جمالِ یوسف، زیبائشِ لب

اور آرائشِ گیسو کے آگے ہیچ نظر آتا ہے۔۔۔شاید یہ خوبصورتی کا احساس، خود پسندی، خود شناسائی کے خیالات۔۔۔دوسروں کے دان دیئے ہوئے ہوتے ہیں۔ دیکھنے والوں کے الفاظ، محبت کرنے والوں کے پیغامات، آپ کو خوبصورت کر دیتے ہیں۔آپ خوبصورت ہوں نہ ہوں، محبت کرنے والی اور چاہنے والی نظر آپ کو خوبصورت کر دیتی ہے۔آپ کو خوبصورتی کا احساس اور یقین دیتی ہے۔اعتماد دیتی ہے۔ احساس دیتی ہے کہ دنیا کا خوبصورت انسان۔۔۔روئے زمین کی بہترین تخلیق آپ خود ہیں۔

گورنمنٹ کالج کے مینار کی بلندی کی طرح، وہاں کی محبتوں نے مجھے خوبصورت کر دیا تھا۔خود پسند اور خود سر کر دیا تھا۔ حقیقت سے دور اور خوابوں میں رہنے پر مجبور کر دیا تھا۔اس لئے میں جب پریکٹیکل لائف میں آئی تو۔۔۔مجھ سے زیادہ خوبصورت اس دنیا میں کوئی نہ تھا۔۔۔میں ذات کے عروج پر۔۔۔خوبصورتی کے ایفل ٹاور پر کھڑی۔۔۔دنیا کو دیکھتی تھی۔۔۔سب کچھ مجھے بہت چھوٹا۔۔۔کیڑے مکوڑوں کی طرح رینگتا ہوا نظر آتا تھا۔۔۔بہت نیچے۔۔۔دور۔۔۔کم تر اور حقیر۔۔۔

ہمارا دیہاتی لڑکیوں کا سب سے بڑا مسئلہ سوشل پریشر ہوتا ہے۔پہلے تو ہم خود کو کہیں Commit نہیں کرتیں۔اور اگر کر لیں تو پھر پیچھے نہیں ہٹتیں۔ گولی، چھری، پھندے اور دریا کا نشانہ ضرور بن جاتی ہیں۔۔۔ٹکڑے ٹکڑے کروا کر کسی بے نشان قبر میں چلی جاتی ہیں۔مگر پیچھے نہیں ہٹتیں۔ کٹ جاتی ہیں۔ ہٹائے سے نہیں ہٹتیں۔

چند گرام سونا۔۔۔عمر بھر کی قیدِ بامشقت

عظمت میرے گاؤں کا ہی رہنے والا تھا۔ جب میں نے بی اے مکمل کیا تو ماں باپ کو روایتی طریقے کے مطابق پریشانی لاحق ہوگئی۔ میرے ہاتھ پیلے کرنے کی فکر اور میری عمر کا ذکر عام ہونے لگا۔۔۔صبح وشام کی یہ گفتگو اور بالآخر ایک ایسے شخص سے، جس کو میں نہ جانتی تھی نہ پہچانتی تھی۔۔۔ایک سادہ سی تقریب میں میرے ہاتھ میں اس کے نام کی انگوٹھی دھر دی۔۔۔

ہم عمر بھر یہی سوچتے رہتے ہیں کہ ماں باپ ہمارے بارے جو سوچتے ہیں بہتر ہی سوچتے

ہیں۔اور وہ یقیناً اپنی سوچ اور بساط کے مطابق بہتر ہی سوچتے ہیں۔۔۔اور ویسے بھی میری عمر کے خواب کچے ہوتے ہیں اور رشتے بھی۔اس لئے اس عمر میں تعلق بنانے کا جتنی شدت سے دل کرتا ہے۔اتنی شدت سے ڈرتا بھی ہے۔اس لئے میں ہر بڑھے ہوئے ہاتھ، محبت کی نظر اور چاہت کی آفر کو نظر انداز کرتی رہی۔۔۔اردگرد کے واقعات دھوکے فریب اور خیالات کو دیکھ کر ایک خوف کے حصار میں رہی۔یہی وجہ ہے کہ ماں باپ کی پسند اور چوائس کو اپنے لیے ہر اچھی گھریلو لڑکی کی طرح بہترین تصور کیا۔اور میں آج بھی اس بات پر یقین رکھتی ہوں۔اتنے دکھ دیکھنے کے بعد بھی، دھوکے کھانے کے بعد بھی کہ ماں باپ بے چارے معصوم ہوتے ہیں اور ہمیشہ اولاد کے لئے بہترین انتخاب ہی کرتے ہیں۔۔۔مگر ماں باپ قسمت تو نہیں دے سکتے۔تقدیر تو نہیں پڑھ سکتے۔۔۔!اچھا انتخاب دے سکتے ہیں، اچھی تقدیر نہیں۔اچھا نصیب نہیں۔ویسے ابو ٹھیک ہی کہتے تھے ''نوں (بہو) تے جوائی (جمائی یا داماد) قسمت پڑی کی مانند ہوتے ہیں۔کھولیں تو پتا چلتا ہے کہ اندر کیا ہے۔نصیب ہرا ہو گا یا جلا۔''

خواب تو میں بھی دیکھتی تھی۔۔۔کچے پکے۔۔۔سچے۔۔۔خوبصورت رنگوں والے۔۔۔کوہِ قاف سے آنے والے شہزادے۔۔۔سرخ گالوں۔۔۔سنہری بالوں۔۔۔دراز قد۔۔۔نیلی آنکھوں والے۔۔۔شہزادی کو گھوڑے پر بٹھا کر ساتھ لے جانے والے۔۔۔جو ایک بہت بڑے محل میں کنیزوں اور خادموں کے درمیان۔۔۔سرداروں اور جرنیلوں کے جنگل میں اپنے ولی عہد کے مخصوص سرخ اور سنہری لباس میں دائیں گھٹنا زمین پر ٹکا کر اپنی جھیل سی گہری آنکھوں سے میری آنکھوں کے راستے دل تک اترتے ہوئے، جھک کر دائیں ہاتھ سے سرخ رنگ کا گلاب میری طرف بڑھاتے ہوئے کہے۔

''مائی لیڈی۔۔۔وِل یو میری می''۔۔۔

اور میں ایک فاتحانہ مسکراہٹ کے ساتھ۔۔۔جیسے زمین و آسمان۔۔۔سبع سماوات کی کنجیاں میرے ہاتھ میں آ گئی ہوں۔۔۔جیسے کائنات میرے پاؤں کے نیچے ہو اور میں اس محبت کے عروج پر۔۔۔تختِ سبا پر بیٹھی ہوئی پوری کائنات کو اپنی مٹھی میں سمیٹ کر۔۔۔اور آنکھوں کے راستے جذب

کر کے اس کے ہاتھ کو تھام لوں۔۔۔ اور اس کو اپنے گلے سے لگا لوں۔۔۔اس کے اندر جذب ہو جاؤں۔۔۔کھو جاؤں۔۔۔امر ہو جاؤں۔۔۔لوحِ زندگی پر ہمیشہ کے لئے محفوظ ہو جاؤں۔۔۔اس لمحے کو ساکن کرلوں۔۔۔قابو کرلوں۔۔۔حاصل کرلوں۔۔۔زندگی اور زندگی کا حاصل۔۔۔حاصل کرلوں۔۔۔

خواب تو خواب ہی رہتے ہیں۔۔۔اور ہمارے ہاں خواب دیکھنا منع ہے۔۔۔کیونکہ خواب تو خواب ہوتے ہیں۔ حقیقت میں عذاب ہوتے ہیں۔۔۔مسلسل سراب ہوتے ہیں۔اس لئے میں اپنے خواب کی خواب میں تکمیل سے پہلے ہی اپنی آنکھیں کھول لیتی۔اسی ''جاگو میٹی'' میں زندگی گزر گئی۔۔۔

منگنی کے بعد میں گورنمنٹ کالج میں آ گئی اور وہ واپس جرمنی چلا گیا۔میری جان پہچان چند لمحوں کی تھی۔وہ چند لمحے جن میں منگنی کی تقریب میں اس نے میرے دائیں ہاتھ کی انگلی میں وائٹ گولڈ کی انگوٹھی پہنائی تھی۔

چند گرام کی یہ انگوٹھی۔۔۔عمر بھر کی جسمانی اور روحانی قید ہوگی۔۔۔یہ مجھے معلوم نہ تھا۔۔۔سونے کی یہ انگوٹھی نہ ہوئی ہتھکڑی ہوگی۔۔۔جو ہمیں عمر بھر کی قیدِ بامشقت بنا جرم اور مزدوری کرنا پڑتی ہے۔۔۔ انسان کتنا آزاد ہوتا ہے۔خود مختار ہوتا ہے۔۔۔اپنی سوچوں میں، خیالوں میں، سوالوں میں، دن اور رات کے اجالوں میں۔۔۔کوئی فکر اور نہ کوئی فاقہ۔۔۔مگر چند ٹکوں کی اس انگوٹھی کے بعد آپ کی حیثیت تبدیل ہو جاتی ہے۔آزادی سلب ہو جاتی ہے۔۔۔سوچوں پر خود بخود پابندی عائد ہو جاتی ہے۔پاؤں میں بیڑیاں پڑ جاتی ہیں۔خیالات اور افکار پر قدغن لگ جاتی ہے۔۔۔آپ کی ذات۔۔۔اور حیثیت آنِ واحد میں۔۔۔لمحہ بھر میں عمر بھر کے لیے ختم ہو جاتی ہے۔۔۔ہستی مٹ جاتی ہے۔۔۔اور باقی زندگی صرف روبوٹ کی سی رہ جاتی ہے مشین کی طرح۔۔۔حکم کی غلام۔۔۔ راضی بہ رضا۔۔۔صبر و شکر کا مجموعہ۔۔۔قبر تک۔۔۔البتہ اگر آپ خود کو ختم نہیں کرتے۔۔۔ ذات کو زندہ رکھنا چاہتے ہیں۔۔۔تو پھر بغاوت کرنا پڑے گی۔۔۔جیل سے بھاگنا پڑے گا۔۔۔بیڑیاں توڑنی پڑیں گی۔۔۔آپ سازشِ مجرمانہ کے مرتکب ہونگے۔۔۔اور جو مجرم جیل توڑتا ہے یا تو اس کو مار

دیا جاتا ہے۔۔۔ یا اس کو دوبارہ گرفتار کر کے۔۔۔ جی بھر کر، مار کر تشدد کر کے۔۔۔ ادھ موا کرنے کے بعد۔۔۔ پہلے سے سزا بھی زیادہ کر دی جاتی ہے اور قیدِ تنہائی میں۔۔۔ کال کوٹھڑی میں ڈال دیا جاتا ہے۔۔۔ دونوں طرف قید و بند۔۔۔ ایک چاردیواری کے اندر بظاہر آزاد۔۔۔ دوسری کال کوٹھڑی کے اندر قید مگر آزاد۔۔۔ مرضی انسان کی ہے۔۔۔

آپ ٹھیک ہی کہتے ہیں۔۔۔ قیمت چیزوں کی نہیں ان سے وابستہ جذبات کی ہوتی ہے۔اسی طرح میں ایک ایسے شخص کی قید بامشقت میں بلا کسی حیل وحجت، جبرو اکراہ اور Resistance کے چلی گئی تھی۔جس کے بارے میں پورے گھر والے میرے سمیت صرف اتنا جانتے تھے کہ وہ جرمنی میں رہتا ہے۔اپنا کاروبار ہے۔۔۔ ایم اے پاس ہے اور لاکھوں روپے ہر ماہ باپ کو بھیجتا ہے۔ سارے یہی کہتے تھے کہ کومل عیش کرے گی باہر جا کے۔عالیشان گھر۔۔۔ بڑی بڑی گاڑیاں۔۔۔ سونے چاندی اور جواہرات سے لدی پھرے گی۔۔۔ نہ کھانے کی کمی، نہ پہننے کی۔۔۔ دھی، بہن کو اور کیا چاہیے۔۔۔!

میں نے ایک تابعدار، گھریلو لڑکی کی طرح۔۔۔ ماں باپ کا بھرم رکھنے کے لئے اپنے خوابوں کی نئی پروگرامنگ کرنا شروع کی۔رات کی نیند۔۔۔ دن کے قرار میں عظمت کو سوچنا شروع کیا۔گھنٹوں فون پر باتیں۔۔۔ عہد و پیمان۔محبت کی باتیں۔۔۔ پُر لذت گفتگو۔۔۔ روح و جسم کے نئے زاویے اور ہر زاویے کی بابت۔۔۔ الفاظ کے راستے پہنچنے والے جذبات۔۔۔ بہت جلد ایک انتہائی فرینک اور قربت کے تعلق میں بدل گئے۔کل تک کے اجنبی، راتوں کی باتوں۔۔۔ لفظوں کی ملاقاتوں کی بدولت ایک دوسرے سے قریب تر ہوتے گئے۔پسند ناپسند۔۔۔ کپڑوں کے رنگ۔۔۔ شادی کے بعد کے منصوبے روز بننے لگے۔۔۔ سب کچھ اتنا خوبصورت، سنہری اور خواب لگ رہا تھا۔۔۔ کوہ قاف کے شہزادے کی ضرورت اور خواب پورے ہوتے نظر آرہے تھے۔بڑی آئیڈیل مثالی اور خوبصورت زندگی مل رہی تھی۔۔۔ زندگی پورے زوروشور کے ساتھ آگے بڑھ رہی تھی۔بلکہ دوڑ رہی تھی۔ملن کی خواہش بڑھ رہی تھی۔۔۔ بات لفظوں سے آگے نکل رہی تھی۔۔۔ جذبات متلاطم اور خواہشات میں شدت بڑھتی جارہی تھی۔روز و شب گزرنے کا نام نہیں لے رہے تھے۔

نامعلوم تعلق، اولین محبت میں تبدیل ہوتا جارہا تھا۔جسم کے اندر سموتا جارہا تھا۔۔۔ نامعلوم، سب معلوم، اپنا لگ رہا تھا۔ بہت زیادہ اپنا اور قریب ہوتا جارہا تھا۔۔۔نصیب ہوتا جارہا تھا۔ لمحہ لمحہ اکٹھے گزر رہا تھا۔ خوابوں میں۔۔۔ خیالوں اور سوالوں میں۔ وصل کی خواہش بڑھتی جارہی تھی۔ کیریئر، ایم۔اے، جاب کسی کارِ دیگر کی ہوش تھی، نہ ضرورت۔

یہ وہ وقت تھا جب آپ اپنی محبت کے ساتھ میرے دل کے دروازے پر دستک دے رہے تھے۔ کھٹکھٹا رہے تھے۔۔۔ بار بار مسلسل پوری شدت کے ساتھ۔۔۔ جب کہ میرے دل کے دروازے پر آنکھوں کے آئینے پر۔۔۔ لبوں کے دھانے پر، عظمت کی محبت کا قفل لگ چکا تھا۔ ایک ڈھال ایک سیسہ پلائی ہوئی شیلڈ میرے اردگرد تھی جو باہر سے کسی پیغام، بات، احساس، حتی کہ شعاعوں کو بھی میرے تک فلٹر کر کے بھجواتی تھی۔ میں اپنی ذات کو اس کے حوالے کر چکی تھی۔۔۔ مکمل طور پر۔۔۔ دماغ، جسم، قلب، روح (Mind, Body, Heart, and Soul) سب کچھ مکمل غیر مشروط اور لامحدود۔ اس لئے مجھے ذات کے علاوہ۔۔۔ اپنی محبت کے علاوہ کچھ نظر نہ آرہا تھا۔

یہ وہ وقت تھا جب شاید خدا بھی میرے قریب آتا تو میں اس کو اجازت نہ دیتی کیونکہ میں صرف اس کی تھی۔ اپنی تمام تر سادگی۔۔۔ معصومیت کے ساتھ۔۔۔ پاکیزگی کے ساتھ۔ اس سے پہلے نہ کوئی میری پاس آیا تھا نہ میں نے آنے دیا تھا۔ میرے دل کی کتاب پر، دماغ کی سلیٹ پر اور جسم کی پلیٹ پر صرف ایک نام کندہ تھا۔۔۔ درج تھا۔۔۔ سنہری حروف میں۔۔۔ منقش تھا۔ عظمت اور میں اپنے عظمت کی باندی کنیز، اس کے پاؤں کی خاک۔۔۔ خاک کی خاک۔۔۔ خاک سے زیادہ کومل۔۔۔ اس کی عظمتوں کی کومل۔۔۔!

میں اس کی باتوں سے مضطرب ہو رہا تھا۔ پریشان ہو رہا تھا۔ اندر ہی اندر سے ہلکان ہو رہا تھا۔ مگر میں اس کو روکنا نہیں چاہتا تھا۔ میں چاہتا تھا کہ وہ اپنی رام کہانی سنا لے۔ اپنے دکھ ہلکے کر لے۔ غموں کا بوجھ جو کئی سال سے اس کے جسم اور دماغ کا حصہ بنا ہوا تھا اس غبار کو۔۔۔ اس آگ کو۔۔۔ نکال لے۔ زبان کے راستے۔۔۔ اس کو ٹھنڈا کر لے۔ تسکین دے لے۔۔۔ تسکین لے لے۔۔۔

وہ بنا رُکے بے تکان بولتی جا رہی تھی۔۔۔میرے ہاتھوں کو۔۔۔اپنے ہاتھ میں لے لیتی کبھی میرے چہرے کو اپنے ہاتھوں سے محسوس کرتی۔۔۔کبھی میری آنکھوں میں دیکھتی جیسے یقین کر رہی ہو کہ میں واقعی انسانی جسم میں اس کے پاس موجود ہوں یا نہیں۔

بے لوث ہو تو محبت۔۔۔ورگرنہ تجارت

یہ دراصل اس کا ماضی اور اس سے وابستہ دکھ تھے۔جو شاید اس کے اندر کا عدمِ تحفظ کا احساس تھا۔۔۔جو کہ عرصہ دراز سے اس کے دل اور دماغ پر ثبت ہو چکا تھا۔جو اس کو کاٹ رہا تھا۔۔۔کھوکھلا کر رہا تھا۔شاید اس کو کسی کندھے کی، کسی کان کی ضرورت تھی۔جو بے چون و چرا، اس کی بات سن سکے۔اسکی مرضی سے، اس کے طور طریقے سے اس کے دکھ سن سکے۔جو اس کو Ear-lend کر سکے اور اس سے کیا، کیوں، کب اور کیسے نہ پوچھے۔۔۔بس اس کی بات سن سکے۔۔۔بلا روک ٹوک۔۔۔اس کے جذبات سن سکے۔اس کے اندر کا ابال سن سکے۔۔۔اس کے زندگی کی بابت، بیتے دنوں کے۔۔۔خیالات سن سکے۔۔۔اور میں اس کو زندگی دے چکا تھا۔اس لئے میں تو خوش تھا کہ اس کو میری ضرورت ہے۔میرے جسم کی، میرے دل کی، میری روح کی، میرے لفظوں کی۔۔۔میری مکمل ضرورت ہے۔

جس طرح میری منگنی ہوئی تھی اس طرح میری شادی بھی طے ہوگئی تھی۔میں اس دو سال کے عرصہ میں مکمل طور پر اس کے ساتھ وابستہ ہو چکی تھی۔میرے تمام خواب، خیال، منصوبے، زندگی گزارنے کے تمام حقیقت اور فسانے اس کے ساتھ جڑ گئے تھے۔وہ میری ہر سوچ اور بات کا محور بن گیا تھا۔اور مجھے یقین ہونے لگ گیا تھا کہ وہ صرف میرے لئے بنا ہے۔۔۔خلق ہوا ہے۔۔۔صرف میری ذات کی تکمیل کے لئے اس دنیا میں آیا ہے۔مجھے اس کی ہر بات سچی، مکمل اور حقیقت محسوس ہوتی تھی۔اس لئے مجھے کبھی بھی اس کے کسی لفظ، عمل اور قول و فعل سے یہ دکھائی نہیں دیتا تھا کہ وہ کوئی غلط بیانی کر رہا ہے۔

لڑکیاں ویسے بھی بحیثیت مجموعی کم عقل، کج فہم اور بے وقوف ہوتی ہیں۔ایک لمحے میں اپنا سب کچھ چھوڑ کر، بھول کر اور ٹھوکر مار کر ایسے شخص کے کندھے سے جا چپکتی ہیں جس کو شاید ایک لمحے میں

ملی ہوں۔ جلد باز، یقین کر لینے والی اور قطرہ قطرہ، کلی کلی رس چوسنے والے مرد کے لفظوں، باتوں اور ملاقاتوں پر یقین کر لینے والی۔ اپنا سب کچھ آنِ واحد میں نچھاور کر کے۔۔۔ باقی عمر لکیر پیٹتی ہیں اور سر بھی۔ مگر سبق نہیں سیکھتیں۔۔۔ عقل کی اندھی نہ ہوتیں تو چناب میں کیوں ڈوبتیں۔ اور آئے دن زہر کی گولیاں، گلے میں پھندہ اور چھ چھ لڑکیوں کو لارے لگانے والے کے لئے بھائی سے گولی کیوں کھاتیں۔

میں مکمل طور پر اس کی دسترس میں تھی۔ سر کے پاؤں سے ناخنوں تک۔۔۔ مکمل۔۔۔ اپنے تمام حواس اور ان کے اندر بسنے والے وسواس سمیت۔۔۔ اس کے قلابے میں تھی۔ اور اسکے سحر سے نکلنے کو میرا ابھی دل نہیں چاہتا تھا۔ کیونکہ وہ میرا پہلا نام تھا، پہلا شخص تھا، پہلا انسان تھا۔۔۔ جس کے ساتھ وابستہ ہوئی تھی اپنی تمام تر خواہشوں اور خوابوں کے ساتھ۔۔۔ اس لیے۔۔۔ سب سچ اور جنت لگتا تھا۔۔۔ شک کی گنجائش نہ تھی۔ اور وجہ بھی کوئی نہ تھی۔

محبت میں شک کی گنجائش ہوتی بھی کب ہے! انسان تو بے لوث، آنکھیں بند کر کے ہر بات پر یقین کرتا ہے۔۔۔ سچ مانتا ہے کیونکہ۔۔۔ محبت بلا سجدہ، قیام، رکوع کے عبادت ہے۔۔۔ اور عبادت میں شک۔۔۔ سجود پر شک۔۔۔ معبود پر شک کفر ہے۔۔۔ انسان کو کافر کر دیتا ہے۔۔۔ اس لیے میں کیونکہ اس کو مجازی خدا مان چکی تھی۔۔۔ اس لیے میرے سجدے۔۔۔ میری نیت اور عبادت میں شک دور دور تک نہیں تھا۔۔۔ میں معبود اور سجود کی عبادت۔۔۔ بنا شک اور شائبہ کر رہی تھی۔۔۔

میں نے زندگی میں صرف یہی دیکھا تھا۔۔۔ اور سب کچھ میرے لئے نیا تھا۔ میرے پاس پرکھنے کا، جانچنے کا، تولنے کا اور جج کرنے کا کوئی پیمانہ نہ تھا۔ جس کے برابر میں اس کی باتوں کو تولتی یا جس کی کسوٹی پر میں پرکھتی۔۔۔ اور ویسے بھی میرے خیال میں جو تعلق جانچ، پرکھ اور سوچ بچار پر استوار ہو وہ تجارت تو ہو سکتی ہے تعلق نہیں۔ رشتے تو ہمیشہ بے لوث اور بغیر کسی کیوں اور کیسے کے ہوتے ہیں۔ تعلق کبھی فائدے کے لئے قائم نہیں کئے جاتے نہ نفع نقصان کا سوچ کر وابستگی پیدا کی جاتی ہے۔ تعلق تو بس تعلق ہوتا ہے۔ جذبات اور احساسات کا تعلق بے لوث ہو تو محبت وگرنہ تجارت۔

میری تو پہلی آشنائی تھی۔۔۔پہلی ''لگائی'' اور ''سگائی'' تھی۔اس لئے میرا کرم، دھرم، دین دنیا، کعبہ قبلہ، مسجد مندر، یزدان رحمٰن، گیان اور نروان وہی تھا۔اس کے خواب میرے اردگرد میری آنکھوں اور پردۂ دماغ پر چل رہے ہوتے تھے۔اس لئے وہ میرا جسم اور روح تھا اور میں۔۔۔''تو'' تھا۔۔۔میں اسکے ساتھ عظمتوں کے بلند مینار پر تھی۔

جوں جوں شادی کے دن قریب آرہے تھے۔Fear of unknown بڑھتا جارہا تھا۔ خوشی۔۔۔ملاقات، وصل اور تکمیل کا احساس ضرور تھا۔مگر اس سب کو حقیقت میں ''پریکٹیکل شیپ'' میں نہیں دیکھا تھا۔صرف سوچا تھا۔ ایک امیج بنایا تھا۔ایک خیال، ایک سوچ ضرور تھی۔کیسے۔۔۔! دوستوں کی عجیب وغریب باتیں۔۔۔بے شمار مشورے۔۔۔شرارتیں میرے ساتھ تھیں۔۔۔گھر گھر ہستی کے لیکچر۔ماں باپ کی عزت رکھنے اور برداشت کے بھاشن صبح وشام چل رہے تھے۔کپڑے بنانے، تیاریوں اور دوسرے انتظامات کے باوجود دماغ میں ہردم Fear of unknown مسلسل پل رہا تھا۔زندگی کا ایک بہت بڑا فیصلہ۔۔۔بہت اہم موڑ۔۔۔سفر اور راستہ متعین ہونے جارہا تھا۔

شادی کا بندھن۔۔۔دیبل کا مندر

برصغیر میں شادی ایک ایسا مرحلہ ہے جس کا نہ آغاز معلوم ہوتا ہے اور نہ انجام۔ زیادہ تر اجنبی لوگوں کو۔۔۔جو ایک دوسرے سے صرف نام کی حد تک واقف ہوتے ہیں، اچانک ایک روز اکٹھے ایک کمرے میں ایک بستر پر بٹھا کر بند کردینے کا نام ہے۔ہردو شادی والے دن بھی ایک دوسرے کی شکل کن انکھیوں سے دیکھتے ہیں۔اور شرماتے رہتے ہیں۔اور پھر دو ایسے لوگ جن کی کوئی جذباتی ونظریاتی وابستگی نہیں ہوتی۔جو ایک دوسرے کے لئے یکسر نامانوس ہوتے ہیں۔اچانک وہ ایک دوسرے کے سامنے۔۔۔ایک دوسرے کا حصہ بنا دیے جاتے ہیں۔اور خیال کیا جاتا ہے کہ پہلے دن۔۔۔تخت رات کی پہلی ملاقات کو۔۔۔دو اجنبی۔۔۔ایک دوسرے کے لئے بالکل غیر۔۔۔مختلف کیمسٹری۔۔۔ خوشبو سے ناواقف۔۔۔درجۂ حرارت سے بے پروا، سانسوں کے زیروبم سے ناآشنا۔۔۔ایک دوسرے میں ضم ہوجائیں۔۔۔''میں'' اور ''تو'' سے یک دم۔۔۔''ہم'' ہوجائیں بلکہ مردوں کو تو ایسے

تیار کیا جاتا ہے۔جیسے Troy کی Helen کو فتح کیا جانا مقصود ہو۔سومنات کا قلعہ، دیبل کا مندر، مالٹا کا جزیرہ، عراق پر قبضہ، مصر کی حکومت اور شام کا تختہ الٹنا مقصود ہو۔ایسے مشورے۔۔۔معجونیں، طلاء اور بلی مارنے کے فارمولے بتائے جاتے ہیں کہ جیسے اگر آج کی رات ہار گئے تو "عمر بھر کے لئے تھلّے" لگ جاؤ گے۔اور یوں دولہا میاں۔۔۔بغیر کسی آشنائی، واقفیت، "باڈی کمفرٹ" کا خیال رکھے۔۔۔ایسے حملہ آور ہوتے ہیں۔۔۔جیسے بلی چوہے کے ساتھ کھیلتی ہے یا شیر اپنی کچھار میں آنے والے ہرن کے ساتھ۔۔۔!"What a life it is ۔۔۔؟" اور یوں زندگی کا سب سے طویل سفر، مضبوط تعلق، اور خوبصورت رشتہ، چند منٹ کی خودغرضی، لمحہ بھر کی فردِ واحد کی مرضی، اچھل کود، قوت کا مظاہرہ، فتح کرنے کا جذبہ، کاٹھی ڈالنے کا ہر حربہ اور بدتمیزی سے شروع ہوتا ہے اور بدتہذیبی۔۔۔فاتحانہ مسکراہٹ پر ختم ہوتا ہے اور بظاہر ایک خوشگوار مستقبل کی راہیں متعین کرتا ہے۔۔۔!

آپ Statistics اٹھا کر دیکھ لیں آج بھی شادی ختم کرنے میں زیادہ کردار اس مرد کا ملے گا جو پوری زندگی ہر غلط کام کرتا رہے مگر شادی کی پہلی رات ہی یہ کہہ کر رشتہ ختم کر دیتا ہے کہ لڑکی کا کردار ٹھیک نہیں۔اس کا مسئلہ آج بھی یہی ہے کہ وہ خود تو چودہ سال کی عمر سے پہلے ہی یا تو خودلذتی کا شکار ہو جاتا ہے یا کسی سے تعلق استوار کر لیتا ہے۔اس کے باوجود اپنی ورجینیٹی (Virginity) پر فخر کرتا ہے۔پارسا کہلاتا ہے۔مگر پھر اسی لڑکی سے شادی کرنے سے یہ کہہ کر انکار کر دیتا ہے کہ اس کا کردار ٹھیک نہیں جس کے ساتھ کئی سال تک فصلوں میں۔۔۔چاچے کی حویلی میں۔۔۔بابے کے ڈیرے پر۔۔۔چوہدری کے ٹیوب ویل پر۔۔۔ایک عرصے تک خود منہ کالا کرتا اور مزے لیتا رہا ہے۔ایسے بندے کو بھی شادی پر سیل بند لڑکی چاہیے۔کیونکہ جذبات تو صرف مرد ذات کے ہی ہوتے ہیں۔ہمارا تعلق اس معاشرے سے ہے جہاں مرد ایک غسل کر کے پاک ہو جاتا ہے۔جبکہ عورت اپنی پاکی ثابت کرنے کے لیے پوری زندگی لٹا دیتی ہے۔۔۔وقف کر دیتی ہے۔۔۔گزار دیتی ہے۔۔۔مگر نجس اور ناپاک رہتی ہے۔۔۔زندہ بھی اور مر کر بھی۔۔۔

مردوں کے بقول عورت کے جذبات نہیں ہوتے۔۔۔اس کی اپنی سوچ نہیں ہوتی۔۔۔شاید ان کے خیال میں خدا نے عورت میں سوچنے سمجھنے، محسوس کرنے کی حس ہی نہیں رکھی۔

شاید۔۔۔محبت کرنے۔۔۔جسم کی خواہش کرنے۔۔۔چاہے جانے کی خواہش صرف مرد میں ہی رکھی گئی ہے۔۔۔عورت کو تو صرف بھیڑ بکری کی طرح۔۔۔یا گائے بھینس کی مانند۔۔۔صرف خدمت کے لیے پیدا کیا ہے۔۔۔بچوں کو پالنے کے لیے۔۔۔وہ تو صرف ایک مشین ہے۔۔۔جذبات سے عاری۔۔۔احساسات سے بے بہرہ۔۔۔بدقسمت۔۔۔عورت۔۔۔!

عورت کی Physiological Condition مرد سے زیادہ Volatile ہے۔اس لئے اس کو Weak Vessel کہتے ہیں۔عورت،جس کی بلوغت کی عمر بھی مردوں سے پہلے شروع ہو جاتی ہے۔جس کے لئے تسکین کے Out let بھی نہ ہونے کے برابر ہیں۔وہ اگر خود لذّتی کا شکار ہو جائے،کسی سے تعلق استوار کرلے۔۔۔اس کی ''ورجینٹی'' loose ہو جائے تو مردوں کی غیرت بلا توقف جاگ جاتی ہے۔۔۔خود شادی کے بعد بھی تین تین،چار چار معاشقے کرتے ہیں۔۔۔اپنے سے آدھی عمر کی ہو یا دگنی عمر کی۔۔۔عورت ہونی چاہیے اور زندہ ہونی چاہیے۔اس کو بھی نہیں بخشتے اور اگر بیوی کئی سال بعد کسی کلاس فیلو سے فون پر بات بھی کرلے۔۔۔تو بلا تحقیق۔۔۔طلاق اس کے منہ پر دے مارتے ہیں۔کردار کشی کا کوئی موقع،کوئی وقت،کوئی مقام،عدالت اور کٹہرا نہیں چھوڑتے۔۔۔بہت ظالم ہے مرد ذات۔

تم پوری عمر عورتوں کے ساتھ کھیلو اور ہم عمر بھر دکھ جھیلیں اور تمہارے کھیل کے لیے ترسیں۔۔۔آج کے اس So called ماڈرن دور میں بھی۔۔۔پہلی رات طلاق دے دیتے ہیں۔۔۔اور طلاق دینے والا وہ ہوتا ہے۔جو ایک رات پہلے ''بیچلر پارٹی'' کے نام پر نئی گرل فرینڈ کے ساتھ سو کر آرہا ہوتا ہے۔غیرت مند۔۔۔بے غیرت۔۔۔مرد!

میں نے اس کو لقمہ دینے کے لئے کہا یار وہ دورِ جہالت کی باتیں ہیں اب تو لوگ پڑھ لکھ گئے ہیں۔۔۔موبائل فون،انٹرنیٹ اور دوسری بہت ساری ایجادات نے آسانیاں پیدا کردی ہیں۔اب تو اجنبیت کلی طور پر ختم ہو چکی ہے۔لوگ شادی سے پہلے لمبے انٹرویو کرتے ہیں۔میل ملاقات کرتے ہیں۔۔۔ایک دوسرے کے خاندانوں میں ملاقاتیں ہوتی ہیں۔تب جا کر کہیں رشتہ آگے چلتا ہے۔اور لڑکی کو اپنی قسمت کا فیصلہ کرنے کا اتنا ہی اختیار ہے جتنا لڑکے کو۔۔۔بلکہ اب تو خواتین زیادہ زور آور

ہو گئیں ہیں۔ مرد تو شادی سے پہلے بھی ڈرتا ہے اور بعد میں بھی۔

وہ بولی "شاید ایسا ہو۔۔۔ مگر دس فیصد لوگوں میں بڑے شہروں اور وہ بھی ان میں بسنے والے مخصوص طبقے میں۔۔۔ باقی تو آج بھی سارے جانور ہی ہیں۔۔۔ عورتوں کو، بیٹیوں کو، گائے بھینس کی طرح۔۔۔ ایک ''کُھرلی'' سے کھولو اور دوسری پر باندھ دو۔ نہ رائے، نہ سوال اور نہ اختیار، نہ پکار۔ جو فیصلہ کر دیا سو کر دیا۔ نہ اپیل اور نہ احتجاج۔۔۔ زندگی میری فیصلہ کسی اور کا۔۔۔ بھائی میرا نصیب طے کرے گا۔۔۔ باپ میرا رفیق طے کرے گا۔۔۔ اور جس نے زندگی گزارنی ہے اس کو کوئی۔۔۔ ازراہ Courtesy بھی نہیں پوچھتا۔ کس دور اور ملک کی بات کر رہے ہیں۔۔۔ آپ!

میں نے رات کے اس پہر بحث کو طوالت سے بچانے کے لئے پوچھا۔۔۔ "وہ تم شادی کی بات بتا رہی تھیں"۔

وہ اب بھی کالج کے دور کی طرح Arguement کے لئے ہر دم تیار تھی۔۔۔ حالانکہ اس کی گفتگو۔۔۔ حالت اور حالات سے اس کی شکستگی واضح نظر آ رہی تھی۔ اور اس کا لفظ لفظ ان دکھوں اور تکلیفوں کو بیان کر رہا تھا۔۔۔

شادی کی تقریب پورے دھوم دھام سے ہوئی۔ پیسے کی ریل پیل، سونے چاندی کے زیورات اور لکشمی، دھن کی برسات ہوئی۔۔۔ زندگی۔۔۔ نئی زندگی اور حقیقت کی شروعات ہوئی۔ میرے سارے رشتے دار، دوست سب کے سب بہت خوش اور میری قسمت پر رشک کر رہے تھے۔ اور میں اپنی قسمت پر راضی تھی۔ حقیقت سے ملنے کے لئے بے تاب تھی۔ نئی جگہ نئے لوگ، نیا گھر اور نیا بستر میرے لئے۔۔۔ تیار تھا۔

کومل ایک لمبی آہ بھر کر بولی

"شادی کیا۔۔۔ رخصتی کے بعد مجھے ضروری رسوم و رواج کے بعد ایک کمرے میں ایک بیڈ پر بٹھا کر بند کر دیا گیا۔ ایک اچھے اور مہنگے تیار کئے ہوئے کمرے میں۔۔۔ میں اپنے بستر پر سمٹ کر بیٹھ گئی۔۔۔ میرا لہنگا اور سر کی انتہائی مہارت اور خوبصورتی سے ایڈجسٹ کی ہوئی چادر کو سیدھا کر کے میں بستر پر بیٹھ رہی۔۔۔ باہر کھلکھلاہٹ، قہقہوں اور ہاتھوں پہ ہاتھ مار کر ہنسنے کی آوازیں کمرے کے اندر تک

سنائی دے رہی تھیں۔نسوانی آوازوں کے ساتھ۔۔۔بچوں اور بڑوں کی آوازیں آ رہی تھیں۔میں دیر تک اپنی محبت کا انتظار کرتی رہی۔۔۔خوابوں کے حقیقت میں بدلنے کا سوچتی رہی۔۔۔

وہ ہنستا ہوا میرے کمرے میں داخل ہوا۔۔۔کمرے کو اندر سے بند کیا۔۔۔میں ایک نئی دنیا۔۔۔سسپنس ،تجسس اور سٹوری بک کی کہانی اور ایکشن فلم کے اگلے ایکشن کے Unfold ہونے کا انتظار کرتی رہی۔وہ شیروانی وغیرہ سائیڈ پر رکھ کر میرے بیڈ پر آیا۔۔۔میری ٹھوڑی کے نیچے ہاتھ رکھا اور بولا ''ویلکم ٹو مائی لائف''۔۔۔

میں نروس۔۔۔ہاتھوں میں پسینے کے ساتھ، ایک کنفیوژن میں۔۔۔نہ جانے جواب میں کچھ کہنا تھا یا نہیں۔اسی شش و پنج میں بستر کی چادر کی طرف نظریں جھکائے دیکھتی رہی۔۔۔میرا خیال تھا کہ محبت بھری باتیں۔۔۔دور کی محبت کی قربت کی باتیں ہونگی۔۔۔کچھ رُوبرو وعدے وعید ہوں گے۔محبت کے تمام عہد و پیمان جو صرف ٹیلیفون کی حد تک محیط تھے۔آمنے سامنے بیٹھ کر ان کی تجدید ہوگی۔۔۔ایک نئی زندگی کی نوید ہوگی۔۔۔دید کی عید ہوگی۔۔۔

میں ایک نئی پریکٹیکل زندگی کو تمام حقیقتوں کے ساتھ دیکھنا چاہتی تھی۔مگر میرے سامنے حقیقت کا تجربہ نہ تھا بلکہ خوابوں کی زندگی اور زندگی کے خواب تھے۔میں خوبصورت لفظوں، خوشبو کی مانند باتوں اور دل میں پنہاں تمام جذبات کا اظہار رُوبرو چاہتی تھی۔تاکہ ان تمام توصیفوں، تعریفوں اور محبتوں کا اظہار۔۔۔میرے کانوں کے راستے میرے دل تک پہنچے۔اجنبیت کے تمام فاصلے آنِ واحد میں، بیک جنبشِ ابرو ختم ہو جائیں۔ہم مل جائیں۔آنکھوں کے راستے۔۔۔محبت کے واسطے۔۔۔ مگر میری گہری سوچ کا ربط توڑتے ہوئے۔۔۔وہ بولا۔۔۔

یار بہت تھک گیا ہوں۔۔۔میرے خیال میں ہمیں سونا چاہیے۔۔۔اور میرے بالوں سے، لہنگے کے دوپٹے کی پنیں اتارنا شروع کر دیں۔۔۔مجھے تہہ در تہہ کھولنا شروع کر دیا۔۔۔ادھیڑنا۔۔۔ ٹکڑے کرنا شروع کر دیا۔۔۔چاٹنا اور کاٹنا شروع کر دیا۔۔۔لتاڑنا شروع کر دیا۔۔۔بھنبھوڑنا شروع کر دیا۔۔۔

میری مرضی کے خلاف، میرے Consent کے بغیر۔۔۔میری Permission کے

بغیر۔۔۔شاید اسے اس سب کی ضرورت نہیں تھی۔شاید میں اس کے نکاح میں نہیں اس کی Property کے طور پر اس کے حصے میں آئی تھی۔۔۔جو گوشت پوست کا انسان کم اور وجہِ تسکین زیادہ ہو۔۔۔جس کی اپنی کوئی رضا، کوئی احساس اور جذبات نہ ہوں۔۔۔جس کی وجہِ تخلیق صرف اس کی خوشی کا خیال رکھنا ہو۔وہ جس کے پاس اپنا اور اپنے لئے کچھ نہ ہو۔جس کا سب کچھ بنا کسی حیل وحجت اس کی ملکیت ہو۔وہ جیسے چاہے۔۔۔جب چاہے اس کو کھائے، چومے، چاٹے اور جب دل بھر جائے اس کو کھائے ہوئے "جھوٹے" برتن کی طرح ایک سائیڈ پر رکھ دے۔جب ضرورت پڑے دوبارہ گرد وغبار، جھاڑے، اس کو جھاڑ پونچھ کر۔۔۔دھو کر دوبارہ استعمال کرے۔اور پھر ایک کونے میں رکھ چھوڑے۔۔۔ میں اس کمرے میں باقی دوسری بے جان اشیاء کی طرح ایک استعمال کی شے تھی۔۔۔جس کی جب ضرورت پڑے استعمال کرو اور پھر استعمال کرنے کے بعد لاوارث۔۔۔کسی کونے میں پھینک دو۔۔۔اس طرح مجھے استعمال کرنے کے بعد۔۔۔وہ کروٹ لے کر دوسری طرف رخ کر کے سو گیا۔اس نے سکھلائے ہوئے طریقے کے مطابق مجھے فتح کر لیا تھا۔۔۔!

میں مفتوح رعایا کی طرح بے بس، نڈھال اور بدحال بستر پر پڑی ہوئی تھی۔بالکل ایسے جیسے نادر شاہ درانی کے دور میں لاہور کو تخت وتاراج کیا گیا تھا۔اور جواں مردوں کو قتل اور بچوں اور عورتوں کو مار دیا گیا تھا جبکہ شہر کو لوٹ مار کے بعد آگ لگا دی گئی اور جوان لڑکیوں کو عصمت دری کے بعد ننگ، دھڑنگ، بکھرے بال، زخمی بدن اور روح کے ساتھ بیچ بازاروں اور چوراہوں پر پھینک دیا گیا تھا اور جو جرنیلوں اور شہزادوں کے حرم کی زینت ایک رات کے لئے بنی تھیں۔ان کی عصمتیں بھی لُٹی تھیں مگر مخمل وکمخواب کے اوپر، ریشمی مسہریوں کے اوپر، محافظوں اور پہرہ داروں کے پہروں کے اندر۔۔۔وہ بھی لٹنے کے بعد ایسے ہی بے بس، بے جان، حالات کے رحم وکرم پر، بدحال اور نڈھال پڑی رہی ہونگی۔جیسے میں اس خوبصورت بستر پر موجود تھی۔زخم خوردہ، آزردہ، کئی سال کے خواب، ٹوٹنے اور بکھرنے کے بعد۔۔۔بے جان، ننگ دھڑنگ، ہمیشہ کی مغرور۔۔۔روح اور جسم کے زخموں سے چور۔۔۔مجبور۔۔۔!

زندگی سے ڈر گئے ہوتے

کاش ہم مر گئے ہوتے

جسم کی فتح۔۔۔روح کی شکست

خواب جب ٹوٹتے ہیں تو ان کی کرچیاں آنکھوں کو زخمی کر دیتی ہیں۔ انسان کے خواب جتنے بڑے ہوتے ہیں اتنی زیادہ زخمی اس کی آنکھیں ہوتی ہیں اور اسی قدر زیادہ ان کی کرچیوں سے تکلیف ہوتی ہے۔ میں خوابوں اور جسم دونوں کے زخمی ہونے پر مسلسل رو رہی تھی۔ میری روح تک زخم زخم تھی۔۔۔ میرے خیال میں محبت اس ایک فعل کا نام ہی نہ تھی بلکہ محبت اس سے بہت زیادہ اور بہت آگے کی بات تھی۔ اس کو تو شاید صرف چند لمحوں کے لئے میرے جسم کی ضرورت تھی۔ اسی لئے وہ تھکا ہوا آیا۔۔۔ جسم کی تھکاوٹ اتاری اور Relax ہو کر سو گیا۔

میں نے سنا تھا کہ شادی دو جسموں کا ملاپ ہے۔ دو سوچوں، دو دماغوں، دو انسانوں کا اتصال ہے۔۔۔ مگر مجھے تب معلوم ہوا کہ جیسے شادی صرف دو جسموں، چند لمحوں کا ملاپ ہے اور اس کے بعد ایک دوسرے کے مختلف سمت منہ کر کے خراٹے لینے کا نام ہے۔ پہلی رات فتح کرنے کا نام ہے۔ جھنڈا گاڑنے کا نام ہے۔ بلی مارنے کا نام ہے۔۔۔

یہ پہلا کاری زخم تھا، پہلا لفظ تھا جو میرے صاف بدن، دماغ کی سفید سلیٹ پر لکھا گیا تھا۔۔۔ جس کے نشان آج تیس سال بعد بھی باقی ہیں۔ میرے سارے خواب ریزہ ریزہ، روح زخمی اور آنِ واحد میں میرا سارا ادب اور تمام ادبی حسِ لطیف، عشق مجازی کی خوبصورت تراکیب، محبت کے استعارات اور مکمل اُردو ادب، سب ہرن ہو گئے تھے۔

مجھے شادی کے پہلے دن ہی پتا چل گیا تھا کہ صرف کھانا پینا، رہنا، گھر اور گاڑی کے علاوہ بھی زندگی میں بہت کچھ ضروری ہے۔ خوشگوار زندگی گزارنے کے لئے توجہ۔۔۔ محبت۔۔۔ وقت۔۔۔ اور الفت چاہیے ہوتی ہے۔ وگرنہ انسان تو انسان درخت بھی کُملا جاتے ہیں۔ مرجھا جاتے ہیں۔ کھانے اور کپڑے تو یتیم خانے میں بھی ملتے ہیں۔ SOS Village and orphan house اور Old houses میں بھی میسر ہوتے ہیں۔ مگر محبت۔۔۔ اپنوں کی شفقت اور الفت نہیں ملتی۔ مگر وہ ان سب لطیف جذبات سے ناآشنا اور صرف جسم کی زبان سمجھتا تھا۔

میں اس کے سارے دکھ اور درد سمیٹنا چاہتا تھا اس کی پریشانیوں کا حصہ بننا چاہتا تھا۔ اس پر پل پل گزرنے والے عذابوں کو محسوس کرنا چاہتا تھا۔ اس کو شولڈر فراہم کرنا چاہتا تھا۔ تاکہ میرے کندھے پر سر رکھ کر وہ اپنے سارے دکھ رولے۔ میں شاید اس کے لئے رحم کے جذبے کے بجائے محبت کے جذبہ کے ساتھ۔۔۔ اس کا سہارا بننا چاہتا تھا۔ اس کے تمام جسمانی اور روحانی دکھ سمیٹ کر اپنی جھولی میں ڈالنا چاہتا تھا اور اپنے حصے کی خوشیاں اس کی ویران آنکھوں، اجڑے بالوں، خاموش سوالوں اور محبت سے عاری خیالوں کو دان کرنا چاہتا تھا۔ میری ساری خوشیاں اس کے لئے اور اس کی تھیں.....کیونکہ میں اپنے لئے زندگی اس کی آنکھوں سے مستعار لیتا تھا۔ سانسیں اس کی سانسوں سے ادھار لیتا تھا.....اس لئے سب کچھ اس پر نثار کرنا چاہتا تھا۔ بلا سوچے سمجھے.....!

محبت کی شادی اور شادی کی محبت

وہ میرے سینے پر سر رکھ کر ہاتھوں سے میرے ساتھ کھیلتی رہی۔ عرصہ دراز سے جو غبار اس کے اندر جمع تھا۔ اس کو زبان کے راستے نکالتی رہی۔ بلکہ مجھے ایسے محسوس ہو رہا تھا جیسے وہ اپنے تمام جسم اور اس کے تمام حصوں۔۔۔ ظاہری اور اخفی فنکشن کے ذریعہ اپنے اندر بند گھٹن کو راستہ دے رہی تھی۔ شاید عرصہ دراز کے بعد اپنی مرضی اور آزادی سے جی رہی تھی۔

کہنے لگی "آپ کو پتہ ہے محبت کر کے شادی کرنے اور شادی کر کے محبت کرنے میں کیا فرق ہے۔"

میں نے اس کے بالوں میں انگلیاں پھیرتے ہوئے کہا "اب پتہ چل جائے گا۔۔۔ کیونکہ۔۔۔ میری تو ایک عمر سے محبت چل رہی ہے۔۔۔ شادی آج ہوئی ہے۔ اس لئے سب ایک خواب لگ رہا ہے۔۔۔"

میری بات سن کر وہ ہلکا سا زیر لب مسکرائی اور بولی۔۔۔

بات آپ کی بھی ٹھیک ہے اب پتہ چلے گا۔۔۔ کس بھاؤ بکتی ہے۔۔۔ محبت کی شادی حقیقت میں بہت کڑوی ہوتی ہے۔ وہ میر، درد، غالب کی شاعری کے دکھ، نذیر احمد کی نصیحتوں کے

ساتھ ساتھ، منٹو والی گفتگو بھی کر رہی تھی۔ شاید اس کے اندر کا اُردو ادب آج تین دھائیوں کے بعد جاگا تھا۔

اس نے کہنا شروع کیا کہ جب دو انسان محبت کرتے ہیں۔۔۔تو پھر چند دنوں کے بعد۔۔۔وہ دو دراصل ایک دوسرے پر طاری ہو جاتے ہیں۔۔۔ایک کے خیال دوسرے کی زبان سے جاری ہوتے ہیں۔ ایک کی سوچ دوسرے کو خود بخود معلوم ہو جاتی ہے۔ اور اگر جذبہ صادق، محبت سچی ہو تو ایک دوسرے کی بیماری، یاد کرنے کی کیفیت، سوچنے کی نوعیت، سونے جاگنے کا وقت۔۔۔ پہننے کا رنگ۔۔۔حتیٰ کہ کسی بھی لمحہ، موڈ، مزاج پوچھنے کی ضرورت نہیں ہوتی۔۔۔بس آنکھیں بند کریں۔۔۔تصورِ جاناں کریں اور وہ جس حال میں بھی ہے آپ کے سامنے آموجود ہوگا۔

محبت کا کمال یہ ہے، آنکھیں بند، گردن جھکانے کی بھی ضرورت نہیں۔ وہ ہر فکر، خیال، سوچ اور ساعت میں آپ کے قدم بہ قدم ساتھ ساتھ ہوتا ہے۔ تصور تو کچی بات ہے۔۔۔وہ حقیقت میں ہر لمحہ آپ کے ساتھ ہوتا ہے۔۔۔اس لئے آپ کو پوچھنے کی ضرورت نہیں ہوتی۔۔۔دن کیسا کٹا۔۔۔سوتے ہوئے کونسا ڈریس پہنا۔۔۔کیا دکھ گزرا۔۔۔کس کا طعنہ سہنا پڑا۔۔۔سب لمحہ لمحہ معلوم ہوتا رہتا ہے۔ یہ محبت کا کمال ہے۔۔۔یہ اس کا جمال ہے۔

ہجر منگداں نہ وصال منگداں

بس تیرا جمال منگداں

اس لئے شادی سے پہلے کی محبت زیادہ ڈیمانڈنگ ہوتی ہے کیونکہ تمام سہانے خواب، خوبصورت تتلیوں کے پروں پر رقم کئے گئے وعدے، گلاب کلیوں کی پنکھڑیوں پر لکھے، پتھروں کی مانند، پکے اور مضبوط ارادے، پہاڑوں سے زیادہ بلند اور عظیم ارادے۔۔۔جب حقیقت میں گرم دوپہر میں صحرا کی ریت کی طرح مضبوطی سے پکڑنے کے باوجود مٹھی سے پھسل کر۔۔۔ریزہ ریزہ ہو کر ہوا کے زور پر بکھر رہے ہوں تو پھر یہ وعدے، خواب اور ارادے نہیں بکھرتے۔ انسان بھی ریت کے ساتھ ریت ہو جاتا ہے بکھر جاتا ہے۔ خاک کے ذروں میں مل کر خاک ہو جاتا ہے۔ اور اس خاک کو خالق کے علاوہ کوئی اکٹھا نہیں کر سکتا۔ اگر انسان ایک بار ٹوٹ کر بکھر جائے۔۔۔کیونکہ اس تعلق میں طرفین کی

توقعات، امیدیں اور Expectations بہت زیادہ ہوتی ہیں۔ جو دور کے ساتھ میں اور اپنے اپنے بستر پر ایک دوسرے سے کوسوں دور صرف موبائل کی حد تک، بہت خوبصورت، مقدس اور پاکیزہ لگتی ہیں۔ جن کی تکمیل کے لئے انسان جان دینے کا نہ صرف سوچتا ہے، بلکہ وعدہ بھی کرتا ہے۔ وہ پیکر و رخسار۔۔۔ اور جسم کے زاویے، وہ معمولی باتیں، جسم کی حرکات، تصاویر میں نظر آنے والے رنگین۔۔۔ گال اور یاقوت کی مانند۔۔۔ لب ہائے شیریں، جان کی جان اور ارمان۔۔۔ دور سے زندگی کا سب سے بڑا درمان اور عنوان ثابت ہوتے ہیں۔

حقیقتِ حال میں جب وہ صراحی گردن، جھیل سی کٹورا آنکھیں، سروقد، ناگن زلفیں سامنے آتی ہیں تو پھر۔۔۔ ان کی کشش ختم ہو جاتی ہے۔ تصاویر اور تصور کی محبت۔۔۔ اور دسترس سے باہر کا محبوب جب قلابے میں آتا ہے۔۔۔ ذائقہ چکھنے کے بعد۔۔۔ بدمزہ اور کج ادا ٹھہرتا ہے۔۔۔ چال کے نقائص، خدوخال کے مسائل، دانتوں کا ٹیڑھ۔۔۔ بالوں کا رنگ۔۔۔ کپڑوں کا سٹائل۔۔۔ اندازِ تکلّم۔۔۔ سب سوچ سے۔۔۔ مختلف لگنا شروع ہو جاتا ہے۔ اس لئے ہر دو انسان خود سے سوال کرتے ہیں کہ کیا یہی ہے جو میں نے سوچا تھا۔۔۔ سمجھا تھا۔۔۔ مانگا تھا۔۔۔ یا یہ کوئی انسانِ دیگر ہے جو غلطی سے میرے راستے میں آ گیا ہے اور اصل انسان ابھی تک کہیں دور، بہت دور دسترس سے باہر ہے۔

جب سوچ اور Expectation کے مطابق سو فیصد میسر نہیں آتا۔۔۔ تو محبت کا پکوان۔۔۔ کاٹھ کی ہنڈیا سرے نہیں چڑھتی۔۔۔ بیچ چوراہے پھوٹ جاتی ہے۔۔۔ شریکا برادری۔۔۔ عزیز و رفیق۔۔۔ جو یا تو شادی کے خواہشمند یا امیدوار ہوتے ہیں۔۔۔ یا خدا واسطے کی دشمنی اور جلن لئے بیٹھے ہوتے ہیں۔۔۔ ان کے طعنے، مہنے، جلتی پر تیل کا کام کرتے ہیں۔ غلط فہمیاں بڑھتی جاتی ہے۔ درمیانی خلا میں اضافہ ہوتا چلا جاتا ہے۔ ہر دو کے ارمانوں کا خون اپنی اپنی ذات کے اندر ہر روز ہوتا ہے۔ کیونکہ کوئی تیسرا بڑا درمیان میں نہ ضامن ہوتا ہے، نہ اس رشتے میں شامل ہوتا ہے۔ اس لئے طرفین اندر ہی اندر جلتے رہتے ہیں۔ کڑھتے رہتے ہیں اور ایک دوسرے کو وعدے یاد دلاتے ہیں۔۔۔ برتن توڑتے ہیں۔۔۔ چیزیں اٹھا اٹھا کر پھینکتے ہیں۔ دروازے کے باہر کھڑی ساس، نند، بھاوج، دیورانی، جیٹھانی، سب سنتی ہیں۔۔۔ سب جانتی ہیں۔ مگر کوئی آگے بڑھ کر دماغ میں پانی نہیں

ڈالتا۔۔۔چھوٹی چھوٹی باتیں انا کے مسئلے بن جاتے ہیں۔۔۔عزت اور ناک بچانے تک پہنچ جاتے ہیں۔۔۔کوئی بھی Turf چھوڑنے کے لئے تیار نہیں ہوتا۔۔۔اپنے آپ کو سچا مان کر، سنا سنایا، سب سچ جان کر۔۔۔دلوں میں بغض بڑھتا جاتا ہے۔عملی زندگی میں اتنا وقت نہیں دیا جاتا جتنا ٹیلی فون پر ممکن ہوتا ہے۔اس لئے گھر کی ذمہ داریاں۔۔۔عملی کام۔۔۔ڈیمانڈ کرتی ہیں۔۔۔جب کہ دونوں طرف خوابوں کی تعبیر کی ڈیمانڈ ہوتی ہے۔جس کا حقیقت سے دُور دُور کا بھی تعلق نہیں ہوتا۔اس طرح ہر رات دھوکہ دہی کے نام پر۔بے وفائی کی، جھوٹے وعدے اور Fake اور Cheat کے اختتام پر روتے ہوئے ختم ہوتی ہے۔۔۔اور ہر صبح اسی طرح۔۔۔اسی غصہ سے آغاز ہوتا ہے۔جتنی سلوٹوں کے ساتھ رات کو سوئے تھے۔صبح اتنی ہی ماتھے پر موجود ہوتی ہیں۔۔۔یوں زندگی کے سہانے اور سنہرے دن اپنے ہاتھوں اور زبان کے عذاب سے شروع ہو کر ہمیشہ کے عذاب پر ختم ہوتے ہیں۔خود تو سزا بھگتتے ہیں۔۔۔دونوں خاندان اور چھوٹے چھوٹے معصوم بچے عمر بھر آرے پر ادریسؑ کی مانند چیرتے رہتے ہیں۔ماں باپ کی محبت کے لئے جلتے اور ترستے رہتے ہیں۔ایک کی انگلی تھامیں تو دوسرا ہاتھ جھٹک دیتا ہے۔اور دوسرے کے گلے لگیں تو پہلا سینے سے اتار پھینکتا ہے۔۔۔یوں عمر بھر کا سفر اگلی نسل کے سودا میں منتقل ہو جاتا ہے۔مگر چھوٹا سا سمجھوتہ، Compromise کرنے کے لئے، Sorry کا ایک لفظ بولنے سے زبان۔۔۔پر چھالے پڑ جاتے ہیں۔۔۔عزت گوارا نہیں کرتی۔۔۔زندگی اور اولاد چاہے کٹ جائے۔۔۔مگر ناک نہیں کٹنی چاہیے۔

شاید یہ کومل کے تلخ تجربات تھے یا مشاہدہ۔۔۔مگر اس تلخی میں سچائی۔۔۔میرے ارد گرد ہر روز نظر آتی تھی۔۔۔بات کرتے کرتے اس کے لہجہ میں جو سختی اور ترشی آ جاتی تھی وہ اس بات کی غماز تھی کہ وہ یقیناً بہت ساری دوُرخی حقیقتوں سے بذات خود گزر چکی ہے۔۔۔میں اس کو قطعاً ٹوکنا نہیں چاہتا تھا۔۔۔کیونکہ میں نے خود بھی اپنی نظروں کے سامنے بہت سی محبت کی شادیوں کو چند ماہ یا پھر چند سالوں بعد طلاق کے مکروہ عمل سے گزرتے دیکھا تھا۔حتیٰ کہ وہی میاں بیوی جو ایک دوسرے کے بغیر جینے کا تصور محال سمجھتے تھے۔۔۔عدالت، کچہری اور تھانے پنچائت میں ایک دوسرے پر ایسے غلیظ الزامات کی گولہ باری کرتے تھے کہ الامان والحفیظ۔نظریں شرم سے جھک جاتی تھیں اور یقین نہیں آتا

کہ یہ وہی ہنسوں کا جوڑا ہے جس نے معاشرے اور رسم و رواج سے بغاوت کر کے رشتۂ ازدواج میں منسلک ہونے کا فیصلہ کیا تھا۔ اور آج خود ہی لوگ ایک دوسرے کی عزت و آبرو، بلکہ دو خاندانوں کی عزت کا جنازہ سرِ عام نکال رہے ہیں۔

محبت کی شادی۔۔۔چائنہ کا سامان

محبت کی شادی بھی دراصل چائنہ کے سامان کی طرح ہے جس کی کوئی گارنٹی نہیں۔ چل گئی۔۔۔تو بہترین نہ چلے تو کوڑے کے ڈھیر پر پھینک دو۔ واپسی نہیں ہے۔۔۔نئی خرید لو۔ یہ بھی اگر چھ ماہ نکال جائے تو پھر عمر بھر خراب نہیں ہوتی۔ بس پہلے چھ ماہ کا خطرہ ضرور ہے۔۔۔جس کی گارنٹی کوئی نہیں۔۔۔صبر شکر کے علاوہ۔

میں نے کہا شاید اسی لیے سمجھدار لوگ شادی من پسند کی ہو یا ماں باپ کی پسند۔۔۔شادی کے بعد چھ ماہ تک اکٹھے رہتے ہیں۔۔۔No Honey moon۔۔۔نہ کوئی سیر سپاٹا۔۔۔صرف ماں باپ کا گھر۔۔۔ایک دوسرے کا سسرال۔۔۔چاچے، تائے۔۔۔شریک۔۔۔رفیق دوست احباب کی دعوتیں۔۔۔میل جول۔۔۔ملاقاتیں۔۔۔تاکہ دونوں مکمل طور پر ایڈجسٹ ہو جائیں۔۔۔ایک دوسرے کو جان جائیں۔۔۔پہچان جائیں۔۔۔خاندان۔۔۔فیملی۔۔۔بہن بھائیوں۔۔۔ساس سسر۔۔۔نند بھاوج۔۔۔دیورانی۔۔۔جیٹھانی۔۔۔آپس میں گھل مل جائیں۔۔۔عادات و اطوار اور ضروریات کو سمجھ لیں۔۔۔ایک دوسرے کے گھر اور دل میں جگہ بنالیں۔۔۔

وہ بولی آپ ٹھیک کہہ رہے ہیں مگر پھر بھی ماں باپ کی مرضی کی شادی میں۔۔۔دو اجنبی جب رشتۂ ازدواج سے منسلک ہوتے ہیں تو ان کی اس میں جان پہچان، میل ملاقات، وعدہ وعید کچھ نہیں ہوتا۔ نہ کوئی سنہرے خواب ہوتے ہیں اور نہ ہی کوئی لمبے چوڑے ساتھ نبھانے، جان دینے اور عمر بھر ساتھ چلنے کے وعدے ہوتے ہیں۔ بس اچانک حادثاتی طور پر کسی کی مہربانی کی بدولت۔۔۔ایک دوسرے کے حصے میں آجاتے ہیں۔ اس لئے قسمت پڑی کی طرح کوئی بہت زیادہ آس اور امید نہیں ہوتی۔ پہلے دن سے توقعات کم اور زندگی گزارنے پر زور زیادہ ہوتا ہے۔ پریکٹیکل اپروچ ہوتی ہے۔

کیونکہ طرفین کو ایک دوسرے سے ہرگز کوئی خوش گمانی نہیں ہوتی۔ اس لئے کوئی بھی سو فیصد توقع نہیں رکھتا۔ ہر ایک صفر سے شروع کرتا ہے اور اگر دوسرا فریق دس فیصد بھی برداشت کر لے تو بونس۔۔۔ نہیں تو صفر تو ہے ہی۔ اس کیٹگری میں توقعات کا جنازہ نہیں اٹھانا پڑتا۔ آئے روز خوابوں کی میتیں اور قبریں تعمیر نہیں کروانی پڑتیں بلکہ ایک دوسرے کی صلاحیت کے مطابق sale کو ایڈجسٹ کیا جاتا ہے۔ Demands اور Expectations کو پارٹنر کی حیثیت اور ضرورت کے مطابق ایڈجسٹ کیا جاتا ہے۔ اس لئے یہاں ناکامی کا خدشہ تقریباً نہ ہونے کے برابر ہوتا ہے۔ ماں باپ چھوٹے موٹے جھگڑے میں خود ہی لعن طعن کر کے صلح کروا لیتے ہیں۔ گھر میں پڑے ہوئے برتن بھی آپس میں ٹکرا جاتے ہیں یہ تو دو گوشت پوست کے اجنبی انسانوں کی بات ہے۔ جن کے مزاج الگ، تعلیم الگ، عادات الگ، فطرت اور خصلت الگ، محبت اور نفرت الگ ہوتی ہے۔ اور ویسے بھی خوشگوار ازدواجی زندگی تباہ کرنے کیلئے ٹی وی کا ریموٹ ہی کافی ہے۔

صاحب کو رات بارہ بجے خبریں سننے کی عادت ہو اور بیگم صاحبہ فلم یا ڈرامہ دیکھنا چاہیں۔۔۔ میاں صاحب بتی بجھا کر سونے کے عادی اور بیگم کو اندھیرے میں ڈر لگتا ہے۔۔۔ زندگی جہنم بنانے کے لئے اتنا بھی کافی ہے مگر ہر دو اپنے اپنے پتوار کو خود بخود ایڈجسٹ کرتے ہیں۔ ایک دوسرے کو ''سپیس'' دے لیتے ہیں۔ ایک پرفیکٹ کمپرومائز کرتے ہیں۔ عادات کے بیچ، اطوار کے بیچ، فکر اور خیال کے بیچ سمجھوتہ کرتے ہیں اور یوں زندگی گزرتی جاتی ہے۔۔۔ چلتی جاتی ہے۔۔۔ چلتی جاتی ہے۔۔۔ دھیرے دھیرے مگر سکون کے ساتھ۔۔۔ کبھی کبھی۔۔۔ سپیڈ بریکر آ جائے انجن میں یا کاربوریٹر میں کچرا آ جائے تو چند جھٹکے۔۔۔ ڈرائیور کی چھیڑ چھاڑ، مشقت یا محبت اور کبھی کبھی اردگرد گھر والوں کے دھکے سے۔۔۔ گاڑی دوبارہ رواں ہو جاتی ہے۔۔۔ چل پڑتی ہے۔۔۔ زندگی بیت جاتی ہے۔ اور دھیرے دھیرے۔۔۔ زندگی گزارتے گزارتے۔۔۔ گزرتی جاتی ہے۔

ایک دوسرے کے عادی ہو جاتے ہیں۔ عادات و اطوار کے، رہن سہن کے، پہناوے کے، کھانے پینے کے، سونے جاگنے کے۔۔۔ ایک دوسرے کے عادی ہو جاتے ہیں۔۔۔ ایک دوسرے پر اپنا رنگ چڑھا دیتے ہیں۔۔۔ پکا اور خالص رنگ۔۔۔ محبت کا رنگ، قربانی کا رنگ۔۔۔ ایک

دوسرے کو سپیس دینے کا رنگ۔۔۔ایثار کا رنگ۔۔۔جینے کا رنگ۔۔۔اکٹھے مرنے کا رنگ۔۔۔ زندگی اور موت کا رنگ۔۔۔قبر تک ساتھ چلنے اور رہنے کا رنگ۔۔۔تیرا میرا رنگ۔۔۔زندگی اور موت کے سنگ۔۔۔

زندگی میں کبھی بھی کسی کو سوفیصد نہیں ملتا۔ہمیں سب کو جتنا مرضی آئیڈیل، مکمل اور خالص انسان مل جائے پھر بھی وہ ہمارے ذہن کے مطابق سوفیصد نہیں ہوسکتا۔۔۔کیونکہ ہماری سوچ، فہم و ادراک، خیال یقین، حقیقت سے مختلف ہوتا ہے۔جو ہم دماغ میں سوچتے ہیں وہ اس امیج سے یقیناً مختلف ہوتا ہے جو ہمارے دماغ میں بنا ہوتا ہے۔اس لئے یہ ممکن ہے کہ گوشت پوست کا ہمارے جیسا انسان، عقل و دماغ رکھنے والا بالکل ویسا ہی ہو، ویسی حرکتیں کرے، اس طرح زندگی گزارے۔جیسے ہم سوچتے ہیں۔یہ ناممکن ہے یہ کام روبوٹ تو کرسکتا ہے مگر انسان نہیں۔اس لئے ہمیں خود سے معاہدہ کرنا ضروری ہے۔خود کو سمجھانا ضروری ہے۔۔۔دل و دماغ سے سمجھوتہ کرنا ضروری ہے تاکہ دوسرے کو انسان ہونے کا Allowance دیا جاسکے۔صرف اسی صورت میں ہم اپنے جیسے انسان سے، اپنے جیسا رویہ، طرزِ عمل اور طریقہ Expect کریں گے۔جب ہم کسی کی توقعات پر من وعن سوفیصد پورے نہیں اتر سکتے تو کوئی بھلا کیسے ایسا کرنے میں کامیاب ہوسکتا ہے۔اس لئے جب۔۔۔ہم اپنے پارٹنر، مدِمقابل کو بھی اپنے جیسا انسان تصور کریں، اغلاط اور خامیوں کا منبع۔۔۔تو ہم اس سے زیادہ توقعات وابستہ نہیں کریں گے اور اگر کوئی وابستہ کی ہوئی توقعات Expectations کبھی ٹوٹ گئیں یا وہ ان پر دانستہ یا نادانستہ طور پر پورا نہ اتر سکا تو ہم اس کا ماتم کرکے سب کچھ تباہ نہیں کردیں گے بلکہ اس کو انسان تصور کرتے ہوئے درگزر کریں گے۔یہی درگزر سمجھوتہ بلکہ پرفیکٹ کمپرومائز کامیابی کی علامت ہے۔نہ صرف ازدواجی زندگی میں بلکہ روزمرہ کے معاملات میں۔۔۔رواداری ہی فلاح ہے۔رواداری ہی اصلاح ہے اور اسی میں کامیابی ہے۔

محبت کی شادی میں غلطی کی گنجائش قطعاً نہیں ہوتی۔خواب بھی بھلا حقیقت ہوئے ہیں اس لیے حقیقت کے منظرنامے ہمیشہ لہولہو اور خواب ریزہ ریزہ، چشم قطرہ قطرہ ملتی ہے۔جبکہ شادی کی محبت سے، محبت ہو یا نہ ہو، زندگی ضرور سفل گزر جاتی ہے۔

دراصل میرے خیال میں تو شادی کے بعد ہر نئے دن کو نئی زندگی In Isolation گزارنا چاہیے۔ تاکہ پچھلے دن کی تلخیاں، کوتاہیاں، غلطیاں اور برائیاں اگلے دن Carry Forward نہ ہوسکیں۔ ان کے اثرات مضر اثرات اگلے دن اور اس دن پر محیط زندگی کے خوشگوار لمحات کو برباد نہ کردیں۔

شاید اس کو ایک طویل عمر کے بعد یا تکالیف کے مسلسل سفر کے بعد یہ خیالات اور تجربات حاصل ہوئے تھے۔ میں اس کے اُردو ادب کے تاثرات، عملی زندگی کے تلخ تجربات اور حوادث و واقعات پر مبنی خیالات بڑے لگاؤ سے سن رہا تھا۔ کچھ کو سمجھ رہا تھا اور کچھ کو جذب کر رہا تھا۔۔۔ اور کبھی کبھی میرا دھیان اس کے بالوں۔۔۔ سنہری جِلد کے خیالوں اور عمرِ دراز کے بعد۔۔۔ حاصل کے بعد کے سوالوں میں اُلجھ جاتا۔

میں ہوں، ہاں میں جواب ضرور دیتا۔۔۔ تاکہ وہ جی بھر کر بول سکے اس کا Catharsis ہوسکے۔ اس کے اندر ایک طویل عرصے تک سلگنے اور پگھلنے والا مادہ، اس کی زبان کے راستے باہر نکل سکے۔ میں چاہتا تھا کہ اس کے دماغ میں جنم لینے والے سوال اور کلبلانے والے خیال کو راستہ دے کر اپنے کانوں کی سماعت مستعار دے کر سکون فراہم کرسکوں۔ میرے لئے تو یہ لمحات جنتِ ارضی سے کم نہ تھے۔ اس لیے مجھے نہ کوئی جلدی تھی نہ تھکن اور نہ نیند کا شائبہ۔ ہر سہ اشیاء وہاں قدم رکھتی ہیں جہاں آپ کا دل اور دماغ شامل نہ ہوں۔ اور آپ بہ امرِ مجبوری کوئی کام کر رہے ہوں۔ جبکہ میرا تو جسم، روح، قلب سب اس لمحہ میں یکجا تھے.... اس لیے میں محبت کے تعلق کے مسائل کا شکار ہونے کا سوچنے کے باوجود۔۔۔ اس سے الجھنے کی بجائے، اس کو شہہ دے رہا تھا۔ چاہتا تھا کہ اس کے اندر کا غبار ہلکا ہو۔۔۔ وہ تمام تلخیاں Vomit کر کے اپنے آپ کو ہلکا کر لے۔

وہ پانی کا گلاس بھرتے ہوئے بولی۔۔۔ پانی لیں گے آپ۔۔۔ میں نے۔۔۔ شکریہ کہا اور وہ بوتل سے پانی اُنڈیلتے ہوئے بولی۔

دراصل ہر انسان کی زندگی دس اسکوئر بلاکس کی مانند ہے۔ ایک انسان اکیلا کبھی بھی مکمل نہیں ہوسکتا۔ اور اگر دنیا کی تمام حقیقت، خواب، خیال، جمال اور کمال اکٹھے کئے جائیں، صفات کا مجموعہ بنایا

جائے تو یہ دس بلاک مکمل ہوتے ہیں۔ظاہر ہے حقیقی زندگی میں ہر مردوزن کے یہ دس دس بلاک کبھی بھی اور کسی صورت بھی مکمل اور کامل نہیں ہو سکتے۔اس لیے کسی مرد کے پچاس فیصد یعنی پانچ بلاک مکمل ہونگے اور کسی کے ساٹھ فیصد یعنی چھ عدد۔اسی طرح عورت کی بھی خوبیوں، خصلتوں کے لحاظ سے ایسی ہی ترتیب ہوگی۔جب ہم شادی کرتے ہیں۔ایک دوسرے سے ملتے ہیں۔یکجان ہو جاتے ہیں تو ہم ایک دوسرے کو مکمل کرتے ہیں۔مرد کے باقی چالیس فیصد کو عورت مکمل کرتی ہے اور عورت کے ساٹھ فیصد کو مرد مکمل کرتا ہے۔اور ہم تنہا تنہا نامکمل ہوتے ہیں جبکہ ایک ہو کر۔۔۔ایک دوسرے میں کھو کر ہم ہر دو کو سو فیصد مکمل کرتے ہیں۔۔۔میری خامیاں اس کے اچھے سے اور اس کی خامیاں میرے خوبصورت سے چمٹ جاتی ہیں۔۔۔ہماری تکمیل ہوتی۔۔۔خوبصورت تخلیقوں کی تکمیل ہوتی ہے۔۔۔خوبصورتی مکمل ہوتی ہے۔بلاک۔۔۔بلاک سے مل جاتے ہیں۔۔۔اکٹھے ہو جاتے ہیں۔۔۔یکجا ہو جاتے ہیں۔۔۔مکمل کرتے ہیں۔۔۔ایک دوسرے کی کمیاں، کجیاں، خامیاں دور کرتے ہیں۔۔۔ذہنی، بدنی، قلبی اور روحانی خلا پُر کرتے ہیں۔

انسان جب مکمل ہوتا ہے۔تکمیلِ ذات ہوتی ہے۔اپنے سے زیادہ خوبصورت ذات جب انسان کو اپنا خوبصورت ترین دے کر مکمل کرتی ہے تو پھر اندر باہر کے سب کوڑھ، جذام، ناسور دور ہو جاتے ہیں۔دماغ اور روح کے تمام زخم بھر جاتے ہیں۔۔۔انسان مسرور اور مخمور ہو جاتا ہے۔۔۔پرنور ہو جاتا ہے۔۔۔ایک ایسا جذبہٗ صادق، قوت اور اعتماد عطا ہوتا ہے جس کا نعم البدل دنیا کے کسی خزانے میں نہیں۔۔۔جس کا متبادل نہ قارون کے خزانے میں، نہ لقمان کے حکمت خانے میں اور نہ قیصر و کسریٰ کے پیمانے میں میسر آتا ہے۔انسان کے چہرے سے نور اور جسم سے خوشبو جاری ہو جاتی ہے۔۔۔تکمیل ہوتی ہے۔۔۔دس بلاک مکمل ہو جاتے ہیں پرفیکٹ ہو جاتے ہیں۔

کچا گھڑا۔۔۔چناب۔۔۔وفا

وہ اپنی خوبصورت خوشبو کے ساتھ میرے پاس آ کر میری چھاتی پر سر ٹکا کر ایک بار پھر لپٹ گئی۔۔۔اور بولی کہ۔۔۔

عورت مرد کو اپنا سب کچھ دے دیتی ہے۔۔۔چند محبت کے بول۔۔۔چند میٹھے لفظ، ماں باپ، بہن بھائی سب چھوڑ۔۔۔ایک ایسے شخص کے ہاتھ پر بیعت کر لیتی ہے جس کو جانتی تک نہیں، نہ آگے کا پتہ نہ پیچھے کا۔۔۔رشتہ صرف ایک لفظ کا۔۔۔صرف چند لفظوں کے لئے اپنی زندگی کا سودا کر لیتی ہے اور عمر بھر ان کو نبھاتی ہے۔۔۔اپنے کیے پر سٹپٹاتی رہتی ہے مگر واپس نہیں مڑتی۔۔۔کچے گھڑے تیر کر۔۔۔جان دے دیتی ہے مگر۔۔۔ڈوبتے ہوئے بھی واپس نہیں پلٹتی۔۔۔گھڑا آہستہ آہستہ پانی کی محبت میں پانی ہو جاتا ہے۔۔۔گھل جاتا ہے۔۔۔مل جاتا ہے۔۔۔مگر وہ آخری سانسوں تک۔۔۔جب منہ میں پانی مکمل بھر جاتا ہے۔۔۔آنکھیں کنواری مٹی سے بھرپور چناب کے سرخ پانی میں ڈوبنے لگتی ہیں۔۔۔مغرب کی سمت افق کے اس پار دھیرے دھیرے بے بس۔۔۔سورج کی طرح۔۔۔پانی کے اندر اترنے لگتی ہے، تو اس کی آنکھوں میں اپنی محبت کا عکس اور دل و دماغ میں وعدہ شکنی کا قلق ہوتا ہے۔ یہ خوف ہوتا ہے کہ وہ یہ نہ کہے کہ وعدہ وفا نہ ہوا۔۔۔زندگی وفا کرے نہ کرے وعدہ وفا ضرور کرتی ہے۔۔۔عورت۔۔۔وفا کرتی ہے۔ جان کو جان سے جدا کر کے بھی۔۔۔وفا کرتی ہے۔

میں نے کروٹ لیتے ہوئے لقمہ دیتے ہوئے کہا عورت تو وفا کا نام ہے۔۔۔وفا کی دیوی ہے۔۔۔اس میں کوئی شک نہیں۔۔۔مگر

اس نے فی الفور میرے منہ سے اگلا لفظ اچک لیا اور کہا۔۔۔

مگر مرد بے وفا ہے۔۔۔قبر کی مٹی میلے ہونے کا بھی انتظار نہیں کرتا۔۔۔بلکہ زندہ درگور کر کے۔۔۔نئی زندگی کو بانہوں کی زینت بنا لیتا ہے۔۔۔لحہ بھر بھی انتظار نہیں کرتا۔۔۔جب تک عورت اس کی دسترس سے باہر ہو اس کے لئے زمین اور آسمان کی تمام عبادتیں کرتا ہے۔ اور جب قلابے میں آجائے۔۔۔سیج چڑھ جائے۔۔۔تو پھر اس سے جان چھڑانے کی کوشش کرتا ہے۔۔۔بہانے تلاش کرتا ہے۔۔۔آنِ واحد میں اس کی سب محبت ہرن ہوا ہو جاتی ہے۔۔۔بسزا ہو جاتی ہے۔۔۔اس سے جی اکتا جاتا ہے۔۔۔متلی آنا شروع ہو جاتی ہے۔۔۔قرب عذاب بن جاتا ہے اور وہ اس قید سے جان چھڑانے کی تمام کوشش کرتا ہے۔ کاروبار، نوکری، بیماری اور مصروفیات کا

بہانہ بناتا ہے۔۔۔دور بھاگتا ہے۔۔۔ جیسے کوڑھ، جذام اور ایڈز کے مرض سے لوگ بھاگتے ہیں۔۔۔رحمت زحمت میں اور نعمت۔۔۔تہمت میں بدلتے دیر کتنی لگتی ہے۔۔۔چند لمحے کا وصل۔۔۔

مجھے سمجھ نہیں آ رہی تھی کہ وہ تیس سال کے تجربات اور دکھ بول رہی تھی یا اس کے تجربات میں مِکس ہونے والا اُردو ادب اس کی سوچوں پر سوار تھا۔میں ملن کے اس وقت کو، وصل کی اس ساعت کو، محبت کی اس عبادت کو۔۔۔طویل تر کرنا چاہتا تھا۔۔۔میں اپنے اردگرد کے ماحول سے بے خبر ہو کر، لاپروا ہو کر۔۔۔اجنبی بن کر اس بڑھاپے میں۔۔۔اپنے ارمان پورے کرنا چاہ رہا تھا۔اس لئے میں اس کو روکنے اس کے خیالات کی روانی کو Interrupt کرنے کیلئے تیار نہ تھا۔اور ویسے بھی میرے اندر ایک عجیب خوف تھا۔۔۔چھوڑ جانے کا خوف، بچھڑ جانے کا خوف۔۔۔ایک عمرِ طویل کے انتظارِ شدید کے بعد حاصل آنے والی نعمتِ ربِ جلیل سے دوری کا سوچ کر میں خوفزدہ ہو جاتا تھا۔۔۔لرز جاتا تھا۔۔۔اس لیے میں اس کی ہاں میں ہاں ملا رہا تھا۔میں اپنا سب کچھ چھوڑ کر۔جسم اور جان۔۔۔مال و دولت۔۔۔ملک اور ملت سب کو خدا حافظ کہہ کر اس کے سہارے۔۔۔بنا ڈور۔۔۔اس کی چھت پر آن گرا تھا۔۔۔میرے واپسی کے راستے تو پہلے سے ہی بند تھے۔اس کے لئے میری سانس بھی اس شیشہ گری کو تباہ و برباد کر سکتی تھی۔میں اپنی عبادت اور مجاہدے کو خراب کرنا نہیں چاہتا تھا۔عین جب خدا ملنے والا تھا۔۔۔ایک کلمۂ کفر کہہ کر ہمیشہ کیلئے جنت سے نہیں نکلنا چاہتا تھا۔۔۔میری جنت میرے رُوبرو۔۔۔ایک عمر کے بعد حاصل ہوئی تھی۔۔۔

کچا گھڑا، ترن نہ اوندا، اتوں ڈونگا پانی
معاف کریں او سوہنیاں سجناں ڈُب گئی جند نمانی

بن مانگی جنت

ہر مذہب اور مسلک میں کسی نہ کسی طور پر جنت کا فلسفہ موجود ہے۔۔۔نرک، سورگ، جنت جہنم کا وجود ملتا ہے۔۔۔اور پھر عبادت کا عروج جنت کے حصول پر منتج ہے۔ہر عمل، سجدہ و رکوع، تسبیح و تقدیس، عبادت و ریاضت، زہد و تقویٰ، بھرت اور روزہ۔۔۔تعلق اور واسطہ۔۔۔بدی سکون کی تسلی

پر ختم ہو جاتا ہے۔ مگر اس جنت کی تلاش میں ہر دور کے لوگ، دنیا کو جہنم بنانے میں مصروف رہے۔۔۔رام اور رحیم کے ماننے والے۔۔۔رام اور رحیم کے نام پر۔۔۔دوسروں کی زندگی کو عذاب بناتے رہے۔۔۔کسی نے یہ نہیں سوچا کہ جس جنت کے حصول کا وعدہ کیا جاتا ہے۔۔۔اگر اس کے تمام لوازمات اور Pre requisites انسان اس دنیا میں پورے کر لے تو۔۔۔آنکھیں بند ہونے کے بعد۔۔۔ان دیکھی جنت۔۔۔ملاں، پوپ، راہب، سنت، بھگت، بھکشو، گرو اور پجاری کی بتلائی ہوئی اور دکھائی ہوئی جنت تو کس نے دیکھی۔ یہ کائنات ساری کی ساری جنت بن جائے۔۔۔دوزخ ٹھنڈی ہو جائے۔ مگر ہماری بد قسمتی ہے کہ ہم جنت میں جائیں یا نہ جائیں مگر اپنے قول و فعل کے ذریعے اس دنیا کو جہنم میں ضرور بدلتے رہتے ہیں۔ اپنی پوری زندگی بھی اس جہنم میں جل کر گزارتے ہیں۔

کل کی جنت کیلئے آج کو جہنم بنانے والے انسان کو خدا کبھی جنت نہیں دے گا۔ اس دنیا میں یا جہانِ دیگر میں جنت کے حصول کیلئے ضروری ہے کہ انسان آج کو جنت میں تبدیل کرے۔ دوسروں کیلئے آسانیاں پیدا کرے کیونکہ ہر انسان اپنی جنت اور دوزخ اپنے ساتھ لے کر پیدا ہوتا ہے۔ کچھ لوگ عمر بھر خود بھی جہنم میں جلتے ہیں اور دوسرے کیلئے بھی جہنم بنتے ہیں۔ میں جنت کے وجود سے منکر نہیں مگر میرے خیال میں جنت ایک فکری طرزِ عمل ہے۔ ایک سوچ ہے۔ ایک خیال ہے۔ روح کی تسکین ہے۔ اگر روح اور قلب کی تسکین حاصل ہو جاتی ہے تو لمحہ لمحہ جنت ہے اور روح اور قلب کی تسکین کا تعلق قطعاً مال و دولت، عیش و عشرت، نمود و نمائش، اطلس و کمخواب اور حور و غلمان میں نہیں بلکہ خلقِ خدا کی خدمت میں ہے۔ دوسروں کے دکھ کو سکھ میں بدلنے میں ہے۔ اپنا اچھا دوسروں پر نثار کرنے میں ہے۔ منہ کا لقمہ۔۔۔مانگنے والے کو دینے میں ہے۔۔۔سرّاً و جہراً اخلاق کی راہ میں بِنا لالچ سب کچھ لٹا دینے میں ہے۔ دیکھ کر تو سارے ہی سودا کر لیتے ہیں بِنا دیکھے سب کچھ نثار کرنے میں ہے۔

میں آج اسی جنت میں تھا۔۔۔اپنے اوجِ کمال پہ تھا۔۔۔محبت کے عروج پر تھا۔ مجھے اس کے آگے کسی اور چیز کی خواہش، حسرت، سوچ اور فکر نہ تھی۔ اس لیے میں اپنے خدا کی عبادت اور شکر آج کی جنت کے لئے کرنا چاہتا تھا۔۔۔اس کی نعمتوں اور رحمتوں کا سوچ کر میری آنکھوں سے شکرانے کے دو موتی لرزتے ہوئے بخوشی میرے گالوں پر ٹپک پڑے۔

میرے خالق نے مجھے زندگی کی تمام خوبصورت نعمتوں سے نوازا تھا۔۔۔جو مانگا سو پایا۔۔۔جو سوچا وہ ملا۔۔۔جو چاہا وہ۔۔۔جھولی میں بن مانگے آن پڑا۔۔۔میں جلد باز۔۔۔بغیر موقع محل کی مناسبت سے اور اپنی کم علمی، تنگ نظری کی بدولت مایوسی کی طرف جب بھی رواں دواں ہوا۔۔۔زندگی نے جب بھی مایوسی کی بدولت کفر کی طرف دھکیلا۔۔۔میرے خدا نے یک دم اس سیاہ گہرے گڑھے۔۔۔''ھاویہ'' میں گرنے سے قبل ہی۔۔۔مجھے میرے بازو سے پکڑا۔۔۔دوبارہ میرے پاؤں پر کھڑا کیا۔۔۔میرے ماتھے پر بوسہ دیا۔۔۔یقین اور ایمان میرے روح اور بدن میں پھونکا۔۔تازہ دم کیا اور جھولی بھر کر اس سب سے نواز دیا جس کی مجھے ضرورت تھی، مگر میں نے مانگا نہ تھا۔۔۔اور جو مانگا تھا وہ بھی۔۔۔قدموں میں ڈھیر لگا دیا۔۔۔اور جس کیلئے شکوہ شکایت، رونا دھونا۔۔۔واویلا اور زندگی عذاب کی تھی۔۔۔جو میرے لئے شاید بہتر نہ تھا۔۔۔مناسب نہ تھا اس کو بھی۔۔۔مقرر وقت پر، مناسب لمحے پر، میرے لئے بہتر کر کے۔۔۔میرے نصیب میں کر دیا۔

جو عطا کیا وہ اس نے۔۔۔جو خطا کیا میں نے۔جنت دی اس نے۔۔۔جہنم مانگی میں نے۔۔۔تسکین دی اس نے۔۔۔تخریب کی میں نے۔۔۔تعمیر دی اس نے، شر سے لپٹا میں۔۔۔خیر میں لپیٹا اس نے۔بُرا مانگا میں نے۔۔۔اچھا دیا اس نے۔۔۔ذلت خریدی میں نے۔۔۔محبت دی اس نے۔قدم قدم کفر کیا میں نے۔۔۔لحظہ لحظہ ایمان دیا اس نے۔۔۔لمحہ لمحہ ظلم کیا میں نے۔۔۔لحظہ لحظہ کرم کیا اس نے۔۔۔میرے کالے کرتوت، کالا منہ، کالا رنگ، کالا من، کالا تن، کالا ڈھنگ۔۔۔تو نے سنہرا کر دیا۔۔۔اپنے رنگ میں رنگ دیا۔۔۔مجھے رنگ دیا۔۔۔اپنے رنگ میں رنگ دیا۔۔۔

میری جنت میرے پاس لمحہ لمحہ، قدم قدم، سانس سانس، قطرہ قطرہ، ہر وقت میرے ساتھ۔ میں من کی تن آسانی اور آسائشوں کیلئے جنت نہیں چاہتا۔۔۔میں جنت میں تمہیں چاہتا ہوں۔۔۔میں جنت چاہتا ہوں کہ تو جنت میں میرے ساتھ ہے۔جبکہ ہر لمحہ، ہر سانس، ہر آن تم میرے ساتھ ہو پھر میرے لئے ہر ساعت، ہر وقت، ہر لمحہ، ہر لحظہ جنت ہے۔۔۔جنت الروح۔۔۔مجھے جنت الافعال کی ضرورت ہے نہ دار السلام اور دار القرار کی، نہ نفس کی نہ صفات کی، مجھے اس جنت کی طلب ہے جس میں

تو ہے۔۔۔جنت الذات کی۔۔۔جنت الروح کی۔۔۔رُوبرو کی۔۔۔''تو'' کی۔

میں اپنی جنت النفس، جنت القلب اور جنت الذات والافعال کے عروج پر تھا۔تسکینِ ذہنی اور قلبی میرے انگ انگ سے ٹپک رہی تھی۔۔۔میرے چہرے، میرے عکس میرے جسم کے ایک ایک روم روم سے ہویدا تھی۔مجھے۔۔۔اس سے آگے کچھ نظر نہیں آ رہا تھا۔اور میں ان لمحات کو ساکن کر لینا چاہتا تھا۔وقت کو روک لینا چاہتا تھا۔زمین کی گردش۔۔۔سورج کی حرکت۔۔۔وقت کی رفتار کو لگام ڈالنا چاہتا تھا۔یہ جانتے ہوئے بھی کہ کومل ہمیشہ کے لئے میرے ساتھ رہنے کا عہد کر چکی ہے۔ہم ایک مقدس رشتہ میں بندھ چکے ہیں۔میں پھر بھی خوفزدہ تھا۔۔۔اس کے کہیں دور چلے جانے سے۔۔۔کیونکہ رشتہ تو اس کا ''عظمت'' کے ساتھ بھی تھا۔۔۔بیس سال رہا تھا۔۔۔ایسے ہی محبتوں کا عروج ہوگا۔کمال ہوگا اور پھر کس کو معلوم تھا کہ یہ زوال ہوگا۔۔۔میرا دل ڈرتا تھا۔۔۔میں رات کو رات ہی رکھنا چاہتا تھا۔۔۔پوری زندگی کے اس لمحہ میں۔۔۔اس وقت میں۔۔۔اس دامن میں۔۔۔اس آغوش میں۔۔۔اس زلف تلے۔۔۔اس محبت کے خمار میں بسر کرنا چاہتا تھا۔

علم کتاباں چھڈ کے توں
بس یار دا چہرہ پڑھیا کر
اوہدے رخ ول کر کے منہ
پھر عشق نمازاں پڑھیا کر

محبت کا خمار۔۔۔۔۔من سے تو

محبت کا خمار بھی عجیب خمار ہے۔یہ شراب ہزار سال پرانی شراب سے زیادہ طاقتور۔۔۔خواب آور۔۔۔مسرور کن۔۔۔شل کر دینے والا ہوتا ہے۔یہ آنِ واحد میں جسم، روح، قلب، حواسِ خمسہ اور باقی دسوں حواس پر قبضہ کر لیتا ہے۔انسان کو بے بس کر دیتا ہے۔آنکھیں الٹا دیتا ہے۔جسم کو تھکا دیتا ہے۔روح کو جلا دیتا ہے۔۔۔خود سپردگی کے اس عالم میں مخمور انسان ذات کو فراموش کر دیتا ہے۔ذات کو بھول جاتا ہے۔۔۔من سے ''تو'' ہو جاتا ہے۔۔۔''تو'' ہو جاتا ہے۔

میں اس کی محبت میں چور اور مخمور۔۔۔ مسرور پڑا تھا۔۔۔ اور وہ مجھے اپنے سارے دکھ سنانا چاہتی تھی۔ اپنے سارے غم، رنج، دکھوں کے سفر۔۔۔ میرے حوالے کرنا چاہتی تھی۔۔۔ اپنے آپ کو ہلکا کرنا چاہتی تھی۔ جس محبت کے دکھ اور بوجھ کو لے کر وہ اکیلی تیس سال تک پھر رہی تھی ان بھاری بھرکم خیالوں، سوالوں، عذابوں کو وہ آج میرے کندھے پر سر رکھ کر دریا برد کر کے، ہلکی پھلکی ہو کر۔۔۔ نئی زندگی زیرو سے، صفر سے، مخمور اور مسرور نئی محبت اور نئی زندگی کے ساتھ شروع کرنا چاہ رہی تھی۔ مگر اس کو بھی معلوم تھا کہ زندگی کوئی بچوں کی لکڑی کی تختی نہیں جس پر جیسی مرضی آڑی ترچھی لکیریں کھینچیں، جیسی مرضی لکھائی کریں۔۔۔ لائنیں لگائیں۔۔۔ لکھ کر مٹائیں۔۔۔ پھر دوبارہ ''گاچی'' سے دھوئیں، سکھائیں اور پھر لکھنا شروع کر دیں۔ نہ یہ سلیٹ اور بلیک بورڈ ہے کہ بار بار لکھیں پھر مٹائیں اور ''نواں نکور''۔۔۔ بلکہ گوشت پوست کے انسان کے دماغ میں جو خیال ایک بار ثبت ہو جائے، تحریر ہو جائے، لکھا جائے۔۔۔ پھر وہ مٹتا نہیں۔۔۔ انسان مر جاتا ہے مگر اس کے نصیب کی تحریر، مقدر اور تقدیر۔۔۔ دماغ پر ثبت تحریر زندہ رہتی ہے۔ اس کے ساتھ ساتھ چلتی ہے اس کو ڈستی ہے۔

ایسا محسوس ہوتا تھا جیسے اس کے دماغ پر منقش خیال اور واقعات اس کے لاشعور سے نکل کر پردۂ شعور پر نمودار ہو جاتے تھے۔ وہ لمحہ بھر خوش اور سکون کی گود میں کھیلتی۔۔۔ جیسے وہ دنیا کی خوش قسمت اور مطمئن ترین روح ہو اور پھر بات کرتے کرتے نہ جانے کہاں سے اس کے آنسو آنکھوں سے تیرتے تیرتے، برسات کی مانند، قطرہ در قطرہ۔۔۔ قطار در قطار۔۔۔ کششِ ثقل کے ہاتھوں مجبور۔۔۔ گالوں کا رخ کرتے۔۔۔ اور وہ ہچکیاں لینا شروع ہو جاتی۔ اس کے دماغ کے نہاں خانوں میں۔۔۔ دماغ کی پرتوں سے ابھرنے والے خیال اس کے دماغ کے باریک ریشوں کو کاٹتے۔۔۔

دماغ کو پرت در پرت کھولیں تو اس کے باریک دھاگے اعصابی نظام کی انتہائی باریک تاریں ساٹھ فیصد سفید اور چالیس فیصد گرے میٹر پر مشتمل تین پاؤنڈ وزنی جسم کے اس گولے کے سو ارب نیورون احکامات صادر کرتے ہیں اور ایک سو بیس میٹر فی سیکنڈ کے حساب سے پراسس کیے جانے والے احکامات جو ایک لاکھ میل کی خون کی نالیوں سے ہوتے ہوتے اچانک پردۂ سکرین پر نمودار ہو جاتے ہیں۔ یہ خیالات۔۔۔ جذبات۔۔۔ دکھ اور ہجر کے معاملات۔۔۔ برین میٹر پر ہمیشہ کیلئے

ثبت ہو جانے والے احساسات۔۔۔نینو سیکنڈ سے بھی کم وقت میں نمودار ہوتے ہیں اور ہمیشہ کے لیے برین میٹر میں محفوظ خیالات۔۔۔انسان کو بے چین اور بے قرار رکھتے ہیں۔انسان ان کے سامنے پوری ہمت اور طاقت کے باوجود بے بس ہو جاتا ہے۔سوچیں ناگ سے زیادہ زہریلی ہوتی ہیں اور ان کا تریاق صرف آنسو ہیں۔۔۔مستقل علاج ناممکن ہے۔۔۔

ایک دن میں اوسطاً ستر ہزار خیالات اور سوچیں پالنے اور ان کے درمیان میں پنگ پانگ کھیلنے والے دماغ میں جب کوئی شدید سوچ جنم لیتی ہے۔۔۔تو آنِ واحد میں دماغ میں ایک زلزلہ آجاتا ہے۔نیورون کے سگنل Axon کا جال۔۔۔بھونچال کا شکار ہو جاتا ہے۔۔۔جسم کے سربراہ۔۔۔سوچوں سے بھی زیادہ نازک اور ریشم سے زیادہ باریک ان ریشوں میں جب ہلچل مچتی ہے تو جسم اس سے شدید متاثر ہوتا ہے۔دماغ جو کہ خود درد محسوس کرنے سے عاری ہے۔۔۔اس میں Pain کے Receptor موجود نہیں ہوتے مگر یہ پورے جسم پر درد طاری ضرور کر سکتا ہے۔۔۔اس طرح جب انسان کے دماغ پر ثبت خیالات پردۂ سکرین پر نمودار ہوتے ہیں تو آنِ واحد میں پورے جسم پر لرزہ طاری ہو جاتا ہے۔۔۔رعشہ طاری ہو جاتا ہے۔۔۔دماغ کو تکلیف نہیں ہوتی مگر پورے جسم کو تکلیف ضرور ہوتی ہے۔دنیا کا رواج بھی یہی ہے درد دینے والے کو کبھی درد کا احساس نہیں ہوتا۔۔۔دکھ دینے کے لئے بے حس ہونا ضروری ہے۔

کومل کے دماغ میں جب زلزلہ برپا ہوتا تھا، وہ روتی تھی۔۔۔دکھ کی شدت سے، تکلیف سے۔۔۔اذیت سے، بے بس ہوتی تھی۔۔۔اس کے چہرے سے لے کر پورے جسم کی ایک ایک پور اس تکلیف میں مبتلا نظر آتی تھی۔اس کی پہلی محبت کا خمار کہیں بہت دور رہ جاتا تھا۔اور وہ محبت کی اذیت میں مبتلا نظر آتی تھی۔۔۔پرانے زخم ہرے ہو جاتے تھے۔۔۔ان کو کریدتی، ناخنوں سے تازہ کرتی۔۔۔روتی۔۔۔سٹپٹاتی۔۔۔مجھ کو رلاتی۔۔۔میں اس کے دکھ سنتا اس کو تسلی دیتا۔۔۔اس کے جی کو ہلکا کرنے کی کوشش کرتا۔

میرے لئے اتنا کافی تھا کہ وہ میرے پاس تھی۔میرے قریب تھی۔۔۔جس جسد کی میں نے سالوں پوجا کی تھی، وہ دیوی میرے رُوبرو تھی۔۔۔میں اس میں خوش تھا کہ وہ اپنی بپتا مجھے سنا رہی

تھی۔۔۔میرے کندھے سے لگ کر میرے جسم کا حصہ بن کر۔۔۔میرے جسم سے، میری روح میں اتر کر۔۔۔دھیرے دھیرے میرے اندر سفر کر کے، میرے جسم کے ایک ایک ریشے۔۔۔ہر ہر شریان اور ورید میں سے ہوتی ہوئی، میرے دماغ اور روح میں شامل ہو رہی تھی۔۔۔ایک دعا کی طرح دوا بن کر۔۔۔سرایت کر رہی تھی۔میری ہر رگ رگ میں اتر رہی تھی۔اور میں اس کو اپنے اندر سما رہا تھا۔۔۔اتار رہا تھا۔۔۔جیسے سمندر میں دھیرے دھیرے چاند اترتا ہے۔

اس کی جھکی ہوئی نم آنکھوں میں دیکھنے کی ناکام کوشش میں جب میں نے اپنے دونوں برف ہاتھ اس کے انگار گالوں پر رکھے۔۔۔تو میرے ہاتھ کانپ رہے تھے۔اس کے سرخ گالوں میں دوڑتا ہوا کرنٹ۔۔۔اس سے زیادہ شدت سے میرے اندر میری ہتھیلیوں کے راستے منتقل ہونا شروع ہو گیا۔میری برف پگھلنا شروع ہو گئی۔۔۔ہڈیاں چٹخنا شروع ہو گئیں۔۔۔نسوں کے اندر خون کی دھڑکن اچانک تیز سے تیز تر ہونا شروع ہو گئی۔۔۔سر کے بالوں سے پاؤں کے ناخنوں نے میرے جسم میں ایک آگ۔۔۔پارہ۔۔۔برقِ رواں۔۔۔متحرک۔۔۔جوش مارتا ہوا لاوا۔۔۔کلبلانے لگا۔۔۔

زندگی۔۔۔زندگی میں منتقل ہونے لگی۔۔۔روشنی ملنے لگی۔۔۔سیماب پارہ۔۔۔ایک انگارہ۔۔۔روم روم شعلہ۔۔۔آگ ہی آگ بھڑکنے لگی۔۔۔میرے حواس یک دم میرے نہ رہے۔۔۔میری سوچ کا کمپیوٹر اور آنکھوں کے عکس دماغ تک پہنچانے والا شٹر بند ہو گیا۔میں بے بس ہو چکا تھا۔۔۔وہ بھی شاید اپنی محبت کی اذیت سے تھک چکی تھی۔۔۔میں دراصل اپنے ہاتھوں میں اس کے چہرے کو لے کر اپنے چہرے کے برابر کر کے اس کی آنکھوں میں ڈوبنا چاہتا تھا۔کبھی نہ ابھرنے کیلئے۔۔۔ہمیشہ کے لئے غرق ہونا چاہتا تھا۔۔۔اپنے آپ کو فنا کرنا چاہتا تھا۔۔۔تباہ کرنا چاہتا تھا۔۔۔ریزہ ریزہ کر کے خاک اڑانا چاہتا تھا۔۔۔اس کی آنکھوں کے راستے اس کے اندر سما کر امر ہونا چاہتا تھا۔۔۔جس عکس کی عمر بھر عبادت کی تھی اس غائب کو حقیقت میں دیکھ کر۔۔۔اس ذات، حقیقت اور صداقت کا حصہ بننا چاہتا تھا۔۔۔اس کا حصہ۔۔۔اپنا حصہ۔۔۔اپنی ذات کا حصہ۔۔۔بننا چاہتا تھا۔۔۔اپنی ذات کو ختم کر کے اس کی ذات کا حصہ بن کر۔۔۔مکمل ہونا چاہتا تھا۔۔۔

اس کو چھونے کے بعد۔۔۔آنکھوں میں دیکھنے کی ہمت نہ رہی۔۔۔قوت نہ رہی۔۔۔وہ

کونسا کائنات کا لمحہ تھا جب اس کی آنکھیں پھیلتی چلی گئیں۔۔۔پوری زندگی ان میں سما گئی۔۔۔اس فلم میں اس پردۂ سکرین پر لکھے دکھ۔۔۔اور لرزتے دو موٹے موٹے آنسو۔۔۔سرِ مژگاں ڈھلکنے کو تیار۔۔۔دو بڑے بڑے موتی۔۔۔جو کسی سیپ نے آج تک نہ جنے ہوں گے۔۔۔ملکوتی خزانوں سے اترے۔۔۔انسانوں کی آنکھوں سے ڈھلکے۔۔۔اور میرے سینے سے آ لگے۔۔۔سیپ اور موتی۔۔۔

ہم دونوں پر کپکپاہٹ طاری تھی۔۔۔لرزے کے اس عالم میں۔۔۔اس کے ہونٹ مسلسل کانپ رہے تھے۔۔۔میں اپنے اردگرد سے کٹ چکا تھا۔۔۔وہ میرے ساتھ چپکی یا میں اس کے ساتھ۔۔۔میرے ہاتھ اٹھے یا اس کے گرم ہاتھ میرے گرد لپٹے۔۔۔سانس رکی یا چلتی رہی۔۔۔بہت دھیرے یا بہت آہستہ۔۔۔دھونکنی۔۔۔یا سانسوں کی بے ترتیبی۔۔۔بلند فشار خون یا نقطۂ انجماد کے پاس۔۔۔مگر وہ میرے سینے کے ساتھ اور اس کے ہاتھ میری پشت پر چمٹے ہوئے۔۔۔گرم سلاخوں کی مانند اس کی انگلیاں میرے جسم میں آگ بھر رہی تھیں۔۔۔میں اس کے ماتھے کو چومتا ہوا۔۔۔اس کی آنکھوں۔۔۔گالوں۔۔۔ہونٹوں تک پہنچا۔۔۔اور پھر ہم دونوں ایک بار پھر کٹ کر۔۔۔بے بس ہو کر۔۔۔ایک دوسرے کی بانہوں میں جھول گئے۔۔۔خود کو بھول گئے۔۔۔بے خودی میں۔۔۔خود سے۔۔۔دور گئے۔۔۔

زندگی ایسی ہی خوبصورتیوں اور محبت کے خمار کے ساتھ چلتی رہی۔میں گھر میں پڑا رہتا۔۔۔وہ اپنی جاب پر جاتی۔۔۔سٹور پر پورا دن کام کرتی۔۔۔بچوں کو تیار کر کے سکول بھیجتی۔۔۔دھیرے دھیرے ان کو واپس لانے کی ذمہ داری میری بن گئی۔۔۔میں خوشی سے یہ کام کرنا چاہتا تھا۔مگر بچے جرمنی میں رہ کر بھی پاکستانی خصلتیں ہی رکھتے تھے۔ان کی نظر میں میرے لئے ایک عجب لاتعلقی۔۔۔نفرت اور غصہ جھلکتا تھا۔اس لئے میرا کبھی بھی ان کے ساتھ۔۔۔Comfort اور Convenience کا رشتہ نہ بن سکا۔۔۔ایک مختصر سے فلیٹ میں جہاں زور سے سانس بھی لیں تو ایک دوسرے کو پتا چل جاتا ہے۔میں اجنبیوں کی طرح رہتا تھا۔اور میں خود ہی خود کو مطمئن کرنے کیلئے جواب دے لیتا۔

ہماری سوچ اور خیالات Overnight پیدا نہیں ہوتے۔ان کے پیچھے صدیوں کی سوچوں

کا اجتماع۔۔۔لفظوں کے خیالات کا مجموعہ۔۔۔معاشرتی تہذیب وتمدن کا ارتقاء شامل ہوتا ہے۔ جو نہ چاہتے ہوئے بھی ہم اپنی Lineage۔۔۔جینز اور خاندان سے حاصل کرتے ہیں اور یہ نسل در نسل نہ صرف منتقل ہوتے ہیں بلکہ ان میں اضافہ ہوتا جاتا ہے۔ یہی وجہ ہے کہ یہ تین بچے اس آزاد ماحول کی پیداوار ہونے کے باوجود مجھے برداشت کرنے کیلئے تیار نہ تھے۔ حالانکہ اس ملک میں عورت شادی کے بعد سیکس پارٹنر رکھنا برا نہیں سمجھتی اور نہ بچوں کو اس پر اعتراض ہوتا ہے۔ کیونکہ بچوں کی طرح خاوند کی بھی گرل فرینڈز اور Extra-Marrital افیئر ز روز کا معمول ہیں۔۔۔مگر یہ بچے تو ہمیشہ اپنے باپ کو ڈھونڈتے تھے۔۔۔وہ جیسا بھی تھا۔۔۔''کومل'' کی تمام تکالیف کے باوجود۔۔۔روزانہ مار کھانے کے باوجود۔۔۔بچوں کی مار پیٹ کے باوجود۔۔۔بچے جب مجھے ''کومل'' کے ساتھ کمرے میں بند ہوتے دیکھتے تھے۔۔۔تو خاموش نفرت ان کے چہرے سے صاف عیاں ہوتی تھی۔

برصغیر میں یہ کوئی خاص بیماری ہے یا ہندو تہذیب کا اثر کے پندرہ سو سال گزرنے کے باوجود مسلمان مکمل طور پر مسلمان نہیں ہوئے۔ اسلام میں دوسری شادی صرف عیاشی، نفسانی خواہش اور شہوت رسانی کے لئے نہیں بلکہ دوسری بہت سی وجوہات کی بنا پر کی جاتی تھی۔۔۔مگر برصغیر میں اس کا مقصد صرف چسکا۔۔۔جسم کی پیاس اور نفس اور شہوت کی تسکین ہی تصور کیا جاتا ہے۔ عورت سہاگ کی پہلی رات بیوہ ہو جائے۔۔۔یا چھ چھوٹے چھوٹے بچوں کے بعد بے آسرا ہو جائے۔۔۔وہ ''ستّی'' تو کی جاسکتی ہے مگر بیاہی نہیں جاسکتی۔۔۔جلائی جاسکتی ہے۔۔۔اس کی سرخ چوڑیاں توڑی جاسکتی ہیں۔۔۔عمر بھر سسک سسک کر روٹی کے ٹکڑے کو روتی رہے گی۔۔۔مگر اس کے جسم اور روح کی تسکین اس پر حرام کر دی جائے گی۔

زندگی گزارنے کے تمام لوازامات صرف مرد کے لئے ضروری ہیں۔ وہ چوری چھپے جہاں مرضی منہ کالا کرکے۔۔۔جس سے مرضی ملے۔۔۔فاحشہ ہو یا پارسا۔ مگر عورت کی تمام خواہشات ختم کرکے اس کو۔۔۔دین و دنیا سے بیگانہ کرکے جلنے اور مرنے کے لئے چھوڑ دیں۔ کیونکہ اس کی تمام جائز خواہشات بھی ناجائز ہوتی ہیں۔۔۔اس لئے اس کو مر جانا چاہیے۔ پیدا ہوتے ہی مر جانا چاہیے وگرنہ وہ لمحہ لمحہ مرے گی۔۔۔قطرہ قطرہ جئے گی۔

بس ایسے ہی یہ بھی مجھ سے نفرت کرتے تھے اور شاید ''کومل'' سے بھی کرنا شروع ہو گئے تھے مگر میرے لئے ان کی نفرت سے زیادہ ''کومل'' کی محبت عزیز تھی۔۔۔میری محبت۔۔۔''کومل'' اور ''کومل'' سے زیادہ، کومل کی طرح کومل۔۔۔محبت اور کومل!

محبت کی اذیت

اس کی زندگی کی تیس سال کی کہانی چند راتوں میں کیسے مختصر ہو سکتی تھی۔اور ویسے بھی دکھ کے لمحے زیادہ طویل ہوتے ہیں۔انسان کبھی بھی سکھ کو یاد نہیں رکھتا۔سکھ کو وہ اپنی زندگی کی کمائی اور محنت تصور کرتا ہے جبکہ دکھ کا شکوہ ہمیشہ خدا سے کرتا ہے۔اللہ جتنی مرضی اپنی نعمتیں گنواتا رہے مگر انسان سب جھٹلا دیتا ہے۔لمحہ بھر میں فراموش کر دیتا ہے۔اور عمر بھر کے سکھ اور نعمتوں کے بعد اگر کوئی ایک مشکل راستے میں آن پڑے تو اس کا اتنا سیاپا کرتا ہے۔۔۔رونا پیٹنا ڈالتا ہے کہ الامان والحفیظ۔۔۔جیسے جو حاصل تھا وہ اس کا ذاتی تھا۔۔۔اور جو چھن گیا وہ۔۔۔اس کی ملکیت تھا۔حالانکہ ملکیتِ ابدی خدا کی ہے۔۔۔سب اس کا ہے۔انسان اس کا ہے، کائنات اس کی ہے اور اس کے درمیان سب کچھ اس کا ہے۔

میرا کچھ ناں۔۔۔سب تمہارا

انسان پر اگر سکھ ہی رہیں اور مسلسل نعمتوں کی برسات رہے تو انسان کے لئے یہ کائنات بے حیثیت ہو جائے۔نعمتوں کے ساتھ نعمتوں کے خالق کی قدر بھی ختم ہو جائے۔کیونکہ انسان نعمت کی قدر تب کرتا ہے جب وہ چھن جائے۔۔۔اس طرح سکھ کی قدر دکھ سے ہے۔دکھ ہی تو خدا کو یاد کرنے کا ذریعہ ہے۔وگرنہ سکھ انسان کو گھمنڈ اور غرور میں مبتلا کر دیتے ہیں۔مفلسی اور ارزانی دونوں کفر ہیں۔ایک روٹی کے حصول کے لئے خدا کو فراموش کر دیتا ہے اور دوسرا کثرتِ رزق کی وجہ سے۔۔۔ہر دو خدا سے دور اور جہنم سے قریب تر ہیں۔اس لئے ہر دو سے پناہ۔۔۔دکھ میں صبر اور سکھ میں شکر بکثرت ادا کرنا ہی زندگی کا اصل اور حاصل ہے۔کیونکہ ہر روح خدا کے لئے اور دنیا اس روح کے لئے پیدا ہوتی ہے۔انسان کے لئے ضروری ہے کہ صرف خدا کو خدا سے مانگ لے۔۔۔خدا کی خدائی خود بخود مل جائے گی مگر

جن کو خدا مل جائے ان کو۔۔۔خدائی کی ضرورت نہیں رہتی۔۔۔وہ دنیا اور خدائی۔۔۔کو لات مارتے ہیں۔۔۔

بندہ ، بندگی تابندگی

بے بندگی ، زندگی شرمندگی

جس کو یار مل جائے۔۔۔وصل مل جائے۔۔۔حاصل مل جائے۔۔۔خدا مل جائے۔۔۔ مالک مل جائے۔۔۔اس کو جاہ وجلال، جمال، کمال، عہدے۔۔۔مقامات۔۔۔مال ومقام کی حاجت نہیں رہتی۔اس کو یار کے علاوہ کسی اور کی حاجت نہیں رہتی۔۔۔صوف پہنے، ننگے پاؤں، پھپھوند لگی گودڑی۔۔۔گرم سرد۔۔۔موسم بے موسم۔۔۔صبح و شام۔۔۔چاشت اشراق، اوّابین۔۔۔ سوتے جاگتے۔۔۔لسانی، قلبی، روحی، سِرّی، خفی، اخفی، خفی الاخفی۔۔۔ایک ہی نام۔۔۔ہر سانس۔۔۔''ہو''اور''تو'' کی آواز آتی ہے۔۔۔

شرابِ خام میں دھت۔۔۔انسان جب ساقی کی اُور دیکھتا ہے۔۔۔طُور کی طرف نظر لگاتا ہے۔۔۔نور کو ڈھونڈتا ہے۔شرابِ پختہ تک پہنچے کے اس عمل میں جسم اور روح کی تطہیر کرتا ہے۔۔۔ ذات کو ذات سے نکال کر باہر پھینکتا ہے۔اپنے آپ کو اس کے سپرد کرتا ہے۔۔۔سجدہ ریز بارگاہِ یار ہوتا ہے۔۔۔سجدۂ عبادت اور سجدۂ تعظیمی کی تفریق ختم ہو جاتی ہے۔۔۔سب ایک میں یکجا ہو جاتا ہے۔۔۔یار۔۔۔سرِ بام نظارہ۔۔۔عوام کراتا ہے۔تو عبد کی حالت بالکل ایسے ہوتی ہے، جیسے کوئی دنیاوی نشے کا عادی۔۔۔جب مدہوش ہو تو ساقی ساقی۔۔۔دانستہ اور نادانستہ پکارتا ہے اور جب حواسِ خمسہ میں قائم ہو تو۔۔۔نظر ٹکا کر مکمل یکسوئی کے ساتھ۔۔۔اس گزر گاہ۔۔۔اس مقام۔۔۔اس دریچے۔۔۔اس درگاہ۔۔۔خانقاہ کی طرف مسلسل دیکھتا رہتا ہے۔۔۔دامن پھیلا کر۔۔۔ہاتھ پھیلا کر۔۔۔آنکھیں پھیلا کر۔۔۔سر جھکا کر۔۔۔شریر نوا کر۔۔۔سب کچھ لٹا کر۔۔۔بس ایک دید۔۔۔عید۔۔۔کے لئے۔۔۔بے دید۔۔۔مانگتا ہے تیری دید۔۔۔!

اٹھ نی مائے کت لے رُوں

رب توں رب نوں منگ لے توں

یہ وہ لمحہ ہوتا ہے۔ جب ذات کی نفی۔۔۔خود کو مار کر خود کی نفی۔۔۔اس کی طرف۔۔۔اس کے لئے۔۔۔ابراہیمؑ کی سخاوت، اسمٰعیلؑ کی رضا، ایوبؑ کا صبر، زکریاؑ کی اشارت، یحییٰؑ کی غربت، عیسیٰؑ کی سیاحت، موسیٰؑ کی صوف پوشی، اور حضور ﷺ کا فقر اللہ کی ذات عطا کرتی ہے۔ انسان خود کو خود سے نکال باہر کرتا ہے۔ اس کے قدموں تلے۔۔۔اس کے حضور پیش کر دیتا ہے۔۔۔تو پھر وہ لمحہ آتا ہے، جب وہ پکارتا ہے۔۔۔بلاتا ہے۔۔۔ہاتھ بڑھا کر کندھوں سے پکڑ کر اٹھاتا ہے۔۔۔گلے سے لگاتا ہے۔۔۔دید نظارہ کراتا ہے۔۔۔درشن کراتا ہے۔۔۔خود بلاتا ہے کہ

تم جب سے ہوئے میرے
ذات بھی صفات بھی، سب ہوئے تیرے

اس سفر میں انسان جتنی مشقت کرتا ہے۔ مجاہدہ و ریاضت کرتا ہے اس قدر اس کے اندر جمع ہونے والی نسل در نسل اور صدیوں کی میل کچیل دور ہو جاتی ہے۔ آنکھوں اور جسم کے ذریعہ نکل جاتی ہے اور وہ بظاہر گندا، پلید اور غلیظ ہونے کے باوجود۔۔۔اندر سے خوبصورت۔۔۔پاک۔۔۔صاف۔۔۔ظاہر اور باطن سے ''نواں نکور'' ہو کر۔۔۔ایک نئی دنیا میں نازل ہوتا ہے پیدا ہوتا ہے۔۔۔کندن بن جاتا ہے۔۔۔پارس بن جاتا ہے۔۔۔مگر دکھ سہنا ضروری ہے۔۔۔دکھ میں اس کے سپرد کر کے سکھ میں اس کو یاد کر کے انسان کندن بنتا ہے وگرنہ۔۔۔پتھر۔۔۔اور لوہے سے بدتر۔۔۔!

انسان اور حیوان ایک ہی چیز کے دو نام۔۔۔! رحمٰن کا ہو جائے تو انسان اور شیطان کا ہو جائے تو حیوان۔۔۔ایک صبر۔۔۔ایک دکھ۔۔۔عمر بھر کے سکھ۔۔۔انسان اور یزدان۔۔۔شیطان اور حیوان۔ صبر اور شکر۔۔۔دکھ اور سکھ!۔۔۔''رین'' اور ''غین''۔۔۔!

ہم دونوں ہی صبر میں تھے۔۔۔ایک مسلسل صبر میں۔ میں اس سے ملاپ نہ ہو سکنے کی بدولت اور وہ ملاپ کے باوجود۔۔۔! انسان بھی عجب جانور ہے پہلے حاصل کے لئے روتا ہے اور حاصل ہونے کے بعد حاصل کا سیاپا کرتا رہتا ہے۔ خوش کسی طور پر نہیں ہوتا۔۔۔نہ حاصل سے پہلے اور نہ حاصل کے بعد۔۔۔اور حاصل جب تک ہاتھ میں رہے تو ناخوش۔۔۔چھن جائے تو پواڑے۔۔۔اس کے خمیر میں عدمِ اطمینان ہے۔ اس لیے اس کی تسکین کبھی نہیں ہوتی۔۔۔ناداں ہے

اس لئے وہ بوجھ اٹھانے پر راضی ہوگیا (**كَانَ ظَلُوماً جَهُولًا**) پوری کائنات انکاری ہوگئی۔یہی وجہ ہے کہ کسی صورت مطمئن نہیں ہوتا۔انسان خدا سے راضی نہیں ہوا۔۔۔بھلا انسان سے کیونکر ہوگا۔۔۔اس کی تسکین، مطمئن صرف اس صورت میں ہے کہ وہ ہر وقت اس کے نام کا جاپ کرتا رہے۔۔۔اس کی سانس میں ''ہو'' اور ''تو'' ہی سنائی دے وہ خود ''تو'' کا پرتو بن جائے۔۔۔سوتے جاگتے۔۔۔اٹھتے بیٹھتے۔۔۔کروٹ۔۔۔دائیں بائیں۔۔۔شام سویرے۔۔۔منہ اندھیرے۔۔۔ سِرّ اُوجہرًا۔۔۔خفی اخفی۔۔۔قلبی روحی۔۔۔صرف ایک مشغلہ۔۔۔

اک نام تیرا جپنا ہاں۔۔۔اک راہ تیری تکنا ہاں

حضوری زندگی۔۔۔دوری موت۔۔۔۔!

کومل جس محبت کے لئے میری محبت ٹھکرا کر سات سمندر پار۔۔۔آن بسی تھی۔۔۔اور میں اس کی خوشی کے لئے دعائیں کرتا رہا تھا۔۔۔وہ اس محبت کی اذیتیں مسلسل سناتی تھی۔آنسو بہاتی تھی۔۔۔مجھے اپنے ساتھ مسلسل رلاتی تھی۔۔۔میں اس طویل عرصہ میں اس کی بابت جتنی خوش گمانیاں۔۔۔خوبصورتیاں اور آسانیاں سوچتا رہا تھا۔اس کے قریب آ کر اس کی بپتا اور رام کہانی سن کر مجھے اس پر ترس اور خود پر غصہ آتا تھا۔اس کی حالت اور صرف ابتدائی ایام کی بابت مختصر گفتگو سن کر بھی میرا دل پھٹنے لگتا تھا۔

دراصل جس شخص سے آپ محبت کرتے ہیں اس کی بابت آپ کے جذبات اور خیالات اس سے بھی زیادہ Sensitive ہوتے ہیں۔محبوب کے دکھ کی تکلیف، محبوب سے زیادہ عاشق کو ہوتی ہے۔اس کا دل کرتا ہے کہ وہ اپنا سینہ چاک کر کے معشوق کو اس کے اندر سما لے۔۔۔سب کی نظروں سے ہٹا لے۔۔۔بچا لے تا کہ کوئی نظر۔۔۔کوئی ہاتھ۔۔۔کوئی پاؤں بھی اس کی طرف نہ بڑھے۔۔۔ مگر ایسا ممکن نہیں ہوتا۔اس لیے انسان بے بسی سے اس کی بیماریاں، دکھ، پریشانیاں، رنج، غم والم اور مصائب، آدھی رات کے بعد جب خالق اور مخلوق براہِ راست مکالمہ کی حالت میں ہوتی ہے۔اپنے خالق سے مانگ لیتا ہے۔۔۔اپنا سب اچھا اس کے لئے اور اس کا سب برا، اپنے نام کروانے کی

کوشش کرتا ہے۔ لوحِ محفوظ میں لکھی عبارت تبدیل کرنے کے لئے ضد کرتا ہے۔ ایک ایسے شخص سے مقدر تبدیل کرنے کی کوشش کرتا ہے جو فرشتوں کے دامن میں، پریوں کے آنچل تلے۔۔۔ استراحت میں مصروف ہوتا ہے۔ جو دُعا کے اثر اور صاحبِ دُعا سے ہر دم غافل اور بے پرواہوتا ہے۔

وہ لمحہ لمحہ موت۔۔۔ اور طویل عمر تک۔۔۔ محبت کے نام پر۔۔۔ جلتی رہی۔۔۔ لڑتی رہی۔۔۔ کڑھتی رہی۔۔۔ اس کے لفظوں کو اپنے اندر اور باہر پالتی رہی۔۔۔ ذات کو کھوکھلا کر کے۔۔۔ ایک دن وہ مل جائے گا جو میں نے چاہا تھا کا سوچ کر روز مرتی اور جیتی رہی۔ اس لیے وہ اکثر کہتی۔۔۔

پروفیسر صاحب زندگی قربانی مانگتی ہے۔۔۔؟

میں اس کے Offend ہونے کے ڈر سے کبھی چپ رہتا کبھی دھیرے سے کہتا۔۔۔

بی بی۔۔۔

ہم نے تو قربان کر دی۔۔۔ اب تو لاتیں قبر میں آ گئیں۔۔۔

وہ کہتی۔۔۔

جب مجھے سہارے کی ضرورت پڑی ہے تو آپ روز قبر یاد کرنے لگ گئے ہیں۔۔۔ کچھ دن زندگی کے تو میرے ساتھ بھی گزار لیں۔۔۔

وہ اتنے دکھ سے۔۔۔ دور کہیں خلاؤں میں دیکھتی ہوئی اس انداز میں کہتی کہ مجھے اپنے فقرے پر خود ہی ندامت ہونا شروع ہو جاتی۔۔۔ میں جوابی وضاحت کی بجائے۔۔۔ خود ہی ہار مان جاتا۔۔۔ کیونکہ میرے پاس بھی تمام کارڈز ختم ہو چکے تھے۔۔۔ میں دھیرے سے اٹھتا۔۔۔ اس کے ماتھے کو چومتا۔۔۔ اور کہتا۔۔۔ میں تیرے ساتھ ہوں Till Death and Last Breath۔

وہ ممنونیت سے میری طرف دیکھتی۔۔۔ اور مجھے ممنون کر دیتی۔۔۔ کہتی۔۔۔

کسی کی یاد میں اکیلے جینا شاید مشکل کام نہیں ہے۔ مگر مسلسل اکٹھے رہ کر کسی ایسے شخص کو خوش رکھنے کی کوشش میں زندگی گزارنا۔۔۔ جس کے ساتھ۔۔۔ جنت تک جانے کے خواب بنے ہوں۔۔۔ اور ہر لمحے عذاب ملے ہوں۔۔۔ جان جوکھوں کا کام ہے۔ مانا آپ نے زندگی کے

خوبصورت دن میرے نام کر دیے۔۔۔ مجھے سوچا۔۔۔ میرے خیال کو پہنا۔۔۔ بنایا۔۔۔ سنوارا۔۔۔ بڑا کیا۔۔۔ اور اس کے ساتھ زندگی گزاری۔۔۔ مگر میں نے کبھی آپ سے کوئی وعدہ نہیں کیا تھا۔۔۔ کوئی لارا نہیں لگایا تھا۔۔۔ کوئی سنہرے خواب اور سبز باغ نہیں دکھائے تھے۔ اس لیے آپ جو کچھ بھی سوچتے تھے وہ آپ کی ذات تک تھا۔۔۔ دوسرے کنارے پر کوئی آپ کا منتظر نہ تھا۔۔۔ دوسرا End خالی تھا۔۔۔ اس لیے آپ کے دکھ آپ سے لے کر آپ تک، آپ کے پیدا کئے ہوئے تھے۔

میری کہانی آپ سے یکسر مختلف ہے۔ میں نے ایک شخص کو دیکھا۔۔۔ اس کے نام اپنا سارا کچھ سونپا۔۔۔ اس کے ہیولے اور خاکے کو اپنے سامنے بنایا۔۔۔ بڑا کیا۔ پالا۔۔۔ پوسا۔۔۔ اپنے جذبات کا پانی دیا۔۔۔ اس کے خیالات اور جذبات سے اپنے ذہن اور خیالات کو بڑا کیا۔۔۔ اس کے مطابق اپنے آپ کو تبدیل کیا۔۔۔ ترتیب دیا۔ اپنے آپ کو اس سانچے میں ڈھالا۔۔۔ اور مسلسل تیس سال تک۔۔۔ اپنے گوشت کو سیسے کی طرح پگھلا کر اس کے بنائے ہوئے مولڈ میں ہر روز کئی بار منتقل کیا۔۔۔ تا کہ وہ مجھ سے راضی ہو جائے۔۔۔ خوش ہو جائے۔۔۔

میں نے ہمیشہ اس کی خدمت کی۔۔۔ میں تو اس نیت سے آئی تھی کہ گاؤں میں رخصتی کے وقت والدین آج بھی سر پر پیار دیتے ہوئے نصیحت کرتے ہیں۔۔۔ بیٹا جا دونوں قدموں پر رہی ہے واپسی چار کندھوں پر آنا۔۔۔ اور بیٹی باپ کی عزت کی خاطر۔۔۔ بھائی کی پریشانی اور ماں کی بیماری کا سوچ کر۔۔۔ بھابھی کے طعنوں سے بچنے کے لئے۔۔۔ ہر روز مرتی ہے۔۔۔ پھندے سے جھول جاتی ہے۔۔۔ زہر کھا لیتی ہے۔۔۔ دریا میں چھلانگ لگا لیتی۔۔۔ تیل چھڑک لیتی ہے۔۔۔ واپس نہیں آتی اس گھر میں جہاں بھائی کو اپنے بچوں کی طرح پالتی ہے۔۔۔ اس بھائی کے گھر میں اس کو روٹی کی کمی نہیں ہوتی۔۔۔ بس پریشانی اس بات کی ہوتی ہے کہ شریک کیا کہیں گے۔۔۔ کون کون سے الزام لگیں گے۔۔۔! کردار۔۔۔ طبیعت۔۔۔ تربیت سب ایک فقرے میں پلید ہو جائے گا۔ اس لیے۔۔۔ زندگی اور موت میں فرق زندگی ہی میں ختم ہو جاتا ہے۔۔۔

میں نے اس تعلق کو چلانے کیلئے اس شادی کو برقرار رکھنے کے لئے۔۔۔ ہر قسم کی قربانی دی۔۔۔ گھر چھوڑا۔۔۔ ماں باپ،، بہن بھائی چھوڑے۔۔۔ اپنا نام چھوڑ دیا سب کچھ چھوڑ دیا۔۔۔

بھلا دیا۔۔۔سر کنج اتار پھینکی۔۔۔لبادہ بدل لیا۔۔۔ماں باپ اور بہن بھائی کی عزت بچانے کے لیے۔۔۔نام کو بدنام ہونے سے محفوظ رکھنے کے لیے خود کو غیر محفوظ کر لیا۔۔۔تباہ کر لیا۔۔۔روز مرنا معمول ہو گیا۔۔۔شکوہ دھیرے دھیرے معدوم ہو گیا۔۔۔خود کو ضرورت سے زیادہ بدل لیا۔ خود کو بدل لیا۔۔۔مکمل سے بھی زیادہ بدل لیا۔۔۔عادات واطوار سب تبدیل کر لیے۔۔۔صرف خون بدلنا باقی رہ گیا تھا۔۔۔مگر وہ بھی رفتہ رفتہ شاید مکمل طور پر بدل گیا۔۔۔خالص نہ رہا۔۔۔خاوند کا خون اس میں شامل ہو گیا۔۔۔

شادی کے بعد عورت کا کچھ بھی اپنا نہیں رہتا۔۔۔سب بدل جاتا ہے۔۔۔سوچ۔۔۔خیال۔۔۔احساس۔۔۔اطوار۔۔۔رہن سہن۔۔۔سب پر خاوند اور اس کے گھر کا رنگ چڑھ جاتا ہے۔ ظاہر سارا بدل جاتا ہے۔۔۔صرف خون بدلنا باقی رہ جاتا ہے وہ بھی بدل جاتا ہے۔۔۔خون بھی خالص نہیں رہتا۔ اس میں بھی خاوند کا خون شامل ہو جاتا ہے۔۔۔رگ رگ میں دوڑتا ہے۔

عورت کے پورے جسم میں گردش کرتا ہے۔۔۔اس کو کھاتا ہے۔۔۔کاٹتا ہے۔۔۔نچوڑتا ہے۔۔۔کھوکھلا کر کے چھوڑتا ہے۔۔۔اور اس کے اندر۔۔۔ایک اور آزاد۔۔۔زندہ۔۔۔جسم۔۔۔اپنے جسم اور جان دے کر پیدا کرتا ہے۔۔۔اپنے جسم کے کھنڈر پر ایک عمارت تعمیر ہوتی ہے۔۔۔خود کو مٹا کر۔۔۔ایسی نسل کی بنیاد رکھتی ہے جو اس کے نام سے نہیں جانی جاتی۔۔۔

ایک ایسا جسم جو صرف قیامت کے دن ماں کے نام سے اٹھایا جائے گا۔۔۔فانی دنیا میں نسل مرد کے نام سے چلتی ہے۔۔۔مرد کا نام اپنانے والی۔۔۔پیدا کر کے بھی اس جسم کو مرد کا نام دیتی ہے۔۔۔اور خود بے نام رہ جاتی ہے۔۔۔کسی کے نام کے ساتھ جیتی اور مر جاتی ہے۔۔۔مگر پھر بھی کہتے ہیں عورت بدلتی نہیں۔۔۔بدلنا کس کو کہتے ہیں۔ اپنی جان دے کر۔۔۔نئے جسم کو زندگی دے دیتی ہے۔۔۔مگر کہتے ہیں بدلتی نہیں۔۔۔واقعی وہ وفا سے اور محبت سے نہیں بدلتی۔۔۔!

ابھی میرے ہاتھوں کی مہندی نہیں اتری تھی۔۔۔ماتھے کا سیندور ابھی تازہ تھا کہ میرے اوپر ایک نئی جگہ۔۔۔نئی ذمہ داریاں آن پڑیں۔۔۔میں نے گاؤں میں یہ دیکھا تھا کہ غریب سے غریب گھر میں بھی بہو کے ناز نخرے اٹھائے جاتے ہیں۔۔۔مہینوں اس کو کام کو ہاتھ نہیں لگانے دیا

جاتا۔۔۔میرا ویسے بھی دماغ کچھ زیادہ خراب تھا۔۔۔گورنمنٹ کالج کا Exposure، والد کی مالی حیثیت۔۔۔اور شادی سے پہلے دیکھے اور دکھلائے گئے خواب۔ مجھے حقیقت سے Reconcile نہیں کرنے دے رہے تھے۔

میرے خیال میں وہی آئیڈیل زندگی کا عکس تھا۔۔۔کہ میں پڑھی لکھی ہوں اگر میں نے کپڑے دھونے ہیں۔۔۔جھاڑو دینا ہے۔۔۔خود کمانا ہے اور مزدوری کرنی ہے، تو پھر اتنا پڑھنے کا کیا فائدہ۔۔۔میں بھی ''عذرا'' کی طرح آٹھویں کے بعد ہی۔۔۔''غفار'' دوکاندار سے شادی کر لیتی۔۔۔کم از کم آج گھر کی چودھرائن تو ہوتی۔۔۔!

کالج کی زندگی میں بنا مانگے دامن کی طرف آنے والی محبتیں اور دعوتیں لڑکیوں کو مزید بد دماغ کر دیتی ہیں۔۔۔میری سوچ میں پرستان کا شہزادہ نہ سہی مگر CSS یا PCS آفیسر۔۔۔اچھی نوکری اور شہر میں گھر تو ضرور تھا اور ویسے بھی میں سوچتی تھی ملازمت کا کیا ہے۔ اگر مقابلے کے امتحان میں فیل ہوگئی تو لیکچرار تو آسانی سے بن جاؤں گی۔۔۔مگر حقیقت اس کے بالکل برعکس تھی۔۔۔مختلف تھی۔۔۔!

بیٹی کا عذاب۔۔۔خوفناک خواب

جنت تو اس جہان میں شاید مردوں کے لئے ہے اور اگلے جہان میں بھی۔۔۔عورت جب جنم لیتی ہے تو سب کو سانپ سونگھ جاتا ہے۔۔۔موت پڑ جاتی ہے۔ صفِ ماتم بچھ جاتی ہے۔۔۔ماں اور بیٹی دونوں بستر پر ایسے پڑی ہوتی ہیں جیسے کسی گناہ کی پیداوار ہو۔۔۔یا سانپ جن دیا ہو۔۔۔کوئی ان کو پوچھنے نہیں جاتا۔ جیسے وہ کسی اور سیارے کی مخلوق ہوں۔۔۔اور ہر دو کو چھونے سے کوئی بیماری، مرض لاحق ہو جائے گی۔۔۔باپ شرمندہ شرمندہ پھر رہا ہوتا ہے۔۔۔ماں Excessive بلیڈنگ کی بدولت مر جائے یا بیٹی Asprate کر کے مر جائے۔۔۔کوئی پریشانی نہیں۔ سارے اندر سے خوش ہوتے ہیں کہ بلا ٹلی اور کوکھ جلی۔۔۔دنیا سے چلی۔۔۔

ساس کے طعنے۔۔۔دیورانیاں۔۔۔جٹھانیاں۔۔۔نند، بھاوج۔۔۔سب طنزیہ نظروں

سے دیکھتے ہیں۔خدا کی مخلوق۔۔۔اتنی ذلیل۔۔۔خدا کی مخلوق کے ہاتھوں!

باپ کو دلاسے دیے جاتے ہیں۔یہ سارے لوگ آج بھی پندرہ سو سال کے بعد بیٹی کو زندہ درگور کرنے، گلا دبا کر مارنے اور کوڑے کے ڈھیر پر پھینکنے کے لئے تیار ہو جاتے ہیں۔کلمہ پڑھنے والے یہ مسلمان پندرہ سو سال بعد بھی مسلمان نہیں ہو سکے۔بیٹی کے مرنے اور مارنے کے بہانے ڈھونڈتے ہیں۔مگر وہ وجوہات ختم نہیں کرتے جو بیٹی کو مارنے کی وجہ بنتی ہیں۔جس کی وجہ سے والدین آج بھی بیٹی کو زندہ درگور کرنے کا سوچنے پر مجبور ہو جاتے ہیں۔جو بیٹی کے پیدا ہونے پر غمگین ہوتے ہیں اور اس کے نصیب سے خوف زدہ ہوتے ہیں۔۔۔وہ لوگ بھی دوسرے کی بیٹی کو ان عذابوں سے بچانے کے لئے اور بیٹی لے کے خوف دور کرنے کے لئے خود تو کچھ نہیں کرتے، بلکہ کسی کی بیٹی کے ساتھ۔۔۔خود وہ ہر ممکن سلوک کرتے ہیں جس کے خوف سے اپنی بیٹی کے نصیب کے لئے روتے ہیں۔بیٹی کا عذاب۔۔۔خوفناک خواب کل بھی تھا۔۔۔آج بھی ہے اور کل بھی رہے گا۔۔۔نہ انسان بدلے گا نہ بیٹی کا نصیب۔۔۔

ہم عورت کو ایک Commodity کے طور پر استعمال کرتے ہیں۔ایک جنس کے طور پر، جو کام کاج، تجارت، کاروبار، مرد کی تسکین کے لئے پیدا کی گئی ہے اور بنائی گئی ہے۔جبکہ مرد ہر دور میں Superior، اعلیٰ اور ارفع تصور ہوتا ہے اور عورت اس کے پاؤں کی جوتی متصور ہوتی ہے۔

بیٹی کے پوتڑے، کپڑے۔۔۔لتھے سارے کے سارے وہ ہوتے ہیں جو ماں کے کپڑے چھوٹے کر کے بنائے جاتے ہیں۔بیٹے کے لئے عید، شبِ برات پر نئے کپڑے، قرض ادھار لے کر گروی رکھ کر آتے ہیں۔۔۔مکھن کا پیڑا۔۔۔پہلی چپاتی۔۔۔دیسی گھی کا پراٹھا۔۔۔پوری ہانڈی میں سے اچھی بوٹی۔۔۔ابّے کے بعد چاچے ماں، دادی کی پلیٹ میں آنے والی اچھی بوٹی بھی بیٹے کی پلیٹ میں ڈال دی جاتی ہے۔دودھ پلایا جاتا ہے۔۔۔میرا شیر۔۔۔میرا پتر۔۔۔میرا ویر۔۔۔یوں وہ پرورش پاتا ہے۔باہر باپ کے ساتھ جاتا ہے۔کھیلتا کودتا ہے۔۔۔وقت گزارتا ہے۔۔۔پڑھنے لکھنے کی بجائے نواب بننے کی کوشش میں رہتا ہے۔۔۔تھوڑا سا ڈانٹیں۔۔۔کلاس میں فیل ہونے۔۔۔ہوم ورک نہ کرنے۔۔۔کتابیں گم کرنے۔۔۔باہر لڑائی کرنے۔۔۔چھوٹی موٹی شرارت

اور چوری کرنے پر اگر کوئی ڈانٹے، روکے تو۔۔۔سارے گھر والے بہت سے ہاتھ اور زبانیں ڈھال بن جاتی ہیں۔۔۔

بیچارہ۔۔۔بچہ جو ہے۔۔۔ ٹھیک ہو جائے گا۔۔۔ابھی عمر ہی کیا ہے۔۔۔نرے ویلے۔۔۔مگر پردھان۔۔۔پورے گھر پر احسان۔۔۔!

بیٹی ہوش سنبھالتے ہی ماں کے ساتھ کام میں جُٹ جاتی ہے۔ننھے ہاتھوں سے برتن اٹھا کر رسوئی گھر میں ماں کے لئے لے کر جاتی ہے۔۔۔ماں سالن ڈال کر دیتی ہے،تو بھائی کے آگے رکھتی ہے۔۔۔''چنگیر'' میں گرم روٹی ڈال کر لڑکھڑاتی ہوئی بھائی اور ابو کے سامنے چارپائی پر رکھنے جاتی ہے۔۔۔ماں کے پرانے کپڑے چھوٹے کر کے دیئے جاتے ہیں خوشی سے پہن لیتی ہے۔۔۔برتن ''کھرے'' میں دھونے کے لئے رکھ آتی ہے۔۔۔ماں کے ساتھ ہاتھ بٹاتی ہے۔۔۔''چینی'' کی پیالی ہاتھ سے گر کر ٹوٹ جائے تو۔۔۔گال پر تھپڑ بھی کھاتی ہے۔۔۔تھوڑی دیر۔۔۔ریں ریں کرتی ہے۔۔۔الٹے ہاتھ سے آنسو پونچھتی ہے اور پھر اس ماں کو دھوئیں کی وجہ سے آنکھوں کے آنسو صاف کرنے کے لئے "پونا" دیتی ہے۔ماں کے ساتھ ہی چوکی پر بیٹھ جاتی ہے اور پھر "دھونکنی" سے آگ جلانے کے لئے پھونکیں مارتے ہوئے ماں کی مدد کرنا شروع کر دیتی ہے۔پیدائش سے ہی صابر اور شاکر۔۔۔موت تک صابر شاکر رہتی ہے۔

جبکہ بھائی بستر کی سفید چادر پر سالن گرا دے یا چلتے ہوئے ٹھوکر سے پوری ہانڈی گرا دے۔۔۔سارے یہی کہتے ہیں "پتر بچت ہوگئی اے ناں سیک تے نئیں لگ گیا" اور پریشانی کے عالم میں اس کی طرف دوڑتے ہیں۔اس کے ہاتھ اور پاؤں اپنے کپڑوں سے صاف کرتے ہیں۔۔۔اس کا صدقہ دیتے ہیں۔۔۔جبکہ ننھی اپنی ''چُنّی'' لے کر فوراً پہلے بھائی کا ہاتھ صاف کرتی ہے اور پھر بستر کو صاف کرتی ہے۔۔۔تھوڑی سی ہوش آتی ہے تو اس کے اچھے کپڑے پہننے پر مزید پابندی لگ جاتی ہے۔سارے گھر والے اس کو عجیب نظروں سے تولتے رہتے ہیں۔۔۔جانچتے رہتے ہیں۔گھر سے باہر بالکل نہیں نکل سکتی۔۔۔ہر وقت سر پر چادر ضروری ہے۔ہنس نہیں سکتی۔۔۔کچن مکمل طور پر اس کی ذمہ داری بن جاتی ہے۔۔۔بھائی اور پورے گھر کا کھانا۔۔۔الگ الگ تازہ ناشتہ ہر ایک کے جاگنے کے

وقت کے مطابق۔۔۔سارے برتن دھونے کے بعد۔۔۔اپنے سکول جاتی ہے۔۔۔واپس آکر روبوٹ کی طرح بچے ہوئے برتن دھوتی ہے۔۔۔کھانا کھلاتی ہے۔۔۔جب سارے کھا چکتے ہیں پھر اکیلی بیٹھ کر سب کا بچا ہوا کھاتی ہے۔۔۔کپڑوں کے ڈھیر کی طرف دیکھتی ہے۔۔۔بنا اکتاہٹ۔۔۔اور تھکاوٹ ان کو دھوتی ہے۔۔۔مشین والے مشین سے اور ہاتھ والے ہاتھ۔۔۔سے سکھاتی ہے۔۔۔استری کرتی ہے۔۔۔الگ الگ سب کے لئے رکھتی ہے۔سرِ شام۔۔۔رات کا کھانا تیار کرنے میں مصروف ہو جاتی ہے۔۔۔سب کو کھانا کھلا چکنے کے بعد۔۔۔باپ کی دوائی۔۔۔ماں کی گولیاں الگ الگ سب کو دیتی ہے۔۔۔پھر ماں کے پاؤں دباتی ہے۔۔۔سر دباتی ہے۔۔۔کندھے دباتی ہے۔۔۔اور جب سارے اپنے اپنے بستر پر دراز ہو جاتے ہیں تو شدید گرمی میں صحن میں بیٹھ کر بلب تلے کتابیں کھول کر بیٹھ جاتی ہے۔۔۔اپنے درس کو دھراتی ہے۔۔۔اگلے دن کی تیاریاں کرتی ہے۔۔۔رات گئے بھائی واپس آتا ہے تو تازہ چپاتی بنا کر کھانا دیتی ہے۔۔۔اس کے یونیفارم کے کپڑے۔۔۔سلوٹیں نکال کر دوبارہ استری کرتی ہے اس کے کمرے میں رکھتی ہے۔۔۔اور اللہ کا شکر کر کے بستر پر دراز ہو جاتی ہے۔

کھیل کود میں مصروف بھائی۔۔۔تازہ۔۔۔کھانا۔۔۔ دھلے کپڑے۔۔۔بہترین استری۔۔۔جوتے پالش۔۔۔جرابیں دھلی ہوئیں۔۔۔صاحب TV دیکھیں۔۔۔موبائل پر کھیلیں یا گھر سے باہر کی مصروفیات میں زندگی گزاریں۔مگر وہ نواب پیدا ہوئے ہیں اس معاشرے میں۔۔۔مرد پیدا ہوئے ہیں۔اس لئے امتحان میں اگر ایک آدھ پرچے میں فیل بھی ہو جائیں تو کوئی بات نہیں۔ جبکہ بہن کے لئے ضروری ہے کہ وہ سارے کاموں کے ساتھ میڈیکل میں میرٹ پر داخلہ لے۔ بھائی کو سیلف فنانس پر یا بیرون ملک پڑھایا جا سکتا ہے مگر بیٹی کو معلوم ہے کہ اگر نمبر ٹھیک نہ آئے تو اس کو تو Improve کرنے کا بھی چانس کسی نے نہیں دینا۔

زندگی کے بیس پچیس سال پورے گھر کی خدمت کرنے والی بیٹی جس کی پیدائش پر سب نے ماتم کیا۔۔۔وہ بیٹی زندگی کا نصف حصہ انہی لوگوں میں محبتیں بانٹتی رہتی ہے۔۔۔نوکروں کی طرح خدمت میں مصروف رہتی ہے۔صبح و شام جانوروں کی طرح مشقت میں رہتی ہے۔۔۔اس کے نہ کوئی

حقوق۔۔۔نہ پہننے کے، نہ بولنے کے، نہ سوچنے کے، نہ علم حاصل کرنے کے، نہ آزادی سے رہنے، نہ باہر جانے کے۔۔۔اس کے ہر کام پر پہرے اور ہر چیز پر قدغن۔۔۔

عورت غلام پیدا ہوتی ہے۔۔۔اس کی ماں بھی غلام تھی اور دادی بھی۔۔۔شاید وہ ''حوا'' سے لے کر اپنی تقدیر لوحِ محفوظ میں یہی لکھوا کر آئی تھی یا اس خطے کے لئے جدا۔۔۔تختی اور جدا قانون اور الگ نصاب اس کے نصیب میں لکھا گیا ہے۔جو دائمی ہے۔۔۔ابدی ہے۔۔۔غلام در غلام۔۔۔سسک سسک کر مرنا انجام!

دوسری طرف اس کا بھائی آزاد۔۔۔اس کا باپ بھی آزاد اور دادا بھی۔۔۔شاید آدمؑ سے لے کر آج تک خاتون کو مرد کی کنیز اور خادمہ کے طور پر پیدا کیا گیا ہے۔کیونکہ بیس سال تک ماں، باپ، بھائی کی خدمت کرنے والی خادمہ۔۔۔اچانک ایک دن کسی گائے بھینس کی طرح۔۔۔بھیڑ بکریوں کی طرح۔۔۔کسی بے زبان جنس کی طرح۔۔۔چند لفظوں۔۔۔کچھ جملوں کے بدلے۔۔۔کسی اور مالک کے حوالے کر دی جاتی ہے۔۔۔اس طرح گونگی، بہری، مشقت اور محنت کرنے والی مشین، ایک روبوٹ۔۔۔جو کسی اور کی خدمت پر مامور کر دی جاتی ہے۔۔۔ہمیشہ کے لیے۔

اب کھانا پکانا کپڑے دھونا، گھر کی صفائی کرنا اور گھر گرہستی کے دیگر کام کرنے کے علاوہ کمانا۔۔۔بچے پیدا کرنا۔۔۔ساس سسر کے طعنے، مہنے سننا، اپنے خاوند کی مرضی اور خواہش کے مطابق اس کو جسمانی تسکین فراہم کرنا اور بوقتِ ضرورت سارے گھر والوں سے مار کھانا بھی اس کی Job Description میں شامل ہوتا ہے۔قصور جس کا مرضی ہو۔۔۔اس کو گالیاں سننے کے لئے اور جوتے، ڈنڈے، ٹھڈے، مکے اور تھپڑ کھانے کے لئے تیار رہنا چاہیے۔۔۔جسم کے نیل۔۔۔ماتھے کی چوٹ۔۔۔پھٹا ہوا ہونٹ۔۔۔میکے سے کوئی آجائے یا دفتر میں کوئی پوچھ لے تو غسل خانے میں گرنے کا کہہ کر چھپانا اس کے فرائض میں شامل ہے۔۔۔کیونکہ پورے کا پورا اسلام۔۔۔صرف اور صرف اس پر ہی تو لاگو ہوتا ہے۔۔۔کلمہ اور اس کی تمام تعلیمات پر عمل کرنا صرف اس کی ذمہ داری ہے۔

سارے جسمانی۔۔۔روحانی اور نفسانی تشدد کے باوجود وہ کسی تھانے کچہری میں شکایت

لے کر نہیں جا سکتی۔ کیونکہ ہر تھانیدار۔۔۔جج۔۔۔پنچائتی اس سے یا اس کے ماں باپ۔۔۔بہن بھائیوں سے صرف ایک ہی سوال پوچھتا ہے۔۔۔

آپ بیٹی کا گھر بچانا چاہتے ہیں۔۔۔بسانا چاہتے ہیں۔۔۔یا نہیں؟۔۔۔

اور جذباتی۔۔۔پریشان۔۔۔خونی رشتہ دار خود کو اور بیٹی کو سمجھانے پر مجبور ہو جاتے ہیں۔۔۔گھر بچانے پر مجبور ہو جاتے ہیں۔۔۔اور جوتے کھانے کے باوجود۔۔۔پھر خود ہی ہاتھ جوڑ کر۔۔۔معافی مانگ کر۔۔۔زخمی جسم اور زخمی روح کے ساتھ۔۔۔بیٹی کو روانہ کر دیتے ہیں۔۔۔ہار مان لیتے ہیں۔۔۔بیٹی کی زخمی انا اور ریزہ ریزہ خودداری۔۔۔اور عزتِ نفس کو روند کر دوبارہ۔۔۔لمحہ لمحہ موت کے حوالے کر دیا جاتا ہے۔۔۔کیونکہ وہ عورت پیدا کی گئی ہے۔ کمتر پیدا کی گئی۔۔۔کمزور پیدا کی گئی ہے۔ غلام پیدا کی گئی ہے۔ ازل سے ابد تک۔۔۔۔کیونکہ اس کے ساتھ پورے خاندان کی عزت وابستہ ہے۔ اس لیے اس کو روز مرنا ہوگا۔۔۔اور خود ہی خود کو روز نئی اذیت کے لیے دوبارہ زندہ کرنا ہوگا!

خاوند تین چار خواتین کے ساتھ زندگی گزارے۔۔۔شراب پیئے۔۔۔جوا کھیلے۔۔۔جہیز میں آنے والا زیور بیچ دے۔۔۔جوئے میں ہار جائے۔۔۔رات بھر یاروں دوستوں کے ساتھ مصروف رہے۔۔۔عورت اس کی ہنسی کو ترستی رہے۔۔۔مگر وہ پوچھ نہیں سکتی۔۔۔کیونکہ وہ عورت ہے۔۔۔اس کی "کُھرلی" تبدیل کی جاتی ہے۔ وہ ایسے ہی ہے جیسے ایک گائے آج اس حویلی میں اس "کُھرلی" پر چارہ کھائے اور کل اس کو کسی نئے مالک کے ہاتھ بیچ دیا جائے۔ گائے اور بھینس کا بھی لوگ خیال رکھتے ہیں۔۔۔قیمت دے کر خریدتے ہیں اس کے چارے کا خیال رکھتے ہیں۔۔۔باسی کھانا۔۔۔بچے ٹکڑے۔۔۔اس کے آگے نہیں ڈالتے۔۔۔تازہ چارہ دیتے ہیں۔۔۔بیمار ہو جائے تو اندر ہی اندر پڑی مرتی نہیں رہتی۔۔۔اس کے لئے ٹونے ٹوٹکے۔۔۔دیسی مصالحے بنائے جاتے ہیں اور ڈاکٹر بلائے جاتے ہیں اور پھر اس کو نہلا دھلا کر اس کی صفائی کر کے شام کو مالک اس کو تھپکی دیتا ہے۔۔۔وہ بچھڑا جنے یا بچھڑی۔۔۔اس کو مارتے نہیں۔۔۔طعنے نہیں دیتے۔۔۔ برا بھلا نہیں کہتے۔۔۔اس بچھڑے اور بچھڑی کو بھی اٹھاتے ہیں اور صاف ستھرا کرتے ہیں۔ موسم کے مطابق اس پر

بوری یا کپڑا دیتے ہیں۔اس کو دودھ پلاتے ہیں۔۔۔فیڈر سے بچوں کی مانند غذا دیتے ہیں۔۔۔

واہ رے انسان عورت سے تو گائے بہتر ہے۔۔۔اس کی کوئی قیمت تو ہے یہ تو بیچاری بن مول بکتی رہتی ہے۔خدمت کرتی رہتی ہے۔۔۔بنا شکوہ۔۔۔شکایت۔۔۔بغیر سر اٹھائے۔۔۔ بھوکی۔۔۔خود بھی اور اولاد بھی۔۔۔مار بھی کھاتی ہے۔۔۔خود ہی روتی ہے۔۔۔خود ہی چپ ہوتی ہے۔خود ہی اپنے جسم کے نیل سہلاتی ہے۔۔۔روتی ہے کُرلاتی ہے۔۔۔پہلے اپنی ماں کو دیکھ کر۔۔۔پھر اپنے زخمی جسم اور روح کو دیکھ کر اور پھر اپنی بیٹی کے جسم اور روح کو دیکھ کر۔۔۔اور روتی روتی۔۔۔اندر ہی اندر سے پگھلتی جاتی ہے۔۔۔گھلتی جاتی ہے۔۔۔ڈھلتی جاتی ہے۔۔۔آنکھوں کے راستے بہتی جاتی ہے۔۔۔پہلے بالوں میں چاندی آتی ہے۔۔۔پھر آنکھوں کے شیشے ٹوٹتے ہیں۔۔۔ پھر کانوں کے پردے پھٹتے ہیں۔۔۔پھر زبان میں لکنت آتی ہے۔۔۔پھر جسم پگھلنا شروع ہو جاتا ہے۔۔۔پھر دل کی دھڑکن کی ترتیب خراب ہو جاتی ہے۔۔۔

زندگی دھیرے دھیرے عذاب ہو جاتی ہے۔۔۔روح سے جسم تک خراب ہوتی ہے۔۔۔اور پھر یہی دکھ اپنی بیٹی کے لئے۔۔۔اس کی بیٹی کے نصیب میں دے کر۔۔۔ روتی ہوئی۔۔۔ رخصت ہو جاتی ہے۔۔۔غلام پیدا ہوتی ہے اور غلام چلی جاتی ہے۔۔۔مرد نواب پیدا ہوتا ہے۔نواب بن کر رہتا ہے اور نواب بن کر بنا فکر و فاقہ رخصت ہو جاتا ہے۔مرد کے لئے شادی سے پہلے بھی جنت اور شادی کے بعد بھی۔۔۔جبکہ عورت کی زندگی شادی سے پہلے بھی جہنم اور شادی کے بعد بھی۔۔۔!عورت کے پاس۔۔۔دکھ میں صبر اور سکھ میں شکر نہ ہو تو موت سے پہلے ہی مر جائے۔

میں نے اس کو حوصلہ دینے کے انداز میں کہا کہ

"یار اتنا بھی ظلم نہیں ہے دنیا میں۔۔۔میں تو ذاتی طور پر یہ سمجھتا ہوں کہ جو عورت۔۔۔بقائمی ہوش و حواس اپنا گھر بار، ماں باپ،، بہن بھائی، رشتے ناطے سب کچھ چھوڑ کر۔۔۔ایک ایسا گھر اور ایسے رشتے جن کی رگ رگ میں اور ذرے ذرے میں وہ خود شامل ہوتی ہے سب چھوڑ کر۔۔۔دیس نکالا دیے جانے والے قیدی کی مانند، جس کو اپنی تقدیر پر کوئی حق نہیں ہوتا۔۔۔اپنے فیصلہ پر اختیار نہیں ہوتا۔۔۔اور زندگی پر اعتبار نہیں ہوتا۔۔۔بنا چون و چرا۔۔۔ایک اجنبی کے ساتھ۔۔۔اجنبی رشتوں کو

اپنا بنانے۔۔۔ پرائے گھر۔۔۔ در و دیوار اور مٹی کو اپنانے چل نکلتی ہے۔اس کا اتنا حق تو ضرور ہے کہ اس کو نئی جگہ پر پرانے گھر والا ماحول دیا جائے۔۔۔اس کو نئی دنیا۔۔۔ نئے حالات میں۔۔۔نئی ذمہ داریوں میں۔۔۔ایڈجسٹ ہونے کا موقع، حوصلہ اور سپورٹ دی جانی چاہیے۔

وہ میرے سانس لینے کے عمل کے دوران بولی۔۔۔

کونسا موقع اور کونسی ایڈجسٹمنٹ وہ تو سارے ایسے Behave کرتے ہیں جیسے گھر میں نئی ملازمہ لائی گئی ہو۔ بغیر تنخواہ کے وہ بھی۔۔۔ کسی دور میں سوئمبر رچائے جاتے تھے۔۔۔مرد اس میں مقابلہ کرتے تھے جو جیت جاتا وہ لڑکی بیاہ کر لے جاتا تھا۔۔۔اس لئے اس کو مالِ مفتوحہ سمجھا جاتا تھا۔۔۔مالِ غنیمت۔۔۔انسان نہیں بلکہ ایک جنس۔ آج بھی ایسے ہی ہے۔۔۔عورت کو انسان کم اور کنیز زیادہ سمجھا جاتا ہے۔عورت جب سے خلق ہوئی ہے وہ وجہِ تسکین ہے۔۔۔اس کی تسکین کی طرف کوئی توجہ نہیں دیتا ہے۔۔۔اس کے صرف فرائض ہی فرائض ہیں حقوق تو صرف مرد کے ہوتے ہیں۔۔۔

تیرے قہقہوں کی کھنک میں کیوں
اِک سوگ ہے اِک روگ ہے

میاں۔۔۔بیوی اور محبت

اس کے لہجے میں تلخی آنا شروع ہو گئی تھی۔۔۔

میں نے بات اچکتے ہوئے کہا۔۔۔

جی نہیں ہمارے خاندان میں تو ایسا نہیں ہوتا۔۔۔ ہماری بہوئیں تو بیٹیوں سے بہتر تصور کی جاتی ہیں۔۔۔میں تو اکثر بھائی کو یہ تک کہہ دیتا ہوں کہ یار بیوی اگر کمرے کے اندر جا کر دو چار ہاتھ جڑ دے۔۔۔گریبان سے پکڑ بھی لے تو کوئی مسئلہ نہیں۔۔۔وہ ایک نئی جگہ پر رہتی ہے جہاں ہر وقت اس کی نگرانی ہوتی ہے۔۔۔ایک ایک بات نوٹس کی جاتی ہے۔۔۔اٹھنے کا طریقہ الگ۔۔۔ بیٹھنے کا جدا، کھانے کا الگ۔۔۔ پہننے کا مختلف۔۔۔ پہناوا مختلف اور دکھلاوا الگ، رسم و رواج بھی جدا جدا۔۔۔

اس لیے جب وہ ماں بہن، دیور، بھابھی، نند۔۔۔سسر، سب کی تلخ ترش بات سنتی ہے۔۔۔کسی کو جواب نہیں دیتی اور اگر تنہائی میں اکیلے میں۔۔۔گریباں سے پکڑ کر کچھ غصہ۔۔۔جی کا ابال نکالنا بھی چاہیے تو پھر دھیرج سے کام لینا چاہیے۔برداشت کرنا چاہیے۔۔۔اس کو غصہ نکالنے کا بھرپور موقع دینا چاہیے کیونکہ وہ تمام رشتے ناطے۔۔۔تعلق سب کچھ چھوڑ کر صرف آپ کی خاطر آپ کے گھر میں آتی ہے۔۔۔آپ کے بچے پالتی ہے۔۔۔آپ کی عزت کی رکھوالی کرتی ہے۔۔۔یہ صرف اللہ کا کرم اورعورت کی مہربانی ہے کہ وہ اپنی عزت۔۔۔بلکہ ہماری عزتوں کی بھی محافظ ہوتی ہے۔۔۔وگرنہ۔۔۔اگر وہ اپنی آئی پر آجائے تو۔۔۔نیند کی گولیاں دے کر پورے گھر کو میٹھی نیند سلا کر۔۔۔اسی بستر پر غیر مرد سے ملتی ہے۔۔۔اور روئے زمین پر کسی کو شک بھی نہیں ہوتا۔

عورت کو آزمانے کی بجائے اس پر اعتماد کرنا چاہیے۔۔۔آنکھ اور کان کھلے رکھ کر۔۔۔آپ کے نکاح میں آنے والی نے سارے گھر سے نکاح تھوڑا ہی کیا ہوتا ہے کہ وہ سب کی باتیں برداشت کرے۔۔۔مگر پھر بھی اگر وہ آپ کے لئے خود کو مارتی ہے تو آپ پر لازم ہے کہ آپ بھی اس کی خاطر۔۔۔کبھی کبھی اس کا غصہ برداشت کرلیں۔۔۔کبھی کبھار۔۔۔اس کو کھانے پر باہر لے جائیں۔۔۔چند سکّوں کے موتیے کے گجروں پر راضی ہو جاتی ہے، بیچاری!۔۔۔اور ہو سکے تو جیب میں ڈال کر۔۔۔نیفے میں اُڑس کر۔۔۔چوری چوری کوئی تحفہ۔۔۔کوئی اچھی چیز سب سے بچا کر اس کو کمرے میں بند کر کے اس کے حوالے کر دیں۔۔۔وہ اپنا سب کچھ تن اور من آپ کے حوالے کر دے گی۔۔۔بھئی میں تو ان باتوں کی تعلیم اپنے طالب علموں کو بھی کرتا ہوں۔۔۔

کس دور کی بات کرتے ہیں آپ۔۔۔یہ جنت کی باتیں۔۔۔اس سیارے کی نہیں۔۔۔

عورت گہنے نہیں مانگتی، نتھ، ٹیکا۔۔۔کروز ڈنر۔۔۔بیرونی دورے۔۔۔کچھ بھی تو نہیں مانگتی۔۔۔وہ تو صرف آپ سے آپ کو مانگتی ہے۔۔۔خالی۔۔۔بغیر کسی لالچ کے۔۔۔بغیر کسی مطلب کے۔۔۔بلکہ وہ آپ سے آپ کو آپ کے لئے مانگتی ہے۔۔۔بے لوث۔۔۔!

مرد یہ بھی نہیں سوچتا کہ پودے کو ایک جگہ سے اکھاڑ کر جب دوسری جگہ لے کر جائیں تو وہ پہلے پہل بالکل خشک ہو جاتا ہے۔مُرجھا جاتا ہے۔۔۔شاخیں سبز کی بجائے پیلی اور سفید لکڑی بن جاتی

ہیں۔۔۔کیونکہ نئی جگہ کی آب و ہوا الگ، پانی الگ، مٹی جدا۔۔۔نمکیات مختلف۔۔۔روشنی کا اثر مختلف اس کی جڑوں کے ساتھ محبت سے لپٹی ہوئی مٹی۔۔۔اس کی نالیوں اور جلد کے اندر بسنے والی خوشبو۔۔۔آہستہ آہستہ ہی جدا ہوگی ناں۔۔۔پرانا رنگ اترے گا تو نیا چڑھے گا۔ پہلے رگ رگ سے پرانی محبت نکلے گی تو وہ ایک دفعہ بے جان کردے گی۔۔۔ماردے گی اور پھر آہستہ آہستہ۔۔۔نئی جگہ کی نئی روشنی، آب وہوا۔۔۔موسم اور ہوا۔۔۔مٹی رنگ پکڑے گی، جذب ہوگی تو وہ جدائی کے غم سے۔۔۔جدا ہوکر، دوبارہ۔۔۔ان سب کی مسلسل محبت کی بدولت۔۔۔زندگی کی طرف لوٹے گا۔۔۔سبز ہوگا۔۔۔اور اگر یہ ساری چیزیں اس کا ساتھ نہ دیں تو وہ مرجائے گا۔۔۔جدائی کے دکھ میں سب کچھ ہونے کے باوجود۔۔۔اچھا بھلا۔۔۔دکھلائی دینے کے باوجود، اچانک ایک دن ڈھے جائے گا۔۔۔دھڑام سے گرجائے گا۔۔۔زمین بوس ہوجائے گا۔۔۔مٹی میں مٹی ہوجائے گا۔۔۔!

بالکل اسی طرح نوبیاہتا بیوی کو سب کی مسلسل محبت کی ضرورت ہوتی ہے۔فرمائشیں۔۔۔توقعات اور روایات سے ہٹ کر، اس نوزائیدہ درخت کی بڑی محبت سے آبیاری کی ضرورت ہوتی ہے۔۔۔مگر حقیقت میں کیا کبھی ایسا ہوا ہے۔۔۔کبھی نہیں۔۔۔

محبت ایک پیکیج

مجھے ایک بات سمجھ نہیں آتی کہ شادی سے پہلے محبت کے نام پر زندگی قربان ہورہی ہوتی ہے۔ صبح شام۔۔۔رات دوپہر۔۔۔کروٹ کروٹ۔۔۔سانس سانس۔۔۔محبت کی گفتگو ہوتی ہے۔۔۔میں تیرے بغیر جی نہیں سکتا۔۔۔آج کیا کھایا۔۔۔کیا کیا۔۔۔دن کیسا گزرا۔۔۔کیسے لگ رہے ہیں۔۔۔کیا پہنا۔۔۔تصویر تو بھیجو۔۔۔دیکھنا چاہتا ہوں۔۔۔تم اچھی لگ رہی ہو۔۔۔تم سا حسین۔۔۔دیکھا ہے کہیں؟ آواز میں کوئل کے گیت۔۔۔چال میں مور کی ڈھال۔۔۔چوکڑی میں نری غزال۔۔۔آنکھیں۔۔۔جام مست شراب۔۔۔گال اگتے سورج کی طرح لال۔۔۔تکلّم میں۔۔۔جواہر کو یمنی لعل۔۔۔خدمتیں ہوتی ہیں۔۔۔چھوٹی چھوٹی خوشیوں کو Glorify کیا جاتا ہے۔۔۔مگر نہ جانے شادی کے بعد کیا موت پڑ جاتی ہے۔۔۔!

میں نے کہا حوصلہ کرو یار شادی کے بعد بھی خدمت ہی ہوتی ہے اور کیا ہوتا ہے۔۔۔بس ذرا تھوڑا سا خواب سے حقیقت کے سفر کو محسوس کرنے اور سمجھنے کی ضرورت ہے۔۔۔وہ جلے ہوئے لہجے میں بولی۔۔۔!

خاک سمجھنے کی ضرورت ہے۔۔۔جس کے بغیر سانس نہیں لیتے تھے اب اس کی صورت میں بہترین ملازمہ۔۔۔نوکرانی۔۔۔بچے بنانے اور پالنے والی مشین بن جاتی ہے۔۔۔سارے ناز نخرے ایک ہی دن میں نکال کر ہتھیلی پر رکھ دیے جاتے ہیں۔اور پھر ''ماسی'' صفائی والا سلوک شروع ہو جاتا ہے۔۔۔باقی ماندہ زندگی میں کان محبت کے ایک جملے کو سننے کے لیے ترس جاتے ہیں۔۔۔کانوں میں صرف مار دھاڑ۔۔۔ چیخ و پکار کی آوازیں یا پھر ڈانٹ ڈپٹ ہی سننے کو ملتی ہے۔۔۔محبت تو صرف ہفتہ دو ہفتے یا پھر پہلے بچے تک ہوتی ہے۔اس کے بعد تو پھر زندگی کے دن پورے ہوتے ہیں۔۔۔اور عمر کے نقشے میں دن بھرے جاتے ہیں۔

میرے خیال میں محبت شادی سے پہلے بھی جسم کی ضرورت اور شادی کے بعد بھی جسم کی ضرورت ہے۔چند لمحوں کے لمس کے مزے اور Pleasure کے بعد دماغ جب نارمل اور روٹین فنکشن شروع کر دیتا ہے تو پھر محبت کا بھوت اتر جاتا ہے۔اور اگلی ملاقات تک سارے لیول نارمل ہو جاتے ہیں۔ دماغ کو چڑھے سیال مادے اتر جاتے ہیں۔۔۔عارضی سکون جسم و جان کو میسر آ جاتا ہے۔۔۔کچھ دن گزرتے ہیں۔۔۔اضطراب بڑھنا شروع ہو جاتا ہے۔۔۔پھر کچھ عرصے کے بعد جسم میں ایک ہیجان پیدا ہوتا ہے۔۔۔ضرورت شدت اختیار کرتی ہے۔۔۔ملنے کی شدت میں اضافہ ہوتا۔۔۔ملاپ کے لیے جسم اور دماغ مجبور کرتے ہیں۔۔۔محبت۔۔۔محبت۔۔۔کا ورد دوبارہ شروع ہوتا ہے۔۔۔جسم اور زبان سے دوبارہ طلب بڑھتی ہے۔۔۔بہانہ بنایا جاتا ہے۔۔۔پھر ملاقات ہوتی ہے۔۔۔محبت سے محبت کا ملاپ ہوتا ہے۔۔۔وصل ہوتا ہے۔۔۔محبت کے ندی نالوں میں طغیانی آتی ہے۔۔۔آنکھوں میں حیرانی آتی ہے۔جو چاہا تھا۔۔۔سوچا تھا۔۔۔کہیں دور بیٹھ کر خود کو دیکھا تھا۔۔۔وہ سب ہوتا ہے۔۔۔احساس نہیں ہوتا۔۔۔غلط اور درست کا ترازو ٹوٹ جاتا ہے۔۔۔گناہ اور ثواب کا خیال لمحہ بھر کے لیے دماغ سے بہت دور چلا جاتا ہے۔۔۔دل اور روح کے انڈیکیٹرز چیختے

چلاتے ہیں مگر انسان۔۔۔اندھا، بہرا۔۔۔کچھ بھی سننے سے معذور ہو جاتا ہے۔وہ اپنی ذات کی تسکین کے لیے ہیجان اور طوفان کے آرام کے لیے وصل کے سامنے بے بس ہو جاتا ہے۔

ہوش میں آنے کے بعد ہر دو خود کو ترتیب دیتے ہیں، الجھے بال سنوارتے ہیں۔۔۔پسینہ صاف کرتے ہیں۔۔۔کپڑے درست کرتے ہیں، کپڑوں سے کچھ جھاڑتے ہیں جیسے کوئی غلاظت اور گندگی ہٹا رہے ہوں۔۔۔نظریں اوپر اٹھاتے ہیں۔ ایک دوسرے کی طرف دیکھ کر شرماتے ہیں۔۔۔ہلکا سا مسکراتے ہیں۔۔۔شرم ندامت کی ہے یا حیا کی یہ تو معلوم نہیں ہوتا۔۔۔مگر چھ بچوں کی ماں ہو یا کنواری۔۔۔سب ہی۔۔۔محبت کے اس لمس اور طوفان کے لیے تمام دریا عبور کر کے۔۔۔ دیواریں پھلانگ کر۔۔۔دروازے کھول کر۔۔۔نیند کی گولیاں دے کر۔۔۔کلاس۔۔۔ٹیوشن کے بہانے۔۔۔بن ڈور چلے آتے ہیں۔۔۔اور محبت کی ''کھیہہ'' سر میں ڈال کر یا کھا کر مسرور۔۔۔مخمور اور دوبارہ ملنے کے لیے مجبور۔۔۔اس ڈگر، بے منزل راہ پر روانہ ہوتے ہیں۔دوبارہ ملنے کا پروگرام بناتے ہیں۔

محبت۔۔۔دو چار تنہائی کی جسمانی ملاقاتیں۔۔۔اور پھر دل بھرنا شروع ہو جاتا ہے۔جسم سے بد بو آنا شروع ہو جاتی ہے۔۔۔سوری۔۔۔جسم سے بیزاری اور نئے جسم کی لگن اور تلاش شروع ہو جاتی ہے۔۔۔اکتاہٹ ہونا شروع ہو جاتی ہے۔انسان دیدہ دانستہ بہانہ بنا کر دور ہونے کی کوشش کرتا ہے۔اجتناب کرتا ہے۔۔۔پہلے پہل کال کا جواب دینے سے کتراتا ہے اور پھر مصروفیت کا بہانہ بنا کر کئی کئی روز بعد جواب دیتا ہے۔ پھر کال منقطع کرنا شروع کر دیتا ہے۔میٹنگ کا بہانہ۔۔۔ تھکاوٹ۔۔۔ہر روز نئی وجہ تلاش کرتا ہے۔۔۔پھر SMS کا جواب بھی ختم ہو جاتا ہے۔اور پھر موقع کی تلاش میں رہتا ہے اور کسی روز موقع پا کر زوردار لڑائی کرتا ہے اور پھر نمبر بلاک ہو جاتا ہے۔تعلق ختم جسم روح اور آواز کا سب ختم۔۔۔جسم کی محبت سب ختم کر دیتی ہے۔۔۔محبت دو ماہ چلے یا دو سال یا عمر بھر اس کو جسم کے زور پر زندہ نہیں رکھا جا سکتا۔۔۔!

دراصل یہی شادی سے پہلے کی محبت اور اس کے وعدے وعید جب شادی کے بعد حقیقت میں تبدیل ہوتے ہیں۔۔۔اس میں بھی جسم کا ملاپ۔۔۔شروع کی چند ملاقاتیں۔۔۔راتیں۔۔۔ماہ

یا سال تک رہتا ہے۔ جسمانی توصل کے بعد دھیرے دھیرے انسان اس جسم کا عادی ہو جاتا ہے۔ پھر مسئلہ محبت میں کمی کا۔۔۔ لڑائی جھگڑا یا انڈرسٹینڈنگ کا نہیں بلکہ انسان جسم سے بیزار ہو جاتا ہے۔ ایک روٹین بن جاتی ہے۔۔۔ دور کی چیز آسانی سے میسر آ جاتی ہے۔۔۔ دسترس میں آ جاتی ہے۔۔۔ مل جاتی ہے۔ حاصل ہو جاتی ہے۔۔۔ عادی ہو جاتا ہے انسان۔ اور پھر اس سے کترانا شروع کر دیتا ہے۔۔۔ رات کو وقت بے وقت آنا شروع کر دیتا ہے۔۔۔ دراصل ادھر ادھر منہ مارنا شروع کر دیتا ہے۔ تبدیلی۔۔۔ جدت۔۔۔ تنوع چاہتا ہے۔ کچھ نیا۔۔۔ مختلف چاہتا ہے۔۔۔ عدم توجہی ازدواجی اور سماجی الجھنوں اور جھگڑوں کا باعث بنتی ہے۔

دلچسپی برقرار رکھنے کے لیے۔۔۔ Interest برقرار رکھنے کے لیے سیانے کہتے ہیں بیوی کو Cluster of Islands سمجھو۔۔۔ اور وقفے وقفے سے ایک ایک جزیرہ Discover کرتے رہو۔۔۔ پھر اس کو Explore کرو۔۔۔ دیکھو۔۔۔ محسوس کرو۔۔۔ ایک ایک چیز کو۔۔۔ ٹیلے۔۔۔ ٹیکریاں۔۔۔ زمین۔۔۔ فصلیں۔۔۔ موسم۔۔۔ ہر دفعہ نیا جزیرہ۔۔۔ نیا ماحول۔۔۔ نئی آب وہوا۔۔۔ نیا موسم۔۔۔ نئی زمین۔۔۔ پہلے سے مختلف۔۔۔ اس کے لیے خوبصورتی کی ضرورت نہیں نیا پن ضروری ہے۔ طبیعت کچھ مختلف چاہتی ہے۔ روٹین سے ہٹ کر۔۔۔ اس طرح انسان ایک دوسرے سے اکتاہٹ کا شکار نہیں ہوتا۔۔۔ محبت برقرار رہتی ہے اور تعلق بھی۔۔۔ کیونکہ انسان کو ہر دفعہ کچھ نیا مل جاتا ہے۔ محسوس کرنے کو۔۔۔ دیکھنے کو۔۔۔ چھونے کو۔۔۔ چکھنے کو۔۔۔ دیکھنے کو۔۔۔ دوسری صورت میں شادی کے چند ماہ بعد ہی محبت اور تعلق دونوں ٹوٹ جاتے ہیں۔ کاٹھ کی ہنڈیا میں محبت اور تعلق کا سالن کبھی نہیں پک سکتا۔۔۔!

محبت کا دعویٰ جسم سے ہوتا ہے اور شادی کے بعد بھی یہی جسم کچھ عرصے کے بعد اس محبت سے انسان کو پرے لے جاتا ہے اور پھر باقی تعلق بچ جاتا ہے۔ انسان کو تعلق سنبھالنا آنا چاہیے، رشتہ نبھانا آنا چاہیے۔۔۔ اس طرح محبت کی بھی عزت رہ جاتی ہے اور رشتے کی بھی، ورنہ شادی سے پہلے ہو یا پھر شادی کے بعد۔۔۔ محبت دو چار بار جسمانی ملاپ کے علاوہ کچھ نہیں۔۔۔!

میں اپنی سوچ کے سمندر سے بڑی مشکل سے باہر نکلا۔۔۔ شاید اگر چند لمحے اور زیر آب

رہتا تو مر جاتا۔۔۔کیونکہ میرے دماغ کے خیالات کا طوفان میری سانس کی گھٹن سے کہیں زیادہ شدید تھا۔۔۔میں نے سر کو جھٹکتے ہوئے اس کا ہاتھ زور سے پکڑا اور اس کو بابوں کی طرح سمجھاتے ہوئے کہا۔۔۔!

میری جان محبت ایک مکمل پیکیج ڈیل ہے۔ بالکل اسی طرح جس طرح ہم اپنے موبائل کے لیے کسی بھی نیٹ ورک سے پیکیج لیتے ہیں۔اس پیکیج میں ضروری نہیں کہ تمام چیزیں ہمارے مقصد اور مکمل طور پر ہماری ضرورت کے مطابق ہوں۔ ہم تو صرف یہ دیکھتے ہیں کہ کیا یہ Cost Effective ہے Cost Benifit Analysis کرتے ہیں اور خرید لیتے ہیں۔ جبکہ اکثر اس کے فری منٹ یا SMS استعمال ہی نہیں ہوتے۔ اسی طرح۔۔۔ بالکل اسی طرح محبت بھی ہے۔ جس شخص سے ہم محبت کرتے ہیں۔۔۔وہ بھی ایک مکمل پیکیج کے طور پر ہمارے پاس آتا ہے۔۔۔ مکمل گوشت پوست کا انسان۔۔۔اپنی ایک عمر گزارنے کے بعد پختہ عادات و اطوار۔۔۔تہذیب و تمدن۔۔۔رہن سہن۔۔۔رکھ رکھاؤ۔۔۔سہج سبھاؤ۔۔۔طور طریقے۔۔۔Genetic Baggage کے ساتھ۔۔۔ اور پھر وہ خود نہیں آتا اس کے ساتھ اس کے ماں باپ۔۔۔بہن بھائی۔۔۔دوست یار۔۔۔رشتہ دار۔۔۔تعلقات۔۔۔سب چیزیں ساتھ لاتا ہے۔۔۔آپ ایک چھوٹی سی بات کا سیاپا کر کے پوری محبت کا ستیاناس کرنے کی بجائے یہ کیوں نہیں دیکھتے کہ اس پیکیج میں اس کے علاوہ اور کیا اچھا ہے۔ اس اچھے کو تلاش کرو۔۔۔ اس کو کھوجو۔۔۔ بھلا۔۔۔ بیس تیس سال کی پختہ عادتیں۔۔۔دو دن میں کیسے بدلیں گی۔۔۔ اچھا تلاش کرو اور برے کو، ناپسندیدہ کو ایکسٹرا سمجھ کر۔۔۔ فالتو SMS اور فری منٹ کی طرح ضائع کر دو اور بھول جاؤ۔۔۔! ہر روز پیکیج Renew کرو۔۔۔ ہر روز جیو۔۔۔ مکمل زندگی۔ غیر ضروری چیزوں کو Delete کر کے صرف کام کی چیزوں کو استعمال کرو۔ عمر بھر جیو۔

رنگ چڑھاؤ۔۔۔اس پر اپنا رنگ۔۔۔محبت کا رنگ۔۔۔اس کے انگ انگ پر رنگ چڑھاؤ۔۔۔نہیں تو اس کے رنگ میں رنگ جاؤ۔۔۔اپنے آپ کو رنگ کے دیکھو۔۔۔ پھر شکایت نہیں ہوگی۔۔۔کوئی شکوہ نہیں ہوگا۔ کوئی بات بری نہیں لگے گی۔۔۔ادھر ادھر بکھرے ہوئے کپڑے۔۔۔ گندی جرابیں۔۔۔ بستر پر پڑا گیلا تولیا۔۔۔جوتے۔۔۔اور کھانے کے طعنے برے نہیں لگیں

گے۔۔۔سب کچھ ہنس کر سمیٹ لو۔۔۔وہ بکھیرتا جائے۔۔۔تم۔۔۔محبت سے مسکراہٹ سے سمیٹتی جاؤ۔۔۔!

زندگی میں خوبصورتی کے رنگ بھر جائیں گے۔زندگی سے نہ محبت ختم ہوگی اور نہ تعلق۔۔۔ہر دو، ہر دن اور ہر پل کے بعد مضبوط ہوتے جائیں گے۔۔۔محبت کو پیکیج کی طرح قبول کرو۔محبت کو محبت کے رنگ سے مضبوط کرو وگرنہ محبت کو زنگ لگ جائے گا۔اور زنگ آلود چیز نہ خوبصورت ہوتی ہے اور نہ مضبوط۔۔۔!

نئیں فائدہ تن دے سجدیاں دا
جے من سجدے تے منیا نئیں

غیرت مند۔۔۔بے غیرت مرد

میں تو۔۔۔تیس سال تک پیار کے بول کو ترستی رہی ہوں۔ٹیکسی چلائی۔۔۔بار کا خرچ پورا کیا۔۔۔مار کھائی۔۔۔بچوں کو پڑھایا۔۔۔ساتھ نبھایا۔۔۔مگر محبت کہاں تھی۔۔۔جو مجھے سرسبز کرتی۔۔۔جو مجھے زندگی دیتی۔۔۔جو میرے اندر قوت بھرتی۔۔۔مجھے زندہ رہنے کا حوصلہ دیتی۔۔۔میں تو کنیز رہی۔۔۔سنا تھا کہ مرد کو عورت پر برتری اس لئے ہے کہ وہ عورت کی حفاظت کرتا ہے۔اس کی کفالت کرتا ہے۔۔۔نہ جانے وہ کونسے غیرت مند مرد ہوتے ہیں، جو حفاظت اور کفالت کرتے ہیں۔۔۔ادھر تو مزدوری۔۔۔انگلستان والی اور تابعداری ہندوستان والی رہی ہے۔جو کمایا اس نے لے لیا۔۔۔کبھی بلیک میل کر کے۔۔۔کبھی مار کر۔۔۔کبھی بچوں اور کبھی ماں باپ کا نام لے کر۔۔۔اور حفاظت۔۔۔جو عزت دار۔۔۔خود بے ہوش ہو کر رات گئے دروازے پر ٹھک ٹھک کرنے لگے اور اس کے جوتے اور جرابیں حتیٰ کہ کپڑے بھی خود بدلنے پڑیں تو۔۔۔وہ میری حفاظت کیا خاک کرے گا۔

مرد سارے کے سارے اندر سے کمینے اور خود غرض ہوتے ہیں۔۔۔وراثت میں تو حصہ دیتے نہیں، شرم نہیں آتی۔ مسلمان ہونے پر۔۔۔غیرت مند۔۔۔ان کے بس میں ہو تو

''ستّی'' کر دیں۔۔۔شادی بھی نہ کریں۔۔۔اور جو شادی کرتے ہیں وہ یہ طعنہ عمر بھر مارتے رہتے ہیں۔۔۔ جاؤ اپنا حصہ مانگ کر لاؤ۔۔۔کھاتے پیتے ہیں تیرے ماں باپ اور بہن بھائی۔۔۔ جتنا مرضی پیسہ ہو۔۔۔مگر ہوس۔۔۔ کتے کی طرح۔۔۔ کتے کے اندر رہتی ہے۔۔۔منہ سے پانی آتا رہتا ہے۔ تقسیم کے ڈر سے قرآن سے شادی۔۔۔عمر بھر گھر بٹھا چھوڑنا۔۔۔کہیں حصہ نہ دینا پڑے۔۔۔مرجاتے ہیں۔۔۔کیڑے کھا جاتے ہیں۔ نسلیں تباہ ہوجاتی ہیں۔ پر سوچ نہیں بدلتے۔۔۔غیرت مند۔۔۔بے غیرت!

اس کی گفتگو کے تند و تیز جملے۔۔۔میرا سارا صبر، شکر اور علم سب ہوا کر رہے تھے۔ مجھے دانتوں پسینہ آنا شروع ہوجاتا تھا۔۔۔مگر وہ باتیں تلخ مگر سچی کرتی تھی۔ کبھی کبھی مجھے ایسا محسوس ہوتا جیسے وہ ذہنی توازن کھو بیٹھی ہے۔۔۔مگر مجھے اس کے ذہن۔۔۔ جسم اور فلسفے سے کیا لینا۔۔۔ مجھے تو یہ احساس کافی تھا کہ وہ میرے ساتھ ہے اور میری ہے اور میں اس کا دعویدار تھا۔۔۔میں شاید اس کو اپنی پراپرٹی، مالِ غنیمت۔۔۔تصرف اور حاصل ہونے والی کموڈٹی تصور کرتا تھا۔۔۔مگر جو کچھ بھی تھا۔۔۔ وہ میرا حاصل تھا۔۔۔میرا حال تھا۔۔۔میرا اقبال تھا۔۔۔!میری دعاؤں کا۔۔۔جواب تھا۔۔۔تیری عظمتوں اور عنائتوں کا کمال تھا۔۔۔

زندگی کمال لگتی ہے
تیرا جمال لگتی ہے

لمحے کا قیدی

میں اس جمال سے آگے نہ نکلنا چاہتا تھا اور نہ یہ سوچنا چاہتا تھا۔ میں لمحہ جینا چاہتا تھا۔ کیونکہ انسان لمحے کا قیدی ہے۔ دلیری اور بزدلی میں صرف ایک لمحے کا فرق ہوتا ہے۔ جنرل نیازی نے جس لمحے ہتھیار ڈالنے کا سوچا اگر اس لمحے وہ خود کو گولی مار لیتا تو ہیرو ہوتا۔ عقل اور حماقت میں بھی ایک لمحے کا فاصلہ ہوتا ہے۔ اس لیے میں اپنے لمحے کو خراب نہیں کرنا چاہتا تھا۔ اس لمحے کو جینا چاہتا تھا۔ ماضی اور مستقبل کے چکر میں نہیں پڑنا چاہتا تھا۔ آنے والے کل کے خوف سے اپنے آج کو ابھی خراب نہیں کرنا

چاہتا تھا۔ کیونکہ جو سفر میں طے کر کے آیا تھا۔۔۔اس کے آغاز اور درمیان میں بلکہ آخر تک مجھے کہیں بھی خوشی کی، سکون کی امید نہ تھی۔ اس لیے میں اپنے دکھوں کو بھول کر سفر، اور Suffer کو بھول کر جینا چاہتا تھا۔۔۔خود کے ساتھ۔۔۔ جینا چاہتا تھا۔ میں نے اس کو گلے سے لگاتے ہوئے کہا۔

زندگی جینے کا نام ہے۔ جو اچھا لگے اس کے گلے لگ جاؤ۔۔۔دنیا کو بھول کر آنکھیں بند کر کے۔۔۔اس لمحے کو طویل کرلو۔۔۔اس لمحے کو قید کرلو۔۔۔ لمحے کو جی لو۔۔۔عمر بھر کے لئے جی لو۔۔۔مکمل زندگی ایک لمحے میں اور ایک لمحہ پوری زندگی جی لو۔۔۔!

وہ لمبی سانس لے کر بولی،

یہی تو مسئلہ ہے۔ جس کو پتہ چل جائے کہ آپ اس کے گلے لگ کر مکمل ہو جاتے ہیں۔۔۔ زندگی پا لیتے ہیں۔۔۔وہ مغرور ہو جاتا ہے۔ گلے لگنا تو دور کی بات۔۔۔نظروں کے سامنے نہیں آتا۔ آپ کی محبت میں جتنی تڑپ ہو اس کے غرور میں اتنی شدت آجاتی ہے۔

محبت محبوب کو مغرور بنا دیتی ہے۔ اپنے آپ کو ہی دیکھ لیں کتنے سال اس تڑپ میں گزارے۔۔۔کیا کچھ نہیں ہارے۔۔۔سب برداشت کیا۔ میری باتیں۔۔۔میرے ارد گرد کے لوگوں کے طعنے۔۔۔مگر میں نے مڑ کر بھی آپ کی طرف نہیں دیکھا۔۔۔اب بھی میں مسلسل تین سال سے اکیلی جل رہی ہوں۔ زندگی اور خود کا مقابلہ کر رہی ہوں۔۔۔مگر تھک کر۔۔۔ہار کر۔۔۔سب کچھ اجاڑ کر۔۔۔جب آنکھوں میں چمک نہ رہی۔۔۔جسم میں رمق نہ رہی۔۔۔ہاتھوں کی سکت اور سانسوں کی حدت ختم ہونے کو ہے۔۔۔تو میں نے بے بس ہو کر آپ کو آواز دی ہے۔۔۔آپ کو معلوم ہے کہ ہارنا۔۔۔ مڑ کر پیچھے دیکھنا۔ جس کو آپ خود سے پیچھے چھوڑ دیں۔۔۔ نظر انداز کر دیں۔۔۔درخورِ اعتناء کر دیں۔۔۔جھٹک دیں۔۔۔دوبارہ رک کر اس کا انتظار کرنا۔۔۔اس کو آواز دینا، سرِ راہ بیٹھ کر اس کا انتظار کرنا، اس کو خود بلانا، دنیا کا مشکل ترین کام ہے۔

میں اس کی ان باتوں کا جواب دینے سے قاصر۔۔۔یا شاید جواب دینا مناسب نہ سمجھتا تھا۔۔۔

محبت ایک Sudden Feeling ہے ایک Spontaneous اور Instant Feeling

ہے۔ یہ مہینوں میں تھوڑی ہوتی ہے۔ محبت پہلی نظر میں ہوتی ہے۔ اور جو سالوں میں ہو وہ محبت نہیں عادت ہوتی ہے۔ اس لئے میری محبت میری چوائس نہیں بلکہ میری زندگی ہے۔ جو میرے بس سے باہر ہے۔ اب تو مجھے تیری عادت ہوگئی ہے اور یہ سچ ہے کہ انسان خودغرض ہے۔ ہم ہمیشہ اپنے لئے اپنی خوشی، اپنے سکون کا سوچتے ہیں۔ اس لئے ہمیشہ ایک دوسرے کے لئے بھاگتے رہتے ہیں اور اس سفر میں تھک جاتے ہیں، ''من'' ''تو'' کے پیچھے اور ''تو'' کسی تیسرے کے پیچھے اور یوں یہ بھاگ دوڑ چلتی رہتی ہے۔۔۔ زندگی ختم ہو جاتی ہے۔۔۔ مگر کوئی پیچھے مڑ کر نہیں دیکھتا۔

انسان خودغرض ہے۔ اس کو دوسرے کی محبت سے فرق نہیں پڑتا۔۔۔ اسے صرف اپنی محبت کی طلب ہوتی ہے اور اس کے پیچھے وہ سرپٹ ننگے پاؤں۔۔۔ ننگے بدن بھاگتا رہتا ہے۔ انسان ہمیشہ اپنی تکمیل کے لئے۔۔۔ اپنی محبت کے لئے۔۔۔ اپنی محبت کے پیچھے بھاگتا رہتا اور اپنے پیچھے بھاگنے والے شخص کی محبت جتنی بے لوث ہو۔ جذبات جتنے سچے ہوں ان کو ٹھوکر پر بھی نہیں رکھتا۔۔۔

یہی تم نے کیا، یہی میں نے کیا، یہی مجھ سے محبت کرنے والوں نے اور تم سے محبت کرنے والوں اور پوری دنیا والوں نے کیا۔۔۔ ایک مسلسل چکر۔۔۔ بھاگ دوڑ۔۔۔ اور ہم سب اپنے پیچھے بھاگنے والوں کو دھتکارتے رہتے ہیں۔ مڑ کر نہیں دیکھتے۔۔۔ صرف منزل کو دیکھتے ہیں جن کی ہم منزل ہیں ان کی طرف کبھی نہیں دیکھتے۔۔۔ کیونکہ پیچھے مڑ کر دیکھنے والا پتھر ہو جاتا ہے۔

محبتِ ازل کا مذاق ہوا
کہ تیرا وصل مرا فراق ہوا

محبت خدائی ہے

وہ لڑکی کئی سال تک گھر بیٹھی رہی ہے۔ جو مجھ سے ناول اور تاریخِ اُردو پڑھنے آتی تھی۔ عجیب چیز تھی۔۔۔ بہت لڑکے اس کے پیچھے پھرتے تھے۔۔۔ مجھے سب معلوم ہے۔ مگر وہ کسی کی طرف آنکھ اٹھا کر نہ دیکھتی تھی۔۔۔ اور نہ میں اس کی طرف۔۔۔ کئی پیغام اشعار۔۔۔ اور رُو برو گفتگو۔۔۔ مگر میرا دل نہیں چاہتا تھا اس لئے میں نے کبھی آنکھ اٹھا کر بھی اس کی طرف نہیں دیکھا تھا۔۔۔ محبت کے

مکتب کی تمام کتابیں اور داستانیں۔۔۔سوؔدا اور رُسوؔا سے لے کر۔۔۔دردؔ اور میرؔ تک اور غالبؔ خانہ خراب سے لے کر۔۔۔ساحرؔ پر بہار تک ساری باتیں ہوئیں، مگر مجال ہے شہرِ دل میں، کبھی وہ جذبہ، وہ سوچ، وہ احساس پیدا ہوا ہو۔کبھی سوچ بھی دل کے قریب سے دماغ اور جسم کے پاس سے گزری ہو۔ دماغ میں کبھی تحریک بھی پیدا نہیں ہوئی۔۔۔اس نے تمام اداؤں سے، نداؤں اور دعاؤں سے کوشش کی...مگر محبت میں دوئی۔۔۔نہیں ہو سکتا۔

محبت تو خدائی ہے۔۔۔اور خدا یکتا ہے۔۔۔اس کا کوئی ثانی نہیں اسی طرح محبت کا کوئی ثانی کہاں۔۔۔اس نے زندگی تباہ کر لی۔میرے نام لگا دی۔۔۔مجھے سب بتلایا۔۔۔جتلایا۔مگر مجال ہے جو میرے دماغ میں کوئی ہمدردی پیدا ہوئی ہو۔اس کی تمام خوبصورتیاں، رعنائیاں، تمام جلوے، قہقہے رفتہ رفتہ معدوم ہو گئے مگر میرے اندر اس کے لئے جگہ نہ بن سکی۔کیونکہ میں اپنے کعبہ کی اور۔۔۔ اپنے قبلہ کی جانب نیت باندھے کھڑا تھا۔۔۔اور آج تک کھڑا ہوں۔

مگر اب زندگی کا بیشتر حصّہ گزار کر میں سوچتا ہوں کہ اگر کوئی مجھ سے محبت کرتا ہے تو ضروری نہیں کہ میں بھی اس سے محبت کروں۔مگر یہ احساس کافی نہیں کہ کوئی مجھ سے محبت کرتا ہے۔میری عبادت کرتا ہے۔میرے لئے دعائیں کرتا ہے۔زندگی جینے کیلئے یہ احساس ہی کافی ہے کہ آپ کسی کی چاہت ہو۔وہ آپ کو حاصل کر کے، پا کے خوش ہو۔اس لئے میں غیر مشروط طور پر خود کو اس کے حوالے کرنا چاہتا ہوں۔پھر وہ آپ کو کاٹے، کھائے یا کتوں کو ٹکڑے کر کے کھلائے، یہ اس کا ظرف ہے کیونکہ دوسرے کو محبت کرنے دینا۔۔۔زندگی عطا کرنے کے مصداق ہے۔آپ خدا کے نائب ہو کر خدا بننے کی کوشش کرتے ہو۔۔۔خدا کی صفات کا اظہار کرتے ہو۔یہ خود غرضی سے پرے اور بے نیازی کی انتہا ہے۔۔۔محبت خدا کا احسان ہے اور رحمت ہے۔۔۔آپ کو اپنی محبت ملے نہ ملے، کسی کی محبت آپ کی صورت میں مل جانی چاہیے، تاکہ آپ اپنے دکھ اپنے اندر رکھ کر دوسروں میں سکھ بانٹیں، کسی کے چہرے پر ہنسی بکھیریں۔۔۔یہی زندگی ہے ورنہ دکھ ہی دکھ ہے۔۔۔سکھ سے پہلے بھی دکھ، سکھ کے بعد بھی دکھ۔۔۔دکھ سے پہلے بھی دکھ۔۔۔دکھ کے بعد بھی دکھ۔۔۔

وہ بولی بات تو درست ہے اور بڑی قربانی ہے۔مگر انسان اپنی تکمیل تو چاہتا ہے اس طرح تو

انسان کو کئی زندگیاں چاہئیں تا کہ جتنے لوگ اس سے محبت کرتے ہیں وہ سب کو ایک ایک زندگی عطا کرتا جائے۔اور خود اپنی زندگی اپنی ہتھیلی پر رکھ کر کسی کے پیچھے گلیوں اور روڑیوں کی غلاظت چھانٹے۔۔۔جو بے غرضی اور بے نیازی آپ کہہ رہے ہیں یہ بہت مسائل پیدا کرتی ہے اور یہ اتنی آسان نہیں جتنی آسانی سے آپ کہہ رہے ہیں!

میں کب کہہ رہا ہوں کہ محبت مخمل کی سیج ہے۔اس راہ کے مسافر جب تک اپنے آپ کو ختم نہ کریں فنا کب حاصل ہوتا ہے۔اگر خود کی نفی مسائل اور پریشانی کا سبب بنتی ہے تو اس کا مطلب ہے کہ آپ نے ابھی تک بے اعتنائی Selflessness اور Self Negation حاصل نہیں کی۔بات ابھی پختہ نہیں ہوئی۔ایوبؑ کا زمین پر گرنے والے کیڑوں مکوڑوں کو اٹھا اٹھا جسم پر رکھنا ضروری ہے تا کہ ان کی غذا کا بندوبست ہو جائے۔۔۔جس نے کیڑوں کا رزق جسم میں لکھا ہے۔۔۔کسی کیڑے کا زمین پر گر جانے سے۔۔۔رزق سے دور ہو جانے سے۔۔۔وہ مالک ناراض نہ ہو جائے۔۔۔دور نہ ہو جائے!

من کو مار کر من والا ملتا ہے اور جب وہ ملتا ہے۔۔۔زندگی ملتی ہے۔۔۔مکتی ملتی ہے۔۔۔راحت ملتی ہے۔

محبت میں کوئی If and But نہیں ہوتا۔وہ ہوتا ہے اور میں ہوتا ہوں۔میں اس کے اور دنیا میرے پاؤں کی خاک ہوتی ہے۔یہی میرا سیندور، یہی تیرا سہاگ یہی میرا۔۔۔سب کچھ ہے۔۔۔بس ''تو ہے''، ''تو ہے''۔۔۔میرا سب کچھ ''تو'' ہی ''تو'' ہے۔اور "میں" مرتی ہے تو "تو" ملتا ہے۔۔۔

کتابی حد تک میں آپ کے خیالات سے اتفاق کرتی ہوں مگر حقیقت اس سے مختلف اور بہت تلخ ہے۔۔۔بہت مکروہ ہے۔۔۔یہ ناولوں والی محبت سے یکسر مختلف ہے۔

محبت کی ضرورت یا ضرورت کی محبت

میں نے آپ کو کسی محبت کے جذبے یا آپ پر ترس کھا کر آواز نہیں دی بلکہ میرے پاس اس

عمر میں اور چوائس اور آپشن کیا بچی تھی جو میں استعمال کرتی ؟اس لئے میں نے آپ کو آواز دی مجھے بالکل یقین نہیں تھا کہ آپ میری ایک صدا پر چلے آئیں گے۔سب کچھ چھوڑ کر۔۔۔اور دنیا کی تمام نعمتیں پیچھے چھوڑ کر۔۔۔ایک ان دیکھے دیس میں۔۔۔کئی سال تک رلانے والی تین بچوں کی مطلقہ ماں کے لئے۔۔۔چل نکلیں گے۔

It was a surpriseیہ محبت کی ضرورت تھی یا ضرورت کی محبت۔مگر مجھے for me آپ کی ضرورت تھی۔اس لئے میں نے آپ سے رابطہ کیا۔

میں اس کی راست گوئی یا سیدھی سیدھی گفتگو سے پریشان ہو رہا تھا۔لیکن میرے لئے یہ بات قطعاً نئی یا انوکھی نہ تھی کیونکہ اس سے پہلے آغازِ عشق میں بھی وہ اس طرح کی گفتگو بڑی تفصیل، دلیری اور تسلی سے کر چکی تھی۔ویسے بھی محبت اعتماد اور Confidence دے ہی دیتی ہے۔

میں نے اس سے کہا کہ "ہمارے سارے رشتے ہی ضرورت کے ہوتے ہیں۔ضرورت مادی ہو یا جذباتی، جسمانی ہو یا روحانی۔اور سارے رشتے اس میں کسی مادی یا غیر مادی میڈیم سے منسلک ہوتے ہیں۔ہم جتنا مرضی کہیں کہ رشتے بے لوث اور بے غرض ہیں لیکن اس میں کہیں نہ کہیں ہماری ذات شامل ہوتی ہے۔لیکن پھر بھی اخلاص اور بے غرضی پر مشتمل رشتے دیرپا ہوتے ہیں۔اس کے لئے امارت، Status اور ضرورت ضروری نہیں۔۔۔عارضی تعلق تو کسی مادی چیز پر مشتمل ہو سکتا ہے مگر مستقل تعلق کے لئے ضروری ہے اس کو اخلاص اور Sincerity کا تڑکا لگتا رہے۔رشتہ ضرورت کا ہو یا ضرورت رشتے کی بنیاد ہو، اخلاص اس کو پختہ کر دیتا ہے۔

پھر مجھے احساس ہوتا۔۔۔میں اس کے ماضی۔۔۔خوفناک، روح کو شل اور زخمی کر دینے والے حالات کا سوچتا تو مجھے خود بخود جواب مل جاتا کہ عورت کو مرد سے صرف سیکس کی ضرورت نہیں ہوتی۔جسمانی تعلق زیادہ تر ہیجان ہوتا ہے۔۔۔چند لمحوں کے لیے۔۔۔دو جسموں کی ضرورت پوری کرنے کے لیے ہوتا ہے۔اس کے لیے اگر ایک کی خواہش نہ بھی ہو تو۔۔۔عین وقت پر یا دوسرے کی آگ اور تپش سے بیدار ہو جاتی ہے۔اور پھر ہر دو اس آگ میں چند لمحے چند پل جلتے ہیں، پارے کی طرح پگھل جاتے ہیں اور پھر پارے کے مچل جانے کے بعد دھیرے دھیرے آتش فشاں سے نکلے

ہوئے اُبلے ہوئے لاوے کی مانند ٹھنڈے۔ دھیرے دھیرے، آہستہ آہستہ جس شدت سے سرخ ہوئے تھے۔۔۔۔ تپے تھے۔۔۔ گرم ہوئے تھے۔ اسی تناسب سے، رفتار سے اور سرعت سے ٹھنڈے ہو جاتے ہیں۔ انسان بھی اور جذبات بھی کیونکہ یہ انسان کی ایک ضرورت ہے۔ مگر انسان کی اس ضرورت کی تکمیل کے بعد انسان کو انسان کی ضرورت پڑتی ہے۔ جس میں جسم کی ضرورت نہیں ہوتی۔ انسان جب کھیل کر تھک جاتا ہے۔۔۔ دور کھسیانا ہو کر جا پڑتا ہے۔۔۔ تو پھر انسانیت شروع ہو جاتی ہے۔۔۔۔ یہاں سے جسم کا سفر ختم ہوتا ہے۔۔۔ جسمانی ضرورت کا تعلق ختم ہو جاتا ہے۔ روح کا تعلق شروع ہو جاتا ہے۔۔۔۔۔!

اجی ٹھہریے۔۔۔ میرے اندر سے آواز آتی ہے۔۔۔۔

بھئی جسم کے بعد دوسرے تعلق بھی تو ہیں۔ دوسری ضروریات بھی ہیں جو ہم ایک دوسرے کی پوری کرتے ہیں۔ جذباتی ضرورت جسمانی ضرورت پوری ہونے کے باوجود موجود رہتی ہے۔ ہم ہر غمی اور خوشی میں اس کی طرف دیکھتے ہیں۔۔۔ سب سے پہلے اس سے شیئر کرنا چاہتے ہیں بتانا چاہتے ہیں۔ بلکہ جتانا چاہتے ہیں کہ میں سب سے پہلے آپ کو بتا رہا ہوں کیونکہ آپ میرے لیے بہت قیمتی ہو۔ سب سے زیادہ ضروری ہو۔۔۔ مجبوری ہو۔ ذہن اور جسم کی مجبوری ہو۔۔۔ ہمیں اپنی خوشی اپنے رفیق کے ساتھ شیئر کر کے خوشی ملتی ہے۔ سکون اور طمانیت ملتی ہے۔

دکھ اور غم میں بھی ہمیشہ ہم اپنے حبیب اور رفیق کی طرف دیکھتے ہیں۔۔۔ اس کی آنکھوں سے یہ توقع رکھتے ہیں بن بتلائے وہ حالِ دل آنکھوں کے راستے پڑھ لیں سوجھی ہوئی ویران، اجاڑ، اداس آنکھیں، ابتدا میں نم اور پھر خشک پتھر۔۔۔ سرخ آنکھیں چاہتی ہیں کہ ان کو پڑھا جائے۔۔۔ پورا جہاں اشک شوئی کو آئے مگر وہ نہ کرے۔۔۔ بن بتلائے نہ آئے۔۔۔ تو سمجھ لیجیے تعلق ابھی پختہ نہیں۔

محبت کا اوجِ کمال یہ ہے کہ محبوب کو بن بتلائے سب خبر پڑ جائے۔۔۔ اگر فریکونسی سیٹ ہے۔۔۔ ریسیپشن ٹھیک ہے تو پھر بتانے کی ضرورت نہیں ہوتی۔ سوچ کی لہروں پر جہاں رسیور ہوگا بات پہنچ جائے گی۔

انسان زندگی میں روٹی کے بغیر گزارہ کر سکتا ہے تعلق کے بغیر نہیں۔ تعلق کے بغیر انسان مر جاتا ہے۔ جی جی کے مرنا بہر حال مر مر کے جینے سے بہتر ہے۔ انسان اکیلا زندہ نہیں رہ سکتا۔ اس کو سہارے کی ضرورت ہے۔ یہ آسرا جسمانی، ذہنی، قلبی اور روحانی ہوتا ہے۔

اس نے کہا Sincerity اور اخلاص صرف یک طرفہ تو نہیں ہوتا۔۔۔ نہ یک طرفہ محبت سے گھر بستے ہیں۔ اگر ایسا ہوتا تو میرا گھر کبھی خراب نہ ہوتا۔۔۔ میں نے ہر طرح کی قربانی دی۔۔۔ یہاں آنے کے پہلے ہفتے میں ہی جب ایک رات وہ شراب میں دھت ہو کر گھر آیا تو میں نے تنگ آ کر صرف اتنا کہا۔۔۔ کہ مجھے بھی ساتھ لے جاتے۔ میں یہاں اکیلی کمرے میں بند ہونے کے لئے تو نہیں آئی ہوں۔۔۔ میں آپ کے ساتھ زندگی گزارنے آئی ہوں۔۔۔

وہ شاید میری اس بات کا منتظر تھا۔۔۔ میری ساری محبت۔۔۔ گھنٹوں گھنٹوں کی گفتگو اور سالہا سال کے خواب۔۔۔ ایک زناٹے دار تھپڑ کے ساتھ۔۔۔ ٹوٹ گئے۔۔۔ میرا اندر اور باہر جیسے ٹوٹ گیا ہو۔۔۔ میری تربیت۔۔۔ علم۔۔۔ مطالعہ۔۔۔ ماں کے لیکچر۔۔۔ اسلام کے سبق سب میرے دماغ سے نکل گئے تھے۔۔۔ مجھے ایسے لگا جیسے میرے گاؤں کے برگد کے درخت کے نیچے لگے میلے کے درمیان میں، جیسے میرے جسم کے سارے کپڑے اتار دیے گئے ہوں، میں ننگی۔۔۔ اپنے جسم کو چھپانے کی بجائے کبوتر کی طرح اپنی آنکھوں کو بند کرنے میں ہی عافیت سمجھتی ہوئی۔۔۔ اپنے دونوں ہاتھوں کو آنکھوں پر رکھ کر چلانے لگی۔۔۔ میرا دماغ اس تکلیف کو Process ضرور کر رہا تھا۔۔۔ میرا غصہ۔۔۔ بے بسی کو آنکھوں کے راستے پانی کے دریاؤں کے ذریعے ظاہر بھی کر رہا تھا۔۔۔ مگر مجھے کچھ سجھائی نہیں دے رہا تھا۔۔۔ بس میں رو رہی تھی۔۔۔ میرا دل کر رہا تھا زور سے چیخیں مار مار کر روؤں۔ مگر میری ماں میرے پاس نہیں تھی جو مجھے چپ کرواتی۔۔۔ باپ مجھے نظر نہیں آتا تھا۔۔۔ جس کا ہاتھ میرے سر پر محسوس ہوتا۔۔۔ اور مجھے کوئی سہارا، کوئی قوت، نظر آتی۔۔۔ میں اور بس میں۔۔۔ اپنے رب کے ساتھ۔۔۔ اکیلی کمرے میں بیٹھی سسکتی رہی۔۔۔ روتی رہی۔۔۔ وہ گالیاں دے کر۔۔۔ میرے ماں باپ اور خاندان کو مختلف القابات۔۔۔ میری تربیت کے حوالے سے اپنے تمام تحفظات کا احساس کراتا ہوا کمرے میں چلا گیا۔۔۔

میں نے خود کو سنبھالا۔ میرے پاس۔۔۔شاید فرار کا کوئی اور راستہ نہیں تھا۔ مجھے پہلی دفعہ جوائنٹ فیملی کی ضرورت کا احساس ہوا۔ ہمارے ہاں ماں جب اپنی بیٹی کی شادی کرتی ہے تو اس کی خواہش ہوتی ہے کہ اس کی بیٹی پہلے دن جس گھر میں جائے۔۔۔یا تو بیٹا گھر والوں سے کم از کم ہزار دو ہزار کلومیٹر کے فاصلے پر رہائش پذیر ہو تا کہ ساس سسر اور نند، بھاوج دیورانی سے چھٹکارا رہے۔ یا لڑکا پہلے دن لڑکی کو بیرونِ ملک لے جائے۔۔۔تا کہ دونوں۔۔۔بیرونی پریشانیوں سے بچ کر بہترین زندگی گزاریں، اپنی زندگی۔۔۔یا داماد کے ماں باپ، بہن بھائی سب رشتہ دار شادی سے پہلے وفات پا چکے ہوں۔۔۔اور وہ بالکل اکیلا ہو۔۔۔تا کہ بیٹی سکھی رہے۔۔۔آزاد رہے۔۔۔خود مختار رہے۔۔۔

وہی عورت، ماں یا پھر ساس جب اپنے گھر بہو لے کر آتی ہے تو اس کی خواہش ہوتی ہے کہ بہو بیٹی بن کر رہے۔ کھانے پکائے، تین وقت ہر ایک کے کمرے میں جا جا کر کھلائے۔۔۔سب کے کپڑے بھی دھوئے۔ استری کر کے ہر ایک کی الماری میں لٹکائے۔۔۔جوتے پالش کرے۔۔۔انڈر گارمنٹس بھی دھوئے تو کوئی مضائقہ نہیں۔۔۔گھر کی صفائی بھی کرے اور پھر نوکری کر کے ساری تنخواہ لا کر اس کی ہتھیلی پر رکھے۔۔۔اور سال بعد بیٹا بھی جنے تا کہ خاندان کا وارث پیدا ہو مگر پیدائش کے وقت اپنی ماں کے گھر چلی جائے تا کہ خرچہ نہ کرنا پڑے اور دو تین ماہ ادھر ہی رہ لے تا کہ دیکھ بھال کے عذاب سے بھی زندگی سکھی ہو جائے اور ذمہ داری سے بھی بچ جائے۔ بیٹا تنخواہ لا کر اگر بہو کو دے تو رَن مرید اور اگر داماد کمائی لا کر بیٹی کے ہاتھ پر رکھے تو سمجھ دار کہلاتا ہے۔

کاش میں جوائنٹ فیملی میں ہوتی تو کم از کم رات دیر گئے جب وہ گھر لوٹتا تو ماں روکتی، باپ ٹوکتا۔۔۔پوچھتا۔۔۔سوال جواب کرتا۔۔۔کوئی خوف تو ہوتا۔۔۔اس طرح دھت ہو کر تو نہ آتا۔۔۔اور شاید وہ اس حالت میں اتنی دیر گئے گھر لوٹنے کی جرأت نہ کرتا۔۔۔تھپڑ مارنے کا سوچتا بھی نہ۔۔۔اور اگر ایسا کرتا تو میری ساس۔۔۔سسر کوئی تو اس کا ہاتھ پکڑتا۔۔۔یا کم از کم بعد میں ہی اس کو پوچھتا۔۔۔اس کو کوئی ڈر ہوتا۔۔۔کوئی خوف ہوتا۔۔۔میری ضرورت کے بجائے ماں باپ کے خوف سے ہی سہی۔ ایک گھر بھی بس جاتا اور ایک خواب ٹوٹنے سے بچ جاتا۔۔۔ایک رشتہ نبھ

جاتا۔۔۔تو ڑ چڑھ جاتا۔۔۔ پار لگ جاتا۔۔۔! مگر بدقسمت انسان ہمیشہ اس وقت کسی چیز کی قدر کرتا ہے جب چیز اس کے پاس نہیں ہوتی۔۔۔یا اس سے چھین لی جاتی ہے۔شاید میں جوائنٹ فیملی میں رہ رہی ہوتی تو اس سے برے حالات ہوتے اور میں پھر بھی خوش نہ ہوتی۔۔۔شاید ہمارے حالات کے اچھے اور برے ہونے میں کسی کا قصور نہیں ہمارا اپنا قصور ہوتا ہے۔۔۔

اس لئے میں اپنے آپ کو مار کر۔۔۔ کیونکہ میرے پاس پیچھے دیکھنے کا بھاگنے کا۔۔۔واپسی کا راستہ تو تھا نہیں۔۔۔شاید اگر میں گاؤں میں ہوتی تو بھی اپنے گھر چلی جاتی۔۔۔ماں کے سینے سے لگ کر روتی۔۔۔اس کو بھی رلاتی۔۔۔خود کو بھی رلاتی اور دوبارہ جی ٹھنڈا کر کے واپس لوٹ آتی۔۔۔مگر یہاں تو دکھ بتانے کے لئے سنانے کے لئے صرف دیواریں تھیں، بے جان دیواریں۔۔۔ سنا تھا کہ دیواروں کے کان ہوتے ہیں مگر شاید میرا دکھ سننے کے لئے وہ بھی نہیں تھے۔۔۔

میں خود ہی روئی۔۔۔خود ہی روٹھی۔۔۔خود ہی خود کو منایا اور اپنے آپ کو سمجھایا۔۔۔ماں کی جگہ آ کر خود کو دلاسا دیا۔۔۔حوصلہ دیا۔۔۔نصیحتیں کیں۔۔۔دیارِ غیر کا سوچا اور میں پانی کا گلاس لے کر دھیرے سے کمرے میں چلی گئی۔۔۔ڈرتے ہوئے اس کے پاس کھڑے ہو کر پوچھا پانی لے لیجئے۔

نہ جانے وہ اس وقت کس عالم میں اور کس کیفیت میں تھا اور میرے لئے یہ تجربات بھی نئے تھے۔۔۔میں نے دوبارہ پوچھا اور اس کے قریب ہوئی۔۔۔اس نے زور سے ہاتھ مارا۔۔۔اور میرے دل کے ساتھ گلاس بھی ٹوٹ گیا۔

بولا میں نے شادی عذاب کے لئے نہیں سکون کے لئے کی تھی۔۔۔آرام کے لئے کی تھی۔۔۔اس لیئے نہیں لے کر آیا گاؤں سے اٹھا کر کہ تم میرے آنے جانے کا حساب رکھو۔۔۔میری ماں بن جاؤ۔۔۔جاؤ دفع ہو جاؤ۔۔۔میری زندگی خراب مت کرو۔۔۔

میں اپنی زندگی اور اس کی زندگی کی خرابی کا بوجھ لے کر ایک دفعہ پھر سسکتی ہوئی کمرے اور اس کی زندگی سے باہر آ گئی۔۔۔

حجاب ہر رشتہ میں بہت ضروری ہے۔جھجک اور حجاب رشتوں کو خوبصورت بناتا ہے۔اور

ایک رکھ رکھاؤ قائم رہتا ہے اور جب یہ جھجک اور فاصلہ ختم ہو جائے تو پھر مسائل ہی مسائل بن جاتے ہیں۔اس لیے ہر تعلق، رشتے اور واسطے میں حجاب اور جھجک ضروری ہے۔اور اس میں مادر پدر آزادی کسی صورت شامل نہ ہو۔

یہی مسئلہ ''عظمت'' کے ساتھ بلکہ تمام مردوں کے ساتھ ہوتا ہوگا۔جب ایک دفعہ ان کی جھجک اتر جائے۔۔۔پردہ ختم ہو جائے۔۔۔پھر آپ روک نہیں سکتے۔۔۔جب اس نے ایک دفعہ میرے اوپر ہاتھ اٹھالیا اور اس کو یقین آ گیا کہ میں اس جیسے ترقی یافتہ ملک میں بھی پاکستان کے ایک دیہاتی علاقے کی لڑکی کی طرح Behave کرر ہی ہوں۔۔۔تو اس کو یقین آ گیا کہ مغرب میں آ کر بھی یہ مشرقی ہی ہے۔۔۔اس طرح اس نے میری آزادی کا احاطہ کر لیا۔۔۔اور یوں وہ ہر دوسرے، تیسرے دن، میرے اوپر جوئے میں ہارے پیسوں، شراب کا نشہ اور نہ جانے کیا کچھ، سب کا غصہ اتارتا تھا۔۔۔اس کا ہاتھ کھل گیا تھا۔۔۔جھجک اتر چکا تھا۔۔۔اور وہ میری۔۔۔اخیر کا اندازہ کر چکا تھا۔۔۔اس لیے اس کے تمام خوف دور ہو چکے تھے۔۔۔

وہ اپنے آپ سے گفتگو کر رہی تھی جیسے ابھی بھی اس کو ''عظمت'' نے مار مار کر دور لاؤنج میں پھینک دیا ہو۔۔۔اور وہ بے بسی سے ماں کو یاد کر کے سسکیاں لے رہی اور باپ کی پگڑی اور عزت کا سوچ رہی ہو۔۔۔

فون کی طرف ہاتھ بڑھا کر۔۔۔گھر والوں کی عزت کا سوچ کر۔۔۔دوبارہ رو لیتی ہو۔۔۔اور خود ہی فریج سے برف کا پیک لے کر اپنے جسم پر ٹکور کر رہی ہو۔۔۔اور شکر کے ساتھ صبر کر کے اگلے دن کا انتظار کر رہی ہو۔۔۔!

جان توں پکے جان دے رشتے
کچ نالوں وی کچے نکلے

محبت خدا۔۔۔محبت سودا

میرے خیال میں شاید تمہیں اب محبت کی نہیں۔۔۔عزت کی زیادہ ضرورت ہے۔تا کہ

تمہاری عزتِ نفس بحال ہو سکے۔۔۔تمہیں دوبارہ اپنا آپ خوبصورت لگنا شروع ہو۔دوبارہ گورنمنٹ کالج والا اعتماد تمہارے انگ انگ اور رنگ رنگ سے عیاں ہونے لگے۔۔۔نمایاں ہونے لگے۔۔۔ ڈھلکنے لگے۔۔۔۔ چھلکنے لگے۔میں تو تم سے محبت بھی کرتا ہوں اور عبادت کی حد تک عزت بھی کرتا ہوں۔۔۔کل بھی کرتا تھا۔۔۔آج بھی کرتا ہوں اور آخری سانس تک پوجا کرتا رہوں گا۔میں تو کالج میں بھی تمہارے آگے ہاتھ جوڑتا تھا۔۔۔قدموں تلے پلکیں بچھاتا تھا۔۔۔مگر تم ہی۔۔۔میری محبت کو۔۔۔میرے اخلاص کو ٹھکرا کر۔۔۔اپنی منزل کی طرف چل نکلیں تھیں۔۔۔میں تو محبت کی راہ کی دھول سے۔۔۔خوشبو ادھار لے کر آج تک سانسوں کو معطر کرتا رہا ہوں۔۔۔

وہ میری بات سن کر لہجے میں تھوڑی سی تلخی کے ساتھ۔۔۔اپنی آنکھوں کو ہاتھ سے پونچھتی ہوئی بولی۔۔۔

مجھے محبت اور Respect دونوں کی ضرورت ہے کل بھی تھی۔۔۔آج بھی ہے اور آنے والے کل بھی رہے گی۔ کالج کا دور اور تھا۔۔۔ایک خواب تھا۔۔۔حقیقت سے دور۔۔۔شاید اس وقت جب آپ کے بے شمار گاہک ہوتے ہیں۔۔۔طلبگار ہوتے ہیں۔۔۔میں نے شاید تب بھی آپ سے کہا تھا کہ آپ شاید مجھے صرف محبت دے سکتے ہیں۔۔۔وہ محبت جسے صرف آپ محبت کا نام دیتے ہیں۔۔۔جو ماتھے کو چومنے سے شروع ہوتی ہے۔اور چند منٹوں کے لمس اور جسموں کی جنگ کے بعد ختم ہو جاتی ہے۔۔۔جس کو جسموں کا کھیل تو کہہ سکتے ہیں محبت کا میل نہیں۔۔۔!

آپ کی تڑپ۔۔۔جلن اور اضطرار۔۔۔اس ایک ملاقات کے بعد شاید ختم ہو جائے گی۔۔۔سکون آجائے گا۔۔۔شانت ہو جائے گا۔۔۔اس ایک ملاقات کے بعد۔۔۔آپ مجھ سے بیزار ہو جاؤ گے۔۔۔دھیرے دھیرے بہانے بناؤ گے مصروفیت۔۔۔ کام۔۔۔ نوکری۔۔۔ کاروبار۔۔۔فیملی کی باتیں کرو گے۔۔۔اور میں ہر لمحہ صرف تمہاری راہ۔۔۔تمہاری لمس۔۔۔تمہارا ہاتھ۔۔۔تمہارا ساتھ۔۔۔تمہاری سانس۔۔۔تمہاری باس اور خوشبو۔۔۔کا سوچتی رہوں گی۔۔۔ پوجتی رہوں گی۔۔۔دیکھتی رہوں گی۔۔۔تم ایک بار مل کر دوبارہ مڑ کر نہ دیکھو گے جبکہ میں ایک بار مل کر عمر بھر تمھیں ہی دیکھوں گی۔

مرد اور عورت کی محبت میں اتنا ہی فرق ہے۔۔۔مرد ایک بار مل کر کبھی دوبارہ نہیں ملتا۔جبکہ عورت ایک بار مل کر عمر بھر اس راہ پر پڑی رہتی ہے۔۔۔منتظر۔۔۔عمر بھر۔۔۔!

محبت کچھ لینے کا نہیں۔۔۔سب کچھ دینے کا نام ہے۔جذبات، احساسات، خوشی دینے اور غم لینے کا نام ہے۔یہ اپنی زندگی۔۔۔Respect اور سانسیں دینے کا نام ہے۔دان کرنے کا نام ہے۔محبت "**فنا فی الحبیب**" ہونے کا نام ہے۔جس میں انسان اپنا تن، من، دھن سب کچھ نثار کر دیتا ہے، قربان کر دیتا ہے، وار دیتا ہے۔۔۔اس کے پاؤں تلے خود کو ذبح کر لیتا ہے۔شہ رگ بِنا تکلف اور تکلیف۔۔۔ہار اور سزا کاٹ لیتا ہے۔خون کا آخری قطرہ اس کے پاؤں کی خاک میں ملا دیتا ہے۔۔۔جسم اور روح کا فرق مٹا دیتا ہے۔خود کو خود میں جلا لیتا ہے۔

محبت اور Respect کا اس میں کونسا مقابلہ ہے۔۔۔دونوں کا آپس میں کوئی جوڑ نہیں۔Respect ختم کر کے ہی تو محبت ملتی ہے۔اگر انا Ego، خواہش اور ضرورت زندہ رہے تو سمجھ لیں محبت نہیں ہے۔محبت میں کوئی Reciprocity نہیں ہوتی۔۔۔کوئی توقع۔۔۔چاہے جانے کی تڑپ۔۔۔حاصل کی خواہش نہیں ہوتی۔۔۔یہ دراصل یک طرفہ سرنڈر ہے۔غیر مشروط تابعداری ہے۔۔۔مسلسل جبر نہیں بلکہ صبر ہے۔۔۔محبت مسلسل صبر ہے جو انسان کو قربانی کا درس دیتی ہے۔ذات کی نفی کا سبق دیتی ہے۔اپنے اندر کے حیوان کا کنٹرول دیتی ہے۔نفس کو موت دیتی ہے۔کیونکہ انسان جب خود کو خاک میں ملاتا ہے راکھ بناتا ہے۔۔۔ہستی کو مٹاتا ہے۔۔۔کسی کی خاطر خود پر کھیل جاتا ہے اور اپنے ہونے کو ختم کر لیتا ہے۔تو محبت ملتی ہے۔۔۔پھر مشاہدہ حاصل ہوتا ہے۔راضی بہ رضا ہو کر۔۔۔خود کو سونپ دینے کا نام محبت ہے۔

جب ایک بار سپرد کر دیں۔۔۔سونپ دیں۔۔۔حوالے کر دیں۔۔۔قدموں میں دھر دیں، تو پھر وہ ٹھوکر مارے۔۔۔ٹکڑے کر دے۔۔۔چیتھڑے اڑا دے۔۔۔جانوروں کو کھلا دے۔۔۔پھر اس کی مرضی ہے۔۔۔پھر آپ کا اختیار خود پر ختم ہو جاتا ہے۔اور یہ روز روز نہیں ہوتا۔نہ روزانہ یہ فیصلے ہوتے ہیں اور نہ خود سپردگی کے معاملے۔۔۔یہ حوالگی اور دیوانگی۔۔۔یکبارگی ہوتی ہے۔اس میں سوچ سمجھ کا کوئی عمل دخل اور خود پر اختیار نہیں ہوتا۔۔۔دوبارہ سوچنا اور پیچھے مڑ کر دیکھنے والا پتھر ہو جاتا

ہے۔محبت میں دکھ۔۔۔سکھ، سزا۔۔۔جزا ہے اور محبوب خدا ہے۔محبت کا باوا آدم اور قبلہ جدا ہے۔۔۔کیونکہ محبت خدا ہے۔

محبت وہ اسمِ اعظم ہے جس میں ہر سانس سے یار کے نام کی صدا آتی ہے۔۔۔محبت رحمت ہے اور رحمت سے انکار زحمت کا باعث بنتا ہے۔اس لئے محبت جہاں، جس حال میں، جیسے ملے اس کو قدم لے کر گلے لگالو۔کیونکہ یہ بھی وقت کی مانند ہے۔ایک دفعہ ہاتھ سے نکلا تو کبھی لوٹ کر نہیں آئے گی۔۔۔کبھی نہیں آئے گی۔۔۔پھر عمر بھر لکیر پیٹنے کا فائدہ نہیں۔۔۔خودکشی کا فائدہ نہیں۔

میں نے جواب دینے کی خاطر اور گفتگو کے سلسلے کو جاری رکھنے کے لئے کہا۔

محبت میں جہاں آپ ذات کو یار کیلئے بلا کسی حیل و حجت فنا کرتے ہو وہیں دوسری جانب سے بھی آپ کو سگنل ملنا شروع ہو جاتے ہیں۔میں نے پوری دلیل دیتے ہوئے بات کا رُخ اپنی مرضی کے دلائل کی طرف موڑتے ہوئے کہا۔

ہر انسان کے جسم سے مخصوص شعاع جاری ہوتی ہیں۔ہماری باڈی مسلسل Radiation خارج کرتی ہے۔یہ شعاعیں دراصل ہمارے موڈ، مزاج، طبیعت، حرکات، سوچ اور خیالوں کو ظاہر کرتی ہیں۔اسی طرح شعاعوں کا یہ ہالہ مسلسل اپنی ہیئت اور ترکیب بدلتا رہتا ہے۔اور ان کے اجزاءِ ترکیبی اور پیغام بھی ہماری اندر کی قلبی اور ذہنی و روحانی صورت حال کے مطابق بدلتے رہتے ہیں۔اس لئے اکثر ہم سیدھے چلتے ہوئے بھی اچانک مڑ کر پیچھے دیکھتے ہیں جبکہ ہمیں کسی نے نہ آواز دی ہوتی ہے نہ پکارا ہوتا ہے اور نہ کوئی اشارہ ہوتا ہے۔

دراصل پیچھے کوئی شخص اپنے جسم سے نکلتی شعاع کے ذریعے مسلسل ہمیں پیغام دے رہا ہوتا ہے۔اور جونہی ہم ان شعاعوں کو موصول کرتے ہیں۔ہمارے ریسپٹر (Receptor) وصول کر کے ان کو Interpret کرتے ہیں۔تو ہم جواباً مڑ کر دیکھتے ہیں۔اس لئے بہت سے لوگ ایک نظر میں ہمیں متاثر کرتے ہیں۔۔۔ان کے اردگرد پھیلا نور کا ہالہ ان کا باوضو طواف کرنے اور بار بار کرنے پر مجبور کرتا ہے۔

جسم کے اردگرد پھیلا یہ شعاعوں کا جال ہمارے باطنی خدوخال ظاہر کرتا ہے۔ہماری گندگی

اور پاکیزگی کو بیان کرتا ہے۔ایک دوسرے کو جاننے اور سمجھنے کو آسان کرتا ہے۔کیونکہ جولوگ اندر سے خوبصورت ہوتے ہیں ان کو ظاہری خوبصورتی کی ضرورت نہیں ہوتی۔خوبصورتی کا تعلق رنگ اور نسل سے کب ہوتا ہے۔اس کے لیے یاقوتی ہونٹ۔۔۔۔غزالی آنکھیں۔۔۔مور کی چال۔۔۔۔سرو قد۔۔۔۔عنبریں گال۔۔۔۔ چہرہ کتاب۔۔۔۔مخروطی انگلیاں۔۔۔۔دودھیا چندن بدن۔۔۔ صندل خوشبو کی ضرورت نہیں ہوتی۔ان کی شعاعوں کی خوشبو۔۔۔اندر کی خوبصورتی۔۔۔ان شعاعوں کی صورت ہم تک پہنچتی ہے۔اور جولوگ اندر سے کمینے، بدصورت، غلیظ ہوتے ہیں ان کے گالوں کی لالی، لبوں کی سرخی، جسم کی نرمی، ہاتھوں کی گرمی اور عنبر و کستوری کے باوجود۔۔۔ان سے گھن آتی ہے۔تعفن، غلاظت اور گندگی ان کے اردگرد شیطان کی طرح رقص کرتی ہے۔

ہمارے جسم سے مختلف اوقات میں جاری ہونے والی مختلف قسم کی شعاعوں کو شاید ہم آج شعوری طور پر Interpret نہیں کر پاتے مگر ایک وقت آئے گا جب کوئی ایسا آلہ، مشین یا کمپیوٹر Sensor ایجاد ہو جائے گا جو ہم نے اپنی میز پر دھرا ہوگا اور ہر آنے والے شخص کی بابت مکمل آشنائی اس کے جسم سے جاری ہونے والی شعاعوں کو پڑھنے کے بعد ہمیں مل جایا کرے گی کہ وہ شخص ہمارے بارے میں کیسے جذبات خیالات اور احساسات رکھتا ہے۔۔۔کیا رائے رکھتا ہے۔ہم دلیل کے ماننے والے انسان دراصل ہر بات کو Quantify کرنا چاہتے ہیں۔تو شاید اس مشین اور سکیل پر کم ہونے یا بڑھنے والے صفروں کی تعداد سے ہمیں معلوم ہو جائے گا کہ کون اس لمحے ہم سے کتنی محبت اور نفرت کا اظہار کر رہا ہے۔اور کون مکمل منافقت اور کینہ پروری اور بغل میں چھری اور منہ میں رام رام کر رہا ہے۔ معلوم ہمیں آج بھی ہو جاتا ہے۔کیونکہ دل سے زیادہ حساس، مکمل اور قابلِ اعتماد آلہ دنیا میں نہ پیدا ہوا ہے اور نہ ہوگا۔۔۔۔مگر بدقسمت انسان دل کی بات پر یقین نہیں کرتا۔۔۔اس لئے دماغ کی شرارتوں کے ہاتھوں۔۔۔سبز باغوں سے دھوکہ کھا جاتا ہے۔وگرنہ آج بھی دل واضح طور پر ہمارے شعاعی پیغام ترجمہ کر کے ہمیں بتا دیتا ہے کہ ہم سے بے لوث محبت کون کرتا ہے اور فی سبیل اللہ، خدا واسطے کی نفرت کون کرتا ہے۔

مجھے تم سے شعوری اور لاشعوری محبت تھی۔اس لئے اتنے سالوں سے نصف عمر سے زیادہ

تیرے نام کی تسبیح کر رہا ہوں۔۔۔تم سے بہتر جسم، نرم اور گرم گولائیاں، گہری آنکھیں، لمبے بال، لب شیریں، یاقوتی گال، حسین غزال شہر میں جا بجا پھر رہے تھے۔مگر دل کو اس لمس کی ضرورت نہیں تھی جس میں تم نہ ہو۔اس سانس کی ضرورت نہ تھی جس میں تیرا نام نہ ہو۔اس مشکِ نافہ کی ضرورت نہیں جس میں تیری باس نہ ہو، اس لبِ شیریں کی ضرورت نہیں جس میں تیرا دھن شیریں نہ ہو۔۔۔اس چال کی ضرورت نہیں جس میں تیری چوکڑی غزال نہ ہو۔۔۔اس گلابی گال کی ضرورت نہیں جس میں تیرے خون کی گرمائش نہ ہو۔۔۔اس زلف کی تاریکی نہیں چاہیے جس میں تیرے بال کا کنڈل نہ ہو۔۔۔اس کلام کی ضرورت نہیں جس میں تیرا ذکر نہ ہو۔۔۔اس سروقد کی ضرورت نہیں جس میں تیرا جوبن نہ ہو۔۔۔میں نے صرف تیرا سوچا۔۔۔تیرا بولا۔۔۔تیرا دیکھا۔۔۔تیرا جیا۔۔۔جب تک جیا۔۔۔اور صرف تم سے محبت کی۔۔۔!اگر یہ صرف جسم سے محبت ہے تو بہت سے جسم میرے سامنے بے جسم ہو گئے۔۔۔مجھ سے دور رہنے پر مجبور ہو گئے۔۔۔کیونکہ کوئی دل، روح اور جسم میری نظر میں جچتا ہی نہیں تھا۔۔۔میں تو صرف تیرے لئے۔۔۔تیری محبت کے لئے سب کچھ چھوڑ کر تمہارے پاؤں۔۔۔آن پڑا ہوں۔۔۔

یوں تو خود کو کئی بار نچوڑا ہم نے
تیری خوشبو ہے کہ نہیں جاتی من سے
سانس گو کہ ہوا رخصت کب سے
جان مگر ہے کہ نہیں جاتی تن سے

محبت ٹی بی ہے

اس نے بڑی محبت سے کہا اس سارے عرصے میں کچھ نیا نہیں لکھا۔

میں نے کہا

تیرے جاتے ہی سب قصّے، کہانیاں، داستانیں اور رنگینیاں رخصت ہو گئیں۔تم کیا گئے ''جیون'' سے جیسے ''جیون'' رخصت ہو گیا۔تن سے من چلا گیا۔مٹی کے اس پُتلے میں خاک مقدر رہ

گئی۔ مٹی کو انسان بنانے والی، اشرف بنانے والی، اعلیٰ وارفع بنانے والی روح نکل گئی۔۔۔ اچھا اچھا میرا سب تیرے ساتھ رخصت ہو گیا۔۔۔ گندگی، پلیدی اور غلاظت تن میں باقی رہ گئی۔۔۔۔۔ تیرے جاتے ہی سب چلا گیا۔ میں کیا لکھوں۔۔۔ ہجر لکھوں۔۔۔ فراق لکھوں۔۔۔ زندگی کے عذاب لکھوں۔۔۔ کیا لکھوں۔۔۔ کس کے لیے لکھوں۔۔۔۔ میری سوچ تجھ سے شروع ہو کر تیرا طواف کر کے تم پر ختم ہو جاتی ہے۔۔۔ دماغ کے تمام اعصابی ریشے کوئی حکم دل سے جاری نہیں ہوتا اس لیے جامد اور ساکت ہیں۔۔۔۔۔ کوئی نیا خیال جنم ہی نہیں لیتا۔ تمہارے ساتھ زندگی میں کبھی خزاں محسوس نہیں ہوتی تھی۔ کوئی مشکل راستہ نہ روکتی تھی۔ پت جھڑ رنگین اور خزاں بہار محسوس ہوتی تھی۔۔۔۔ اب تو بہار میں بھی خزاں ہے سرخ پھولوں کا۔۔۔۔۔ زرد موسم۔۔۔ براؤن رنگ۔۔۔ موت ہی موت ہے۔۔۔۔ خوبصورت زندگی میں۔۔۔۔ بہار کے عروج پر۔۔۔ خوبصورت موت مسکراتی نظر آتی ہے۔۔۔۔ میری طرف دیکھ کر مسکراتی ہے۔۔۔ میں چند قدم اس کی طرف بڑھتا ہوں تو۔۔۔ سر جھٹک کر مجھے دھتکار دیتی ہے۔۔۔ جیسے کہہ رہی ہو۔۔۔ اتنی جلدی۔۔۔ ابھی تو بچھڑے چند دن ہوئے ہیں۔۔۔ ابھی تو ہجر کا موسم آیا نہیں۔۔۔۔ پتے گرے ضرور ہیں ابھی مرے تو نہیں۔۔۔ کچھ روز اور۔۔۔ ہجر کے کچھ دن۔۔۔ اور میں پھر تیری طرف دیکھتا ہوں۔۔۔۔

تم میری طرف دیکھ کر دھیرے سے مسکراتی ہو اور کہتی ہو۔۔۔ چھوڑ یار یہ ساری باتیں ہیں۔۔۔ خیال ہیں۔۔۔ انسان کے جانے سے محبت نہیں جاتی۔۔۔ محبت کبھی نہیں جاتی۔۔۔۔ تم لکھا کرو۔۔۔ اپنے خواب لکھو۔۔۔ خیال لکھو۔۔۔ رنج لکھو ملال لکھو۔۔۔ کمال لکھو۔۔۔ جمال لکھو۔۔۔ محبتوں کے اعمال لکھو۔۔۔ نئے کوئی سوال لکھو۔۔۔ عروج چھوڑو۔۔۔ زوال لکھو۔۔۔ یادِ ماضی عذاب لکھو۔۔۔ لکھو۔۔۔ میرے لیے لکھو۔۔۔ اپنے لیے لکھو۔۔۔ زندگی کے لیے لکھو۔۔۔۔ ضرور لکھو!

میں نے دھیرے سے اس کا ہاتھ اپنے ہاتھوں میں لیتے ہوئے کہا۔۔۔ پاگل لڑکی۔۔۔ تم ٹھیک کہتی ہو۔۔۔ انسان کے جانے سے محبت نہیں جاتی۔۔۔ زندگی جاتی ہے محبت نہیں

جاتی۔۔۔کبھی نہیں جاتی۔۔۔۔یہ وہ خنّاس ہے جو دماغ میں ایک دفعہ گھس جائے تو بدو کے اونٹ کی طرح خیمہ گرا تو سکتا ہے باہر نہیں نکل سکتا۔۔۔واپس نہیں جا سکتا۔

یہ آکسیجن ہے۔۔۔انسان کے خون میں شامل ہو کر رگ رگ تک پہنچتی ہے اور اگر سلسلہ منقطع نہ ہو تو انسان کے جسم کے لیے باعثِ راحت اور تقویت اور اگر رُک جائے تو موت۔۔۔۔۔ محبت بھی آکسیجن ہے مل جائے تو زندگی نہ ملے تو موت۔۔۔۔وصل زندگی اور فراق موت ہے۔محبت بھی T.B ہے۔لگ جائے تو جسم کھوکھلا ہو جاتا ہے۔انسان پیلا زرد ہڈیوں کا ڈھانچہ۔۔۔پھیپھڑے ختم۔۔۔سانس سینے میں اٹکتی ہے۔۔۔۔جیسے کاربوریٹر میں کچرا آجائے۔۔۔۔۔نقاہت۔۔۔۔۔ زردی۔۔۔۔پیلیا۔۔۔۔موت۔۔۔۔دھیرے دھیرے رفتہ رفتہ۔۔۔۔۔محبت جاتی نہیں جان لے کر جاتی ہے۔۔۔۔بن بتائے آتی ہے اور چار کندھوں پر لے کر رخصت ہوتی ہے۔

آؤ اِک کھیل کھیلیں۔۔۔!

تم ہم سے کھیلو۔۔۔!

اور ہم جاں پہ کھیلیں۔۔۔!

وہ میرے ساتھ چپکی ہوئی تھی اور میرے بالوں میں انگلیاں پھیر رہی تھی۔۔۔میں نے پوچھا ایک بات تو بتاؤ۔۔۔

جی بولیں۔۔۔وہ بڑی الفت سے بولی۔۔۔

میں نے ملتجی لہجے میں پوچھا۔۔۔Promise برا نہیں مانو گی۔

ذات کا کلمہ۔۔۔ذات کی پوجا

اب برا اور اچھا ماننے کا وقت بھی نہیں رہا اور شاید اختیار بھی نہیں۔یہ باتیں جوانی کی ہوتی ہیں۔۔۔جب شیشہ بھی جسم کی چمک برداشت کرنے سے قاصر ہوتا ہے اور کپڑے پھٹ پھٹ جاتے ہیں۔۔۔جسم سلگ سلگ پڑتا ہے۔۔۔صندل مس کرنے سے گھر بھر کو معطر کر دیتا ہے۔۔۔شریانوں میں آگ دوڑتی ہے۔دماغ میں نخوت اور فطرت سے بغاوت بھری رہتی ہے۔اس دور میں (نعوذ باللہ)

خدا بھی زمین پر آن کر کہے کہ دیکھو میں نے تمہیں بنایا تھا۔۔۔تو انسان۔۔۔اس کی بھی نہیں سنتا بلکہ۔۔۔اپنی مستی میں۔۔۔اپنے آپ کو دیکھ کر اس کو نظر انداز کر دیتا ہے۔من کی مرضی کے خلاف نکلا ہوا لفظ مضبوط ترین رشتے آنِ واحد میں ختم کرنے پر مجبور کر دیتا ہے۔اور انسان دوسری بات سوچنا بھی گناہ سمجھتا ہے۔خود پسند انسان خود کی پوجا کرتا ہے۔خود کا نام جپتا ہے۔۔۔خود کا کلمہ پڑھتا ہے۔۔۔اور خود پر مرتا ہے۔۔۔ذات سے آگے بھی ذات شروع ہوتی ہے اور ذات کے بعد بھی ذات کی جہات باقی بچتی ہیں۔اس لئے خود کو صرف اچھا اور باقی دنیا پاؤں کی ٹھوکر پر ہوتی ہے۔وہ بولتی چلی جا رہی تھی۔

جب جوانی ڈھل جائے۔۔۔جسم کھوکھلا ہو جائے۔۔۔جسم میں خون کی رفتار کچھوے کی مانند ہو جائے۔۔۔خیالات۔۔۔سائبیریا کے سمندر کی طرح پورا سال جمے رہیں، دانتوں کے موتی بکھر جائیں۔۔۔سانسوں سے بیماریوں کی باس آنا شروع ہو جائے۔۔۔ماتھے کی جھریوں سے عمر کا پیمانہ بننے لگے۔۔۔خوبصورت لال گالوں پر سیاہ تل دربان کی بجائے کالے سیاہ بدنما مسّے نظر آنا شروع ہو جائیں۔۔۔چاہے جانے یا مر جانے کی خواہش ختم ہو جائے۔۔۔زندگی روبوٹ کی مانند ہو جائے تو پھر دماغ میں کسی چیز کے اچھا یا برا لگنے کی بابت کوئی خیال بھی نہیں آتا۔۔۔

آپ پوچھیں بے دھڑک پوچھیں۔۔۔اب میرے پاس ایسا بچا ہی کیا ہے جو میں اٹھا کر کہیں اور لے جاؤں گی اور کس بھرتے پر ناراض ہونگی۔

اس طویل تمہید کے بعد میں شرمندہ ہو گیا۔۔۔اور میں مزید ڈر گیا کہ شاید میری اس بات نے اس کو دکھ دیا ہے۔درد دیا ہے۔میں تو اس کی تکلیفیں بانٹنے کے درپے تھا۔۔۔اپنا تن من سب کچھ بھلا کر اس کی تکلیفیں اپنی جھولی میں ڈالنا چاہتا تھا۔وہ چاہے جتنا مرضی خود کو برا کہہ رہی تھی۔۔۔بے بس سمجھ رہی تھی مگر مجھے۔۔۔شرمندگی تو ہوتی ہی تھی کیونکہ وہ میرا حاصلِ زندگی تھی۔۔۔دو تہائی عمر کا حاصل تھی۔۔۔

شباب۔۔۔کباب۔۔۔شراب اور شاعر

Why did you reject me then?۔۔۔اور ہاں میرے اس سوال کا قطعاً یہ مقصد نہیں کہ تم اس کو یہ سمجھو کہ شاید میں تمہیں احساس دلانا چاہ رہا ہوں کہ میں نے یہاں آ کر تم پر کوئی احسان

کیا ہے۔ کیونکہ محبتوں میں نفع نقصان، کمی زیادتی، احسان۔۔۔ کچھ نہیں ہوتا اس میں صرف محبت ہوتی ہے۔ میں تو صرف یہ جاننا چاہتا ہوں کہ مجھے۔۔۔ آپ نے تب Reject کیوں کیا۔

وہ لمبی سانس لے کر بولی۔۔۔ سچ جاننا چاہتے ہیں۔۔۔؟

یقیناً میرے خیال میں تمہارے بقول ابھی جھوٹ بولنے کی کوئی خاطر خواہ ضرورت باقی نہیں بچتی اور ویسے بھی اب ہم ایک دوسرے کو شاید مکمل جاننے کا دعویٰ تو نہیں کر سکتے مگر کافی حد تک ایک دوسرے سے آشنا ضرور ہیں۔۔۔ اور اب تو ہمارے درمیان کے انسانی۔۔۔ رینی اور غینی حجاب بھی اٹھ چکے ہیں۔ شاید کوئی ایسی چیز بچی نہیں جس کو ہم ابھی گلے میں روک کر اپنا سانس روکیں اور اپنی سوچوں کو متعفن کریں۔۔۔ اب تو جو کچھ اندر ہے اس کو اگلنے کا وقت ہے۔۔۔ سلگنے کا نہیں۔۔۔ خود کو اجلنے کا وقت ہے۔۔۔ خوبصورت کرنے کا وقت ہے۔ مکمل کرنے کا وقت ہے۔۔۔ چھپانے کا نہیں، بتانے کا وقت ہے۔ اظہار کا وقت ہے۔ بلا تکلف اور سوچ کے اقرار کا وقت ہے۔ میں نے اس کے تمام بچ جانے والے وہم دور کرنے کی ایک اور کوشش میں کہا۔

دراصل آپ کے پہلے اظہار سے بھی پہلے یہ خیال تھا کہ۔۔۔ یہ جو شاعر لوگ ہوتے ہیں۔۔۔ یہ زن اور جام وسبو کے بغیر نہیں رہتے۔۔۔ ہر روز نئی آنکھیں، نئی صراحی گردن۔۔۔ دودھیا بدن۔۔۔ صندل صنم اور نقرئی ہنسی سے ملیں گے تو اپنی حقیقتوں اور افسانوں کا ملغوبہ۔۔۔ انھی ادھوری خواہشوں اور ننگی Incomplete ہوس کو الفاظ کے خوبصورت کپڑے پہنا کر۔۔۔ ردیف قافیوں کا سرخی پاؤڈر لگا کر۔۔۔ تلمیحات اور استعارات اور تشبیہات کا غازہ، مہندی اور گجرا سجا کر۔۔۔ سہل وثقیل زمین کا تڑکا لگا کر۔۔۔ خوابوں میں رقص کرا کر دیکھیں گے۔۔۔ کاغذ۔۔۔ اور پڑھنے والے کے جسم میں آگ لگا کر مسرور ہوں گے۔۔۔

شراب کباب اور شباب شاعروں کی مجبوری ہوتی ہے۔۔۔ حاصل ہو نہ ہو، خواہش ضرور ہوتی ہے۔ اس لئے یہ دل پھینک ہوتے ہیں۔۔۔ ہر عورت۔۔۔ عمر کی قید کے بغیر۔۔۔ رنگ۔۔۔ جسم۔۔۔ سوچ سے علاوہ۔۔۔ بس عورت ہو۔۔۔ زندہ ہو۔۔۔ تو یہ اس کے عشق میں گرفتار ہو ہی جاتے ہیں۔۔۔ اور ضرور ہوتے ہیں۔۔۔ پھر روتے ہیں۔۔۔ آنسو بہاتے ہیں۔۔۔ پیٹتے ہیں۔۔۔

کئی کئی دن اس کے فراق میں رونے کے ڈرامے کرتے ہیں، ٹسوے بہاتے ہیں۔۔۔ بلکہ اس کیفیت کو خود پر اس خوبصورتی سے طاری کرتے ہیں کہ انسان خود سے شرمندہ ہو جاتا ہے اور Guilty Feel کرنا شروع کر دیتا ہے۔۔۔ جو کیفیت وہ صرف شعر کہنے اور چند لفظوں کو ترتیب دینے کے لئے طاری کرتے ہیں۔۔۔ وہ فریقِ ثانی کی زندگی عذاب کر دیتی ہے۔۔۔ وہ جسمانی طور پر ان کی ہوس سے بچ بھی جائے مگر ذہنی طور پر انسان ان کے لچھے دار لفظوں کے ہیر پھیر سے آزاد نہیں ہو سکتا۔ یہ ایسا جال پھینکتے ہیں کہ انسان ماہی بے آب کی طرح تڑپ تڑپ کر اس کے جال کے اندر اپنے ہاتھ پاؤں چھوڑ کر نڈھال اور بے حال ہو جاتا ہے۔۔۔ اپنے آپ سے۔۔۔ خود سے ہاتھ دھو بیٹھتا ہے۔۔۔ کسی کا کھیل اور کسی کی زندگی۔۔۔ لفظوں کا میل اور روح کی بندگی۔۔۔ انسان کو تباہ کر دیتی ہے۔۔۔ برباد کر دیتی ہے۔

ہر سال، نئی کلاس آتی ہے۔۔۔ نیا سال۔۔۔ نئے چہرے۔۔۔ خوبصورت۔۔۔ خوبرو۔۔۔ جسم، رنگ اور ادائیں اور پھر آج کل کے سمجھ دار لوگوں کو اچھے نمبر لینے کے لئے ایک آدھ عشق، پیار، محبت سے کوئی فرق بھی تو نہیں پڑتا۔

میرا خیال تھا کہ شاید آپ بھی ہر کلاس میں دو چار عشق ضرور کرتے ہوں گے اور اگر ہر سال نہ سہی تو ہر کلاس میں تو ضرور کرتے ہوں گے۔۔۔ اس لئے میں آپ کے چند مصرعوں۔۔۔ قطعوں۔۔۔ بندوں۔۔۔ غزلوں۔۔۔ نظموں کا موضوع بننے سے خوف زدہ تھی۔۔۔ کیونکہ میرے خیال میں آپ ایک جوان شکاری۔۔۔ دل پھینک، زانی، شرابی، جسم کے پجاری سے زیادہ کچھ نہ تھے۔۔۔ کم از کم میں نے اپنے ارد گرد تو یہی دیکھا تھا۔۔۔ اور اُردو ادب کے نام پر ہر شاعر کی شاعری۔۔۔ سوانح عمری میں یہی کچھ پڑھا بھی تھا۔۔۔

اس کی گفتگو کے دوران میں بڑی خاموشی کے ساتھ۔۔۔ اس کے منہ سے ادا ہونے والے ہر لفظ کے ساتھ ساتھ۔۔۔ جیسے انگلی پکڑ کر چل رہا ہوں۔۔۔ اپنی کھوج میں قدم بڑھا رہا ہوں۔۔۔ خود کو ٹٹول رہا ہوں۔۔۔ خود سے سوال اور ہمکلام ہو رہا ہوں کہ۔۔۔ کیا میں واقعی ہی ایسا لگتا ہوں۔ یہ لوگ میرے بارے میں ایسا ہی سوچتے ہیں۔۔۔ میرے لفظوں میں کیا۔۔۔ محبت کی جگہ ہوس بھری

ہے۔۔۔میرے اندر سے گندگی اچھلتی ہے۔۔۔اس کے الفاظ کوئلوں کی طرح میری سماعت کو جہاں جہاں سے گزرے تھے جلاتے گئے تھے اور زخموں کی لکیر سلگاتے گئے تھے۔۔۔

بن دیکھے کی محبت اور نفرت

I don't Know۔۔۔!مگر مجھے خود سے نفرت ہونے لگ گئی تھی۔۔۔یار انسان کے بارے میں لوگ اتنے بدگمان کیوں ہوتے ہیں۔

ہم کسی شخص کو بغیر پرکھے۔۔۔غور سے دیکھے۔۔۔بنا ساتھ چلے۔۔۔برا کیسے مان لیتے ہیں۔۔۔رائے کیوں قائم کر لیتے ہیں؟ کیوں ہم بغیر حالات جانے ایک دوسرے کے بارے میں Judgemental ہو جاتے ہیں۔۔۔اور یوں ہم بغیر سوچے۔۔۔سمجھے۔۔۔ملے۔۔۔پرکھے۔۔۔جانچے اور تولے اور بولے ایک دوسرے سے دور ہو جاتے ہیں۔۔۔مقناطیس کے مخالف قطبوں کی طرح ایک دوسرے سے پرے۔۔۔شدت کے ساتھ۔۔۔ بھاگتے ہیں خوفزدہ ہوکر۔۔۔متنفر ہوکر۔۔۔کیونکہ ہم ایک دوسرے کو جانتے نہیں۔

کوئی انسان جب کسی دوسرے کو مکمل جان لے تو پھر یقیناً اُس سے نفرت نہیں کر سکتا۔۔۔کسی کو جب اس کے حالات کے تناظر میں دیکھیں گے تو اس کے تمام کام عین اُس وقت، موقع محل، ضرورت اور مقام کے مطابق درست معلوم ہونگے۔۔۔اس لیے کسی کو بغیر جانے نفرت کرنے کے بجائے۔۔۔ہم بن دیکھے محبت بھی تو کر سکتے ہیں۔ چاہے وہ یک طرفہ ہی کیوں نہ ہو جیسے میں نے تم سے کی تھی اور اُسی شدت سے آج بھی کر رہا ہوں۔ برا سوچ کر اچھا کرنا اور اچھا سوچ کر برائی کرنا دونوں ہی مشکل کام ہیں۔ اس لیے ہمیں دوسرں کے بارے میں اچھا گمان کرنا چاہیے تا کہ انسان کا اپنا ظاہر، باطن اچھا اور پاک رہے۔۔۔!

میں نے خود کو اس اچانک جھٹکے سے سنبھالنے کی کوشش میں کہا۔۔۔یار پھر دیکھ لو۔۔۔میں تو۔۔۔تیس سال تک۔۔۔بیس سال کی کومل کے لیے اپنے آپ کو مارتا رہا ہوں۔۔۔مجھے تو ایسا محسوس ہوتا ہے جیسے میں نے زندگی میں تمہارے علاوہ کبھی نہ کچھ سوچا اور نہ خواب ہی دیکھا۔ میرے دن اور رات

کے خواب اور خیال میں بھی کوئی اور دوسرا شخص، جسم اور لمس کبھی نہیں آیا۔ میری نظمیں، غزلیں، تراکیب، استعارات و تشبیہات سب کچھ تم سے شروع ہو کر تم تک ختم ہو جاتا ہے۔ تب سے اب تک..... میں صفائی دینا اپنی محبت کی توہین سمجھتا ہوں۔ کیونکہ میری محبت۔۔۔ عبادت اور عبادت۔۔۔ میری محبت ہے۔

سچ ہے محبت تو پہلی نظر میں ہوتی ہے جو بیس سال میں ہو وہ محبت نہیں عادت کہلاتی ہے۔ میری محبت نے مجھے کبھی نڈھال نہیں کیا میں تو ہمیشہ اس سے زندگی مستعار لیتا رہا ہوں۔ اور اسی محبت نے تو آج تک مجھے مرنے نہیں دیا، وگرنہ غور کرو تو میرے پاس زندہ رہنے کا کوئی جواز اور بہانہ کہاں۔۔۔ وجہِ زندگی تیری بندگی!

انسان۔۔۔ پاک مٹی کا پاک بندہ

مجھے سوچ میں مبتلا دیکھ کر اس نے کہنا شروع کیا دراصل ہم میں اچھا، برا کوئی نہیں ہوتا۔ انسان یقیناً فطرتِ تسلیم پر پیدا ہوتا ہے۔ اسی طرح انسان سارے اچھے ہی ہوتے ہیں بس کسی ایک لمحے میں کوئی ہمیں اچھا لگتا ہے اور کوئی برا۔۔۔ وہ بھی دراصل ہمیں اس موقع پر، اس لمحے، اس ساعت، اپنی کسی حرکت۔۔۔ کسی بات۔۔۔ کسی عمل کی بدولت برا لگتا ہے جبکہ اس لمحے سے پہلے اور اس کے بعد پھر وہی انسان بھلا چنگا ہوتا ہے۔ اس کے معاملات میں سے برائی۔۔۔ ختم ہو جاتی ہے۔

دراصل اچھا یا برا کوئی فرد نہیں۔۔۔ بلکہ وقت ہوتا ہے۔ جو فرد کو اس وقت اچھی یا بری سچویشن میں لا کر کھڑا کر دیتا ہے۔ آپ ایسے ہی تصور کریں جیسے آپ ایک متحرک پلیٹ فارم پر کھڑے ہیں جہاں ایک خوبصورت سٹیج پر ایک لمحے میں آپ سب کے لئے قابلِ رشک اور دنیا کے خوبصورت ترین انسان ہوتے ہیں اور جونہی آپ کا سین ختم ہو جاتا ہے۔۔۔ پردۂ سکرین بدلتا ہے، نیا منظر نامہ آتا ہے۔۔۔ آپ کے پاؤں کے نیچے سے زمین تبدیل ہوتی ہے، گردونواح کے درو دیوار تبدیل ہوتے ہیں۔۔۔ تو آپ ایک مکروہ۔۔۔ شیطان کے روپ میں نظر آنا شروع ہو جاتے ہیں۔۔۔ آپ وہی ہوتے ہیں مگر منظر نامہ پر آپ کے ارد گرد مکروہ چہرے، غلاظتیں، آلائشیں، گندگی کے ڈھیر آپ کو اس منظر نامے پر

ننگا اور مکروہ ترین انسان بنا دیتے ہیں۔ سارے آپ سے نفرت اور دیکھ کر کراہت سے منہ دوسری طرف پھیر لیتے ہیں۔ اور آپ بے بسی سے اپنے آپ کو دیکھتے ہیں۔ آپ کی آنکھوں کے منظر ہرگز نہیں بدلتے۔ اس لیے آپ کو اپنے اردگرد کچھ بھی بدلا ہوا نظر نہیں آتا ماسوائے انسانوں کے۔۔۔ اس طرح آپ خود سے بھی نفرت کرنا شروع کر دیتے ہیں۔۔۔

انسان نہیں بدلتا بلکہ حالات بدلتے ہیں۔۔۔ انسان خوبصورت ہی رہتا ہے وقت اس کی خوبصورتی اور بدصورتی کا فیصلہ کرتا ہے۔ حقیقت میں انسان مستقل ہے اور وقت متحرک ہے۔۔۔ اس لیے وقت کی مرضی ہے وہ ایک آدمی، انسان کو، کب کس روپ میں دکھائے۔۔۔ پیار یا نفرت کروائے اور سکھائے۔۔۔ زندہ رکھے یا مر جائے۔۔۔ اس لیے انسان ہمیشہ زندہ رہتا ہے۔ کبھی مرتا نہیں۔۔۔ صرف وقت مرتا ہے۔۔۔ انسان تو سر کنج بدلتا ہے۔۔۔ مٹی سے بن کر مٹی میں بدل جاتا ہے۔۔۔ پاک مٹی کا پاک بندہ کبھی ناپاک نہیں ہو سکتا۔۔۔

میں نے اس لمحے آپ کو جو سوچا آپ کی فرمائش پر گوش گزار کر دیا۔ شاید آپ نہ پوچھتے تو میں کبھی نہ بتاتی۔ مگر میری ہی صورتحال سے اندازہ لگا لیں کہ جس کو میں اس وقت برا تصور کرتی تھی۔۔۔ وقت گزرنے کے بعد میرے لیے آکسیجن ثابت ہوا ہے۔ سہارا بنا ہے۔ میرے بڑھاپے کا آسرا اور میری بے بسی میں بیساکھی بنا ہوا ہے۔ اور جس کو میں بہت اچھا سمجھتی تھی، ملکوتی حسن، کوہِ قاف کا شہزادہ، مکمل انسان اور ابدی سہارا تصور کرتی تھی۔۔۔ قیامت کے بعد بھی جس کی خواہش کے خواب دیکھتی تھی۔۔۔ وہی شخص اسی وقت کے دوران۔۔۔ مکروہ ترین، کریہہ صورت اور غلیظ انسان بن کر میرے منظر نامے پر رونما ہوا۔ جس کی پرچھائی، خواب میں بھی اس کے شایبے سے، ساتھ سے خوف اور نفرت ہوتی تھی۔ جس انسان کے بغیر خواب مکمل نہ ہوتا تھا وقت گزرنے کے بعد وہ خواب میں بھی قابلِ نفرت لگتا ہے۔۔۔ وقت کی بات ہے۔۔۔ شاید کل کو میں اس جگہ ہوں کہ آپ کو دنیا کی غلیظ اور پلید ترین عورت۔۔۔ میں نظر آؤں۔ یہ سب میرے اور آپ کے بس میں تھوڑا ہی ہوتا ہے۔ یہ سب وقت کا کھیل ہے۔ ہم تو صرف اس میں رٹے رٹائے، سیکھے سکھلائے جملے، فقرے، حرکات اور معاملات کرتے ہیں۔۔۔ بلکہ ہم سے سرزد ہوتے ہیں۔۔۔ ازلی پروگرامنگ کے مطابق۔۔۔ اس

ترتیب سے۔۔۔لوحِ محفوظ کی تحریر کے عین مطابق۔۔۔ہاں اس میں تبدیلی دعا سے ممکن ہے۔ یہ ترتیب، پروگرامنگ، تحریر۔۔۔ وقت اور لمحہ۔۔۔ ہر بات اور خواب کی تعبیر۔۔۔تبدیل ہو سکتی ہے۔۔۔بس کاتبِ تقدیر کے ساتھ رابطہ ضروری ہے۔ وہاں درخواست دینا، عرضی ڈالنا، رونا۔۔۔اور رات جب ادھ سے کم رہ جائے تو بن سوئے اُس کا نام لے کر رونا۔۔۔اس کا ہونا۔۔۔اس کے لئے ہونا ضروری ہے۔۔۔پھر عالمین میں موجود سب کچھ، زمین و آسمان کے درمیان سب کچھ، انسان کا ہو جاتا ہے۔

اچھا ہونے کے لئے اچھے کا ہونا ضروری ہے۔ پھر وہ خود ہی سب برا۔۔۔اچھا کر لیتا ہے۔۔۔ اور اگر پھر سب اچھا نہ ہو تو سمجھ لیں کہ ابھی تک آپ مکمل طور پر اس کے ہوئے نہیں۔۔۔!

ہم سارے ہی اپنے اپنے وقت میں اور حالات میں سب اچھے ہیں۔ مسئلہ تو یہ ہے کہ ہمیں اچھا یا برا سمجھنے والے۔۔۔اس وقت پر۔۔۔ وقت کے کس دھارے پر کھڑا ہو کر ہمیں دیکھ رہے ہیں۔۔۔ وہ زاویہ ہمیں اچھا اور برا کر کے دکھاتا ہے۔۔۔ہم سب اچھے ہیں۔۔۔بہت اچھے ہیں۔۔۔کچھ برا نہیں۔۔۔غیر سب اچھا ہے اور ذات سب بری ہے۔ خود کو اچھا کر لو سب اچھا لگنے لگے گا، خوبصورت ہو جائے گا۔۔۔پارس ہو جائے گا۔

زندگی کا کیا ہے یہ تو گزر ہی جاتی ہے اس میں شاید ہی کوئی حاصل سے مطمئن ہو۔ نہ میں، نہ تو۔۔۔ہماری خواہشات پر جائیں تو زندگی میں کچھ لوگ ایسے بھی ملتے ہیں جن سے محبت تو دور کی بات نفرت کو بھی دل نہیں مانتا مگر ایسے لوگوں کے درمیان رہ کر محبت تقسیم کرنا، تلقین کرنا اور ترویج کرنا عین عبادت ہے۔ اگر سب کچھ خواہش کے عین مطابق دسترس میں آجائے تو خواہش کا مزا ختم ہو جائے۔۔۔حاصل کی لذت ناپید ہو جائے۔۔۔وصل کی خواہش مر جائے۔۔۔انسان کے لئے زندگی میں کشش ختم ہو جائے Charm اور Attraction ختم ہو جائے۔ خواہش زندہ ہے تو انسان زندہ ہے۔۔۔کشمکش باقی ہے جدوجہد موجود ہے۔ مقابلہ اور مسابقہ باقی ہے۔

تمہارے خیال میں تم نے زندگی کے یہ سال۔۔۔نفرت میں محبت تقسیم کرنے میں بسر کیے ہیں۔۔۔میں نے اس کے زخموں پر ہلکی سی طنز کی نمک پاشی کرتے ہوئے کہا۔

وہ بلا جھجک بولی۔شاید ایسا نہیں ہے۔شاید بہت ساری غلطیاں میری بھی ہونگی۔مگر میں نے کوشش ضرور کی تھی۔۔۔اس کے ساتھ زندگی گزارنے کے علاوہ ہزاروں میل کی مسافت پر میرے پاس کوئی اور چارہ نہ تھا۔مار پیٹ سے بات بہت آگے جا چکی تھی۔۔۔اس کو شاید میرے جسم کی بھی ضرورت نہیں رہی تھی۔۔۔میں اکثر غصے میں اور پھر صبر سے اِدھر اُدھر پھرتی۔۔۔کوئی ایسی حرکت کرتی جس سے اس کو میرے ہونے کا احساس ہوتا۔۔۔مگر وہ مجھے بالکل عام استعمال کی اشیاء کی طرح Treat کرتا تھا۔۔۔میں اس کے پیار کے بول اور محبت کے لئے ترستی رہتی مگر وہ۔۔۔میرے سامنے ہو کر۔۔۔مجھ سے بہت دور رہا تھا۔میرا اس سے جسم کی ضرورت کا رشتہ بھی ختم ہو چکا تھا۔اس کی ہر روز کی ضرورت باہر سے۔۔۔ہر روز نئے جسم سے پوری ہو جاتی تھی مگر میرے اندر اپنی ضرورت پوری کرنے کے لئے باہر جانے کی ہمت نہ تھی۔۔۔اور وہ ویسے بھی جب انسان کو روز نئے جسم میں چھپنے کی عادت ہو جائے تو پھر پرانے سے نفرت ہو جاتی ہے۔حلال، حرام کی تمیز۔۔۔ختم ہو جاتی ہے۔

عورت۔۔۔محبت اور یقین

میں نے کہا عورتوں کو کبھی مرد کی محبت پر یقین نہیں آتا۔

بھلا آئے بھی کیونکر۔عورتوں کو تو محبت کے نام پر صبح شام چند لمحے کے سیکس کے لیے استعمال کیا جاتا ہے۔اور پھر ساتھ سونے کے بعد محبت ختم۔کپڑے پہنو نہاؤ دھوؤ اور اپنے اپنے گھر۔۔۔چند دن۔چند مہینے یا چند سال اور پھر نئی محبت۔۔۔نئی لڑکی۔۔۔نئی خاتون۔۔۔نیا بستر۔۔۔نیا کمرہ۔۔۔

مرد چاہتا ہے کہ وہ دنیا کی تمام خواتین کے ساتھ عشق کرے۔محبت کرے پیار کرے۔۔۔اس کا اظہار کرے۔۔۔ان کے ساتھ سوئے۔۔۔سیکس کرے اور پھر ان کو ایک بار یا چند بار استعمال کر کے رکھ چھوڑے۔۔۔کسی سٹور میں، کسی صندوق میں۔۔۔کسی گیراج میں گاڑی کی طرح کپڑا ڈال کر۔۔۔اور کبھی کبھار۔۔۔جب جی کرے دوبارہ جھاڑ پونچھ کر۔۔۔پھر استعمال میں لائے یا عمر بھر اسی سٹور میں۔۔۔زنگ لگنے کے لیے گلنے سڑنے کے لیے رکھ چھوڑے۔

رنجیت سنگھ کے حرم کی طرح۔۔۔جس میں سینکڑوں خواتین ہوں۔۔۔۔ان میں سے کئی کو صرف زندگی میں ایک دفعہ ہی اس سے ہمبستری کا شرف حاصل ہوا ہو مگر وہ دوسرے مرد کے بارے میں بالکل نہ سوچیں۔ زندگی میں ہی اپنی زندگی ختم کر لیں۔ اپنے جذبات، خیالات، احساسات ختم کر لیں بلکہ ان کو حق کس نے دیا ہے کہ وہ کوئی سوچ بھی رکھیں، چہ جائیکہ وہ سیکس کا کسی غیر مرد کے ساتھ سوچیں۔

عورت تو صرف مرد کے استعمال کی چیز ہے۔ جب چاہے جیسے چاہے اور جہاں چاہے وہ اسے استعمال کرے۔ اور پھر چاہے اس کو پھینک دے، توڑ دے، تباہ کر دے یا کسی کونے کھدرے میں ڈال دے۔ پڑا رہنے دے یہ مرد کی مرضی پر منحصر ہے۔

البتہ مرد کی مرضی ہے کہ وہ تمام دنیا کی عورتوں کو اپنے حرم میں رکھنا چاہتا ہے۔ استعمال کرنا چاہتا ہے۔ چند لمحوں کے لیے ہی سہی۔ اور پھر مستقل ان کے ذہن اور جسم کا حکمران بننا چاہتا ہے۔

لیکن وہ اپنے سٹور میں، Junk yard میں پڑی زنگ آلود عورت کے بارے میں یہ کبھی برداشت نہیں کر سکتا کہ وہ دوسرے کے بارے میں سوچے۔ اپنی جسمانی، ذہنی اور جذباتی تکمیل یا کمی کو پورا کرنے کے لیے کوئی عملی قدم اٹھائے۔ اگر وہ ایسا کرے تو غیرت مند مرد کی غیرت فوراً جاگ جاتی ہے۔ پھر وہ اپنے ہر قسم کے اختیار کو اس عورت کے خلاف استعمال کرتا ہے۔ زبان اور ہاتھ کا استعمال کرتا ہے۔ سوسائٹی کا استعمال کرتا ہے۔

مرد عورت کو انسان نہیں صرف استعمال کی چیز تصور کرتا ہے۔ بالکل کمپیوٹر کی طرح۔۔۔جب دل کرے سوئچ لگاؤ استعمال کرو اور پھر بند کر کے رکھ دو۔ مرد کے لیے تمام جہان کی زندہ عورتیں جائز اور تمام جہان کی عورتوں کے لیے دوسرا مرد ناجائز ہے۔ مرد دنیا بھر کی عورتوں کے ساتھ سو کر بھی پارسا اور عورت عمر بھر کے انتظار کے بعد دوسرے کا خیال دماغ میں لے جانے پر بھی کافر اور کاری ہو جاتی ہے۔ مرد حکمران اور عورت غلام ہے۔ کل بھی اور آج بھی اور شاید آنے والے کل بھی۔ کیونکہ مرد کی سوچ نہیں بدلی۔ اور نہ وہ بدلنے کے لیے تیار ہے۔

مرد بڑی ''کھوچل'' چیز ہے۔ شادی ایک ہی کرتا ہے مگر شدہ بے شمار۔ شاید نوعِ انسان کے

ساتھ یہ آفاقی مسئلہ ہے کہ ہر حلال چیز کو حرام اور حرام چیز کو حلال کر کے کھاتا ہے۔ایک شادی کرتا ہے۔اور اس ایک کے ڈر سے عمر بھر شادی تو نہیں کرتا مگر زنا مسلسل کرتا رہتا ہے۔ایک محبت کے ہاتھ سے نکلنے کے ڈر سے بے شمار محبتیں کرتا ہے۔ایک شادی بچانے کے لیے دوسری شادی نہیں کرتا۔شادی کے لیے محبت کرے نہ کرے شدہ کرنے کے لیے روز نئی محبت تلاش کرتا رہتا ہے۔بیچارہ معصوم اور مظلوم مرد۔۔۔!

بدقسمتی یہ ہے کہ عورت چاہتی ہے کہ اس کی تمام خواہشیں ایک ہی مرد پوری کرے جبکہ مرد یہ چاہتا ہے کہ اس کی ایک خواہش تمام عورتیں پوری کریں۔۔۔!

حلال زندگی۔۔۔حرام موت

بیوی سے مباشرت کرنے کے بعد چہرے پر رونق اور فاحشہ و داشتہ سے صحبت کے بعد لعنت پڑ جاتی ہے۔ایک سے جسم میں طاقت اور چستی اور دوسرے کے بعد سستی نقاہت اور جوڑ جوڑ میں درد ہوتا ہے۔۔۔حلال اور حرام میں یہی تو فرق ہے۔حلال زندگی اور حرام موت ہے۔حلال عبادت اور حرام مردار ہے۔۔۔اور مردار پہ پلنے والے کو حلال میں لطف کب آتا ہے۔۔۔اس کی تمام حسیات میں لطافت کی جگہ غلاظت بھر جاتی ہے۔ جو مزہ حرام میں ہے وہ حلال میں کہاں۔شاید یہی حال اس کا تھا۔اس کو میری ضرورت نہ تھی۔۔۔

مگر میں نے پورے اخلاص کے ساتھ بھرپور کوشش کی۔۔۔اپنی پوری جوانی اس کوشش میں گزار دی۔۔۔اس کے بچوں کو بلکہ اپنے بچوں کو پیدا کیا۔۔۔اس کا حصہ ہی کیا ہے اس میں۔۔۔ صرف چند پانی کے قطرے۔۔۔

ایک رینگتا ہوا کیڑا۔۔۔اپنے خون سے، اپنی خوراک سے، اپنی ہڈیوں اور جسم کی خوراک سے اس کی پرورش کی۔۔۔اپنی جان کھوکھلی کر کے، اپنا گوشت کاٹ کے، ان کی ہڈیوں پر چڑھایا۔۔۔وہ تو پیدائش کے وقت بھی گھر میں بے ہوش پڑا تھا۔۔۔ان کو اپنے جسم سے پالا۔۔۔ٹیکسی چلائی۔۔۔ناز نخرے۔۔۔سب بھول کر۔۔۔سٹور پر کام کیا۔۔۔گیس اسٹیشن چلائے۔۔۔بار میں گلاس Serve کیے۔۔۔جھوٹے برتن اٹھائے۔۔۔typical ایشیائی عورت کی طرح خاوند کی عبادت

کی۔۔۔صرف سجدہ ہی نہیں کیا باقی اس کی کفالت بھی کی۔۔۔اس کی شراب کا خرچ بھی اٹھایا اور شباب کا بھی۔۔۔کیونکہ مجھے ماں کی وہ بات یاد تھی کہ

''بیٹا زندگی میں پرفیکٹ کچھ بھی نہیں ملتا صرف اللہ اور اس کا رسول ﷺ پرفیکٹ ہیں۔باقی سب میں کچھ نہ کچھ کمی، کجی اور کوتاہی موجود ہے اس لیے زندگی میں کبھی بھی Perfection ڈھونڈنے کی کوشش مت کرنا وگرنہ ماری جاؤ گی۔۔۔زندگی بھی جہنم بن جائے گی اور آخرت بھی۔۔۔جو مل جائے اس پر راضی رہنا۔۔۔مزید کی کوشش ضرور کرنا۔۔۔مگر اس کے لیے جو حاصل ہے اس کو نہ گنوا بیٹھنا۔۔۔راضی بہ رضا رہنا۔''

ماں وہ نشہ کرتا ہے۔۔۔اسے میری ضرورت نہیں ہے۔

اس کے جواب میں ماں نے ہمیشہ کہا

''اگر وہ نشہ کرتا ہے۔۔۔تو چُپ رہو۔۔۔عورتوں سے ملتا ہے تو خاموش رہو۔۔۔معلوم پڑنے پر بھی شکوہ نہ کرو۔۔۔شرمندہ نہ کرو۔ جو بھی ہے۔۔۔ جیسا بھی ہے۔۔۔آپ کا ہے۔۔۔لوٹ آئے گا کسی روز، واپس آجائے گا۔۔۔تمہارے پاس آجائے گا، جب واپس آئے تو کوئی طعنہ مت دینا۔۔۔کوئی گزری بات۔۔۔کوئی بدگوئی۔۔۔بدزبانی۔۔۔بدکلامی۔۔۔بدکرداری۔۔۔مدہوشی میں کیا ہوا کام یاد مت دلانا۔۔۔کیونکہ وہ تیرا ہے۔۔۔جدھر بھی جائے گا تیرا ہی رہے گا۔۔۔صرف صبر کرو۔۔۔کم از کم۔۔۔اللہ، خاوند اور اپنا حصہ تو پورا ہو جائے گا۔مل گیا تو دنیا جنت نہ ملا تو آخرت۔۔۔دنیا کا سکون ملے نہ ملے آخرت کا سکون تو ضرور مل جائے گا۔۔۔تم اپنا حصہ مکمل کرو۔۔۔صبر سے شکر سے۔''

صبر اور سوتن

میں بے بسی سے کہتی ماں تم سب جانتی ہو اور پھر بھی تم سمجھتی ہو کہ شاید میں اپنا حصہ مکمل نہیں کر رہی ،فرض ادا نہیں کر رہی۔۔۔

ماں ایک طویل سانس لیتی۔۔۔میرے ماتھے پر ہاتھ پھیرتی۔۔۔اور کہتی۔۔۔بیٹا دیکھو

میری اور آپ کی ذمہ داری اللہ کو حاضر ناظر جان کر اپنا حصہ بہتر طریقے سے گزارنے کی ہے۔ضروری نہیں جتنا اچھا ہم کرتے ہیں دوسرے بھی ہمارے ساتھ ایسا ہی سلوک کریں۔اچھے کے ساتھ تو سب اچھے رہتے ہیں۔بُرے کے ساتھ اچھا کرنا اور زندگی گزارنا عبادت ہے۔اس لیے آپ اس عورت کو دیکھو،جس کا میاں کافر اور حاکمِ وقت،خدا کی عبادت کے وقت ہاتھوں میں میخیں گاڑ دیتا ہے مگر وہ اپنے حصّے کا اچھا کرتی رہتی ہے،اُف نہیں کرتی،راضی بہ رضا رہتی ہے۔اس لیے اپنا حصہ ایمانداری سے کرو،شکوہ نہ کرو۔۔۔شکوہ تب کریں جب ہم غلطیوں سے پاک اور مکمل ہوں۔۔۔اس لیے شکوہ نہیں صبر کرنا ہے۔۔۔اور بھلا تیرا صبر کونسا صبر ہے۔۔۔یہ تو۔۔۔انگور کھٹے والا اور صبر کی سب سے نچلی ترین قسم ہے۔

صبر وہ ہوتا ہے جب آپ کے ہاتھ میں اور دسترس میں سب کچھ ہو اور آپ وہ یار کی رضا کے لیے یار پر نثار کر کے ضرورت مندوں میں تقسیم کر دیں اور یار کے لیے۔۔۔سب کچھ لُٹا کر صبر کریں۔۔۔حاصل کو قربان کر کے صبر کرنا اصل صبر ہے۔۔۔اور حاصل کی خواہش میں بے بس ہونے کو صبر نہیں کہتے۔۔۔اس لیے خدا سے دعا کیا کرو کہ وہ کسی امتحان میں نہ ڈالے۔۔۔راضی بہ رضا رہنا سیکھو۔۔۔ ذات کو نہیں صاحبِ ذات کو خوش رکھنا سیکھو،دنیا خود بخود قدموں میں ڈھیر ہو جائے گی۔

میں نے پوری زندگی کبھی بھی ماں کی اس فلاسفی سے اتفاق نہیں کیا۔مگر میں نے نبھا ضرور اس فلاسفی کے مطابق کرنے کی کوشش کی۔۔۔میں ماں کو تنگ آ کر یہ ضرور کہتی۔۔۔

نہ ماں۔۔۔سوتن تو مٹی کی بھی وارہ نہیں کھاتی،یہاں تو روز نئی اور گوشت پوست کی ہوتی ہے اور آپ کہتی ہیں صبر کرو۔۔۔اگر میں اتنی پرفیکٹ ہوتی تو میں ولی ہوتی،میں انسان ہوں۔۔۔گوشت پوست کی۔۔۔ میری جسمانی اور مالی ضرورتیں اور خواہشات ہیں۔۔۔میں ان کی تکمیل چاہتی ہوں۔۔۔خود کو مرتے ہوئے اور روز لُٹتے ہوئے۔۔۔اپنی آنکھوں کے سامنے۔۔۔نہیں دیکھ سکتی۔۔۔یہ میری برداشت سے باہر ہے۔بہت مشکل ہوتا ہے خود کو سمجھانا۔۔۔Reconcile کرنا۔۔۔خود سے سمجھوتا کرنا۔۔۔ذات کو ختم کرنا۔۔۔سوچ کو سرینڈر کرنا۔خود کو مار کر دوسروں کے لیے اپنی فطرت کے خلاف۔۔۔خوشیاں بانٹنا۔۔۔غیر انسانی ہے۔Inhuman رویہ ہے۔۔۔!

مجھے نہیں معلوم۔۔۔ میں انسان ہوں، غلط ہو سکتی ہوں۔۔۔ ہر انسان کی زندگی میں بلیک سپاٹ آتے ہیں۔۔۔ جو خود کو نظر نہیں آتے۔۔۔ ہو سکتا ہے میری شخصیت میں بھی بے شمار ہوں۔۔۔ جو شاید مجھے نظر نہیں آتے۔۔۔ مگر میں نے ہمیشہ خود کو نظر انداز کیا۔۔۔ اس کے قدموں پر اپنی زندگی اور خوشیاں سب نثار کیں۔۔۔

میں نے اس کو ٹوکتے ہوئے پوچھا۔۔۔ اس ماڈرن دنیا میں، اس ترقی یافتہ لوگوں کے درمیان جہاں عورت کے حقوق سے بات شروع ہو کر عورت کے حقوق پر ختم ہوتی ہے۔۔۔ تمہیں سسکنے کی ضرورت کیا تھی۔۔۔ اگر انجام یہی ہونا تھا۔۔۔ پھر بہت پہلے ہو جاتا تو بہتر تھا۔۔۔

زندگی میں ہر کام کا ایک وقت معین ہے۔ اس سے پہلے نہیں اور اس کے بعد نہیں۔ وہ لکھ دیا گیا ہے۔۔۔ میں تو ہمیشہ یہ سوچتی رہی کہ زندگی میں حقوق نہیں رشتے زیادہ عزیز ہوتے ہیں۔ Rights نہیں ریلیشن زیادہ قیمتی ہوتے ہیں۔ حقوق سے رشتے بہر طور۔۔۔ زیادہ انمول ہوتے ہیں۔ جن کے لیے حق تو کیا جان بھی قربان کی جا سکتی ہے۔ آپ حقوق چھین سکتے ہیں۔۔۔ مگر Feelings، احساس اور جذبات نہیں۔ آپ انسان کے جسم کو قید کر سکتے ہیں مگر اس کے خیالات کو نہیں۔ محبت زبردستی کا کھیل نہیں۔ بس یہ کسی اور جہان سے نازل ہوتی ہے۔۔۔ بلا اجازت، بغیر دستک، کنڈی کھٹکھٹائے۔۔۔ دروازہ کھول اندر آن موجود ہوتی ہے۔ اور ایک دفعہ اندر داخل ہو جائے تو۔۔۔ پھر دل اور دماغ پر چھا جاتی ہے۔ اور انسان ایسا مسحور ہوتا ہے۔۔۔ کہ روم روم بول اُٹھتا ہے۔

میں نئیں بس توُں۔۔۔ میں نئیں بس توُں

اور میں کو مارنے اور توُ کو ڈھالنے، اوڑھنے، بچھونے اور اپنے اندر اور ذات میں سمونے کے اس عمل میں انسان ذات کو قربان کر دیتا ہے۔ حقوق تو دور کی بات۔۔۔ جان قربان کر دیتا ہے۔۔۔ میں نے بھی کوشش کی اپنی محبت کو نباھنے کی۔۔۔ حقوق کو بھول کر فرائض۔۔۔ اپنی محبت کی عبادت کی تکمیل کرنے کی کوشش کی۔۔۔ اس کوشش میں۔۔۔ میں ٹُوٹ گئی۔۔۔ ٹکڑے ٹکڑے ہو گئی۔ ریزہ ریزہ بکھر گئی۔۔۔ گلیوں کے تنکوں سے زیادہ ہلکی اور قحبہ خانہ میں بکنے والی فاحشہ سے سستی۔۔۔ مگر۔۔۔ محبت ملی نہ زندگی۔۔۔ سب سراب اور عذاب میرے حصے میں آئے۔۔۔

شاید ہر تعلق کا آغاز اتنا ہی خوبصورت اور انجام اتنا ہی خوفناک اور ہولناک ہوتا ہے۔ زندگی میں دکھ اور سکھ کا تناسب بھی ازل سے طے ہے۔ اس میں ہم کوئی کمی یا زیادتی نہیں کر سکتے، نہ ان کی ترتیب آگے پیچھے کر سکتے ہیں۔ کسی کو آغاز میں دُکھ اور انجام میں سُکھ ملتے ہیں۔ کچھ کو وقفہ وقفہ کبھی خوشی کا جھونکا کبھی غم کی بارش۔۔۔ کہیں باغ بہاری کی خوشبوئیں۔۔۔ خزاں کی براؤن موت۔۔۔

زندگی اور سپیڈ بریکر

ماں ٹھیک ہی تو کہتی تھی، بیٹا زندگی میں جب سب کچھ ٹھیک لگنے لگے۔۔۔ سکھ ہی سکھ ہو۔۔۔ مشکل نہ دکھ۔۔۔ سب کچھ اپنے اپنے مقام پر درست ہو۔۔۔ اور چہرے پر کوئی اضطراب۔۔۔ کوئی اذیت، کوئی پریشانی نہ ہو۔۔۔ آسانی ہی آسانی ہو۔۔۔ اور زندگانی۔۔۔ کسی زندگانی پر مہربان ہو۔۔۔ جب سب کچھ ٹھیک لگے تو سمجھ لیں کہ کچھ بھی ٹھیک نہیں۔۔۔!

جب زندگی میں سکون ہو تو سمجھ لیں کہیں بے سکونی ضرور ہے۔ ٹوہ میں لگی ہوئی ہے۔ جو نظر نہیں آ رہی کیونکہ آرام اور اضطراب زندگی ہے۔۔۔ زندگی اور زندہ رہنے کے لیے زندگی میں سپیڈ بریکر ضروری ہے۔ اگر صرف سکھ ہی ملتے رہیں تو انسان دینے والے کو فراموش کر دیتا ہے۔ راحتوں کو ہاتھوں کی کمائی اور حق سمجھنا شروع کر دیتا ہے۔ زورِ بازو پر فخر اور ذات پر تکبر کرنا شروع کر دیتا ہے۔ سب کچھ کو فراموش کر دیتا ہے۔ اپنی ناتوانی، نادانی، کمزوری اور بے بسی کو فراموش کر دیتا ہے۔ خود کو مہان تصور کرتا ہے۔۔۔ جو کہ حقیقت کے برعکس ہوتا ہے۔ انسان کی خود پر۔۔۔ اختیار کی غلط فہمی انسان کو انسان اور رحمٰن سے دور لے جاتی ہے۔۔۔

رحمٰن ازل سے مہربان۔۔۔ نادان انسان کی چتر چالا کیوں، غرور، تکبر اور خود پرستی و پستی و مستی کے فخر کو دیکھ کر مسکراتا ہے۔۔۔ کہ انسان، شیطان، حقیقت سے بدگمان۔۔۔ روشن دلائل و براہین اور آیات ونشانات و بینات کے باوجود۔۔۔ آنکھوں سے اندھا، کانوں سے بہرہ، زبان سے گونگا، عقل سے اور دماغ سے ماؤف۔۔۔ سیاہ آگ کے گہرے کنویں کی طرف۔۔۔ بے خبری میں۔۔۔ مدہوشی میں قدم بڑھاتا جا رہا ہے۔۔۔ اور وہ اس کو بچانے کی کوشش کرتا ہے۔ اس کے راستے میں۔۔۔ جان،

مال، اولاد کے سپیڈ بریکر کھڑے کرتا ہے۔۔۔ تا کہ اس سے ٹھوکر کھا کر۔۔۔ انسان کی آنکھیں جھٹکے سے کھل جائیں۔۔۔ وہ لبِ بام آ کر ہی سہی گرنے سے بچ جائے، دنیا اور جسم کے دوزخ سے بچ جائے، جہنم سے بچ جائے۔۔۔ محفوظ ہو جائے۔۔۔ جان لے، پہچان لے کہ جو کچھ وہ کر رہا تھا وہ غلط۔۔۔ جس سمت جا رہا تھا وہ خسارہ اور جس لعل کو اٹھا رہا تھا وہ انگارہ ہے۔۔۔ ہاں البتہ انسان جب ٹھوکر کھا کر گرنے لگتا ہے۔۔۔ تو خدا اس کو سہارا دیتا ہے۔۔۔ ہاتھ بڑھا کر اس کو پکڑ لیتا ہے۔ گرنے سے بچا لیتا ہے۔۔۔ اس کو خود سے بچا لیتا ہے۔ کیونکہ زندگی میں تمام تکلیفیں قابلِ برداشت ہیں، سوائے تکلیفِ ذات کے۔۔۔ جسمانی تمام تکلیفیں انسان برداشت کر لیتا ہے۔۔۔ زخم بھر جاتے ہیں، مگر جب حجاب ختم ہوتا ہے انسان اپنے آپ کو اپنی اصل نظر سے دیکھتا ہے۔۔۔ اپنی اصل کو دیکھتا ہے۔ اپنی نظر سے اپنے آپ کو دیکھتا ہے، خود کو خود دیکھتا ہے۔ اطلس و کمخواب کے باوجود ننگا دیکھتا ہے۔ ننگا ہونے میں بھی شاید انسان کو عار نہیں۔ کیونکہ روز ایک آدھ بار وہ خود کو ننگا دیکھ لیتا ہے۔ عادی ہو جاتا ہے۔۔۔ شرم محسوس نہیں کرتا۔۔۔ مگر جب بصارت عطا ہوتی ہے۔ پردہ ختم ہو جاتا ہے حجاب اٹھتا ہے۔۔۔ ذات سے ملاقات ہوتی ہے تو پھر انسان خود سے نفرت کرنے لگتا ہے۔ کیونکہ جسم کا ایک ایک حصہ اس کے خلاف گواہی دیتا ہے۔ چیخ چیخ کر پکارتا ہے دہائی دیتا ہے۔۔۔ کہ میرا کوئی قصور نہیں میں نے جو بھی کیا۔۔۔ تیرے حکم اور ہوس کے لیے کیا۔۔۔ میں بے بس تھا۔ ہاتھ ہاتھ سے شرمندہ۔۔۔ پاؤں، پاؤں سے۔۔۔ ہونٹ، ہونٹ سے۔۔۔ کان، کان سے۔۔۔ سب حقیقت آشنا ہو کر۔۔۔ ایک دوسرے کو دیکھتے ہیں۔ شرمندہ ہوتے ہیں۔ اس کے خلاف چیخ و پکار کرتے ہیں۔ اس کے ظالم احکامات کے خلاف آہ و پکار کرتے ہیں فریاد کرتے ہیں۔۔۔ اپنی بے گناہی کو ثابت کرنے کے لیے روتے ہیں۔۔۔ انسان اس دکھ، چیخ و پکار، آہ و بکا، آنسوؤں کے درمیاں آنکھیں بند کرتا ہے۔۔۔ کانوں پر ہاتھ رکھتا ہے۔۔۔ ان میں زور سے انگلیاں ٹھونستا ہے۔۔۔ پردے پھاڑ دیتا ہے۔۔۔ لہو نکال دیتا ہے۔۔۔ آنکھیں نوچ کر ہتھیلیوں پر رکھ دیتا ہے۔۔۔ مگر وہ پھر بھی زندگی سے بھرپور اچھل رہی ہوتی ہیں۔۔۔ گواہی دے رہی ہوتی ہیں۔۔۔ اور یوں وہ صور کی آواز کے بغیر ہی اندر کی آواز کے ساتھ۔۔۔ ذات کی پکار کے ساتھ۔۔۔ کانپ اٹھتا ہے۔۔۔ اس کا اندر باہر ٹوٹ جاتا

ہے۔۔۔ وہ گریبان چاک کر کے۔۔۔ خود سے ملاقات کر کے۔۔۔ سب کچھ چھوڑ کر جب گریہ کرتا ہے۔۔۔ اپنے اندر اور باہر کو دھونے کی کوشش کرتا ہے۔۔۔ تو اس کے جسم کا ایک ایک روم آنسو بہاتا ہے۔۔۔ روتا ہے۔۔۔ بلبلاتا ہے۔۔۔ تو اللہ تعالیٰ محبت سے اس کے آنسو صاف کرتا ہے اس کے اعمال واطوار کو درست کرتا ہے۔۔۔ اور اس کو ذات آشنا کرتا ہے۔۔۔ اس کی تمام کثافتیں دور کرتا ہے اور نورانی لطافتوں اور ابدی لذتوں سے، شرابِ عشق سے آشنا کرتا ہے۔۔۔ آشکار کرتا ہے۔۔۔ منکشف کرتا ہے۔۔۔!

اس لیے مجھے اب بھرپور احساس ہوتا ہے کہ زندگی میں تکلیفیں دکھ، اور اذیتوں کے سپیڈ بریکر ضرور ملتے رہنے چاہئیں۔۔۔ تاکہ انسان کو اپنی اوقات یاد رہے۔۔۔ اصل یاد رہے۔۔۔ حقیقت یاد رہے۔ وگرنہ انسان اور خدا میں فرق کم ہو جاتا ہے۔ جب انسان خود کو تقدیر کا مالک سمجھ لے وہ خدائی کا دعویٰ کیے بغیر خدائی کا دعویدار بن جاتا ہے۔ اس کفر سے بچنے کے لیے انسان کا انسان رہنا ضروری ہے۔۔۔ دکھ آشنا ہونا ضروری ہے۔

یہ بالکل ایسے ہی ہے جیسے موٹروے پر آپ بغیر سپیڈ بریکر، کھڈے، رکاوٹ، سگنل اور تھکاوٹ۔۔۔ ایک سو چالیس کلومیٹر کی سپیڈ پر چلتے جا رہے ہوں تو ٹھیک آدھ گھنٹے بعد نیند کے جھونکے۔۔۔ نظروں کے سامنے سراب۔۔۔ اور جاگتے میں حسین خواب آنا شروع جاتے ہیں۔۔۔ اور اسی مدھر مستی میں انسان ٹھاہ کر کے کسی گاڑی۔۔۔ یا کسی Divider کے ساتھ جا لگتا ہے اور نتیجہ، گاڑی تباہ، زندگی ختم بلکہ ارد گرد والے دو چار لوگوں کو بھی ساتھ لے ڈوبتا ہے۔۔۔ کیونکہ زندگی میں سپیڈ بریکر نہیں تھا۔۔۔ سکون تھا۔۔۔ آرام تھا۔۔۔ نہ آرام ملا اور نہ رام۔۔۔ اور انجام؟

سب ٹھیک کرنے کے لیے سپیڈ بریکر ضروری ہے زندگی میں۔۔۔ تعلقات میں، معاملات میں اور خیالات میں۔۔۔ تاکہ ہر ٹھوکر کے ساتھ۔۔۔ بریک لگانے کے ساتھ۔۔۔ اللہ سے ملاقات ہوتی رہے۔۔۔ زندگی ضروری نہیں زندگی والا ضروری ہے۔ خود سے خدا۔۔۔ زیادہ ضروری ہے۔۔۔!

زندگی کے سپیڈ بریکر اور سپیڈ بریکر کی زندگی۔۔۔ زندہ رہنے کے لیے دونوں ضروری ہیں۔ ہمارے ہاں بچہ اور سپیڈ بریکر جب چاہے۔۔۔ جہاں چاہے ہر عاقل اور بالغ بنا سوچے سمجھے

بنا مارتا ہے۔ اس میں عاقل ہونا بھی ضروری نہیں بلکہ بلوغت بھی شاید ضروری نہیں کیونکہ جعلی دودھ کی پیداوار۔۔۔ ہارمون پی کر پلنے والی نسل اور فگر خراب ہونے کے ڈر سے کھاد، کیمیکل، ہارمون پلانے والی ماں۔۔۔ کے بچے پیدائشی بالغ ہوتے ہیں۔ اس لیے بچے پیدا کرنا۔۔۔ شرمانا ان کے لیے ضروری نہیں۔ کیا وقت تھا جب میاں بیوی پوری پوری زندگی ایک دوسرے کے سامنے آنے سے کتراتے۔۔۔ اکٹھے چارپائی پر بیٹھنا تو دور کی بات۔۔۔ زندگی گزر جاتی تھی۔۔۔ کبھی نام تک منہ پہ نہیں آتا تھا۔۔۔ جب سے چارپائی بدل کے ڈبل بیڈ پر شفٹ ہوئے ہیں۔۔۔ سب کچھ بدل گیا ہے۔۔۔ آنکھ کی شرم نہ رہی۔۔۔ اور جسم کا بھرم نہ رہا۔۔۔ شرم حیا تو اب جاہلوں، پینڈوؤں کا کام رہ گیا ہے۔

انسان کی بدقسمتی یہ ہے کہ جب سر کو چڑھی ہو تو پھر سامنے کی بات بھی سجھائی نہیں دیتی۔۔۔ آنکھوں کے سامنے آنے والی کھائی دکھائی نہیں دیتی۔۔۔ انسان خمار میں۔۔۔ بدمست چلا جاتا ہے۔۔۔ میں نے بھی شاید یہی کیا ہو، شاید میں بھی سب بھول گئی تھی۔۔۔ انجام کو فراموش کر کے سب کچھ حاصل کر کے کائنات مٹھی میں لے کر۔۔۔ کائنات کے مالک اور قدرت پر دسترس کی حامل بن بیٹھی تھی۔۔۔ ذات کو فراموش کر کے۔۔۔ وقت کو ساکن تصور کر کے خوبصورتیوں کے چنگل میں پھنس کر رہ گئی تھی۔۔۔ مستقل سمجھ بیٹھی تھی۔۔۔ حاصل کو مستقل اور مکمل سمجھ بیٹھی تھی۔۔۔ اور پھر جب مجھے ٹھوکر لگی تو میرے جسم کے ٹکڑے ٹکڑے ہو گئے۔۔۔ سوچوں کے بخیے نہ ملے۔۔۔ سرِ بازار میرے کپڑے اترے۔۔۔ اور میں روئی بہت روئی۔۔۔ آج تک رو رہی ہوں اس لیے اب مجھے سکھ سے ڈر لگتا ہے۔ خوشیاں پریشان کر دیتی ہیں!

مکمل کائنات۔۔۔ انتہائی نامکمل انسان

ایک طویل زندگی بسر کرنے کے بعد زندگی میں سکون۔۔۔ سکھ۔۔۔ اور آرام نظر آ رہا تھا۔ جو سوچا وہ میسر تھا۔۔۔ جو چاہا بغل میں تھا۔۔۔ جو مانگا دامن میں تھا۔۔۔ جو چاہا۔۔۔ ہاتھوں میں تھا۔۔۔ دسترس میں تھا۔۔۔ حقیقت میں تھا۔۔۔ سامنے تھا۔۔۔ خیالوں کا ایک طوفان ایک بار پھر

پروفیسر احمد کے دماغ میں چکر لگانے لگا۔ یہی میری پریشانی تھی۔۔۔ الجھن تھی۔۔۔ کیونکہ زندگی میں جب سب ٹھیک لگنا شروع ہو جائے تو سمجھ لو کچھ ٹھیک نہیں۔۔۔ کیونکہ جب ساری چیزیں اپنی ترتیب سے چل رہی ہوں، چاند سورج اپنے مقام پر۔۔۔ اپنے اپنے وقت پر حرکت میں ہوں۔۔۔ تمام ستارے اور سیارے اپنے اپنے مدار اور راستے پہ ہوں۔۔۔ کائنات کا تنفس درست ہو۔۔۔ تو یہ ''کُنْ فَیَکُوْن'' کی علامات ہیں۔

کائنات کو خوبصورت۔۔۔ صورت میں ترتیب دینے۔۔۔ اہلِ فہم و خرد کو نشانیاں بتلانے کے بعد۔۔۔ اس کائنات کو ارب ہا سال بنا کسی کمی۔۔۔ کجی اور خامی کے تخلیق اور ترتیب دینے کے بعد۔۔۔ اس میں مخلوقاتِ ارضی بسانے کے بعد۔۔۔ اس کے کاروبارِ زندگی کو چلانا بھی تو ضروری ہے۔۔۔ اس لیے ایک مکمل کائنات تخلیق کرنے کے بعد خالق نے ایک انتہائی نامکمل انسان کو اس کی ترتیب الٹ پلٹ کرنے کے لیے زمین پر آزاد اور خود مختار چھوڑ دیا۔۔۔ زمین پر اترنے کے بعد۔۔۔ ایک ہی پشت سے جنم لینے کے بعد۔۔۔ حضرتِ انسان بھی دو حصوں میں بٹ گیا۔۔۔ ایک وہ نور کا حصہ بن گیا۔۔۔ جو اس کائنات کی ترتیب کو درست رکھنے کے لیے۔۔۔ اپنی جان، مال اولاد اور سب کچھ قربان کرنے پر تیار رہے۔۔۔ مسلسل اس نور پر اور اس کی مخلوق پر اور اس خالق کے حصول پر نثار ہے۔۔۔ وہ اس ترتیبِ ایزدی۔۔۔ خوبصورتی اور ازلی سکون کو قائم رکھنا چاہتا ہے۔۔۔ اپنے خون سے، اولاد کے خون سے یا اپنے مال و زر سے۔۔۔

دوسرے گروہ میں ''نارِ سموم'' پر متکبر۔۔۔ جاہ و جلال اور زورِ بازو کا کمال۔۔۔ خود پسند اور خود نمائی کے پیروکار۔۔۔ عیش کوش۔۔۔ جام و سبو۔۔۔ لہو و لعب۔۔۔ مال، جان، اولاد کی ہوس سے بھرے ہوئے۔۔۔ مخمور۔۔۔ مغرور۔۔۔ اس ترتیب کو درہم برہم کرنا چاہتے ہیں۔۔۔ ترتیبِ خداوندی کے ساتھ ٹکر لینا چاہتے ہیں۔۔۔ اپنی مرضی کا نظام قائم کرنا چاہتے ہیں۔۔۔ ارض و سما کی وسعتوں اور ان کے درمیان رائج۔۔۔ تمام اصول و ضوابط کو اپنی مرضی سے تبدیل کرنا چاہتے ہیں۔۔۔ لمحہ لمحہ بدلتے اپنے موڈ اور مزاج کے مطابق ترتیب دینا چاہتے ہیں۔۔۔ ترتیبِ کائنات کو۔۔۔ ذات کے تابع۔۔۔ مزاج کے مطابق۔۔۔ ضرورتِ خود۔۔۔ کے لیے چلانا چاہتے ہیں۔

اولین گروہ سب کچھ لٹا کر خوش اور گروہِ ثانی سب کچھ حاصل کر کے بھی ناخوش اور مزید کا طلبگار رہتا ہے۔ بے قرار رہتا ہے۔۔۔ یزدان کی راہ میں بے سکونی میں سکون اور شیطان کی راہ میں سکون میں بے سکونی رہتی ہے۔ کیونکہ خدا جس سے قریب ہوتا ہے۔۔۔ اس کا سکون خدا میں اور خدا کے لیے ہوتا ہے۔ اس لیے وہ اس سکون کے حصول کے لیے پارے کی طرح تڑپتا رہتا ہے۔۔۔ مضطرب رہتا ہے۔ جتنا قریب آتا جاتا ہے۔۔۔ اتنا اضطراب بڑھتا ہے۔۔۔ بے قراری میں اضافہ ہوتا جاتا ہے۔۔۔ راستہ ناہموار ہوتا جاتا ہے۔۔۔ مشکلات میں اضافہ ہوتا جاتا ہے۔ ظاہری اور دنیاوی۔۔۔ مالی اور جانی مسائل میں بڑھوتری ہوتی ہے۔۔۔ قدم قدم زخم اور ٹھوکریں استقبال کرتی ہیں۔۔۔ مصائب بڑھتے ہیں۔ جان، مال، اولاد اور ثمرات کے نقصان وارد ہوتے ہیں۔۔۔ انسان صبر کا دامن ہاتھ سے چھوڑتا ہے۔۔۔ کوئی شکوہ کرتا ہے۔۔۔ کوئی شکائت۔۔۔ کوئی دوسرے گروہ میں شامل ہو جاتا ہے۔۔۔ اس پر انعامات کی بارش شروع ہو جاتی ہے۔۔۔

جلد باز انسان۔۔۔ ظاہری انعام و اکرام۔۔۔ مال و اسباب اور جاہ و حشمت کے حصول سے مطمئن ہو جاتا ہے۔۔۔ حاصلِ زندگی تصور کرتا ہے۔ اس میں مشغول ہو جاتا ہے۔۔۔ مزید سے مزید کی خواہش میں پریشان رہنا شروع ہو جاتا ہے۔۔۔ سب کچھ ہونے کے باوجود۔۔۔ راتوں کی نیند۔۔۔ مٹھی بھر گولیوں۔۔۔ مساج اور نرم و گداز بدن کی معیت میں بھی نہیں آتی۔ دستر خوان پر تمام نعمتوں کے باوجود کچھ پر ڈاکٹر پابندی لگا دیتے ہیں۔۔۔ اور کچھ کو دل نہیں مانتا، نہ جانے بلڈ پریشر، شوگر، ڈپریشن۔۔۔ کہاں سے آ وارد ہوتے ہیں۔۔۔ تمام امیروں والی بیماریاں۔۔۔ تمام امیروں کو لگ جاتی ہیں۔۔۔ مگر پھر بھی وہ ہوس سے باز نہیں آتے۔۔۔ زندگی تباہ کر لیتے ہیں۔۔۔ جسم اور روح کا سکون ختم کر لیتے ہیں مگر پیچھے مڑ کر نہیں دیکھتے۔۔۔ وجہ تلاش نہیں کرتے۔۔۔ دواؤں کی طرف ضرور دیکھتے ہیں۔۔۔ دُعا کی طرف نہیں جاتے۔۔۔ کافی کی طرف جاتے ہیں۔۔۔ پریشان ہو کر۔۔۔ معافی کی طرف نہیں۔

دھن، دولت تو اللہ تین خداؤں اور بے شمار دیوتاؤں والوں کو بھی دیتا ہے۔ مگر دماغ کا سکون۔۔۔ اور چہرے کا نور نہیں۔

مجھے سکھ سے ڈر لگتا ہے۔۔۔خوشیاں پریشان کرتی ہیں۔۔۔بے چین کرتی ہیں۔۔۔کیونکہ میں محسوس کرتا ہوں کہ یہ دنیاوی انعام واکرام۔۔۔مجھ سے میرے مالک کے دور ہونے کی نشانی ہے۔۔۔مجھے سے خفا ہونے۔۔۔جدا ہونے۔۔۔اور مجھ سے کوئی بڑی خطا ہونے کی نشانی ہے۔۔۔اس لیے جوں جوں سکھ کا موسم طویل۔۔۔خوشیوں کی رات لمبی اور اکرام کی بہار مستقل ہوتی جاتی ہے۔۔۔تو میرے خوف بڑھتے جاتے ہیں۔۔۔پریشانی لاحق ہو جاتی ہے۔۔۔جسم اور روح کی بے سکونی بڑھ جاتی ہے۔۔۔میری روح وقلب کے Indicators مجھے وارننگ دینا شروع ہو جاتے ہیں۔میرے سسموگراف کی سوئی انتہائی سرخ مقام ''انتہائی خطرناک'' کو پہنچ کر خوف سے کانپنا شروع ہو جاتی ہے۔۔۔میں اس مہربان کی مہربانی سے صرف جلدی میں جسم پر پانی بہا کر۔۔۔قبلہ رخ منہ کر کے۔۔۔ہاتھ باندھ کر کھڑا ہو جاتا ہوں۔۔۔کبھی کچھ سوچ کر نہ پڑھتا ہوں۔۔۔نہ مانگتا ہوں۔۔۔صرف اس سے اس کو مانگتا ہوں۔۔۔معافی مانگتا ہوں۔۔۔واپسی کی درخواست کرتا ہوں۔۔۔التجا کرتا ہوں

''اَستَغفِرُاللّٰہَ الَّذِیْ لَااِلٰہَ اِلَّاھُوَالحَیُّ القَیُّومُ وَ اَتُوبُ اِلَیہِ'' کا دورہ پڑتا ہے۔۔۔

''رَبَّنَا ظَلَمنَا اَنفُسَنَاوَ اِن لَّم تَغفِرلَنَا وَ تَرحَمنَا لَنَکُونَنَّ مِنَ الخٰسِرِینَ'' کے ترلے ڈالتا ہوں۔۔۔ہاتھ جوڑتا ہوں۔۔۔ماتھا ٹیکتا ہوں۔۔۔پھر میرا رب مجھے حوصلہ دیتا ہے۔۔۔گلے لگا تا ہے۔۔۔میرے حزن وملال کو دور کر کے میرے بدن، روح میں سرور بھر دیتا ہے۔۔۔زندگی عطا کرتا ہے۔۔۔بندگی عطا کرتا ہے۔۔۔گندا ہوں۔۔۔میلا ہوں۔۔۔پر ''تیرا'' ہوں میرے مولا۔۔۔

انسان مشکلات کو آزمائش تصور کرتا ہے۔۔۔ہم اس کی آزمائش کے قابل نہیں۔۔۔وہ تو محبت کرتا ہے۔۔۔بے لوث اور بے نیاز محبت وہ بھلا ہمیں مشکل میں کیوں ڈالے گا۔۔۔کیوں آزمائے گا۔۔۔آزمانا ہوتا تو ہر سال قربانی فرزندِ عزیز کی ہوتی۔۔۔بڑے بڑے محبت کے دعویدار پھر اس کو طعنے مارتے اور سرِ میدان بھاگ جاتے۔۔۔وہ تو کنویں سے نکال۔۔۔حکمرانِ مصر بنا کر۔۔۔

بیٹے کو باپ سے نہ صرف ملاتا ہے۔۔۔ بلکہ باپ کو بینائی بھی لوٹاتا ہے۔۔۔ نمرود کی آگ بجھاتا ہے۔۔۔ یونسؑ کو مچھلی کے پیٹ سے نکال کر کدو کی بیل اگاتا ہے۔۔۔

وہ تو ہماری محبت کے دعوؤں کے بھرم قائم رکھتا ہے۔۔۔ ہماری باتوں اور قول و قرار کو بھی نہیں پرکھتا، چہ جائیکہ وہ خود سے ہمیں مبتلاءِ بلا کردے۔۔۔ ہاں وہ ہم پر محبت کا احسان ضرور کرتا ہے۔۔۔ ہمیں عطا کرتا ہے۔۔۔ اگر ہم عطا پر شکر کریں تو خوش ہوتا ہے۔۔۔ نہ بھی کریں تو عطا میں کمی نہیں کرتا۔۔۔ نوازتا جاتا ہے۔۔۔

عطا پر شکر اور عطا کو لوٹا کر صبر کرنا محبت ہے۔ جس کہ پاس کچھ تھا ہی نہیں اس نے صبر کر کے کونسا تیر مارا۔۔۔ مزہ تو جب ہے جو وہ عطا کرے اس سب کو بانٹ دیں۔۔۔ اس کو اس کے ضرورت مندوں کے ذریعے واپس لوٹا دیں۔۔۔ پھر صبر نہیں۔۔۔ شکر کریں۔۔۔ یہ محبت ہے۔۔۔ اِس نہ ہونے کا دکھ دنیا کا سب سے بڑا سکھ ہے۔ اس کی محبت میں اس کی عطا کی ہوئی نعمتیں اس کے ضرورت مند بندوں میں تقسیم کر کے خوش ہونا شکر کرنا ہے۔۔۔ یہی توکّل علی اللہ ہے یہی محبتِ الٰہی ہے۔

جب وہ تکلیف کی شدت سے روتی تو میری آنکھوں میں بھی آنسو آجاتے۔ میں غیر ارادی طور پر اس کے ماتھے پر بوسہ دیتا۔ اس کے گالوں پر سے۔۔۔ اپنے ہونٹوں سے صدف موتی چُنتا۔ ہاتھوں سے اس کے گالوں کو چھوتا۔۔۔ گرم پانی۔۔۔ گرم نرم گالوں پر مزید گرم ہوجاتا۔۔۔ میں فرطِ جذبات سے اس کو اپنے سینے کے ساتھ لگالیتا۔۔۔ بھینچ لیتا۔۔۔ سانسوں کے راستے اپنے اندر کھینچ لیتا اور وہ کسی نومولود بچے کی مانند میرے سینے سے چمٹ کر سکون میں آجاتی۔۔۔ قرار میں آجاتی۔۔۔ اور یوں ہم کئی کئی گھنٹے۔۔۔ کبھی صوفے پر۔۔۔ کبھی قالین پر۔۔۔ کبھی کاؤچ پر اور کبھی کھڑکی کے سامنے۔۔۔ باہر روئی کی مانند گرتے۔۔۔ سفید برف کے گولوں کو دیکھتے رہتے۔۔۔ ایک دوسرے کی گرمی سے زندگی لے کر۔۔۔ زندگی کے خوبصورت پل۔۔۔ زندگی سے زیادہ خوبصورت کر کے گزارتے رہتے۔۔۔ ایک دوسرے کو جی بھر کر دیکھتے۔۔۔ نظروں کو سیراب کرتے رہتے۔۔۔ آنکھوں کے ذریعے ایک دوسرے کے اندر اترتے۔۔۔ اور اپنے اندر کی کمیوں کو پورا کرتے۔۔۔ مکمل کرتے۔۔۔

طاقت حاصل کرتے۔۔۔بار بار کرتے۔۔۔جتنا ایک دوسرے کو دیکھتے اتنا خوبصورتی کا احساس بڑھتا جاتا۔۔۔نظریں ہٹانے کو جی نہ کرتا تھا۔۔۔اور یوں دکھ اور سکھ کے اس سفر میں۔۔۔محبت کے خمار میں زندگی کے شب و روز کٹنے لگے۔۔۔

کومل جب جان اور جسم دونوں میرے حوالے کر کے دماغ کے اندر کے زخموں کو کریدتی تو میرے اور قریب آجاتی۔۔۔جتنا وہ میرے قریب ہوتی جاتی۔۔۔مجھ میں اترتی جاتی اتنا ہی زیادہ میرا خدا پر یقین پختہ ہوتا جاتا۔۔۔اس لمحے تو میں کومل اور اس کی محبت کے حصار میں بے خود اور بے بس ہوتا۔۔۔کسی دوسری چیز کی سُدھ بدھ نہ ہوتی۔۔۔مگر جونہی میں اس کی دسترس سے باہر نکلتا۔۔۔اس کے چنگل سے باہر نکلتا۔۔۔حصار سے قدم باہر لیتا۔۔۔خوبصورت قید سے آزاد ہوتا۔۔۔اور زلف کی زنجیروں سے پرے دیکھنے کے قابل ہوتا۔۔۔کچھ سوچنے کے اہل ہوتا۔۔۔اس سے نکل کر اپنے آپ میں واپس آتا۔۔۔حواس میں اور جسم کے قالب میں۔۔۔منتقل ہوتا تو مجھے اپنی ذات کا احساس ہوتا۔۔۔ہونے کا احساس ہوتا تو میرے ذہن میں جیسے دوبارہ ہلچل شروع ہو جاتی۔

خیالات کی ریل پیل ایک جمِ غفیر۔۔۔ایک اژدھام۔۔۔سیلابِ بلاخیز حملہ آور ہوتا۔ میں اندر ہی اندر خدا کا شکر بجالاتا کہ اے میرے خدا۔۔۔میں یقیناً ہر انسان کی طرح جلد باز ہوں۔ بلاوجہ شکوہ کرتا رہا۔ میں اپنی بیوقوفیوں کو پسِ پشت ڈال کر۔۔۔اندھا دھند تم سے مانگتا رہا۔ اچھے برے، وقت بے وقت اور مناسب وقت کا سوچے بنا صرف اپنی ظاہری اور وقتی ضروریات کی فی الفور تکمیل کے لیے تجھے طعنے، مہنے اور کوسنے دیتا رہا۔ یہ سوچے بغیر کے جو میں مانگ رہا ہوں وہ میرے لیے ٹھیک بھی ہے یا نہیں۔۔۔اس وقت موزوں بھی ہے کہ نہیں۔۔۔کہیں حصول وبال تو نہیں بن جائے گا۔ بس بچوں کی مانند حصول کی ضد کرتا رہا۔۔۔اور لڑتا رہا۔ کبھی یہ نہیں سوچا کہ جو میں مانگتا ہوں میں اتنا دور اندیش نہیں کہ میں اس کی اچھائی برائی سوچ سکوں۔ صرف میرا خدا جانتا ہے جس کا وژن تمام مخلوقات کو ہر آن دیکھ رہا ہوتا ہے۔ مسلسل ان سے آگاہ ہوتا ہے۔ اس لیے وہ ہمارے معاملات ہم سے بہتر ہمارے لیے Manage کرتا ہے۔

جنت مقام ۔۔۔محبت انعام

باباجی ٹھیک ہی تو کہتے ہیں کہ " **وَ اُفَوِّضُ اَمۡرِیۡۤ اِلَی اللّٰہِ اِنَّ اللّٰہَ بَصِیۡرٌۢ بِالۡعِبَادِ** " کہ اللہ خود کہتا ہے اپنے معاملات اللہ کے سپرد کردو کیونکہ وہ اپنے بندوں کو بہتر دیکھنے والا ہے۔اور میرے معاملات ۔۔۔جس دن سے میں نے یہ قرآن کے حروف دہرانے شروع کیے شاید اس دن سے اللہ نے زیادہ بہتر Manage کرنا شروع کردیئے۔وگرنہ Manage تو پہلے بھی وہی کرتا تھا مگر میں نے شاید معاملات خود اس کے سپرد نہ کیے تھے۔میرے تمام معاملات ایسے درست ہوتے جارہے تھے جیسے میں نے خواب میں دیکھے تھے۔ ہر بات بالکل اسی طرح میری نظروں کے سامنے۔۔۔میری آنکھوں نے دماغ سے نکال کر۔۔۔خوابوں کے سبز کمبل سے نکال کر۔۔۔اپنے سامنے۔۔۔ **فَیَکُوۡنُ** ہوتی دیکھ لی تھی۔شاید کوئی حسرت باقی نہ رہی تھی۔۔۔

جب رات گئے۔۔۔ایک ہی گرم شال اوڑھے۔۔۔ہم دونوں ایک دوسرے کے ساتھ جُڑ کر بیٹھتے اور شیشے کی طویل تر کھڑکی میں سے باہر دور پہاڑوں پر سرخ اور سبز برقی قمقمے دیکھتے۔۔۔برف آہستہ آہستہ۔۔۔چھوٹے چھوٹے گولوں کی صورت میں پریوں کی مانند آسمان سے پرے باندھ کر زمین کی طرف روانہ ہوتی۔۔۔

باریک باریک مہین روئی کے سفید ذرے ایک دوسرے کے ساتھ جڑے ہوئے اکٹھے رہنے کے لیے بنے ہوئے۔۔۔قلابے میں لے کر تیرتے ہوئے زمین پر تہہ در تہہ ایسے اترتے جاتے جیسے کینڈی فلاس والے کے بڑے سے لکڑی کے ڈبے میں چھوٹے چھوٹے رنگ دار دھاگے اکٹھے ایک دوسرے کے ساتھ جڑے ہوئے ایک دوسرے کے اوپر گرتے جاتے ہیں۔جمع ہوتے جاتے ہیں۔اور دور تک برف کی ایک خوبصورت اور دودھیا چادر بالکل ایسے جیسے جنت میں دودھ کی نہروں میں سفید دودھ بہتے بہتے اچانک رک جائے۔جیسے سفید ریشم یا روئی کی بڑی سی چادر دھیرے سے اپنی پوری کو ملتا کے ساتھ۔۔۔کوئی غیر مرئی طاقت زمین کے کٹاؤ اور سجاؤ کے ساتھ ساتھ بچھادے۔۔۔تہہ در تہہ سفیدی۔۔۔درختوں کی سبز شاخوں کے اوپر۔۔۔ڈال اور ٹہنیوں کے اوپر۔۔۔سرسبز گھاس کے

میدانوں پر۔۔۔ بڑے بڑے دالانوں پر۔۔۔ چھتوں کی ڈھلانوں پر۔۔۔ جابجا برف کے مرغولے ایسے چمکتے ہوئے جیسے جوانی کا سولہ سنگھار۔۔۔ گرم کمرے کے اندر۔۔۔ گرم محبت کے لمس کے ساتھ۔۔۔ گرم سانس اور نرم بدن کے باوجود آدھی رات کے بعد جب چاند دیار کے لمبے درختوں کے اندر سے سفید خوبصورت برفیلی رات پر برف کی بارش کے نقاب کے درمیان سے۔۔۔ اپنی چاندی بکھیرنے کی کوشش کرتا ہے۔۔۔ تو آنکھوں کو ایک خوبصورت ٹھنڈک کا احساس ہوتا ہے۔۔۔ باہر کی سردی سر کے بالوں سے لے کر پاؤں کے ناخنوں تک سرایت کر جاتی ہے۔۔۔ انسان کو ایسے احساس ہوتا ہے جیسے برف کے ہر ذرے پر سوار، نظر نہ آنے والی مخلوق آسمان سے اتر رہی ہو۔۔۔ کسی نامعلوم سیارے کی مخلوق محبتوں کا پیغام لے کر۔۔۔ خالق کا انعام لے کر۔۔۔ زمین کا خون دھونے کے لیے بنجر زمین کی کوکھ کو دوبارہ زندہ کرنے کے لیے۔۔۔ محبتوں کے انعام لے کر زمین پر نازل ہو رہی ہو۔ جیسے قدرت نے پرستان سے ننھی ننھی۔۔۔ چھوٹی چھوٹی خوبصورت پروں والی۔۔۔ پریوں کو نازل کیا ہو۔۔۔ تاکہ زمین والوں کے دکھ عارضی طور پر مندمل کیے جاسکیں۔۔۔ ان پر مرہم کا۔۔۔ محبت کا۔۔۔ سکون کا پھاہا رکھا جاسکے۔ آگ کی جگہ سکون کی اور شر کی جگہ نور کی برسات کی جاسکے۔۔۔ جنگ۔۔۔ خون اور دکھ سے بھری آنکھوں کو تسکین فراہم کی جاسکے، لمحہ بھر کے لیے تفکرات کو بھلا کر۔۔۔ جنت مقام کیا جاسکے۔ محبت انعام کیا جاسکے۔

کومل کے ساتھ بیٹھ کر میں کھڑکی سے باہر گرتی برف کو دیکھ رہا تھا۔۔۔ اور سفید درختوں، مکانوں اور دالانوں کے درمیان رنگ دار برقی قمقمے اور بلب اس منظر کو اور زیادہ رومانٹک بنا رہے تھے۔ سرد رات، برف رات، چاند رات، چاندنی کے ساتھ، گرم ہاتھ، گرم ساتھ، نرم گال۔۔۔ ایک شال۔۔۔ محبتوں کی بات۔۔۔ محبتوں کے ساتھ۔۔۔ زندگی کا ساتھ ایک زندگی رولنے کے بعد۔۔۔ محبتوں کا عروج۔۔۔ چاہتوں کا سرور۔۔۔ جنتوں کا حصول۔۔۔ اس زندگی سے بہتر زندگی کا خیال تھا اور نہ خواب۔۔۔

میرا جی چاہتا تھا کہ میرا سینہ کھل جائے۔۔۔ اور یہ منظر اس میں سما جائے۔۔۔ ہمیشہ کے لیے آجائے۔۔۔ آنکھیں اس منظر نامے کے بعد بینائی کھو دیں کیونکہ اس سے خوبصورت منظر اس سے

پہلے نہ کبھی دیکھا، نہ سوچا اور نہ ہوگا۔ اس لیے آنکھوں کے ہر حصہ پر یہ منظر امر ہو جانا چاہیے۔ میں چکور کی طرح آسمان کی طرف بلند ہوں۔۔۔اور برف کے گولوں کے درمیان کششِ ثقل کو پیچھے چھوڑ کر۔۔۔کھلی آنکھوں کے ساتھ۔۔۔برف کے گولوں کے بیچ میں سے۔۔۔فرشتوں اور پریوں کو بہت پیچھے چھوڑتے ہوئے۔۔۔کومل کے کومل ہاتھ تھام کر۔۔۔اور اوپر۔۔۔آسمان کے اندر۔۔۔سفیدی کے بادل چھوڑ کر۔۔۔چاندنی سے بہت آگے۔۔۔سیاہی کے اندر سے گزر کر۔۔۔ایک اور سفیدی کی طرف۔۔۔روشنی کی طرف۔۔۔نور کی طرف۔۔۔کشش ثقل سے آزاد۔۔۔شدت اور حدت کی طرف۔۔۔جلتے پر۔۔۔جلتا جسم۔۔۔جلتی آنکھیں۔۔۔نور پر نظر۔۔۔سرور پر نظر۔۔۔میرے پر اور جسم جل جائیں۔۔۔گوشت اور ہڈیاں جل جائیں۔۔۔سینہ پھٹ جائے۔۔۔دھڑکتے دل سے خون کی تیز لہر خلاؤں میں بکھر جائے اور میرا وجود ریزہ ریزہ ہوکر۔۔۔محبتوں میں کھوکر امر ہوجائے۔۔۔ اس منظر میں۔۔۔امر ہوجائے۔۔۔ جنت اور جہنم سے دور۔۔۔نور میں کھوجائے۔۔۔

انہی سوچوں اور خیالوں کے درمیان، میں اپنے خواب سوچنے لگتا تھا جیسے میں کسی خواب میں، کسی خیال میں کسی دور سیارے کے حال میں مقیم ہوں۔ حقیقت سے دور اور ایک سراب میں موجود ہوں۔

مجھے مجھ سے اور خود سے دور اور حاضر سے غائب پاکر وہ میرے بالوں میں انگلیاں پھیرتی اور سوال کرتی کہ

احمد کیا سوچ رہے ہیں؟ بھئی یہاں موجود ہوکر بھی یہاں موجود نہیں ہو۔ خیریت تو ہے۔ کون یاد آرہا ہے۔ اس حسین اور رومانٹک موسم میں۔۔۔؟

میں فی الفور کہتا کہ وہی یاد آرہا ہے جس کی وجہ سے یہ لمحات رومانٹک ہوگئے ہیں۔ وگرنہ برف تو ہر سال پاکستان کے پہاڑی علاقوں میں بھی پڑتی ہے۔ لیکن وہاں میرے ساتھ تم نہیں ہوتی تھیں۔ وقت، مقام، اور مکان انسان سے خوبصورت ہوتے ہیں۔ وہ لمحہ، مکان اور مقام عمر بھر کی یادگار بن جاتی ہے اگر وہ انسان آپ کے پاس ہو۔۔۔اور اس کے بغیر وہی جگہیں عذاب بن جاتی ہیں۔ اس لیے میں تمہارے ساتھ بیٹھ کر بھی۔۔۔حقیقت میں موجود ہوکر بھی خواب میں تمہارے

ساتھ گزرے لمحات یاد کر رہا تھا۔ میری سب سے بڑی خواہش ہمیشہ یہ رہی ہے کہ سیاہ رنگ کی ٹو سیٹر کنورٹ ایبل مرسڈیز گاڑی ہو۔۔۔ میں دائیں دروازہ کھول کر سینے پر ہاتھ رکھوں اور جھک کر کہوں ''مائی لیڈی''۔۔۔ اور تم نیلی جینز اور خاکی ہیٹ پہنے دھیرے سے مسکرا کر میری طرف دیکھو۔۔۔ اپنے سیاہ گاگل درست کرو۔۔۔ اور بڑی محبت بھری نگاہ میری طرف ڈال کر۔۔۔ سیٹ پر بیٹھ جاؤ۔۔۔ میں دروازہ بند کر کے اپنی جانب بیٹھوں اور ہم گاڑی سٹارٹ کر کے۔۔۔ ویران سڑکوں پر۔۔۔ پہاڑی راستوں پر روانہ ہو جائیں۔۔۔

میرا سُر، میرا سنگیت ۔۔۔ میرا میت، میرا میت

میرا پیار، میرا پریت۔۔۔ میرا میت، میرا میت

میری ہار، میری جیت۔۔۔ میرا میت، میرا میت

گنگناتے ہوئے۔۔۔ چلتے جائیں، ہنستے، مسکراتے، کھلکھلاتے ہوئے سیاہ تارکول کی سڑکوں سے ہوتے ہوئے۔۔۔ پہاڑی راستوں کی طرف نکل جائیں۔۔۔ تمہارے بال اُڑ کر تمہارے چہرے کے سامنے آ کر ہوا کے دوش پر ادھر ادھر اٹکھیلیاں کر رہے ہوں اور کبھی تم اپنے ہاتھوں سے ان کی خودسری کی کوشش میں رکاوٹ بنو اور کبھی میں اپنے بائیں ہاتھ سے ان کو دشمنِ جاں سمجھتے ہوئے پرے دھکیلنے کی کوشش کروں اور تمہارے گرم۔۔۔ اور سرخ گال کو اپنے ہاتھوں کی پشت سے چھولوں، میرے ہاتھ کے لمس کے ساتھ تیرا گال بھی میری طرف جھکتا چلا جائے اور میں تمہاری طرف۔۔۔ جھک جاؤں۔۔۔ گاڑی جونہی قابو سے باہر ہونے لگے یا تیزی سے ادھر ادھر ہونے لگے۔۔۔ تو ہم دونوں دوبارہ حقیقت کی دنیا میں واپس آئیں۔۔۔ میں جلدی سے گاڑی کے سٹیئرنگ ویل کو سنبھال کر گاڑی کو دوبارہ سیدھی لین میں لے کر آؤں اور تم مسکراتی ہوئی۔۔۔ نظریں جھکا لو۔۔۔ میری لہراتی ہوئی گاڑی کے سیدھے ہونے کے دوران۔۔۔ تیز، کان پھاڑ دینے والے ہارن بجاتی گاڑیاں۔۔۔ بریکوں کی چیخیں۔۔۔ پیچھے مُڑ کر میری طرف غصّے سے دیکھنے والے، گاڑی چلانے والے۔۔۔ اور مُنہ میں بڑبڑانے والے اور اپنی گاڑی کے اندر بیٹھے لوگوں کو ایک آدھ گالی سنانے والے۔۔۔ حضرات کی تمام باتوں سے بے خبر میں۔۔۔ تیرا نرم گرم دایاں ہاتھ اپنے بائیں ہاتھ میں

دباتے ہوئے منزل کی طرف رواں دواں ہو جاؤں۔۔۔!

انسان کی ایک لمحے کی مسرت، خوشی اور خود سپردگی اس کے اردگرد کا پورا نظام الٹ پلٹ کر رکھ دیتی ہے۔۔۔ پوری سڑک کی ساری ترتیب، گاڑیوں کی روانی۔۔۔ اس کے اندر بیٹھے لوگوں کو آسانی اور سکون، بلکہ ان کے کلیجے اچھل کر حلق میں آگئے ہوں گے۔۔۔ جبکہ میں زندگی سے زندگی حاصل کرنے میں مصروف تھا۔ دنیا سے بے خبر اپنے اردگرد سے بے نیاز۔۔۔ میری بے نیازی کتنے لوگوں کو مشکلات میں مبتلا کر چکی تھی اس کا احساس انسان کو کب ہوتا ہے۔ ایک انسان کے سکون سے ایک جہان بے سکون ہو جاتا ہے۔ شاید یہی دستورِ فطرت ہے۔

کشمیر کے خوبصورت پہاڑی راستوں پر۔۔۔ جہاں دور کہیں چشموں سے ابلتے ہوئے چاندی رنگ پانی کی آواز کانوں میں خوبصورت رس گھولتی ہے۔۔۔ ایک ہی پہاڑی کے گرد اژدھے کی طرح بل کھاتے، سیاہ سڑک پر گاڑی چلاتے ہوئے آپ کو دُور دُور سرخ، سبز، نیلے رنگ کی خوبصورت چھتیں ایسے نظر آتی ہیں جیسے آسمان سے کسی مخلوق نے ایک ترتیب کے ساتھ اور ایک مخصوص زاویے اور فاصلے کو مدنظر رکھتے ہوئے رکھی ہوں۔

گاڑی کی چھت فولڈ کرنے کے بعد۔۔۔ اڑتے بالوں کو سنبھالتے ہوئے وہ مجھے پرستان سے آنے والی خوبصورت مخلوق نظر آتی۔۔۔ ٹھنڈی۔۔۔ دل میں اور آنکھوں میں ٹھنڈ ڈالنے والی ''کومل'' سے زیادہ کومل ہوا۔۔۔ اس کے گالوں کی لالی کی طرح۔۔۔ معصوم۔۔۔ ہونٹوں کی سرخی کی طرح مقدس۔۔۔ گرم سانسوں کی طرح معطر۔۔۔ دور افق کے اس طرف۔۔۔ سرحدوں سے پار چوٹیوں سے ٹکرا کر۔۔۔ سات آسمانوں اور سات زمینوں کی پاکیزگی لے کر اس کا طواف کرنے آتی۔۔۔ اس کے خوبصورت ہونٹوں کو چھوتی۔۔۔ اس کی سانس کو اپنے اندر سماتی۔۔۔ اور اس کا عطر اور مشک لے کر وادی کے ایک ایک گھر میں اترتی۔۔۔ بوڑھے، جوان، عقل مند اور نادان تک پہنچاتی۔۔۔ گلِ تازہ کی پتیوں اور کلیوں کو کھلنے سے پہلے اس مُشک و عنبر سے معطر کرتی۔۔۔ درختوں اور پتوں سے لپٹتی اور اٹکھیلیاں کرتی۔۔۔ بتاتی جاتی کہ

اے اس بستی کے باسیو۔۔۔ دیکھو۔۔۔ ایک ناری۔۔۔ محبت کی سواری پر۔۔۔ زندگی کسی

کے نام کرکے۔۔۔ زندگی دے کر زندگی لینے آئی ہے۔ اپنے آپ کو مٹا کر۔۔۔ کسی پر لٹا کر۔۔۔ سب کچھ بھلا کر۔۔۔ کسی کی ہونے آئی ہے۔۔۔ زندگی دے کر زندگی جینے آئی ہے۔

میں بار بار اس کا ہاتھ چھوتا۔۔۔ پکڑتا۔۔۔ محسوس کرتا۔۔۔ وہ اپنا سر میرے کندھے کے ساتھ لگا لیتی۔۔۔ اور میں موقع ملتے ہی۔۔۔ سڑک ہموار دیکھ کر اور سامنے سے گاڑی نہ آتی ہوئی۔۔۔ دیکھ کر۔۔۔ جلدی سے مختلف قسم کے خوف کے باوجود۔۔۔ پھر سے اس کے ماتھے پر دھیرے سے بوسہ دیتا اور وہ شدتِ جذبات اور محبتِ خاص سے میرا ہاتھ پکڑ لیتی اس کی پشت کو چومتی۔۔۔ میرے ہاتھوں کی ہتھیلی کو اپنی آنکھوں پر رکھتی۔۔۔ اپنے گالوں پر رکھتی۔۔۔ اور پھر میرے ہاتھ کو اپنے دونوں ہاتھوں میں لے لیتی۔۔۔ اس خوبصورت سفر میں پہلی بار مجھے آٹو میٹک گاڑی کے فوائد کا پتہ چلا تھا۔۔۔!

پہاڑوں کی اس وادی میں اونچے اونچے پائن کے درختوں کے درمیان ایک طرف گاڑی پارک کرکے دھیرے دھیرے پتھروں پر پاؤں ٹکاتے ہوئے ہم بلندی کی جانب ایسے رواں دواں ہوتے جیسے ہماری محبت ان چوٹیوں سے عظیم اور ان بلند و بالا پہاڑوں پر موجود درختوں سے بھی بلند ہو۔۔۔ سبزے کے ساتھ ساتھ۔۔۔ پانی کا لہراتا ہوا چشمہ چاندی اُگل رہا تھا۔۔۔ عین اوپر پہنچ کر بلند درختوں کے تنوں کے درمیان سورج کی کرنیں کہیں کہیں یوں نظر آتیں جیسے اندھیرے میں نور کے جگنو ٹمٹماتے ہوں۔۔۔

ہم دونوں ایک دوسرے کا ہاتھ پکڑ کر چلتے جاتے۔۔۔ تھک کر جب ہم رکتے تو میں بے اختیار اس کو گلے لگا لیتا۔۔۔ لڑکھڑاتا تو وہ مجھے سہارا دیتی۔۔۔ میرا ہاتھ تھام لیتی۔۔۔ بے خوف۔۔۔ خود سے بے پروا۔۔۔ مجھے چھا ڈال لیتی اور بے اختیار کہتی

"سنبھل کے یار۔۔۔ کیا ہو گیا ہے۔۔۔ میں یہیں ہوں آپ کی اور آپ کے پاس۔۔۔!"

محبت کا سہارا زندگی اور زندگی کا سہارا محبت

میں سوچتا محبت سہارے کا ہی تو نام ہے۔ جس میں آپ خود کو فراموش کرکے محبوب کو سہارا

دیتے ہیں۔۔۔اپنے جذبات کا، خیالات کا، احساسات کا، جسم کا، قلب کا، روح کا۔۔۔زندگی کا، جنت کا۔۔۔دوزخ کا۔۔۔ ہر مشکل میں ہر مشکل کا سہارا۔۔۔اپنی جان دے کر محبوب کی جان بچا کر۔۔۔اپنے سانس دے کر اس کے سانس بحال کرتے ہیں۔۔۔محبت سہارا ہی تو ہے۔۔۔محبت کا سہارا زندگی اور زندگی کا سہارا محبت ہے۔۔۔!

محبت سہارا ہے۔۔۔جب انسان آخری سانس لے رہا ہو۔۔۔روح پاؤں سے نکلتی ہوئی رگ رگ سے کھنچتی ہوئی۔۔۔آنکھوں سے ہو کر۔۔۔ماتھے سے نکلنے کے لیے بے قرار ہو۔۔۔ تو جو چہرہ آنکھوں میں۔۔۔اور جو ہاتھ۔۔۔ہاتھوں میں ہوتا ہے۔۔۔وہ سہارا۔۔۔محبت ہے۔۔۔ محبت زندگی کا سہارا ہے۔۔۔محبت موت کا سہارا ہے۔۔۔جب دنیا دھتکار دے۔۔۔ناکامی چار سُو ڈیرے گاڑ لے۔۔۔ ہر صحیح کام بھی غلط ہو رہا ہو۔۔۔انسان بے بس ہو جائے۔۔۔ظاہری سہارے ساتھ چھوڑ دیں۔۔۔تنہائی میں۔۔۔اردگرد، دوست احباب، رشتہ دار اور خیر خواہ سب کنارہ کر جائیں۔۔۔اچھوت سمجھیں۔۔۔ بے بسی سے امید کی عمارت زمین بوس ہو کر ریزہ ریزہ ہونے کو ہو۔۔۔تو لاچار۔۔۔ بے قرار۔۔۔ اچانک ایک ہاتھ۔۔۔آپ کے ہاتھ کو تھام لے۔۔۔سہارا دے دے۔۔۔ کنارہ دے دے۔۔۔ بنا سوچ۔۔۔ سمجھ۔۔۔ نفع نقصان جب سب چھوڑ کر رخصت ہو جائیں۔۔۔اس وقت قدم بڑھا کر آپ کو گلے لگا لے۔۔۔ وہ سہارا۔۔۔وہ کنارہ محبت ہے۔۔۔محبت ہے۔

میں اس کو اپنے آس پاس ڈھونڈتا۔۔۔ادھر ادھر دیکھتا۔۔۔خوشبو محسوس کرتا اور اس دوران نیچے وادی میں سرِ شام چمنیوں سے دھواں نکلنا شروع ہو جاتا۔۔۔ برقی قمقمے روشن ہوتے۔۔۔آسمان پر ستارے آنے سے بہت پہلے زمین پر ستارے چمکنا شروع ہو جاتے۔۔۔زندگی ساکت ہونا شروع ہو جاتی۔۔۔ پرندے گھونسلوں کی طرف روانہ ہونا شروع ہو جاتے۔۔۔ ابھی پہاڑوں کی چوٹیاں سورج کی آخری ہچکی سے پہلے والی کیفیت پر۔۔۔ سنہری اور آخری کرنوں کو الوداع کہنے میں مصروف ہوتیں۔۔۔زندگی دھیرے دھیرے سانس اگلتی اور نگلتی محسوس ہوتی۔۔۔ پریاں دن بھر کے معمولات سے فارغ ہو کر ان بڑے بڑے پہاڑوں کی چوٹیوں پر۔۔۔اونچے اونچے درختوں کے درمیان قطار در

قطار، غول در غول نازل ہونا شروع ہو جاتیں۔۔۔خضرؑ سرِ شام پہاڑی چشمے سے وضو کر کے صدائے اللہ اکبر بلند کرتا۔۔۔ایک نعرہ ہر سو بلند ہوتا۔۔۔اللہ، اللہ کی تکرار ہر درخت، پات، کلی، بوٹی، زندہ، مردہ، نباتات و جمادات۔۔۔حجرات وحشرات کے پور پور سے بلند ہوتی۔۔۔نور اور سرور برستا۔۔۔سکون۔۔۔آرام۔۔۔جنت مقام۔۔۔

میں اس کے ساتھ۔۔۔اس کے کندھے کے ساتھ ٹیک لگا کر بیٹھ جاتا۔۔۔ہوا کے زور پر اس کے لمبے بال اڑ کر کے میرے منہ پر پڑتے۔۔۔میں ان کو ہٹاتا۔۔۔پھر اس کا ہاتھ پکڑ کر سہلاتا۔۔۔وہ میرا سر اپنی گود میں رکھتی۔۔۔اور میں اس کی ٹھوڑی اور ستواں ناک اور چہرے کو بالکل ایسے ہی دیکھتا جیسے دور وادی میں چارپائی پر دراز کوئی دیہاتی۔۔۔پہاڑ کی چوٹی پر لمبے لمبے سبز درختوں کی اوٹ سے نمودار ہونے والے چاند کو جی بھر کر دیکھتا ہے۔

تکمیلِ ذات۔۔۔فنا کی بات

وہ میری آنکھوں میں دیکھتی۔۔۔میرے بالوں میں انگلیاں پھیرتی۔۔۔اور میں اس کے ہاتھ پکڑ کر چوم لیتا۔۔۔آنکھوں سے لگاتا۔۔۔عقیدت کے ساتھ ان کو اپنے چہرے کے ساتھ مس کرتا۔۔۔وہ میری ان غیر ارادی حرکات کو دیکھتی۔۔۔محسوس کرتی۔۔۔اور کبھی کبھی مجھ سے پوچھ لیتی۔۔۔آپ واقعی مجھ سے اتنی محبت کرتے ہیں۔۔۔!

میں فی الفور جل کر کہتا۔۔۔نہیں مذاق کر رہا ہوں۔۔۔ڈرامہ کر رہا ہوں۔۔۔میں تو یہ سب وقت گزاری کے لیے کرتا ہوں۔۔۔میرے پاس اور کوئی چوائس نہیں اس لیے تمہارے ساتھ وقت گزارنے کے لیے یہ سب کرتا ہوں۔۔۔میرے مزید بولنے سے پہلے وہ میرے مُنہ پر ہاتھ رکھ لیتی اور کہتی۔۔۔بس بس۔۔۔مجھے پتہ تھا آپ کو آگ لگ جائے گی۔۔۔مگر اچھا لگتا ہے۔۔۔

محبت بار بار Assurance مانگتی ہے۔۔۔یقین دہانی چاہتی ہے۔ چاہے جانے کی چاہت ہر ذی روح میں ہوتی ہے۔ خدا بھی چاہتا ہے کہ اس کو لاشریک چاہا جائے اور میں تو گوشت پوست کا انسان ہوں۔۔۔چاہے جانے کی چاہت نہیں۔۔۔چاہے جانے کی ہوس ہر انسان کو ہوتی ہے۔ مجھے

بھلا لگتا ہے۔۔۔کانوں کو اچھا لگتا ہے۔۔۔روح کو سکون اور قلب کو سرور ملتا ہے۔ جب کوئی اپنا ٹوٹ کر چاہنے والا۔۔۔بار بار کہے۔۔۔مجھے تم سے محبت ہے۔۔۔مجھے تم سے محبت ہے۔۔۔تو اچھا لگتا ہے۔۔۔بھلا لگتا ہے۔۔۔اس لیے میری اس خواہش کو پورا کیا کریں، تکمیل کیا کریں۔۔غصہ نہ کیا کریں۔۔

وہ کہتی آپ کیوں اتنی محبت کرتے ہیں مجھ سے۔۔۔میرے میں تو کوئی خاص بات نہیں!

میں دوبارہ اس کو سمجھانے کی غرض سے تقریر پر آمادہ ہو جاتا اور کہتا ''کومل بی بی'' محبت سوچ سمجھ کر تھوڑی ہوتی ہے۔۔۔یہ رنگ، نسل، ناک، بال، باڈی اور فگر سے تھوڑی ہوتی ہے۔۔۔یہ تو بس ہو جاتی ہے۔۔۔یہ آپ کے بس کی بات تھوڑی ہوتی ہے۔۔۔یہ تو بس ہوتی اور ہو جاتی ہے۔۔۔منہ زور گھوڑا ہے۔۔۔سوار کے بس میں تھوڑا ہی ہے۔۔۔جس فصل میں مرضی منہ مارے اسکی مرضی۔۔۔پھر یہ روکے سے نہیں رکتا۔۔۔اس طرح یہ جس جگہ ہو جائے پھر محل منارے، تخت ہزارے کچھ نہیں دیکھتی۔۔۔بس محبت ہوتی ہے اور عبادت ہوتی ہے۔۔۔عبادت ہوتی ہے اور محبت ہوتی ہے۔۔۔!

محبت آغاز میں خوبصورت لگتی ہے اور انجام بہت بھدّا اور افسوس ناک ہوتا ہے۔ اس راہ پر میں نے آج تک کوئی سکھی نہیں دیکھا۔۔۔دکھ ہی دکھ دیکھے ہیں۔ محبت کا آغاز تو ہے مگر انجام نہیں۔۔۔وہ رنجیدہ خاطر ہو کر کہتی۔

میں اس کو سمجھانے کی غرض سے کہتا ایسا نہیں ہے۔۔۔محبت کے دکھ، ہزاروں سکھ سے بہتر ہیں۔۔۔اس دکھ پر عمروں کے سکھ قربان۔۔۔محبت کا آغاز بھی محبت ہے اور محبت کا انجام بھی محبت ہے۔ یہ بھی دراصل Selfless زندگی گزارنے کا ایک مکمل پیکیج ہے۔ جس میں ''میں'' نہیں صرف محبوب کی پوجا ہوتی ہے۔۔۔!

ہم دیر تک باتیں کرتے رہتے۔۔۔آسمان پر تاروں کے سائبان کے ساتھ۔۔۔ملکی وے میں سفر کرتے ہوئے اڑتے ہوئے۔۔۔جیسے کائنات پھیلتی جا رہی ہو۔۔۔اور پوری دنیا اس کی گود میں میرے پاؤں کے نیچے ہو اور میں تکمیلِ ذات کے مراحل طے کر رہا ہوں۔

اور میرے سامنے چھوٹے چھوٹے گھروں کے لوگ گرم بستروں میں دبک کر اپنی اپنی زندگی میں مصروف محبتوں کو مضبوط کرنے میں مگن ہوں۔ اور میں چاند تاروں کے جھرمٹ میں اپنی تقدیر کو

ستاروں سے سجانے میں مصروف ہوں۔

چاند دھیرے دھیرے نازل ہونا شروع ہوتا ہے۔۔۔میرے سینے سے چمٹے چاند کے ساتھ۔۔۔درختوں کے اندر سے اس کی روشنی ایک سحر پیدا کر دیتی۔کوہ قاف شاید یہی تھا۔میری آغوش میں۔۔۔میرے پاس۔۔۔میرے اردگرد۔۔۔جہاں ہر طرف سکون تھا۔۔۔جنت مقام اور آرام تھا۔۔۔ہم ایک شال میں ہوا کی خنکی کے باوجود دیر تک باتیں کرتے رہتے۔۔۔ہاتھوں سے باتیں، جسم سے باتیں، زبان سے باتیں، آنکھوں سے باتیں۔۔۔اور پھر جب رات گہری ہوتی تو وہ میری طرف دیکھتی۔۔۔آنکھوں میں آنکھیں ڈالتی اور بانہوں میں بانہیں۔۔۔اور میں اس کی کمر کے گرد ہاتھ رکھ کر اس کو اٹھاتا اور وہ میرے پیچھے کندھے پر ہاتھ رکھ کر ایسے اتر رہی ہوتی جیسے آدمؑ و حوّاؑ۔۔۔زمین پر اتر رہے ہوں۔۔۔

اور یوں میں آنِ واحد میں کشمیر کے خوبصورت، سرسبز پہاڑوں سے اتر کر۔۔۔جرمنی کا سفر طے کر کے ایک شال میں بڑی سی شیشے کی کھڑکی کے سامنے آموجود ہوتا۔۔۔بس فرق صرف اتنا تھا کہ خواب سے حقیقت تک کا سفر ایک خواب تھا۔۔۔ایک مسلسل عذاب تھا۔

محبت میں دُکھ سُکھ لگتا ہے۔۔۔عذاب کب لگتا ہے۔جتنا زیادہ دکھ ملے اتنا زیادہ لگن اور تڑپ میں اضافہ ہوتا ہے۔شوق میں بڑھوتری ہوتی اور ہجر کے سو سال کے دکھ وصل کے ایک لمحے میں دور ہو جاتے ہیں۔وصل کا ایک پل صدیوں کے فراق کے دکھ سے اعلیٰ و ارفع ہوتا ہے۔زیادہ پرسکون ہوتا ہے۔آرام دہ ہوتا ہے۔انسان جنت میں ہوتا ہے۔

میری زندگی کی تمام خواہشیں پوری ہو چلی تھیں۔زندگی مکمل ہو چلی تھی۔زندگی کی تکمیل زندگی سے ہوتی ہے۔اور میری زندگی میرے پہلو میں تھی۔میرے سانسوں میں بسی تھی۔میرے جسم میں رچ بس گئی تھی۔جدا نہ ہونے کے لیے اور میں اس کی سیاہ شال کے پلو کو پیچھے کر کے اس کے زانوں پر سر رکھ کر لیٹ گیا۔۔۔

جنت میں دودھ کی نہروں کے کنارے غلافی آنکھوں والی حوروں اور ''سِجّین'' کے نشے میں بھی شاید وہ سرور نہ ہو جو اس کی سیاہ چادر کے پلو میں پتھریلی زمین پر تھا۔محبوب موجود ہو تو

زندگی جنت وگرنہ جنت بھی جہنم لگتی ہے۔

میں نے یہی سوچ کر اپنی آنکھیں موند لیں۔۔۔جیسے لق ودق صحرا میں سالہا سال کی قحط سالی میں مسلسل سفر میں رہنے والا مسافر۔۔۔سراب در سراب۔۔۔ٹوبہ ٹوبہ، بستی بستی۔۔۔ڈھار ڈھار چلتا رہا ہو۔اور پھر میل اور سنگِ میل کو منزل جانتا ہوا ایک سراب کے بعد دوسرے سراب کی طرف چل رہا ہو۔جس کے جسم میں زندگی کی خواہش صرف دید کی حسرت کے علاوہ کچھ نہ ہو۔جو جسمانی شکائت سے بے پروا ہو چکا ہو۔جس کے پاؤں جون جولائی کی گرم ریت میں گرمی محسوس نہ کرتے ہوں۔۔۔ننگے پاؤں اور بدن پر سانپ، بچھو اور زہر اثر نہ کرتا ہو اور وہ سب حشراتِ ضرر۔۔۔بے ضرر ہو چکے ہوں۔ جو برفیلے راستوں پر چلے تو سفید دودھیا برف پر صرف خون آلود قدموں کے نشانِ عشاق کے لیے راستے کا تعین کرتے ہوں۔خود کو فراموش کر کے اس کو تلاشنے والا یہ شخص۔۔۔طعام، قیام اور آرام سے لاپروا اور بے نیاز اس کی جستجو میں چلا جا رہا ہو۔۔۔اور جب وہ اس سرچشمۂ حیات اور وجہِ کائنات کے قریب پہنچے۔۔۔تو قدموں میں گر پڑے۔۔۔خشک پیلی آنکھوں سے دو سیپ موتی ٹپکیں اور زمین میں جذب ہو جائیں۔۔۔چہرے کا اضطراب رُخِ روشن پر نظر پڑتے ہی دور ہو جائے۔۔۔پاؤں کے زخم مندمل ہو جائیں۔۔۔دل کی دھڑکن کی ترتیب میں ربط آ جائے۔۔۔طوفان کے بعد، سونامی کے بعد۔۔۔سکون آ جائے۔۔۔آرام آ جائے۔۔۔ نروان آ جائے۔۔۔!جب وہ گیان میں آ جائے۔۔۔تو سب جہان آ جائے۔۔۔ایمان آ جائے۔۔۔بے جان میں بھی جان آ جائے۔۔۔!

میں اپنی تکمیل کے بعد۔۔۔تحلیل چاہتا تھا۔۔۔اس کے قدموں کے تلے۔۔۔اس کی آغوش میں۔۔۔اس کی بانہوں میں۔۔۔اس کی نگاہوں میں۔۔۔فنا ہو جانا چاہتا تھا۔۔۔میں چاہتا تھا کہ وہ میرے ماتھے پر ہونٹ رکھے اور میری زندگی کو پاؤں سے لے کر روح تک اپنے اندر کھینچ لے۔۔۔میں مرنا چاہتا تھا۔۔۔میرا حاصل اور لاحاصل دونوں میرے پاس تھے۔۔۔رگِ جان سے بھی قریب تھے اس لیے اب زندگی کی خواہش کس کافر کو تھی۔کیونکہ اس سے بہتر زندگی ہو نہیں سکتی تھی اور نہ خواہش کی جا سکتی تھی۔زندگی کا کلائمیکس تھا۔وہ میرا تھا اور میرے لیے تھا اس لیے اب مزید کی ضرورت نہیں تھی۔۔۔اب جان جائے یا جہان پروا نہیں۔۔۔!

کومل میرے ماتھے پر محبت سے ہاتھ پھیرتی ہوئی بولی۔۔۔

میں نے زندگی میں آپ کو بہت دکھ دیے ہیں۔۔۔شاید مجھے اسی لیے اتنے دکھ ملے ہیں۔میں سوچتی ہوں جتنا عرصہ میں نے آپ کو تکلیف دی ہے اتنا ہی عرصہ مجھے بھی کسی نے درد میں مبتلا رکھا ہے۔یہ سچ ہے کہ ہم جو بوتے ہیں وہی کاٹتے ہیں۔

دکھ دیں گے تو دکھ ملیں گے۔۔۔سکھ بانٹیں گے تو سکھ نصیب ہونگے۔دکھ دینے والے کو دکھ اور سکھ بانٹنے والے کو سکھ ہی ملتے ہیں۔یہ بھی شاید ہمارے بس سے باہر کی بات ہوتی ہے۔۔۔کچھ کام ہم کرنا چاہتے ہیں کہ اچانک کوئی غیر مرئی قوت ہمیں روک لیتی ہے۔ ہمارے ہاتھ پکڑ لیتی ہے۔۔۔پاؤں روک لیتی ہے۔زبان جکڑ لیتی ہے۔اور ہم اچانک اپنا ارادہ، سوچ اور فکر تبدیل کر کے راہِ دیگر پر چل نکلتے ہیں اور بالکل کسی نئی پگڈنڈی۔۔۔راہ۔۔۔سڑک اور راستے پر چل پڑتے ہیں۔۔۔جہاں ہم ایسے حالات اور لوگوں سے ملتے ہیں جن کا ہم نے کبھی خواب میں بھی نہیں سوچا ہوتا۔اور پھر اچانک کسی دن۔۔۔پھر ہماری زندگی کی پٹڑی تبدیل ہوتی ہے کانٹا بدلتا ہے۔۔۔اور ہم ریل کے آوارہ انجن کی طرح بالکل کسی نئے اور ان دیکھے ٹریک پر چل پڑتے ہیں۔۔۔

شاید زندگی اور محبت میں کوئی چوائس نہیں ہوتی۔۔۔ہماری زندگی کا انتخاب شاید ہمارے ہاتھ میں نہیں۔ شاید ہمارے ہاتھ میں زندگی گزارنا ہے۔ حالات و واقعات پہلے سے طے ہیں۔۔۔وقت مقرر اور معین ہے۔بس جب ہم پر وہ واقعات آشکار ہوتے ہیں تو ہمیں نئے معلوم ہوتے ہیں۔جبکہ خالق نے وہ سب پہلے سے طے کر کے رکھے ہیں۔ہر دم موجود رکھے ہیں۔اور انسان ہر آنے والے لمحے میں صرف حیران ہوتا ہے۔نئے تجربات، نئے لوگ، نئے راستے، نئے مقامات اور امکانات۔۔۔مکاں اور لامکاں دیکھ کر سوچ کر۔۔۔انسان مکمل طور پر بااختیار ہو کر بھی کتنا بے اختیار ہے۔قابلِ ترس اور قابلِ رحم انسان۔۔۔مغرور و متکبر انسان۔۔۔بے بس و بے اختیار انسان۔۔۔!

میں نے بے اختیار اس کا ہاتھ اپنے ہاتھ میں لیا۔۔۔اس کو بوسہ دیا۔۔۔اس کی بے بسی اور تکلیف کو محسوس کرتے ہوئے میرے منہ سے صرف اتنا نکلا

''یار میں تو تیری یاد میں کبھی بھی تکلیف میں نہیں رہا۔۔۔تکلیف جب ہوتی۔۔۔

اگر تم مجھ سے دور ہوتی تو۔۔۔تم تو ہر دم میرے پاس رہی ہو۔۔۔ میرے سانسوں میں۔۔۔خوابوں میں خیالوں میں۔۔۔تاروں میں اور سیاروں میں۔۔۔میری کھڑکی کے اس پار سیاہ گلاب کی خوشبو میں۔۔۔ تیری چھک وخوشبو کبھی مجھ سے دور نہیں رہی۔ البتہ میں نے زندگی میں کبھی یہ نہیں سوچا تھا کہ تم اتنے دکھ میں ہوگی۔ میں نے ہمیشہ تمہاری خوشی کے لیے دعا کی۔ اور میں آج بھی دعا کرتا ہوں کہ اللہ تمہیں بہت زیادہ خوشیاں دے اور جس نے تمہیں زندگی میں دکھ دیئے اللہ اس کو بھی سکون دے۔

یار دکھ کی بات بار بار مت کرو۔۔۔سکھ کا موسم ہے۔۔۔کوئی سکھ کی بات کرو۔۔۔ملن کی بات کرو۔۔۔دل کی دل سے بات کرو۔۔۔نئ حسین شروعات کرو۔۔۔محبت سے محبت کی ملاقات کرو۔۔۔!

مجھے یاد ہے جب اضطراب حد سے بڑھ جاتا اور ناقابلِ برداشت ہو جاتا تو میں آنکھیں بند کر کے سیدھا لیٹ جاتا۔۔۔میرے بدن، قلب اور روح پر وہ سوار۔۔۔میرے ساتھ۔۔۔باتیں کرتی۔۔۔گزرے وقت کی باتیں۔۔۔بن کہی سنائی دینے والی باتیں۔۔۔ میں اکیلا۔۔۔کبھی راجستھان کے کسی ویران ٹوبے پر ریت کی ڈھیری پر۔۔۔یا کبھی کشمیر میں لمبے اور اونچے پائن کے درختوں کے درمیان۔۔۔رات کے آخری پہر نیلے تاروں بھرے پاک اور صاف آسمان کی طرف دیکھتا اور آنکھیں بند کر لیتا۔۔۔ نہ جانے کہاں سے مجھے ایسے محسوس ہوتا جیسے حروفِ مقطعات۔۔۔ایک ایک کر کے نازل ہو رہے ہوں۔۔۔میں بلند آواز میں۔۔۔ذات سے زیادہ اونچی آواز میں۔۔۔لمبے سانس کے ساتھ ایک ایک کر کے پکارتا۔۔۔پوری شدت سے۔۔۔اور الٓمٓ۔۔۔حٰمٓ۔۔۔الٓر۔۔۔ جیسے کوئی طاقت ایک بڑے سے قلم کے ساتھ میرے دل پر دھیرے دھیرے بڑی روانی کے ساتھ میری ادائیگی کی ترتیب اور آواز کے ساتھ ساتھ میرے دل پر رقم کر رہی ہو۔۔۔!صوتِ سرمدی۔۔۔!

مجھے ایسے محسوس ہوتا جیسے آسمان پر سبز رنگ کا نور کا بادل اِدھر اُدھر مچلتا ہوا۔۔۔آہستہ آہستہ زمین کی طرف نازل ہونا شروع ہوتا۔۔۔جیسے ایٹم بم کا مشروم۔۔۔ بالکل اسی طرح۔۔۔

خوبصورت۔۔۔ٹھنڈا۔۔۔مشک صد ہزار اور عنبر و نافہ سے زیادہ خوشبودار۔۔۔صندل و زعفران ہیچ۔۔۔اور وہ نور کے بادل آہستہ آہستہ ایک دھار کی صورت میں جیسے کنول کیف کے اندر اترتے جارہے ہوں اور اس کا دوسرا سرا میرے سینے کے اندر دل کے عین اوپر رکھا ہو۔۔۔یہ نور۔۔۔یہ سبزی۔۔۔یہ ٹھنڈک۔۔۔یہ سرور۔۔۔خوشبو۔۔۔تعطر۔۔۔میرے جسم کو دل کے راستے معطر کرتا۔۔۔میری تمام رگوں۔۔۔وریدوں۔۔۔شریانوں۔۔۔خلیوں تک جا پہنچتا۔۔۔میں ایک نئے جہان میں۔۔۔ایک نئے جہان کی عنایات کے ساتھ روانہ ہوجاتا۔۔۔خود سے بیگانہ ہوجاتا۔۔۔وہ سرور میرے رگ و جاں میں رچ بس جاتا۔۔۔حروفِ مقطعات۔۔۔میری سانسیں۔۔۔سانس لینے کا احساس ختم ہو جاتا۔۔۔زندگی۔۔۔جسم۔۔۔مادہ۔۔۔گوشت پوست۔۔۔دنیا۔۔۔دنیا کے لوازمات کا تعلق فنا ہوجاتا۔ بقا۔۔۔باقی رہ جاتی۔۔۔غلاظتیں۔۔۔بافتیں۔۔۔آلائشیں۔۔۔کہیں دور نکل کر۔۔۔سیاہی کا حصہ بن جاتیں۔۔۔میں اور میں۔۔۔زندگی سے نکل کر۔۔۔دنیا کے مدار سے باہر۔۔۔دور کسی اور سیارے سے خود کو دیکھتے۔۔۔اور ذات کی بے وقعتی پر مسکراتے۔۔۔خواہشوں کا مذاق اڑاتے۔۔۔ہاتھوں پر ہاتھ مار کر ہنستے۔۔۔مسکراتے۔۔۔اور سو جاتے۔۔۔پاکیزگی کے ساتھ۔۔۔نور کے ساتھ۔۔۔سرور کے ساتھ۔۔۔حضور کے حضور۔۔۔نور۔۔۔!

میرے خواب حقیقت۔۔۔اور خیال۔۔۔اجسام کی صورت میں۔۔۔میری دسترس میں تھے۔۔۔اس کے پہلو میں۔۔۔زندگی تو زندگی موت بھی آجائے تو زندگی۔۔۔! پہلوئے یار میں فنا کو بھی بقا ہے۔۔۔! میں بھی میراتھن کے کھلاڑی کی طرح۔۔۔ریس جیت کر۔۔۔پاؤں کے چھالے۔۔۔مشقت۔۔۔تکالیف۔۔۔سفر اور Suffer دونوں کو بھول کر Finish Point ۔۔۔عبور کر کے سُدھ بدھ۔۔۔فراموش کر کے۔۔۔جیت کی خوشی میں۔۔۔مسرور اور مخمور۔۔۔خود پر نازاں اور قسمت اور تقدیر پر رشک کرتا ہوا۔۔۔مدہوش پڑا تھا۔۔۔سالوں کا سفر مگر جیت کی خوشی میں سب تکالیف ختم ہو چکی تھیں۔۔۔میں اور میرے خواب مکمل ہو چکے تھے۔ میری تکمیل ہو چکی تھی۔۔۔اب تو میں تحلیل ہونا چاہتا تھا۔۔۔اس ماحول میں۔۔۔اس نور میں۔۔۔اس سرور

میں ۔۔۔اس فضا میں تحلیل ہونا چاہتا تھا۔۔۔

خواہش کی کبھی تکمیل نہیں ہوتی۔۔۔خواہش کے بعد ایک اور خواہش جنم لیتی ہے۔۔۔اور خواہشوں کی ایک زنجیر۔۔۔ایک ناختم ہونے والا سلسلہ چل نکلتا ہے۔ایک منزل کے بعد وہ سنگِ راہ۔۔۔سنگِ میل رہ جاتا ہے۔۔۔اور اگلی خواہش کہیں سے تیر کی طرح پیوست ہو جاتی ہے۔۔۔میں اپنی خواہش کو اس کے قدموں میں رکھنا چاہتا تھا۔۔۔مزید کی سوچ سے پہلے۔۔۔کفر، شرک اور تکذیب سے پہلے۔۔۔احدیت اور وحدانیت کی انتہا پر۔۔۔فنا ہونا چاہتا تھا۔۔۔پگھلنا چاہتا تھا۔۔۔تحلیل ہونا چاہتا تھا۔۔۔

میں معصوم بچے کی مانند۔۔۔سبز آسمان۔۔۔نور۔۔۔سانس۔۔۔دل و دماغ کے ذریعے اپنے اندر کشید کر رہا تھا۔۔۔میری ذات اس کے پہلو میں۔۔۔میرا سر اس کے زانو پر۔۔۔اور میں دھیرے دھیرے نور کے ساتھ۔۔۔نور کا حصہ بنتا جا رہا تھا۔۔۔تحلیل ہو رہا تھا۔۔۔

اور وہ بول رہی تھی۔۔۔

میں کیا کروں۔۔۔میں اس کے ساتھ بھی مخلص تھی۔ میں نے اس کی بندگی کی۔۔۔عبادت کی۔۔۔محبت کی۔۔۔مگر میرے تیس سال کی محبت نہیں، اذیت میں گزرے۔۔۔شاید ہمارے سارے عمل۔۔۔پہلے سے طے ہوتے ہیں۔۔۔موجود ہوتے ہیں صرف ہمیں معلوم نہیں ہوتا۔اور جب ہم مقررہ وقت پر وہ حرکت کرتے ہیں کام کرتے ہیں تو ہمیں محسوس ہوتا ہے شاید ہم نے کوئی نیا کام کیا ہے۔جبکہ ایسا ہرگز نہیں ہوتا۔۔۔دراصل وہ بات ہم پر تب آشکار ہوتی ہے۔۔۔اگر یہی کرنا تھا۔۔۔انجام یہی ہونا تھا۔۔۔تو پھر اتنے سال کا کشٹ کیوں۔۔۔پہلے ہی فیصلہ کر لیتی۔۔۔کم از کم ہم دونوں اپنے اپنے دکھ تو کم کر لیتے۔۔۔مجھے جسمانی اذیت کم ملتی اور آپ کو روحانی۔۔۔!

مگر شاید فیصلے ہماری دسترس سے باہر ہیں۔۔۔مجھے کبھی احساس ہی نہیں ہوا زندگی اتنی خوبصورت بھی ہو سکتی ہے۔۔۔اور کبھی یہ نہیں سوچا کہ آپ کے ہونے سے کسی کی تکمیل کیسے ہوتی ہے۔۔۔زندگی کیسے ملتی ہے، راحت کیسے ملتی ہے اور نہ ہونے سے تکلیف کتنی ملتی

ہے۔۔۔دکھ کتنے ملتے ہیں۔۔۔

شاید عظمت اس بار بھی ایئرپورٹ پر منشیات کے الزام میں گرفتار نہ ہوتا تو میں آج بھی اس سے جوتے کھا رہی ہوتی اور یورپ میں ایشیا کی عزت بچانے کی کوشش کر رہی ہوتی۔۔۔ماں باپ کی ناموس کی خاطر ذلیل ہو رہی ہوتی اور اس کے تشدد کا شکار ہو رہی ہوتی۔روز نیلے جسم اور زخموں کے ساتھ۔۔۔ٹیسوں کے ساتھ جی رہی ہوتی اور اُف تک نہ کرتی۔۔۔کیونکہ بیٹی تو چار کندھوں پر سسرال سے واپس آتی ہے۔زندہ نہیں۔۔۔چاہے مسلسل دکھ سے پاگل ہو جائے۔۔۔زہر کھالے۔۔۔گولی مار لے۔۔۔

''کومل'' کی آنکھوں سے دو موٹے موٹے آنسو۔۔۔میرے چہرے پر گرے اور اس نے زور سے میرے ہاتھ کو بھینچ لیا۔۔۔اور بے اختیار بول اٹھی۔۔۔

احمد پلیز مجھے ماریں گے تو نہیں۔۔۔میں آپ کی کنیز بن کر رہوں گی بس مجھ پر ہاتھ نہ اٹھانا۔۔۔مجھے صرف عزت چاہیے۔۔۔میں خود کماؤں گی۔۔۔تمہاری خدمت کرونگی۔۔۔تمہارے سارے شکوے۔۔۔دکھ۔۔۔اور اذیتیں اپنی جھولی میں ڈال لوں گی بس مجھے عزت کی بھیک دے دو۔۔۔بس مجھے یہ احساس دے دو کہ میں تمہاری بیوی ہوں۔۔۔بیوی۔۔۔Better Half۔۔۔تمہاری عزت۔۔۔تمہارا مان۔۔۔تمہارا سب کچھ۔۔۔!اور وہ پھوٹ پھوٹ کر رونے لگی۔

میں نے بے اختیار اس کو سینے سے چمٹا لیا۔۔۔

دراصل ہم دونوں کو یقین نہیں آ رہا تھا۔۔۔یقین کی بجائے صرف بے یقینی تھی۔۔۔مجھے حاصل کی اور اُس کو کھو کر حاصل کرنے کی بے یقینی۔۔۔!

میں اس کو اپنا سب کچھ تصور کرتا تھا۔۔۔زندگی۔۔۔بندگی۔۔۔عبادت۔۔۔ریاضت۔ اس کے ساتھ بتائے ہوئے لمحے ہی میری اصل زندگی تھی۔مگر اس کو شاید صرف محبت۔۔۔لمس اور چاہت کی ضرورت نہیں تھی۔۔۔اس کا ماضی جب بار بار اس کو کاٹتا تھا۔۔۔تو وہ روتی۔۔۔چلاتی۔۔۔محبت کی بھیک نہیں مانگتی تھی۔۔۔بلکہ عزتِ نفس کے لیے جھولی پھیلاتی تھی۔۔۔اس کو چاہے جانے کے ساتھ ساتھ۔۔۔عزت کی ضرورت تھی۔۔۔اس کی انا کی تسکین کے لیے اس کو

احساس دلایا جانا ضروری تھا کہ وہ اس تعلق اور رشتہ کے لیے کتنا ضروری اور قیمتی ہے۔۔۔ کیونکہ اس نے اپنی پوری شادی شدہ ماضی کی زندگی میں۔۔۔ ذہنی۔۔۔ جسمانی اور روحانی تشدد ہی دیکھا اور برداشت کیا تھا۔۔۔ اس لیے وہ بدن سے زیادہ روحانی اور قلبی سکون چاہتی تھی۔۔۔ خود کو دوبارہ گورنمنٹ کالج کے دَور والی۔۔۔ مغرور۔۔۔ خودسر اور ناقابلِ تسخیر کومل دیکھنا چاہتی تھی۔۔۔۔۔ کوئی اس کو بار بار کہے کہ

تم خوبصورت ہو۔۔۔ تم بہت ہی خوبصورت ہو۔۔۔ تم میرے لیے زندگی سے ضروری ہو۔۔۔ تم میری پہلی اور آخری محبت ہو۔۔۔ تمہارے بغیر میں زندہ نہیں رہ سکتا۔۔۔ اس کی شکست وریخت اور ریزہ ریزہ عمارت کو تعمیر کرنے کے لیے۔۔۔ عشق کے ابتدائی ایّام کی مکالمہ بازی ضروری تھی۔۔۔ اور خود وہ۔۔۔ ویسی ہی حرکات کرنا چاہتی تھی جیسی کوئی نوعمر لڑکی۔۔۔ جس کو اپنے خوبصورت ہونے کا احساس ہو۔۔۔ کرتی ہے۔

کومل کو شاید مجھ سے محبت کے علاوہ ایک Sense of Security کی بھی ضرورت تھی۔ وہ پروٹیکشن چاہتی تھی۔۔۔ مجھے یاد ہے پہلی رات میری چھاتی میں منہ چھپا کر وہ کہہ رہی تھی۔۔۔ جو احساس تحفظ تیری بانہوں میں ہے وہ دنیا میں کہیں نہیں۔ مجھے آج پتہ چلا ہے کہ اپنائیت کیا ہے۔۔۔ آج احساس ہو رہا ہے کہ میں کسی کی حفاظت کے حصار میں ہوں۔۔۔ کسی کی عزت اور توقیر ہوں۔۔۔ چاہے جانے کے علاوہ دنیا میں یہ احساس بھی ضروری ہے کہ لوگوں کو پتہ ہو کہ میں کسی کی امانت ہوں۔۔ جو میری طرف اٹھنے والی آنکھ اور ہاتھ توڑنے کی اہلیت رکھتا ہے۔۔۔۔ مجھے محبت کے ساتھ، احساسِ محبت کے ساتھ۔۔۔ سکیورٹی چاہیے یہ احساس چاہیے کہ میں کسی کی ذمہ داری ہوں۔ کوئی مجھے اپنی Liability تصور کرتا ہے۔ میں کسی کے لیے Matter کرتی ہوں۔ میرا ہونا کسی کے لیے ضروری ہے۔ چاہے جانے اور نباھے جانے کے احساس کے علاوہ۔۔۔ زندگی میں قدم قدم پر خیال رکھا جانا اور دوسروں کی نظروں سے بچانا اور سب کے سامنے Own کرنا کہ یہ میرا ہے۔ میں اس کا ذمہ دار ہوں۔۔۔ یہ احساس بھی زندہ رہنے کے لیے ضروری ہے۔۔۔

میں Flash back میں اس کی باتیں یاد کر رہا تھا۔۔۔۔

وہ میرے ساتھ چمٹی ہوئی۔۔۔آنکھیں بند کر کے پرسکون بیٹھی تھی۔۔۔ایک لمحے کے لیے مجھے احساس بھی نہیں ہوا کہ ہم کتنی دیر بیٹھے رہے اور کیا کرتے رہے۔۔۔سوچتے رہے۔۔

وہ اُٹھی میرے ماتھے پر بوسہ دیا اور بولی۔۔۔چلیں رات بہت ہوگئی۔۔۔اور میں اس کے خوابوں میں رنگ بھرنے کی بجائے اپنے خوابوں کو حقیقت کا رنگ دینے کے لیے اٹھا اور اس کا ہاتھ پکڑ کر۔۔۔اور ٹمٹماتی روشنیوں کو الوداع کہتا ہوا کمرے کے اندرونی جانب ہولیا۔

میں تم سے محبت کرتی ہوں مگر کہنے سے ڈرتی ہوں۔۔۔

کیوں بھئی۔۔کھل کر بات کرو کیوں ڈرتی ہو۔۔۔کیا مجھ پر ٹرسٹ نہیں۔۔اب تو میں سب کچھ چھوڑ کر تمہارے پاس آ گیا ہوں اب ڈر کس بات کا؟

وہ بولی دراصل بات ٹرسٹ کی نہیں۔۔۔محبت کرنا آسان ہے نبھانا مشکل ہے۔۔محبت ایک دن۔۔سال یا مہینے کے لیے تھوڑی ہوتی ہے۔۔یہ کوئی مرد کی محبت تھوڑی ہے۔۔جو جی بھرنے کے ساتھ ہی ختم ہو جائے گی۔۔۔عورت کی محبت ایک بار اور ایک سے ہی ہوتی ہے۔۔۔عورت سوئے چاہے ہزار مردوں کے ساتھ محبت ایک سے ہی کرتی ہے۔روح اور دل ایک کے حوالے ہی کرتی ہے جسم چاہے سارا جگ نوچے۔۔۔۔۔۔۔۔۔۔

میں نے پوچھا!!یار اب مسئلہ کیا ہے؟؟

مسئلہ کیا ہونا۔۔ محبت سے نہیں جدائی سے ڈر لگتا ہے۔بچھڑنے سے ڈر لگتا ہے۔۔دوری سے ڈر لگتا ہے۔۔۔۔تم چلے جاؤ گے ایک دن۔قدم بڑھا لے جاؤ گے تو میں کیا کرونگی۔

اس دن سے ڈر لگتا ہے۔۔۔دل ٹوٹنے سے ڈر لگتا ہے۔۔۔۔آپ چلے جاؤ گے میں راستوں کی دھول چاٹتی رہوں گی۔۔۔تیری خوشبو کے پیچھے سسی کی طرح صحرا کی خاک چھانتی رہوں گی۔۔۔بھاگتی رہوں گی۔۔۔سراب کے پیچھے۔۔۔۔عذاب کے پیچھے۔۔۔۔۔

میں نے اس کی آنکھوں کے آنسو صاف کرتے ہوئے کہا کہیں نہیں جا رہا۔۔۔تیرے پاس ہی تو ہوں۔۔۔۔۔

وہ بولی۔۔۔کیا یہ ریلیشن ہمیشہ ایسے ہی رہے گا۔۔۔وہ میری آنکھوں میں دیکھ رہی جیسے

میرے دل اور دماغ کو پڑھ رہی ہو۔۔۔۔ میں گھبرا گیا۔۔۔ میں نے جواب بناتے ہوئے کہا۔۔۔۔ میری جان ہمیشگی تو صرف خالق کو ہے۔۔ خدا کو ہے۔۔۔ ہم سب نے تو ایک نہ ایک دن جانا ہی ہے۔ کسی نے پہلے اور کسی نے بعد میں۔۔۔۔۔۔

وہ سٹپٹا کر بولی میں دنیا سے جانے کا نہیں کہہ رہی۔ آپ کو پتا ہے میں کیا کہنا چاہ رہی ہوں۔

میں نے لاجواب ہوتے ہوئے اس کے دونوں گال اپنے ہاتھوں میں لے کر اس کے ماتھے پر گرم بوسہ ثبت کرتے ہوئے کہا۔۔۔۔۔۔۔۔۔ کل کس نے دیکھا۔۔ آج گزارو۔۔۔ محبت سے گزارو۔۔۔ خوشی سے گزارو۔۔۔

میرے دل میں یہ احساس مجھے کاٹ رہا تھا کہ میں غلط کہہ رہا ہوں مگر میں کہہ رہا تھا۔۔۔۔۔ بہلا رہا تھا۔۔۔۔۔۔۔۔ یہ بات کہتے ہوئے میرا دل ڈوب رہا تھا۔۔۔ مگر میں اس کے گال سہلا رہا تھا۔۔۔۔۔!!!

میری پاکستان میں گریڈ اکیس کی ملازمت تھی۔۔۔۔ عمر بھر کی کمائی وہ بھی تھی۔۔۔ واپس تو مجھے جانا ہی تھا چاہے عارضی طور پر جانا پڑتا۔۔۔۔ اور اپنے پاکستان کے معاملات سمیٹنے کے لیے شاید مجھے کچھ عرصہ رکنا بھی پڑتا۔

یہ جو تم محبت کرتے ہو قسم سے کمال کرتے ہو۔ چھوڑ کر تو سب نے چلے جانا ہے۔۔۔۔ پر مہربان دنیا کو چھوڑ جانا اور دنیا میں چھوڑ جانے میں فرق ہوتا ہے

میں پوچھتی ہوں چھوڑ جانا تھا تو کیوں آس لگائی۔

محبت بھی وہ کی جو مجھے راس نہ آئی۔۔۔۔

تم کیا جانو محبت کو۔۔۔۔۔۔ محبت نہ جسموں کا کھیل ہے۔۔ نہ نوچنے کا نام ہے نہ روح تک پہنچنے کا ذریعہ۔۔۔ ارے پاگل

یہ تو احساس ہے جو صرف احساس مانگتا ہے۔ ارے یہ تو چاہتے رہنے کا نام ہے

محبت نہ لمس مانگتی ہے۔۔۔۔۔ نہ گرم بوسہ۔۔۔۔۔۔۔

محبت تو صرف محبوب کی رضا چاہتی ہے۔۔۔ محبت تو صرف ایک سانس چاہتی ہے جو اس

کے سامنے چلتی رہے اور وہ اس کی روانی دیکھے۔۔۔

چہرے کو ہاتھوں میں لینا محبت کا اظہارِ نہیں۔۔۔۔گرم بوسہ دینا محبت کا اقرار نہیں۔۔۔۔۔چھوڑ کر جانا محبت کا بہانہ ہے

کون کہتا ہے محبت ساتھ مانگتی ہے۔۔۔۔محبت صرف محبت ہے۔۔۔۔جو بنا بتائے روح میں اترتی ہے۔۔۔جو نہ چھونا مانگتی ہے نہ پانا

جو صرف ایک نظر مانگتی ہے۔۔۔۔۔۔جو صرف ایک دیدار کی منتظر۔۔۔۔۔جو صرف چاہتے رہنا جانتی ہے۔۔۔۔۔۔تم نے بچھڑنے کو اللہ کا امر کہہ دیا۔۔۔۔۔۔سامنے رہنے کو سکوں کا نام دے دیا

بتاؤ۔۔۔۔۔۔اگر میرا سامنے رہنا سکوں تھا تمہارے لیے۔۔۔۔۔تو بچھڑنے کے بعد یہ سکوں کہاں سے لاؤ گے؟

کیا ساری زندگی اس سکوں کے متلاشی رہے ہو؟؟ آج مجھے چھوڑ دیا کل کسی اور میں سکوں دیکھو گے۔

پھر میں نے تمہارے ساتھ رہ کر سامنے رہ کر صرف تمہیں سکوں دیا۔۔۔۔

میرا سکوں کہاں ہے؟؟ بتاؤ؟؟ محبت یہ تو نہیں ہوتی۔۔۔۔۔۔۔۔۔۔۔۔؟ جانتے ہو میری محبت کیا ہے؟

تمہارا مجھے ٹکٹکی باندھ کر دیکھتے رہنا۔۔۔۔۔اور میرا دانستہ تمہاری نظروں سے اوجھل رہنا لیکن تمہاری صرف ایک نظر کا متلاشی رہنا۔۔۔۔۔یہ ہے محبت۔۔۔۔

جاؤ۔۔۔۔۔تمہیں آزاد کیا۔۔۔لیکن یاد رکھنا۔۔۔پھر کسی کو اپنے سکون کے لیے آس نہ دینا۔۔۔۔جاؤ آزاد کیا تمہیں۔۔۔۔۔۔یار میں ہمیشہ کے لیے تو نہیں جا رہا۔ یقین رکھو جو تیس سال بغیر حاصل کے محبت کرتا رہا ہے وہ حاصل کے بعد بھی نہیں بدلے گا۔۔لوٹ آئے گا۔۔۔ سب کچھ چھوڑ کر لوٹ آئے گا تمہارے پاس۔ وہ تیرا ہے۔۔۔ تیرا ہی رہے گا۔ میں بڑی مشکل سے اس کو نارمل کرتا۔

میرے شب و روز۔۔۔ کا عروج۔۔۔ جذبات کی طرح۔۔۔ دھیرے دھیرے۔۔۔ سورج کی مانند سر کے عین اوپر سے اتر کر مغرب کی طرف کا سفر شروع کر چکا تھا۔۔۔ روزانہ ہماری گھنٹوں گفتگو ہوتی۔۔۔ وہ صبح جلدی بچوں کو تیار کرتی۔۔۔ میں بچوں کو سکول چھوڑ آتا اور اس کو ایک ریسٹورینٹ پر کام کرنے کے لیے اور خود گھر آکر بیکار پڑا رہتا۔ شروع شروع میں تو میں یہ زحمت بھی نہیں کرتا تھا۔ مگر جوں جوں پیار کا خمار اترتا گیا۔۔۔ زندگی شروع ہوتی گئی۔۔۔ وہ دن بھر کام کر کے جب واپس آتی تو۔۔۔ میں پاکستانی مرد کی طرح شرمندگی محسوس کرتا۔ کئی بار کہا کہ میں کوئی کام دھندا شروع کر دیتا ہوں فارغ پورا دن نہیں کٹتا۔۔۔

وہ ہنستی ہوئی کہتی ہے۔۔۔ جان جی شاعری کیجیے۔۔۔ کچھ لکھئے۔۔۔ عمر بھر ہجر لکھتے رہے فراق بولتے رہے۔۔۔ ''وچھوڑا'' سوچتے رہے۔ اب وصل کیجیے۔۔۔ وصل سوچیے، وصل لکھئے۔۔۔ کچھ زندگی میں رنگ گھولیے۔۔۔ زندگی جی کر دیکھئے۔۔۔۔۔۔

میں لمبی سانس باہر نکالتا۔۔۔ اور بلا سوچے سمجھے کہتا۔۔۔ بات تو تمہاری درست ہے مگر ابھی وصل کا یقین کس کافر کو آیا ہے۔۔۔ ایسے لگتا ہے جیسے ایک خواب ہے اِک سراب ہے۔۔۔ ابھی کوئی کھٹکا ہوگا۔۔۔ آواز آئے گی۔۔۔ الارم بجے گا۔۔۔ اور آنکھ کھل جائے گی۔۔۔ میں ارد گرد دیکھوں گا۔۔۔ بستر کی سلوٹیں ٹٹولوں گا۔۔۔ ادھر ادھر ہاتھ ماروں گا۔۔۔ آنکھیں مَلوں گا۔۔۔ اور ہمیشہ کی طرح میرا ملازم کہے گا سر کچھ بھی نہیں ہے۔۔۔ آپ نے کوئی خواب دیکھ لیا ہے شاید پھر۔۔۔ یہ پانی پی لیں اور وہ میرے لیے پانی رکھ کر چلا جائے گا۔۔۔ اور میں کہ تیری کھوج میں پھر سرگرداں ہو جاؤں گا۔۔۔۔۔۔ مجھے یقین نہیں آتا۔۔۔ اور ویسے بھی بے یقینی کی کیفیت۔۔۔ یقین آنے بھی کب دیتی ہے۔۔۔

وہ محبت سے میرا ہاتھ پکڑتی اور کہتی۔۔۔ چلو کچھ لکھا ہی لو۔۔۔۔ یقین۔۔۔ عمر بھر کی بے یقینی کے بعد آرام سے ہی آئے گا۔

اور میں اسکو ایک آدھ شعر۔۔۔ جو اس کے لیے اس کے تصور میں اس کے بغیر لکھے تھے۔۔۔ سناتا اور کہتا

یار عادت ہی ہجر کی ہوگئی ہے۔۔۔۔وصل کی شاعری مجھ سے اب ہوگی نہیں۔اور ویسے بھی مجھے لگتا ہے یہ وصل میرے وصل کا باعث بنے گا۔۔۔۔جان لے کر جائے گا یہ ظالم۔

وہ جھٹ سے میرے منہ پر اپنا نرم ہاتھ۔۔۔رکھتی اور کہتی۔۔۔۔

اگر اچھا وقت آگیا ہے تو مہربانی کر کے اس کو اچھے طریقے سے گزاریں۔۔۔۔زندگی میں زندہ رہنا سیکھیں۔۔۔۔موت تو آپ نے چالیس پچاس سال بہت گزار لی ہے۔۔۔۔اور میں بھی اب تھک گئی ہوں۔۔۔۔مر مر کر۔۔۔!

اور میرے کام کے اصرار پر وہ کہتی۔۔۔۔

احمد صاحب کام تو میں پچھلے بیس سال سے کر رہی ہوں۔نہ کام سے تھکی ہوں اور نہ خدمت کر کے۔بس مجھے ساری خدمتیں کر کے بھی۔۔۔گھر بیٹھے اُسے کھلا کر بھی ناشکری، طعنے، مار اور بے عزتی ملی۔میری عزتِ نفس، میری غیرت، Ego شاید کہیں گم ہوگئی ہے۔اور اگر اب آپ مجھے محبت اور عزت دے دیں تو میں تو عمر بھر کی غلام ہوں۔

مجھے کبھی شادی بیاہ کے کپڑے، بچوں کے لیے خرچہ۔۔۔۔نہ کبھی سوچا کہ خاوند یہ کام کرے گا نہ کسی نے کیا۔۔۔یہ چیزیں تو اب مجھے چاہیے ہی نہیں۔۔۔۔۔مجھے صرف محبت اور Respect چاہیے۔۔۔بے لوث۔۔۔خلوص اور بس باقی میرا سب تمہارا ہے۔۔۔میرے سمیت۔۔۔۔۔۔

مرد کے لیے عورت کے جسم کو حاصل کرنا آسان ہے۔۔۔مگر دل کو نہیں۔۔۔۔عورت جسم سات مردوں کو دے سکتی ہے مگر دل اور روح صرف ایک کو دیتی ہے۔۔۔۔۔ہمیشہ کے لیے پہلے سانس سے لے کر آخری سانس تک۔۔۔۔اس کی عبادت اور پوجا کرتی ہے۔۔۔۔۔

کومل کی یہ بات سن کر میں سوچنا شروع ہوگیا کہ حسن کے معاملے میں مرد اچھا خاصا خود غرض واقع ہوا ہے۔وہ قدم قدم پر دل پھینکتا ہے۔۔۔۔اور قدم قدم پر محبت کرتا ہے اور ہر ایک کو یہی یقین دلاتا ہے کہ تم میری پہلی محبت ہو۔۔۔۔اور پھر پہلی محبت فتح کرنے کے بعد اگلی محبت کی تلاش شروع کر دیتا ہے اور پھر محبت در محبت کرتا ہے۔مرد کی پیاس ایک عورت سے کبھی نہیں بجھتی۔۔۔۔

مرد کی پیاس اور برصغیر کے رواج

مرد کا کیا ہے۔۔۔۔۔ پروفیسر صاحب۔۔۔۔۔

ہمارے ہاں تو دیواروں سے لے کر۔۔۔۔ دو کانوں۔۔۔۔ TV اور کیبل۔۔۔۔ حکیم پنساری۔۔۔ ہر جگہ مرد کو جوان بنانے والے فارمولوں کے بارے میں لکھا ہوا ملتا ہے اور اس بیہودہ کام کے اتنے پروفیسر ہیں کہ آپ جیسے پروفیسر شرمسار ہو جاتے ہیں۔ ایسے لگتا ہے کہ جہاں دو وقت کے کھانے کے لوگوں کے پاس پیسے نہیں بھوک سے لوگ خودکشیاں کر رہے ہے۔۔۔ مگر دھڑا دھڑ بچے پیدا کر رہے ہیں۔۔۔ کیونکہ مرد کو بوڑھا نہیں ہونا چاہیے۔ ایسے لگتا ہے جیسے ہمارا سب سے بڑا مسئلہ روٹی، کپڑا، مکان، تعلیم، صاف پانی، بجلی گیس نہیں بلکہ مرد کو جوان رکھنا اور بوڑھا ہونے سے روکنا ہے۔

اور برصغیر پاک و ہند کے مرد۔۔۔ بیچارے روایات اور رسوم و رواج کے مارے ہوئے۔۔۔ غلام۔۔۔۔ روایت کی زنجیر نہیں توڑنی مگر ہر جائز کام کو بھی ناجائز طریقے سے کرتے ہیں۔۔۔

میں نے بے توجہی سے کروٹ اس کی طرف لیتے ہوئے کہا کیا مطلب محترمہ۔۔۔۔۔

کومل چمک کر بولی۔۔۔ مطلب صاحب صاف ظاہر ہے۔۔۔

بچہ ہو یا بوڑھا۔۔۔ جوان ہو یا نادان۔۔۔ شہوت ان کے انگ انگ میں بھری ہوتی ہے۔۔۔ کچھ نہیں چھوڑتے۔۔۔ صرف موقع کی تلاش چاہتے ہیں۔

شاید شادی کے بعد چند دن گزر کرتے ہوں اور پھر وہی تاڑ، تڑ کا شروع۔ بھئی اسلام میں چار شادیاں بیک وقت جائز ہیں۔ جو اچھی لگتی ہے اس سے اسلامی طریقے سے شادی کر لو۔۔۔ بھلا کیا قباحت ہے۔۔۔

میں نے کہا

دوسری شادی کر لو تو ابّا۔۔۔ امّی۔۔۔ بہن بھائی سب جوتے مارتے ہیں۔ اور رشتے داروں سے تو بندہ گزارہ کر لیتا ہے۔۔۔ اپنے بچے نفرت کرتے ہیں۔ منہ نہیں لگاتے۔۔۔ جیسے کوئی

گناہِ کبیرہ کرلیا ہو۔۔۔اور بیوی یا تو گاڑی کے نیچے آنے کی دھمکی دیتی ہے۔۔۔یا حقیقت میں بچوں کو زہر دے کرخود بھی زہر کھا لیتی ہے۔بھلا کون بھلا مانس پوری زندگی کی ذلالت کاٹے۔

کومل شرارت سے بولی۔۔۔۔۔

ہاں ٹھیک ہے پوری زندگی کی ذلالت نکاح کر کے کاٹنے سے ڈرتے ہیں مگر زندگی بھر ادھر اُدھر ہر ''کھرلی'' میں منہ مارتے ہیں۔۔۔شادی صرف ایک کرتے اور شدہ بے شمار کرتے ہیں۔۔۔آئے روز کرتے ہیں۔۔۔بدقسمتی یہ کہ سارے سفید پوش ایک بیوی کے ڈر سے کئی نامعلوم اور Undeclared بیویوں کے ساتھ شب بسری، Business Tour یا سرکاری دورے کے نام پر کرتے ہیں۔۔۔۔ہاں کوئی اَسی فیصد مان لیتے ہیں اور باقی بیس فیصد جھوٹ بولتے ہیں۔۔۔ضرورت سب کی ہے۔بس کچھ چھپ کر منہ کالا کرتے ہیں اور کچھ سرِ عام۔

کومل کی گفتگو کے بعد میں اپنے اردگرد کے یاروں دوستوں کے بارے میں سوچنے لگ گیا۔ اور مجھے اس کی بات حقیقت سے قریب نظر آنے لگ گئی کہ واقعی ہی مرد کی پیاس نہیں بجھتی۔عورت عمر بھر ایک چوکھٹ بیٹھ کر اس کا انتظار کرتی ہے۔مگر مرد ڈالی ڈالی، پھول پھول، کلی کلی، پتی پتی، شہد کی مکھی کی مانند پھرتا ہے۔جہاں رس دیکھتا ہے کوئی بھی عمر ہو، لمحہ ہو یا وقت۔۔۔وہاں رک جاتا ہے۔ٹھٹھک جاتا ہے۔اس کے سگنلز اس کو روک دیتے ہیں ریڈار لاک کر دیتا ہے اور وہ لٹو ہو جاتا ہے۔دل پھینک دیتا ہے۔۔۔اور پڑاؤ ڈال کر عارضی محبت۔۔۔گیسو و رخسار سے شروع کر دیتا ہے کیونکہ مرد بدنیت بھی ہے۔۔۔اور ڈرپوک بھی۔۔۔اسکی نیت میں ہر پرائی چیز دیکھ کر فتور آ جاتا ہے۔۔۔اور ڈرپوک اس لیے کہ حصول کے لیے جائز طریقے سے ڈرتا ہے۔۔۔چوری اس کی گھٹی میں پڑی ہے۔۔۔

چودھویں کا چاند۔۔۔ہاتھوں میں ہاتھ۔۔۔اک تیرا ساتھ

ساحلِ سمندر پر، گیلی ریت پر۔۔۔جب چاند۔۔۔آہستہ آہستہ پانی کے اندر سے نمودار ہو رہا ہو۔۔۔۔۔چاند کی خوشبو۔۔۔سمندر کی لہروں کے ساتھ۔۔۔لہراتی اور بل کھاتی خشکی کے باسیوں کی طرف موجزن ہو۔۔۔سمندر اور ریت کی لہریں ایک دوسرے میں الجھ رہی ہوں۔

چاندنی کا سحر چاند سے شروع ہو کر چاند تک جا پہنچتا ہو۔۔۔سمندر چاند کو اپنی آغوش سے اُگل کر خود اس کو دوبارہ چومنے کی کوشش میں مگن ہو۔ جیسے اس بات پر افسردہ ہو کہ چاند کو خود سے پرے کیوں کیا۔۔۔دور کیوں کیا۔۔۔ یا اس دوری پر غضبناک ہو کر خود کو سزا دے رہا ہو۔ سر پٹخ رہا ہو۔۔۔ چاند تک پہنچنے کی کوشش میں تلملا رہا ہو۔

قریب کی قدر نہیں اور دور پر صبر نہیں۔ انسان ناشکرا ہے۔ جو چیز دسترس میں ہو اس کی طرف توجہ نہیں دیتا۔۔۔ بے اعتنائی برتتا ہے۔۔۔ Ignore کرتا ہے۔۔۔ پاس ہو کر بھی پاس نہیں رہتا۔۔۔قریب ہو کر بھی قریب نہیں ہوتا۔۔۔۔۔دور کسی کا سوچتا ہے۔۔۔۔دور کو سوچتا ہے۔۔۔۔ جو دور ہے اس کو کھوجتا ہے۔۔۔۔۔یہ بڑا ظالم احساس ہے۔

جب جسم کسی کے پاس ہو۔۔۔مٹی کا بت کسی کی دسترس میں ہو۔۔۔۔سوچ اور روح کا محور کوئی اور ہو۔۔۔۔اگر ہمراہی کو احساس ہو جائے۔۔۔ جو کہ اکثر ہو جاتا ہے کہ۔۔۔۔۔وہ اس کے پاس ہو کر بھی پاس نہیں۔۔۔۔اس کا ہو کر بھی مکمل اس کا نہیں۔۔۔تو دنیا میں اس سے بڑی اذیت کوئی نہیں۔۔۔۔زندگی خالی جسم سے جسم کے تعلق سے نہیں گزرتی۔۔۔اس کے لیے روح کا ادغام ضروری ہے۔ انسان کے عدمِ سکون کی اور اضطراب کی ایک وجہ یہ بھی ہے کہ وہ محرم کو چھوڑ کر نامحرم کی طرف دیکھتا رہتا ہے۔۔۔سوچتا رہتا ہے۔۔۔۔تگ و دو کرتا ہے۔۔۔۔مس کرنے کی خواہش رکھتا ہے۔۔۔۔ اور حاصل کر کے پھر۔۔۔۔قیام نہیں کرتا۔۔۔ٹھہرتا نہیں اس کو محرم کا درجہ دے کر اگلے نامحرم کے لیے عازمِ سفر ہو جاتا ہے۔۔۔۔تڑپتا اور ترستا رہتا ہے۔۔۔۔مگر موجود کو بھی جدا نہیں ہونے دیتا۔۔۔۔ اگر وہ دور ہو جائے تو۔۔۔۔ پھر اس کو کھونے کا ماتم بھی کرتا ہے۔۔۔سیاپا کرتا ہے۔۔۔روتا ہے۔۔۔ پیٹتا ہے۔۔۔۔اپنے آپ کو نوچتا ہے۔۔۔۔ ماتم کرتا ہے۔۔۔۔۔بالکل سمندر کی طرح۔۔۔۔جو چاند کو اپنی کوکھ سے جنم دے کر۔۔۔دوبارہ اس کے حصول کے لیے غضبناک ہوتا ہے۔۔۔جوں جوں وہ دور ہو۔۔۔توں توں۔۔۔۔اس کی لہریں زیادہ سیاپا کرتی ہیں۔۔۔۔اچھلتی کودتی ہیں۔

چاند کی طرف سے۔۔۔ لا متناہی سمندر کی لہروں کی دوسری طرف سے چلنے والی خشک ہوا۔۔۔لہروں پر سواری کر کے تیرے بالوں کے پیچ و خم کو مزید الجھا رہی ہو۔۔۔ریت کے نین نقش

بدل رہی ہو۔۔۔میرے سامنے چار قدموں کے آڑے ترچھے نشان ریت کے اوپر۔۔۔مدھم ہوتے ہوئے سمندر کی لہروں کے مہمان بن رہے ہوں۔ ریت کے چاندی ذرّے کہیں کہیں مزید سیمابی کیفیت اختیار کر کے آنکھوں کو نہیں رات کے اس پہر، روح کو چندھیا رہے ہوں۔۔۔۔شہر میں۔۔۔ دور کہیں روشنیوں میں نہائی ہوئی عمارتوں کے اندر۔۔۔لوگ ایک دوسرے میں سما رہے ہوں اور دور اکیلی زرد بلب کی روشنی سوگ اور فراق کا اعلان کر رہی ہو۔۔۔مگر ہوا کے اس جھونکے کی سرسراہٹ کے ساتھ۔۔۔میرے کان میں تم سرگوشی کرو۔۔چلیں۔۔۔۔واک کریں۔۔۔

اور پھر تم اپنے گرم ہاتھوں میں میرا ہاتھ لے کر زور سے مجھے اپنے سینے سے لگا لو۔۔۔اور ہم دونوں۔۔۔کنواری ریت کے اوپر۔۔۔ٹھنڈے۔۔۔بنا پیار کے جسم کی طرح۔۔۔سرد ریت پر۔۔۔ننگے گرم پاؤں۔۔۔ پیار کی نگاہ کی طرح دھیرے دھیرے رکھیں۔۔۔تو روح تک ایک خوبصورت۔۔۔ٹھنڈک اور پیار سما جائے۔۔۔ایک نشہ چھا جائے۔۔۔۔رگ رگ مہکا جائے۔۔۔ تیرے ہاتھوں میں میرا ہاتھ۔۔۔اور تم میں میرا سب کچھ سما جائے۔۔۔۔اور ہم سمندر کی لہروں کی طرف چلتے جائیں۔۔۔ ہاتھوں میں ہاتھ ڈالے۔۔۔۔ چاند کی کشش۔۔۔سمندر کا شور۔۔۔۔ محبت کا زور۔۔۔۔سمندر کے اندر سمونے کے لیے۔۔۔چاند نگر پر جانے کے لیے۔۔۔۔ہمیں اپنی طرف بلائے۔۔۔۔ گیلی ریت کا سرور پاؤں کی تلیوں (تلووں) سے سیدھا محبت کی طرح دماغ کو چڑھ جائے۔۔۔اور اس اوجِ کمال پر جب چاند اپنے عروج پر اور سمندر اپنے غرور پر ہو۔۔۔ہم دونوں ایسے ایک دوسرے میں ضم ہو جائیں جیسے چاند کی روشنی۔۔۔۔سمندر کی تہہ میں۔۔۔محبتیں ایسے بکھیر رہی ہو جیسے آئینے سے ماہتاب کی روشنی پھیل جاتی ہے اور رنگ و نور بکھیر دیتی ہے۔ میں دودھیا ہو جاؤں نور میں کھو جاؤں۔۔۔

مجھ تن لاگے۔۔۔سونا کر دے۔۔۔۔کھوٹا سِکّہ۔۔۔کندن کر دے۔

میری نامکمل ادھوری سوچیں۔۔۔ میرے سامنے حقیقت بن کر موجود تھیں میری ہمنوا تھیں۔۔۔۔

وہ میرے اندر پیوست ہوتی جا رہی تھی۔۔۔ میرے جسم کے مساموں کے ذریعے۔۔۔

میری سانس کے ذریعے۔۔۔ خوشبو کے ذریعے۔۔۔۔ ہاتھوں۔۔۔ گرم سانسوں۔۔۔۔ نَم آنکھوں۔۔۔ دل کے زیر و بم کی ترتیب کے ساتھ، جیسے دکنی طبلے کی تھاپ کی طرح۔۔۔۔ میری روح کے ذریعے۔۔۔۔ مجھ میں سماتی جارہی تھی۔۔۔۔ وہ جب زور سے میرے ہاتھ کو اور میرے جسم کو دباتی تو مجھے ایسے محسوس ہوتا ہے جیسے عارضی طور پر وہ محبت سے کچھ مختلف کچھ زیادہ۔۔۔۔ کچھ الگ اور جدا۔۔۔ چاہتی ہے۔ شاید اس کو خوبصورت جذبات اور احساسات کے علاوہ کچھ مزید کی ضرورت ہے۔۔۔۔ جیسے کوئی کمی۔۔۔۔ کوئی خلش۔۔۔۔ کوئی خانہ اسکے قلب کے نہاں خانوں میں ابھی خالی ہو جس کو وہ پورا کرنے کی کوشش کرتی ہو۔۔۔ بھرنے کی کوشش میں میرے اندر چھپنے کی کوشش کرتی ہو۔

پل میں تولہ۔۔۔ پل میں ماشہ۔۔۔ زندگی تماشا

کومل جب محبت کرتی تو عبادت کی حد تک کرتی۔۔۔ مگر نہ جانے کیوں۔۔۔ وہ گرگٹ کی طرح بدل جاتی۔ جب بدلتی تو اس کی جلد کی رنگت ہی نہیں بلکہ وہ ساری کی ساری بدل جاتی۔ اس کا لہجہ۔۔۔ اس کا تکلّم اس کے تیور اور وہ ساری کی ساری یکسر تبدیل ہو جاتی۔ میں ششدر رہ جاتا کہ یا خدایا۔۔۔ یہ وہ ہی گوشت پوست کی عورت ہے جو ابھی لمحہ بھر میں۔۔۔ میرے جسم کو۔۔۔ پور پور کو چوم رہی تھی۔ پُوج رہی تھی۔ سجدہ کر رہی تھی۔ خدا مان رہی تھی۔ خود کو مجھ پر نچھاور کر رہی تھی۔ قربان کر رہی تھی، نحر کر رہی تھی۔ جس کے گرم آنسوؤں کی حرارت ابھی بھی میرے کندھے کی جلد میں باقی تھی۔ جس کی خوشبو ابھی میری سانس میں کہیں الجھی ہوئی اور اٹکی ہوئی تھی۔ جس کا لمس ابھی تک میرے جسم کو تسخیر کر کے بیٹھا تھا۔ اور جس کی روشن آنکھیں ابھی میرے اندر تک موجود تھیں۔ جس کے جسم کی حدت ابھی تک مجھے پگھلا رہی تھی اور میں ابھی تک مائع سے ٹھوس جسم میں منتقل نہیں ہوا تھا۔ میں اس کے لمس کی محبت اور شدت کی بدولت ابھی تک لطیف جسم سے کثیف میں ڈھلنا بھی شروع نہیں ہوا تھا مگر یہ کیا کہ اس کے لہجے میں ایک فرعون در آیا تھا۔ میرے جسم و جان کی حکمران تو وہ تھی ہی مگر اس کے رویے میں سختی اور درشتگی مجھے مارنے کے لیے کافی تھی۔ وہ جب مجھے یہ کہتی کہ

تم یہاں پورا دن بیٹھے روٹیاں توڑتے رہتے ہو۔۔۔تو میں خود بھی اندر سے تڑخ جاتا۔ ٹوٹ جاتا۔ ریزہ ریزہ ہو جاتا۔ میں نے زندگی اس کی سوچ کی قید میں بھرپور آزادی کے ساتھ گزاری تھی۔ ماں کے مرنے کے بعد تو بالکل ہی آزادی تھی۔ سونے جاگنے، اٹھنے بیٹھنے، کھانے پینے، ہنسنے رونے، جینے اور مرنے کی آزادی۔۔۔جاں سے گزرنے کی آزادی۔

مگر یہاں دیارِ غیر میں نہ جینے کی آزادی تھی اور نہ مرنے کی۔ کبھی کبھی تو سانس پہ بھی قدغن محسوس ہوتی تھی۔ کاشف جو میرا ہمزاد تھا۔ اس کو میری طبیعت کا اندازہ تھا۔ کیا پکانا ہے کیا کھلانا ہے یہ بتانے کی بھی ضرورت محسوس نہیں ہوتی تھی۔ مگر یہاں دو لقموں کے لیے گھنٹوں انتظار کرنا پڑتا تھا۔ زندگی ایک مسلسل جبر محسوس ہوتی تھی۔ صبر اور جبر کے ساتھ وقت گزر رہا تھا۔ وہ پل میں تولہ پل میں ماشہ ہو جاتی۔

میں کئی کئی دن بھوکا رہ لیتا۔ نہ مجھے مانگنے کی عادت تھی اور نہ اسے پوچھنے کی۔ لمحہ لمحہ مرنے کے لیے انسان کے لیے اتنا ہی کافی ہے کہ وہ حساس طبیعت کا مالک ہو یا خالق نے اس کو صاحبِ شعور پیدا کیا ہو۔ میں خود ہی روٹھ جاتا۔۔۔اپنی ذات کے اندر سوال در سوال۔۔۔جواب در جواب۔۔۔اور پھر خود ہی خود سے۔۔۔اس سے۔۔۔ہار جاتا۔۔۔زندگی کے اس سفر اور سودے میں۔۔۔جب مکمل طور پر ہار جاتا تو پھر خود سے سوال کرتا کہ

پاگل تمہیں کسی نے زبردستی تو اس جنت نما جہنم میں نہیں دھکیلا۔ تم خود بیس پچیس سال رونے کے بعد اس منزلِ مقصود پر پہنچے ہو۔ اب روتے کیوں ہو۔ تمہاری دعائیں اب پوری ہوئی ہیں تو پھر شکوہ کرنے لگے ہو۔ پھر میں خود ہی خود پر ہنستا۔۔۔اور یہ سوچ کر خود کو راضی کر لیتا کہ کوئی بات نہیں میرا کونسا حساب ہونا ہے روزِ قیامت۔۔۔

جب خدا پوچھے گا کہ زندگی میں کیا کرتے رہے ہو تو کہوں گا کونسی زندگی۔۔۔

وہ جو تیس سال روتے روتے دور رہ کر گزار دی وصل کی خواہش میں وہ زندگی۔۔۔یا باقی چار پانچ سال جو وصل کی اصل میں رو رو کر بسر کر دی وہ زندگی۔ مجھے دیا کیا تھا جس کا مجھ سے حساب

مانگ رہے ہو۔

یہی باتیں سوچ کر میں خود کو طفل تسلی دے کر راضی کر لیتا اور اگلا دن گزار لیتا۔ ایک دن جب ہم محبت والے موڈ میں گفتگو کر رہے تھے تو کومل بولی

احمد پاکستان جانے کو تو دل نہیں کرتا؟

میں نے بلا سوچے سمجھے کہا۔۔۔

دل تو کرتا ہے۔ مٹی کی خوشبو میں کچھ ہے۔ وہ کھینچتی ہے۔۔۔ اندر سے ایک کَھچ پڑتی ہے۔ اور ویسے بھی چھٹی ختم ہونے والی ہے۔ دوبارہ جانا تو ہے ہی۔

وہ میرے ساتھ اور قریب ہو کر چپک گئی۔۔۔ جیسے مجھے زور سے پکڑ رہی ہو۔۔۔ جیسے میں صحرا کی گرم ریت کی طرح اس کی بند مٹھی سے پھسل پھسل کر جا رہا ہوں۔ اور وہ جتنا زیادہ مجھے مضبوطی سے پکڑنے کی کوشش کر رہی ہو میں ریت کے باریک ذروں کی طرح اتنی ہی تیزی سے اس کے ہاتھ سے نکل رہا ہوں۔

وہ میرے اندر پیوست ہوتی ہوئی گیلی آنکھوں کے ساتھ بولی۔

واپس آؤ گے ناں۔۔۔ مجھے چھوڑ تو نہ جاؤ گے۔

اس نے میرا ہاتھ زور سے دبایا اور بولی

مجھے پتا ہے میں بدتمیزی کرتی ہوں تمہارے ساتھ۔ مجھے معلوم ہے میں زیادتی کرتی ہوں کبھی کبھی۔ میں یہ بھی جانتی ہوں کہ آپ مجھ سے خفا رہتے ہیں۔ مگر میں آپ سے جدا نہیں رہ سکتی۔ میں مر جاؤں گی۔ میرے پاس اور کچھ بھی تو نہیں ہے۔ نہ کھونے کے لیے اور نہ جینے کے لیے۔ اس لیے خدا واسطے میری ساری خامیوں کے باوجود مجھے چھوڑنا مت۔۔۔ بس روز مجھے معاف کر دیا کرو۔ میں نے زندگی قید میں گزاری ہے۔ جسم اور روح کی قید میں۔ اب جب مجھے ایک سہارا میسر آیا ہے۔ ایک سایہ میسر آیا ہے۔ ایک کندھا ملا ہے۔ تو میں زندگی میں پہلی بار من مانی کر رہی ہوں۔ مجھے ذہنی مریضہ سمجھ کر قبول کر لو۔۔۔ مگر مجھے چھوڑنا مت۔۔۔ پلیز۔۔۔ اور ساتھ ہی وہ ٹپ ٹپ آنسوؤں کے

ساتھ رونا شروع کر دیتی۔۔۔۔

میں بے بسی کے ساتھ تمام پچھلے غصّے بھول بھال جاتا اور پھر سے جیسے کمپیوٹر کو ''ری بوٹ'' کر دیا جاتا ہے دوبارہ زیرو سے شروع ہو جاتا۔ ایک نئی داستانِ ستم اور خود استحصالی، جبر اور صبر کے لیے تیار ہو جاتا۔ وصال کے اس سال میں ہجر و فراق بھی میرے ساتھ ساتھ رہا۔ اور بالآخر ایک دن میں نے کہا

کومل اب مجھے چند دن کے لیے واپس جانا چاہیے۔۔۔۔ اور میں نے مشورہ کرنے کے انداز سے کہا کہ مجھے شاید ایک سال کی چھٹی اور لے لینی چاہیے۔

وہ فوراً بولی۔

چھٹی کیوں۔۔۔ کیا آپ کو ابھی بھی یقین نہیں کہ آپ میرے ساتھ زندگی گزار سکتے ہیں۔

میں نے کہا کیوں اب میں نے ایسا کیا کہہ دیا ہے۔

وہ بولی

پھر سال کی چھٹی کیوں۔۔۔۔

آپ کا پاکستان میں رکھا ہی کیا ہے۔ ایک کنال کا مکان اور ایک چند ٹکے کی نوکری۔ جائیں مکان کو بیچیں اور نوکری سرکار کے منہ پر ماریں اور ہمیشہ کے لیے ادھر آ جائیں میرے پاس۔۔۔۔ بہت زندگی الگ الگ گزار لی ایک دوسرے سے دور۔۔۔ مجبور۔

جدائی موت۔۔۔۔وصل اصل

مجھے اب جدائی سے ڈر لگتا ہے۔ خوف آتا ہے فراق سے۔ ہجر کا سوچ کر جان جاتی ہے۔ میرے سارے خوف اور وہم ایک دم جاگ جاتے ہیں۔ میرے اندر یک دم زندہ ہو جاتے ہیں۔ کیونکہ میں نے زندگی میں وصل نہ دیکھا، نہ سنا اور نہ چکھا اور نہ ہی محسوس کیا۔ جو وصل ہونا چاہیے تھا وہ ہجر سے زیادہ بدصورت اور کریہہ تھا۔ یار کی محبت میں ہجر کے دکھ بھی جنت کے سکھ اور آنسو عبادت و ریاضت محسوس ہوتے ہیں۔ اور وصل میں اصل نہ ہو تو سکھ بھی جہنم سے بدتر ہوتے ہیں۔ اور میں تو لمحہ جہنم

گزار رہی تھی۔ ابھی زندگی سے ملاقات کر کے زندگی کا احساس ہونے لگا ہے اور تم زندگی سے دور بھاگنے کی کوشش کر رہے ہو۔ پھر مجھے اندھیروں میں دھکیلنا چاہتے ہو۔ گھپ اندھیرے میں تنہا چھوڑ کر کھو جانا چاہتے ہو۔ تا کہ میں پھر رہتی عمر تک اعتبار سے بے اعتبار ہو جاؤں۔ دکھ کے اندھیروں میں کھو جاؤں۔ محبت کو حاصل کر کے، محسوس کر کے محبت سے دور ہو جاؤں۔

بس پلیز لوٹ آؤ۔۔۔ واپس لوٹ آؤ۔۔۔ میرے پاس آجاؤ ہمیشہ کے لیے سب کچھ چھوڑ کر۔۔۔ صرف میرے لیے۔۔۔ میرے ہو کر۔۔۔ میرے پاس رہ جاؤ۔ ہمیشہ کے لیے۔

باتیں کرتے کرتے اس کی آواز بھرا گئی اور وہ سسکیوں میں بدل گئی۔

میں سوچنے پر مجبور ہو گیا کہ یہ وہی عورت ہے جو لمحہ بھر پہلے مجھے طعنے دے رہی تھی اور کوسنے دے رہی تھی۔ مجھے یقین نہ آتا تھا اس کی بدلتی ہوئی حالت دیکھ کر۔

میں نے اس کی آنکھوں سے آنسو پونچھتے ہوئے کہا

یار میں تمہاری ایک آواز پر سب کچھ چھوڑ چھاڑ کر چلا آیا تھا۔ اور میں یقیناً واپسی کا سوچ کر نہیں آیا تھا۔ میں تو اپنی ساری کشتیاں جلا کر ہی آیا ہوں۔ ہاں البتہ میں نے اس مٹی میں ایک عمر گزاری ہے۔ اس کی خوشبو میرے خون اور جسم میں شامل ہے۔ وہ محبت اور خوشبو اتنی آسانی سے تو نہیں نکلے گی۔ تمہاری محبت یقیناً مقدم مگر مٹی کی محبت بھی روح کو کھینچتی ہے۔۔۔ واپس بلاتی ہے۔۔۔ تمہارے لیے جو ایک چھوٹا سا مکان ہے۔ اس مکان کے ایک ایک انچ پر میری پوری مکمل دنیا آباد ہے۔ اس میں قدم قدم پر میں بکھرا پڑا ہوں۔ ماں کی محبت مجھ سے اور میری غیر مشروط محبت تم سے اور اس کے شب روز اس گھر میں بکھرے ہوئے ہیں۔ اس کی مانوس ''بوہے باریاں'' اور پھول کیاریاں ایک عمر کی میری ساتھی رہی ہیں۔ وہ میرے اندر سے نکلتے نکلتے نکلیں گی۔ اور ویسے بھی میں گوشت پوست کا انسان ہوں۔ کوئی بجلی کا بلب نہیں کہ بٹن دبانے سے بند ہو جاؤں گا اور بٹن دبانے سے چل پڑوں گا۔ میرے اندر سے یہ خوشبو نکلتے نکلتے نکلے گی۔ شاید جان لے کے نکلے گی۔

اور ہاں بات رہی نوکری کی۔۔۔ تو میں تو تیرے لیے سب چھوڑ کر آیا ہوں۔ چاہے دو ٹکے کی تھی یا دو لاکھ کی۔۔۔ اب جو کچھ ہے وہ تیرے قدموں تلے ہے۔ مگر میں سوچتا ہوں اگر اجازت ہو تو

چند سال باقی ہیں ساٹھ سال مکمل کرلوں۔

وہ جھٹ سے بولی۔

واپسی کا راستہ رکھنا چاہتے ہیں آپ۔۔۔؟

مجھے معلوم ہے میں پاگل پن میں زبان درازی کرتی ہوں۔ آپ سے بدتمیزی کی حد تک سلوک کرتی ہوں۔ شاید انسانیت سے بھی گر جاتی ہوں۔ مگر نہ جانے میں کیوں آپے سے باہر ہو جاتی ہوں۔ پوری زندگی خود کو دکھ ملے۔ آپ کو دکھ دیے اور اب چند پل سکھ کے نصیب ہوئے ہیں مگر پھر بھی آپ کو دکھ میں مبتلا کرتی ہوں۔ تکلیف دیتی ہوں۔ زندگی نے میرے ساتھ انسانیت سوز سلوک کیا ہے شاید اسی لیے میں حیوانیت کی حد تک نہ چاہتے ہوئے بھی پہنچ جاتی ہوں۔ میری مرضی کے خلاف میرے اندر کا حیوان جاگ جاتا ہے۔ شاید میری گھٹن کا نتیجہ ہے کہ میں آپ سے بدلہ لیتی ہوں جو شاید کسی اور سے لینا چاہتی ہوں۔ شاید میں آزادی کے احساس کے لیے ایسی حرکات کرتی ہوں۔

اس لیے آپ بھی اگر واپسی کا راستہ رکھنا چاہتے ہیں تو شاید ٹھیک ہی سوچتے ہیں۔ میرے رویے سے دلبرداشتہ ہونا شاید آپ کی بھی مجبوری ہے۔ اور بالکل فطری اور انسانی مجبوری ہے۔

مگر میں آپ کی ممنون ہوں۔ رہتی زندگی تک ممنون ہوں اور آپ کی محبتوں کی شکر گزار ہوں۔ آپ نے میری تکمیل کی۔ عزتِ نفس بحال کی۔ مجھے محبت کے ساتھ دوبارہ زندگی عطا کی۔ آپ کی محبتوں کا شکریہ۔

میں نے کومل کو پٹڑی سے اترتے دیکھا تو اس کے گال سہلاتے ہوئے کہا۔

بیگم صاحبہ۔۔۔ میں نے تو کوئی شکوہ کیا ہی نہیں۔ آپ خود ہی سب کچھ سوچ رہی ہیں اور خود کو ہی کوس رہی ہیں اور خود ہی بول رہی ہیں۔ اور خود احتسابی فرما رہی ہیں۔ مجھے کوئی واپسی کے راستے کی ضرورت نہیں۔ میں نے جب زندگی کے تیس سال عروج کے تمہارے نام کے ساتھ تمہارے بغیر گزار دیئے ہیں، تو باقی دو چار سال تمہارے ساتھ گزارتے ہوئے کونسی موت پڑتی ہے۔ ویسے بھی گھر اور نوکری سے ملنے والے پیسے میں نے کس ماں کو دینے ہیں۔ میرا اب تمہارے علاوہ بچا ہی کون ہے جو میرے بعد میری دولت کا وارث ہوگا۔ سب تیرا ہے زندگی میں لے لو یا زندگی کے بعد۔ میں،

میرا سب اور زندگی تمہاری ہے اور تمہارے ساتھ ہے۔ اس میں سے تمہیں نکال دوں تو باقی صرف خزاں کی موت بچتی ہے۔ اور شاید اب میں چند سال مرنا نہیں چاہتا ایک بار جینا چاہتا ہوں۔ زندگی کے ساتھ۔۔۔ بھرپور زندگی۔ میں نے اپنا سب چھوڑ دیا۔۔۔ تمہارے لیے اب مارو یا زندہ رکھو۔۔۔ میں زندہ بھی تمہارا اور مر کر بھی تمہارا ہوں۔

نفسِ امّارہ اور نروان

گھر پر کئی دن سوگ کی فضا رہی۔ لڑائی جھگڑوں اور محبت کی دھوپ چھاؤں کی جگہ افسردگی اور رخصتی۔۔۔ جدائی اور فراق کا نغمہ ہر وقت چلتا رہتا۔ ایک غمگین اور دکھ کا عالم اور گفتگو میں سنجیدگی۔۔۔ لہجوں میں سرد مہری۔۔۔ اوں۔۔۔ آں۔۔۔ ٹھیک ہے۔۔۔ اچھا تک محدود۔ جیسے سب کچھ ختم ہونے کو ہو۔ ایک موت کا عالم۔۔۔ سکوت۔۔۔ ایک دوسرے کے ساتھ بیٹھ کر بھی دوبارہ صدیوں کا فاصلہ۔۔۔ بچھڑنے کا خوف۔ جدائی کا ڈر۔۔۔ دوبارہ کبھی نہ ملنے کا صدمہ اور خدشہ اور اس کے بعد کے وسوسے۔۔۔ دل ڈوب ڈوب جاتا تھا۔۔۔ میری جانے کی ہمت نہ پڑتی تھی اور اس کی بھیجنے کی۔

دوسری طرف مجھے کبھی کبھی احساس ہوتا کہ شاید میں اس گھٹن سے اگر نہ نکلا تو میں مر جاؤں گا۔ میرا گھر سے نکل کر بھاگ جانے اور کہیں دور چلے جانے کو دل کرتا۔ جب کبھی میرے اندر کسی لفظ کے نشتر سے تکلیف بس سے باہر ہو جاتی تو میں اس ماحول سے فرار کا سوچتا مگر پھر خود ہی خود کو جواب دیتا کہ اس دکھ کے لیے تو میں ہزاروں میل دور آیا ہوں اور اب اس سے بھاگ کر کہاں جاؤں گا۔ جس جنت کا سوچ کر آیا ہوں اب اس سے نکل کر کہاں جاؤں گا۔ جنت سے نکل کر تو جنگل بیابان۔۔۔ نامانوس دنیا اور جہنم بچتا ہے۔ اس لیے اس وحشت کے ساتھ اسی در پر پڑے رہتے ہیں۔ اور میں اسی طرح محبت کی آکسیجن کے ساتھ گزارہ کرتا رہا۔ اور یوں میرے جانے کے دن قریب آ گئے۔

جوں جوں میرے جانے کے دن قریب آ رہے تھے۔ اسی شدت سے ہمارے تعلقات کے مدوجذر میں اضافہ اور شدت آتی جا رہی تھی۔ میرے اندر ایک عجیب سا خوف جنم لے رہا تھا۔ میں اس

کے پاس تھا مکمل مگر وہ میرے ساتھ ہو کر بھی میرے ساتھ نہ ہوتی تھی۔ کبھی وہ بالکل انجان اور حکمران بن جاتی اور میں بالکل ایک اجنبی، رعایا بلکہ فضول بے جان روزمرہ استعمال کی چیز کی مانند ایک کونے میں پڑا رہتا۔ اور برف کی مانند ہر گزرتے لمحے کے ساتھ پگھلتا رہتا۔۔۔ دھیرے دھیرے ختم ہوتا رہتا ''گھلتا'' رہتا اور ''کھرتا'' رہتا۔ اس کے جذبات میں ایک ہیجان پاگل پن کی حد تک تھا اور اس کے رہن سہن، تکلّم اور معمول سے ظاہر ہوتا۔ وہ بلا وجہ چیزیں ادھر ادھر زور سے مارتی۔ بچوں پر چیختی چلاتی۔ پاؤں پٹختی ادھر سے ادھر چلی جاتی۔ دروازے کو زور سے ٹھاہ کر کے بند کرتی۔ جیسے کوئی دماغی مریض کسی شدید نفسیاتی مرض یا ڈپریشن میں پاگلوں کی سی حرکتیں کرتا ہے۔

وہ شاید اپنے بے ساختہ رویّے کی بدولت ندامت میں ایسا کرتی تھی۔ یا میرے چلے جانے کے صدمے کو برداشت نہ کر پانے کی بنا پر اضطراب میں اس طرح کی حرکات اس سے سرزد ہو جاتی تھیں۔ یا شاید وہ مجھ سے توجہ چاہتی تھی اور یقین دہانی چاہتی تھی کہ میں اس کو باور کراؤں کہ میں لوٹ آؤں گا سب کچھ چھوڑ کر ہمیشہ کے لیے اس کے پاس واپس آؤں گا۔ اس کے میرے ساتھ برتاؤ کی وجہ شاید اس کو "Guilt" میں مبتلا کرنے کی بنیادی وجہ تھی۔۔۔

میں اس کی ان حرکات کی وجہ سے سہم جاتا۔۔۔ مزید پریشان ہو جاتا بلکہ خوفزدہ ہو جاتا۔ مجھے اس سے ڈر لگنا شروع ہو گیا تھا۔ کہ وہ خود کو، مجھے یا بچوں کو کوئی جسمانی نقصان نہ پہنچائے کیونکہ زبانی نقصان کے تو ہم عادی ہو چکے تھے۔ جب اس کے اوپر خفگی۔۔۔ شرمندگی یا پیش آمدہ تنہائی، اکیلے پن کا خیال شدت پکڑتا تو وہ۔۔۔ کھسیانی سی ہو کر میرے پاس بیٹھ جاتی۔ کوشش پھر بھی یہی کرتی کہ میں کوئی بات کروں۔ کسی بات سے ابتداء کروں۔ وہ شاید زندگی میں اتنا زیادہ شکست خوردہ ہو چکی تھی کہ اب وہ ہر تعلق اور ہر مقام پر جیتنا چاہتی تھی۔ اس لیے وہ بات کرنے میں بھی یہی سوچتی تھی کہ میں اس سے بات کرنے میں پہل کروں۔ میں ہی اس سے معافی مانگوں اور میں ہی غلطی تسلیم کروں اور غیر مشروط اس تعلق کو اگلے مرحلے میں پہنچانے کا عہد بھی یک طرفہ میں ہی کروں۔ یہ روز کا معمول نہیں بلکہ ہر روز کئی بار کی مشق ہوتی تھی۔ میں اس سے بھی تنگ آ گیا تھا۔ اس لیے اب میں چپ سا کر جاتا۔ اور اس کو دیکھ کر مجھے اس پر ترس بھی آتا اور میں اندر سے جلتا کڑھتا تھا۔ مگر مکمل طور پر بے بس اور

لاچار تھا۔اس لیے خاموش رہنے میں عافیت تصور کرتا تھا۔

آج پھر شدید لڑائی کے بعد وہ خود بخود جیسے دودھ کی دیگچی ابلنے کے بعد۔۔۔اپنے ہی کنارے جلا چکنے کے بعد ٹھنڈی ہو جاتی ہے۔اسی طرح وہ بھی سڑ بھن اور جل کر دوبارہ جب اپنے آپے میں آگئی تو بولی

مجھے معاف کر دیجیے گا۔۔۔اور ہاتھ جوڑ کر میرے سامنے صوفے پر بیٹھ گئی۔

میں آپ کی گنہگار ہوں۔آپ کے مجھ پر بہت احسان ہیں۔جو آپ نے مجھ کو اس حالت میں بھی قبول کر لیا۔بس مجھے دل سے معاف کر دیں۔

میں شرمندہ سا ہو کر کہتا۔

میں جا رہا ہوں۔تم پریشان مت ہو۔اب کم از کم کوئی روک ٹوک نہیں ہوگی اور تم بالکل آزاد زندگی گزار سکو گی اپنی مرضی سے، بلا کسی روک ٹوک ''گِلٹ'' اور سوچ کے۔اس لیے مت ایسے کہو بار بار اور مجھے شرمندہ مت کرو۔میں شاید آپ کی زندگی میں جگہ بنانے سے قاصر رہا ہوں۔اور یقیناً اس میں میرا قصور ہے۔اس لیے آپ تسلی رکھو اور مت اس طرح پاگلوں جیسی حرکتیں کرو۔

وہ پھر افسردگی سے کہتی۔۔۔۔

یہ دکھ مجھے پوری زندگی رہے گا۔میں آپ کو زندگی میں کوئی خوشی نہ دے سکی۔اتنے سالوں کی تنہائی کے بعد بھی آپ کو وہ محبت نہ دے سکی جس کے شاید آپ حقدار ہیں اور تھے۔میں نے آپ کو صرف دکھ دیے ہیں۔صرف دکھ۔شاید چند پل بھی سکھ کے نہ دیے ہوں۔پتہ نہیں کیوں مجھ پر اچانک پاگل پن کا دورہ پڑتا ہے۔یہ جانتے ہوئے بھی کہ آپ میرے محسن ہیں پھر بھی نہ جانے کیوں؟ شاید میرے مقدر کی بات ہے۔کہ میں نے روتے رہنا ہے۔مرتے رہنا ہے۔سب کچھ حاصل ہونے کے باوجود بھی ناخوش رہنا ہے۔

زندگی میں بعض اوقات ایسے بھی ہوتا ہے کہ انسان کے پاس دنیا کی ہر نعمت ہوتی ہے۔اس کی ہر خواہش جو اس نے دماغ میں سوچی ہوتی ہے وہ پوری ہو جاتی ہے۔حتیٰ کہ جو اس نے سوچا ہوتا ہے اکثر اس سے اتنا زیادہ مل جاتا ہے، جو اس کے وہم و گمان میں بھی نہیں ہوتا۔اس کے تمام خواب اور خیال

حقیقت کا روپ دھار کر اس کے سامنے ہوتے ہیں۔ مکمل ہو جاتے ہیں۔ پہلے پہل اس کو یقین نہیں آتا اور وہ حواسِ خمسہ کے ذریعے اپنے آپ کو مکمل یقین دلانے میں مصروف ہو جاتا ہے۔ پھر اچانک وہ بدک جاتا ہے۔ سٹپٹا اُٹھتا ہے کہ نہیں یہ تو کچھ بھی نہیں۔۔۔ یہ سراب ہے۔ ''نفسِ امارہ'' فوراً اس کو تازیانہ رسید کرتا ہے۔ اس کے اندر وسوسے پیدا ہوتے ہیں۔ جو منزل کو نشانِ راہ بلکہ غبارِ راہ میں تبدیل اور کچھ مزید کی ترغیب دیتے ہیں۔ چند سیکنڈ میں اطمینان، جھنجھلاہٹ میں بدل جاتا ہے۔ قناعت ہوس میں تبدیل ہو جاتی ہے۔ اور انسان ایک بار پھر اندھیروں میں کھو جاتا ہے۔ نفسِ امارہ کے ہاتھوں کھلونا بن کر مزید کی خواہش میں زن، زر، زمین کے کسی نئے سیاپے میں گرفتار ہو جاتا ہے۔ اور سب کچھ ہونے کے باوجود اس کا اندر نہیں بھرتا اور وہ کھوکھلا۔۔۔ خالی خالی۔۔۔ مضطرب۔۔۔ بنا کسی واضح سوچ اور منزل کے ایک بار پھر بے سمت۔۔۔ بے نشان۔۔۔ اندھیرے میں ٹامک ٹوئیاں مارنا شروع کر دیتا ہے۔ ایک بار پھر خود سے اور اپنے اردگرد سے لڑنا شروع کر دیتا ہے۔ کس لئے؟ اس کا اسے خود بھی علم نہیں ہوتا۔ وہ کیا چاہتا ہے؟ اس کو خود بھی معلوم نہیں ہوتا۔ دنیا کے تمام ظاہری خزانے اس کے قدموں میں ڈھیر کر دو مگر اس کے اندر سکون۔۔۔ آرام اور نروان نہیں آتا۔ کیونکہ وہ اپنے آپ کے سامنے بے بس ہو جاتا ہے۔ اطمینانِ قلب کو تباہ کر لیتا ہے۔ بے بس ہو جاتا ہے مگر کوئی راہ نظر نہیں آتی۔ جب تک اندر کے سیاہ ناگ کا سر کچل کر اور اس کے راستے کو چھوڑ کر ''نفسِ لوامّہ'' کی طرف نہیں چل نکلتا۔ شیطان سے انسان نہیں بن جاتا۔ حضرت آدمؑ کی حقیقی اولاد بن کر معافی مانگ کر اندر کی غلاظتیں نکال کر صاف ستھرا نہیں ہو جاتا۔ حیوان سے انسان نہیں بن جاتا۔ وگرنہ اضطراب نصیب ہے۔ جب تک دنیا حبیب ہے۔

تنہائی اور زرد موت

کومل بھی اسی طرح سب کچھ ہونے کے باوجود مضطرب تھی۔ پریشان تھی۔ اس لیے وہ اس سارے عرصہ میں میرے ساتھ لڑتی رہی۔ الجھتی رہی اور بلاوجہ زندگی کو جہنم بناتی رہی۔ جو پل جنت تھے ان کو بھی جہنم بناتی رہی۔

وہ کہتی مجھے جینا مشکل لگ رہا ہے تمہارے بن۔ کیسے جی پاؤں گی میں۔۔۔ کیسے دن کٹے گا

کیسے رات ہوگی۔ تمہاری خوشبو اکیلے بستر پر کہاں سے لاؤں گی میں۔ تمہارے جسم کی گرمی کے بغیر۔۔۔ اس موسم کی سردی مجھے جما دے گی۔ میرے خون کو میری رگوں میں منجمد کر دے گی۔ میری جان میں مر جاؤں گی۔ پاگل ہو جاؤں گی۔ پاگل ہو جاؤں گی۔ خدا کے لیے بچا لو مجھے، میں مر رہی ہوں۔ تیرے جانے کا سوچ کر مر رہی ہوں قطرہ قطرہ مر رہی ہوں۔ میرے اندر حوصلہ نہیں تمہیں رخصت کرنے کا۔ صدیوں کے بعد میری زندگی میں زندگی کی ایک چمک اور رمق آئی تھی۔ وہ بجھ رہی ہے۔ مدہم ہو رہی ہے۔ موت کی سردی میرے خیالات اور جسم دونوں کو شل کر رہی ہے۔ مجھے اس سوچ سے ڈر لگتا ہے کہ تم مجھ سے جدا ہو رہے ہو۔ ہزاروں کوس دور جا رہے ہو۔ جہاں سے میں تمہیں بلا بھی نہیں سکتی۔۔۔ کچھ بھی تو نہیں کہہ سکتی۔ یہاں میں تم سے لڑتی تھی۔ الجھتی تھی۔ کوستی تھی مگر جب روتی تھی تو تمہارا کندھا مجھے میسر ہوتا تھا۔ یہ یقین تھا کہ تم میرے پاس ہو۔ میری دسترس میں ہو۔ میرے قریب ہو۔ پہنچ میں ہو۔ ہر وقت نہ سہی لیکن کم از کم یہ احساس ضرور تھا کہ جب مجھے ضرورت ہوگی۔۔۔ میں تنہا ہونگی۔۔۔ کوئی پرانا زخم ہرا ہوگا۔۔۔ کوئی دکھ دماغ میں نشتر چلائے گا۔۔۔ خزاں کے موسم کے مردہ زرد پتے خیالوں کی صورت دماغ میں آندھی اور طوفان برپا کریں گے تو میں فی الفور تمہارے سینے سے چمٹ جاؤں گی گلے لگ جاؤں گی۔ خودغرض ہوں میں۔۔۔ مگر مجھے بتاؤ کہاں جاؤں۔ جب تم بھی نہیں ہو گے تو میرے پاگل پن کا سہارا کون ہوگا۔ جب میں جنون میں خود کو نوچوں گی۔۔۔ سر کے بالوں کو اور اپنے گالوں کو نوچوں گی تو کون مجھے۔۔۔ مجھ سے بچائے گا۔ کون میرے زخموں پر مرہم رکھے گا۔ مجھ نامکمل کو کون برداشت کرے گا۔۔۔ کون مکمل کرے گا۔۔۔ کوئی نہیں۔۔۔ کوئی نہیں۔ میں اکیلی۔۔۔ اور موت۔۔۔ زرد موت۔

جب تم چلے جاؤ گے تو میں کیا کرونگی۔ کس کے کندھے پر سر رکھ کر روؤں گی۔ کس کے ساتھ اپنے دکھ شیئر کرونگی۔ کون مجھے اپنا کندھا دے گا۔ کون میرے آنسو زمین پر گرنے سے پہلے پونچھ لے گا۔ کون مجھ سے بے لوث محبت کرے گا۔ میرا دکھ اپنے اندر سمو لے گا۔ کون مجھے زندگی اور زندہ رہنے کا حوصلہ دے گا۔ میں اکیلی مر جاؤں گی۔ موت سے ابھی تو جاگی ہوں۔ پھر مجھے مرنے کے لیے چھوڑ کر مت جاؤ۔ تم تو میرے لیے آکسیجن ہو۔ جو زندگی کا موجب ہے۔ جس کی بدولت میرے مردہ جسم میں

زندگی کی رمق آئی ہے۔ابھی زندگی کا مزہ آنے لگا تھا اور تم زندگی چھین کر جا رہے ہو۔چھوڑ کر جا رہے ہو۔موت دے کر جا رہے ہو۔مجھے مرنے کے لیے چھوڑ کر۔۔۔ بے بس۔۔۔ بے یارومددگار۔اکیلا چھوڑ کر جا رہے ہو۔میں مر جاؤں گی۔۔۔ میں مر جاؤں گی اکیلی اس ہجوم میں۔۔۔ میں مر جاؤں گی۔ میرا کوئی نہیں یہاں۔۔۔ میں مر جاؤنگی۔

پلیز مت جاؤ۔۔۔ پلیز مت جاؤ۔۔۔ پلیز مت جاؤ

اور وہ بچوں کی طرح دھاڑیں مار مار کر رونے لگی۔

میں نے اس کو خود سے چمٹا لیا اور ہم دونوں دھاڑیں مار کر رونے لگے۔

میں نے اس کو قلابے میں لیتے ہوئے کہا

پلیز مجھے معاف کر دو۔۔۔ شاید میں نے انجانے میں تمہیں تکلیف دی ہو دکھ دیا ہو۔شاید مجھے آپ کو سمجھنے میں دیر ہو گئی۔۔۔ مگر تم میری محبت ہو۔میں ہمیشہ کے لیے تھوڑی جا رہا ہوں۔۔۔ بس چند دن کی بات ہے۔میں لوٹ آؤں گا۔

کہاں جاؤں گا میں تمہارے بن۔اب ہے کیا میرے پاس جس کے پاس میں لوٹ کر جاؤں گا۔میرے شش جہات میں تم ہو۔زندگی اور بندگی سب تم ہی تو ہو۔تم سے پہلے بھی تم تھی اور تمہارے بعد بھی تم ہی ہو۔اس لیے میں تمہارا تھا۔تمہارا ہوں اور تمہارا رہوں گا۔زندگی سے لے کر زندگی تک اور زندگی کے مابعد تک۔بلا شرکتِ غیرے غیر مشروط۔۔۔ لامحدود۔

آخری عکس۔۔۔۔۔۔ روح کا رقص

کہاں جاؤں گا میں۔عمر بھر کا سفر کر کے میں جانے کے لیے تھوڑی آیا ہوں۔میں تو عارضی طور پر جا رہا ہوں۔اپنا مستقل یہاں چھوڑ کر۔صرف جسم لے کر جا رہا ہوں۔میری روح تمہارے پاس ہے۔نہ جانے کب سے۔۔۔ ازل سے۔۔۔ عالمِ ارواح سے یا عالمِ برزخ سے تمہارے پاس، تمہارے لیے۔میرا تو کچھ بھی میرے پاس میرا نہیں ہے۔میرے اختیار میں نہیں ہے۔جسم، جان، روح اور قلب، دین اور دنیا، ظاہر باطن، نرک سورگ سب تمہارا ہے اور تمہارے ساتھ ہے۔

میں چند دنوں کے لیے پاکستان جاؤں گا اور اپنے معاملات سمیٹ کر لوٹ آؤنگا۔ جو تم میرے ساتھ کر رہی ہو وہ تمہارا ظرف ہے۔ وفا میرا دھرم ہے۔ سو میں نبھاؤں گا۔ آخری سانس تک !

تیرے ناں تے جینا مرنا

زہر پیالہ پینا مرنا

میری روح یہیں ہے تمہارے پاس۔ تمہارے اردگرد، انہی کمروں میں، راہداریوں میں، تیرا طواف کرتی رہے گی۔ تیری خوشبو پہ پلتی رہے گی۔ تیری سانسوں میں ڈھلتی رہے گی۔ تمہارے گرد۔۔۔۔ تمہاری راہوں میں رقص کرتی رہے گی۔۔۔۔ تم اُداس مت ہو۔

میرا تو دل چاہتا ہے کہ جب میں مرنے لگوں تو تم میرے پاس ہو۔ میرا ہاتھ تم نے اپنے ہاتھوں میں تھاما ہو۔ تمہارے ہاتھ کی گرمی میرے سرد ہاتھ کی موت کو دھیرے دھیرے جدا کرے۔ میری آنکھوں میں تیرا عکس ہو اور تم میرے ماتھے پر اپنا ہاتھ رکھو۔۔۔ میری آنکھوں میں دیکھو اور پھر اپنے نرم ہاتھوں سے میری آنکھوں کے سامنے۔۔۔ میری آنکھوں کے پردے نیچے گرادو۔۔۔ شٹر بند کردو۔۔۔ دنیا کا تماشا ختم کردو۔۔۔ سٹیج شو کا پردہ گرادو۔۔۔ آخری سین تمہارا چہرہ اور آخری سوچ دماغ پر تمہاری لے کر میرا دماغ بند ہو جائے۔ میری روح میرے اندر سے نکل کر تمہارے ہی گھر میں رہ جائے۔ تمہارے پاس۔

تم محبت سے مجھے رخصت کرو۔ کسی بھی چیز کی تو ضرورت نہیں۔ بس چند گز سفید کپڑا میرے گرد لپیٹو اور مجھے ادھر ہی۔۔۔ اسی گھر کے سامنے لان میں چھوٹا سا گڑھا کھود کر زمین میں دفن کر دو۔ نہ کسی قبر کی ضرورت نہ پکی اینٹوں کا مقبرہ۔ بھلا کچی زندگی کو پکی اینٹوں کی کیا ضرورت ہے۔ عارضی جسم کو، فانی بدن کو، چند پکی اینٹوں کے ساتھ بھلا کیسے ہمیشگی دی جا سکتی ہے۔ عارضی زندگی، موت کے بعد، مستقل نہیں ہو سکتی۔ زندہ نہیں رہ سکتی۔ بس مجھے دفن کر کے زمین ہموار کر دینا۔ گھاس لگا دینا۔ تا کہ بچے چند دنوں کے بعد اس پر فٹ بال کھیلیں۔۔۔ سائیکل چلائیں۔ تم جب اس پر چلو تو مجھے راحت ملے سکون ملے۔ میں تو مرنے کے بعد بھی اس مٹی میں پڑا رہنا چاہتا ہوں تمہارے قریب۔۔۔ قدموں کے پاس۔ بغیر کسی Acknolwledgement کے۔ اپنی تسکین کے لیے۔ زندہ تھا۔۔۔ تو

دور رہ کر تمہارے ساتھ رہا۔ مر گیا تو بھی تمہارے قدموں کی مٹی تلے رہا۔۔۔یہی میرا حساب ہے۔۔۔ یہی میرا خواب اور یہی میرا عذاب ہے۔۔۔یہی میری جزا ہے اور یہی میری سزا۔ یہی ''منکر نکیر'' کے سوالوں کا مختصر جواب اور یہی ''کراماً کاتبین'' کی ڈائری اور ہارڈ ڈسک میں موجود ہے۔ میرا حساب کتاب کیسا۔۔۔

میں فرشتوں کو بتاؤں گا کہ میرے ہاتھوں کی گواہی لے لو۔۔۔انہوں نے تیرے علاوہ کسی اور کا لمس محسوس کیا تو جہنم میری سزا ہے۔ میری آنکھوں سے پوچھو۔ انہوں نے تیرے تصور اور تصویر کے علاوہ اور کچھ دیکھا ہو تو میں مشرک ٹھہرا۔ میرے دماغ سے پوچھو۔ اس نے اگر تمہارے عکس کے علاوہ کچھ اور اپنی سطح پر منقش کیا ہو تو میں منکر ٹھہرا۔ میری روح سے سوال کرو۔۔۔اس نے اگر عالمِ ارواح سے لے کر مثال، اجسام اور پھر ارواح تک کے سفر میں اگر کوئی دوسرا ہمسفر دیکھا ہو تو مجھے مقام ''ھاویہ'' میں ڈال دو۔ میرے دل سے پوچھو۔۔۔وہ اگر ایک لمحہ بھی تیری یاد سے غافل رہا ہو تو میں لائقِ تعزیر ہوں۔ میرے پاؤں سے پوچھو اگر وہ تیری راہ کے علاوہ کسی اور راہ کی طرف چلے ہوں تو ان کو کاٹ دو۔ میری زبان کے اول کلام سے لے کر آخری سلام تک کا حساب کرو اگر تمہارے علاوہ کوئی نام ہو تو جہنم مقام۔۔۔اور اگر میں سر سے پاؤں تک صرف تمہارے لیے اور تمہارا ہوں تو پھر مجھے جنت انعام نہیں چاہیے۔۔۔تیرا ساتھ چاہیے۔۔۔ہمیشہ کے لیے ہمیشہ تک۔۔۔صرف تم۔۔۔ نہ حور و قصور نہ غلمان و قدوس۔ میرا طور تیرے حضور۔۔۔!

محبت۔۔۔انسان اور خوبصورتی

آپ نے بہت دفعہ یہ کہا ہے۔ آپ مرنے کی باتیں کرتے ہیں۔ پلیز زندگی کی بات کر لیں۔ مجھ سے برداشت نہیں ہو رہا۔ میں سوچ بھی نہیں سکتی کہ کل تم چلے جاؤ گے۔

کومل پر ایک دفعہ پھر محبت کا دورہ پوری شدت سے پڑا تھا۔ پلیز کہہ دو کہ تم نہیں جا رہے۔ تم ادھر ہی رہو گے میرے پاس۔ میرے ساتھ۔ میں رات بھر سو نہیں سکی۔۔۔میرا دماغ پھٹ رہا ہے اس احساس کو سوچ کر اس خیال کے ساتھ۔ ایک دفعہ پھر سے پیٹ میں شدید درد اور Anxiety disorder کا شکار ہوں۔

میرا دماغ نہیں مانتا۔۔۔

پلیز نہ جاؤ ناں۔۔۔پلیز رک جاؤ نہ۔۔۔ایک بار۔۔۔میں کبھی تنگ نہیں کروں گی۔

میں رات بھر تمہارے خواب دیکھتی رہی ہوں۔ پھر اچانک ہڑ بڑا کر اٹھ جاتی تھی۔ مجھے پتہ ہے تم ناراض ہو مگر میرے حواس پر سوار ہو۔ عجیب بے تکے خواب۔۔۔تمہارے ساتھ تمہارے خواب۔۔۔رات بھر سونے نہیں دیا انہوں نے۔ میں نے تمہیں بہت مِس کیا۔۔۔پلیز اپنی روح سے کہو مجھ سے باتیں کرے۔۔۔میرا ہاتھ پکڑ کر دور جنگل میں سرسبز درختوں تلے۔۔۔رنگدار پھولوں کی خوشبو کے ساتھ۔۔۔محبتوں کے سفر پر ایک بار میرے ساتھ چلے۔ مجھے حوصلہ دے۔۔۔ مجھے تسلی دے۔۔۔مجھ سے ہم کلام ہو۔ مجھے آسرا دے کہ تم واپس آجاؤ گے۔۔۔لوٹ آؤ گے۔

کومل ایک بار پھر اپنے پاگل پن کے۔۔۔عروج پر پہنچ کر رونے لگی۔

میں نے مصنوعی غصّے سے اس کو چپ کروانے کی نیت سے ڈانٹ کر کہا

''سٹاپ دِس نان سینس''

بس کرو اب یہ رونا دھونا۔۔۔میں چند دنوں کے لیے جاؤں گا اور یقین رکھو کہ میں مرتا نہیں۔۔۔واپس آجاؤں گا۔

میرے پاس وہاں رکھا ہی کیا ہے۔۔۔

میں وہاں بھی تمہارے لیے روتا تھا اور اب بھی تمہاری وجہ سے روتا ہوں۔

میں نے کومل کو تسلی دینے کی نیت سے وقتی طور پر ٹالنے کی خاطر کہا

اس شہر میں اور رکھا کیا ہے تمہارے بن۔ تمہاری خوشبو کی بدولت میں اس کی طرف بندھا آیا۔ تم ہو تو یہ خوبصورت ہے وگرنہ شہر سارے ایک جیسے ہی ہوتے ہیں۔ یار کے پاؤں کی مٹی کچھ جگہوں کو خوبصورت بنا دیتی ہے۔ سنوار دیتی ہے۔ یہ خوبی دراصل جگہ مقام کی نہیں ہوتی بلکہ انسان کی ہوتی ہے جو کسی کو خوبصورت کر دیتا ہے۔ خوبصورت انسان سے محبت نہیں ہوتی بلکہ محبت انسان کو خوبصورت کر دیتی ہے۔ سنوار دیتی ہے۔ یہ شہر، یہ مقام اور یہ انسان تمہاری وجہ سے قیمتی، بے بدل، انمول اور

خوبصورت ہے۔ وگرنہ یہاں رکھا کیا ہے۔

بات ہے بھی درست۔ زندگی میں ہر چیز کسی دوسرے کی وجہ سے مقام حاصل کرتی ہے اور پہچانی اور جانی جاتی ہے۔ اندھیرے کی پہچان روشنی سے، نور کی سیاہی سے، نیکی کی بدی سے، اچھے کی برے سے، جنت کی جہنم سے، نفرت کی پیار سے پہچان ہے۔ اسی طرح چیزیں خوبصورت نہیں ہوتیں بلکہ ان کے ساتھ وابستہ لوگ ان کو خوبصورت بنا دیتے ہیں۔

اسی طرح میری جان جرمنی میں مجھے کوئی دلکشی نظر نہیں آتی اور نہ کوئی دلربائی ہے ماسوائے تیری محبت اور تیرے وجود کے۔ اس شہر کی خوبصورتی تم سے ہے۔ اور اسی لیے میں تمہارے پاس اور اس مقام پر موجود ہوں۔

کومل گیلی آنکھوں کے ساتھ بولی

اس احساس سے میرا سانس گھٹ رہا ہے کہ تم یہاں نہیں ہو گے۔ تم چلے جاؤ گے۔ اس شہر میں مجھے سانس کیسے آئے گی۔ کس طرح میں جی پاؤں گی۔ لگتا ہے جیسے آکسیجن فضا سے آہستہ آہستہ ختم ہو رہی ہے۔ ایک گھٹن اور سانس رکتی ہوئی محسوس ہوتی ہے۔ کوئی چیز سینے میں اٹکتی محسوس ہوتی ہے۔ مجھے زندگی میں زندگی کا احساس پہلی بار آپ کی وجہ سے ہوا تھا۔ ایک آزادی، سکون اور آرام ملا تھا۔ شاید سانس کی روانی پہلی دفعہ میسر آئی تھی۔ مجھے سانس آپ کی وجہ سے آتی تھی اور آپ کی خوشبو میری سانسوں کو مہکاتی تھی۔

مجھے لگتا ہے میں مر جاؤں گی۔ آپ جب نہیں ہونگے تو میرا "Ventilator" اچانک بند ہو جائے گا۔ آکسیجن سلنڈر اچانک ختم ہو جائے گا، سانس رک جائے گی۔ مجھے لگتا ہے میری زندگی صرف آپ کے ہونے تک محدود ہے اور بس۔ تم ہو تو زندگی ہے وگرنہ موت۔۔۔ مجھے موت میں چھوڑ کر مت جاؤ۔ تم بن یہ شہر کھنڈر لگے گا۔ شہرِ خاموشاں رہ جائے گا۔ زندگی اس شہر سے رخصت ہو جائے گی۔ تمہارے ساتھ ہی ہجرت کر جائے گی۔

آپ مجھے ایک بار موقع دیں میں اب آپ کی شان میں کوئی گستاخی نہیں کرونگی۔ کچھ نہیں کہوں گی۔۔۔ تمہاری کنیز بن کر رہوں گی۔

میں ایک بار پھر اس کو یقین دلانے میں مصروف ہو گیا کہ میں عارضی طور پر جا رہا ہوں ہمیشہ کے لیے نہیں۔

وہ بولتی جا رہی تھی کہ آپ نے مجھے بتایا بھی نہیں کہ آپ کل جا رہے ہیں۔ بندہ کچھ تو ٹرسٹ کرتا ہے۔ میرا اتنا حق تو تھا آپ پر۔

میں نے زچ ہو کر کہا۔

تم خود ہی تو مجھے بھیج رہی تھی۔ مجھے دھکے دے کر نکال رہی تھی۔ میں کیا کرتا۔ میں نے سوچا عارضی طور پر کچھ عرصہ کے لیے تمہاری نظروں سے اوجھل ہو کر دیکھتے ہیں شاید تمہیں میری ضرورت محسوس ہو۔ شاید تمہیں احساس ہو کہ میں بھی ایک گوشت پوست کا انسان ہوں۔ میرے بھی کچھ احساسات اور جذبات ہیں۔ مجھے بھی تکلیف ہوتی ہے۔ مجھے بھی دکھ اور درد ہوتا ہے۔ اس لیے میں نے پلان بنایا کہ ضروری کام بھی نمٹا لوں گا اور کچھ دن کے لیے ہم ایک دوسرے کے بارے میں مزید سوچ بھی لیں گے۔

انسان کبھی بھی دوسروں کے دکھ سے ہلکان نہیں ہوتا۔ مرتا صرف اپنوں کے دیے ہوئے دکھ سے ہے۔ مجھے بھی تمہارے رویے نے لمحہ لمحہ موت دی۔ تکلیف دی۔ دکھ دیئے۔ رنج دیے، ملال دیے۔ جو پل ہنس کر گزارنے کے تھے وہ رو کر گزار دیے۔ ماتم میں گزار دیے۔ اب کچھ دن انتظار کرو میں واپس لوٹ آؤ نگا۔ تمہارے پاس۔

جانا ضروری ہوتا ہے

زندگی میں انسان ہمیشہ قرار ڈھونڈتا ہے۔۔۔۔۔۔سکون تلاش کرتا ہے۔۔۔۔۔۔ٹک کر ایک جگہ آرام سے رہنا چاہتا ہے۔۔۔۔۔۔مگر اس کے اندر کا اضطراب اس کے برعکس اس کو رہنے نہیں دیتا۔۔۔۔۔۔ٹکنے نہیں دیتا۔۔۔۔۔۔ایک مقام پر ساکن اور ساکت رہنے نہیں دیتا۔۔۔۔۔۔ حالات پیدا ہو جاتے ہیں۔۔۔۔۔۔یا کوئی اَن دیکھی طاقت حالات کو ایسے موڑ دیتی ہے بلکہ توڑ مروڑ دیتی ہے کہ ہجرت ضروری ہو جاتی ہے۔۔۔۔۔۔پڑاؤ ختم کرنا پڑتا ہے۔ لنگر اُٹھانا پڑتا ہے۔۔۔۔۔۔

جانا پڑتا ہے۔۔۔۔۔۔ دل نہیں مانتا۔۔۔۔۔۔ جسم نہیں مانتا۔۔۔۔۔۔ جان ساتھ نہیں دیتی۔۔۔۔۔۔ روح اور قلب گُرلاتے اور ترلے واسطے ڈالتے ہیں۔۔۔۔۔۔ مگر نہ جانے کیوں۔۔۔۔۔۔ہم چل پڑتے ہیں۔قدم بڑھالے جاتے ہیں۔۔۔۔۔۔

آنکھیں روتی ہیں۔۔۔۔۔۔ ہاتھ بالوں کو اور چہرے کو نوچتے ہیں۔۔۔۔۔۔ سینہ کوبی کرتے ہیں۔۔۔۔۔۔ قدم من من وزنی ہو جاتے ہیں۔۔۔۔۔۔ مگر پھر بھی مخالف سمت میں۔۔۔۔۔۔سفر کے لیے روانہ ہو جاتے ہیں۔چل نکلتے ہیں۔روتے پیٹتے۔۔۔۔۔۔گُرلاتے۔۔۔۔۔۔ ماتم کرتے۔۔۔۔۔۔روح کو ہم پیچھے چھوڑ آتے ہیں۔۔۔۔۔۔ مٹی کا بت اُٹھالاتے ہیں۔۔۔۔۔۔ خالی جسم۔۔۔۔۔۔کھوکھلا۔۔۔۔۔۔مگر ہم رُکتے نہیں۔۔۔۔۔۔ چلتے جاتے ہیں۔۔۔۔۔۔روکنے والا روکتا بھی نہیں۔۔۔۔۔۔ اور شاید اس وقت ہم رُکتے بھی نہیں وہ شاید ایک ایسا لمحۂ زندگی ہوتا ہے۔۔۔۔۔۔ جب شاید خدا بھی انسان کو روکے تو انسان نہیں رُکتا۔۔۔۔۔۔ مگر خدا کیوں روکے گا بھلا۔۔۔۔۔۔ فطرت ہی تو بھیج رہی ہوتی ہے۔دھکا دے کر نکال رہی ہوتی ہے۔۔۔۔۔۔ ہجر اور فراق پر مجبور کر رہی ہوتی ہے۔ وگرنہ چھوٹی چھوٹی باتوں پر۔۔۔۔۔۔ زندگی کے رشتے ختم تھوڑی ہوتے ہیں۔ جدائی کے پہلے قدم پر ہی انسان کو اندر سے کوئی قوت سمجھا دیتی ہے کہ۔۔۔۔۔۔ اس بات پر بچھڑنا بنتا نہیں تھا۔۔۔۔۔۔ جدا ہونا۔۔۔۔۔۔ فراق۔۔۔۔۔۔ ہجر اور راستے جدا کرنے بنتے نہیں تھے۔۔۔۔۔۔ دل تھوڑا تھوڑا اس طرف متوجہ بھی ہوتا ہے۔۔۔۔۔۔ مگر قدرت کے ہاتھوں۔۔۔۔۔۔ نصیب کے ہاتھوں۔۔۔۔۔۔ یا شاید وسواس اور اشکال پیدا کرنے والے کے ہاتھوں بے بس ہوتا ہے۔۔۔۔۔۔ اس لیے انسان جانتے ہوئے بھی نفی میں گردن ہلا دیتا ہے۔۔۔۔۔۔ چل دیتا ہے۔۔۔۔۔۔ رُکنا چاہے بھی تو نہیں رُکتا۔۔۔۔۔۔ وہ رُکتا نہیں اور کوئی روکتا نہیں۔۔۔۔۔۔ انا کے سانپ ہر دو طرف۔۔۔۔۔۔ بعض اوقات اپنا اپنا پھن پھیلائے۔۔۔۔۔۔ سارا زہر منہ میں اکٹھا کیے زبان کے راستے اُگل رہے ہوتے ہیں۔۔۔۔۔۔ اور یہی زہر کانوں کے راستے پورے جسم میں سرائت کرتا جاتا ہے۔۔۔۔۔۔ سائنائیڈ سے زیادہ زود اثر یہ زہرِ ہلاہل۔۔۔۔۔۔ سمِ قاتل۔۔۔۔۔۔ انسان کو مکمل طور پر مارتا نہیں۔۔۔۔۔۔ ہاں البتہ اس کے اعصابی نظام کو شل کر دیتا ہے۔۔۔۔۔۔

بے حس اور بے بس کر دیتا ہے۔۔۔۔۔۔اور انسان زندہ ہونے کے باوجود بھی بے بس اور لاچار ہو جاتا ہے۔۔۔۔۔۔مکمل بیمار ہو جاتا ہے۔۔۔۔۔۔

اس زہر کا تریاق صرف۔۔۔۔۔۔محبت کے دو الفاظ ہیں۔۔۔۔۔۔زبان کو جبڑوں میں قید کرنے سے ہے۔۔۔۔۔۔لمبی سانس اور "لاحول ولاقوة" پڑھنے میں ہے۔"معوذتین" پڑھنے میں ہے۔۔۔۔۔۔مگر اس طرف دھیان کون کافر جانے دیتا ہے۔۔۔۔۔۔"ناری" انسان کو نار بنا کر۔۔۔۔۔۔پورے جسم کو مثلِ نار بنا دیتا ہے۔۔۔۔۔۔لفظ لفظ آگ اُگل رہا ہوتا ہے۔۔۔۔۔۔انسان بے بس ہوتا ہے۔۔۔۔۔۔

میں عمر بھر اس کے قدموں میں رہتا۔۔۔۔۔۔یہی سوچ کر تو عمر کی جوانی۔۔۔۔۔۔اور جوانی کی عمر بتائی تھی۔۔۔۔۔۔اب بھلا۔۔۔۔۔۔میں لوٹ کر جانے کا کیونکر سوچتا۔۔۔۔۔۔مگر کومل کا برتاؤ۔۔۔۔۔۔بدتمیزی۔۔۔۔۔۔زبان درازی۔۔۔۔۔۔میری عزتِ نفس کو مجروح کرتی تھی۔ مجھے محسوس ہوتا تھا جیسے میری مثال ایک اضافی چیز جیسی ہو جس کی کسی کو ضرورت نہ ہو۔اس دیس میں تو جانوروں کی بھی قدر و قیمت تھی۔۔۔۔۔۔مگر میں اپنی بے قدری کے بارے میں شاید زیادہ حساس تھا۔۔۔۔۔۔

مجھے معلوم ہے اور میں تجربہ سے گزرا ہوں کہ عاشق کی عزتِ نفس نہیں ہوتی۔۔۔۔۔۔عزت پہلی چیز ہے جو اس راہ میں قربان کرنا پڑتی ہے۔ یہ جانتے ہوئے بھی میری خواہش تھی کہ مجھے عزت دی جائے گی۔۔۔۔۔۔مجھے محبت دی جائے گی۔۔۔۔۔۔شاید میرے اندر دور کہیں کسی کونے میں کوئی مورتی کوئی بھگوان۔۔۔۔۔۔گرد و غبار میں اَٹا۔۔۔۔۔۔کسی کونے میں پڑا تھا۔۔۔۔۔۔جس کی خواہش تھی کہ صبح شام اس کے سامنے آرتی اُتاری جائے۔۔۔۔۔۔پوجا کی جائے۔۔۔۔۔۔اس کے قدموں میں خون بہایا جائے۔۔۔۔۔۔اس کی عبادت کی جائے۔۔۔۔۔۔شاید۔۔۔۔۔۔وہ خواہش مجھے سکون سے رہنے نہیں دیتی تھی۔۔۔۔۔۔خواہش عبادت مانگتی تھی۔مگر وہاں۔۔۔۔۔۔اس کام کے لیے کسی کے پاس وقت نہیں تھا۔محبت کا یقین دلانے کے لیے۔۔۔۔۔۔کون محنت کرتا۔۔۔۔۔۔اتنی تیز زندگی کی موج میں رُک کر جذبات کو کون محسوس کرتا۔۔۔۔۔۔وہاں جذبات

نام کی چیز ناپید اور میرے پاس اس عمر میں جذبات کے علاوہ اور بچا ہی کچھ نہ تھا۔ میں ان جذبات کے سہارے۔۔۔۔۔۔ نہ چاہتے ہوئے بھی توقعات کے سہارے زندگی بسر کر رہا تھا۔۔۔۔۔۔ کہیں نہ کہیں سے۔۔۔۔۔۔ بجھی ہوئی راکھ میں سے کوئی چنگاری مجھے اچانک عاشقِ نامراد اور نانہجار سے۔۔۔۔۔۔ مجازی خدا بنا دیتی تھی۔۔۔۔۔۔ میں زیادہ تر عاشق کے بھیس میں ہی رہتا تھا۔۔۔۔۔۔ مگر کبھی کبھار دل واہیات کہیں سے یہ خیال ڈھونڈ لاتا تھا۔۔۔۔۔۔ کہ میرے بھی کچھ حقوق ہیں۔۔۔۔۔۔

میں بھی اپنے دُکھوں تلے دبا ہوا۔۔۔۔۔۔ سکھ کی تلاش میں مارا مارا۔۔۔۔۔۔ یہاں پہنچا تھا مگر شاید ابھی میرا اندر مکمل طور پر پکا نہیں تھا۔۔۔۔۔۔ عبادت میں پختگی نہیں آئی تھی۔۔۔۔۔۔ خود سپردگی تو تھی مگر خودی ختم نہیں ہوتی تھی۔۔۔۔۔۔ ذات ابھی تک باقی تھی **''فنا فی الیار''** کی منزل سے ابھی شاید میں دور تھا۔۔۔۔۔۔ ذات کی مکمل نفی نہیں ہوئی تھی۔ اس لیے ''میں'' کا سانپ جب مرضی۔۔۔۔۔۔ جہاں مرضی۔۔۔۔۔۔ میری مرضی کے خلاف کھڑا ہو جاتا تھا۔۔۔۔۔۔ اس کے لفظوں پر شک کرتا تھا۔۔۔۔۔۔ کھانا نہ دینے پر احتجاج کرتا تھا۔۔۔۔۔۔ شام کو پارٹی پر جانے پر اعتراض کرتا تھا۔۔۔۔۔۔ برتن دھونے پر دُکھی ہوتا تھا۔۔۔۔۔۔ زبان کے نشتر چلنے پر چلّا اُٹھتا تھا۔۔۔۔۔۔ ناشتہ نہ ملنے کا دُکھ الگ۔۔۔۔۔۔ اور مشرقی محبت کے چونچلے۔۔۔۔۔۔ ناز نخرے نہ ملنے کا احساس جدا۔۔۔۔۔۔ دراصل شاید میرے اندر کی ''میں'' ابھی مکمل مری نہیں تھی۔۔۔۔۔۔ وگرنہ کہاں عشقِ لاحاصل کا حاصل اور کہاں۔۔۔۔۔۔ خواہش۔۔۔۔۔۔!

عاشقِ صادق کے دل میں کبھی خواہش نہیں ہوتی۔ کوئی توقع، کوئی اُمید، کوئی اچھائی کی سوچ نہیں ہوتی۔ اس کا کام حصول پر توجہ نہیں ہوتا۔۔۔۔۔۔ ایسا ہونا چاہیے یا ایسے کیوں نہ ہوا۔۔۔۔۔۔ اس نے یہ کیا کہا اور کیوں کہا۔۔۔۔۔۔ اس کو میرے ساتھ ایسا سلوک نہیں کرنا چاہیے۔۔۔۔۔۔ ایسی سوچیں دل میں آتی ہی نہیں۔۔۔۔۔۔ اگر دل میں اس طرح کی سوچ اور دماغ میں ایسے خیال آئیں تو سمجھ لیں کہ عشق ابھی نامکمل ہے۔۔۔۔۔۔ خام ہے۔ کندن نہیں ہے۔ محبوب جتنی بے اعتنائی برتے۔۔۔۔۔۔ ''میں'' کی جتنی شکست و ریخت ہو۔۔۔۔۔۔ عشق کی منازل اتنی ہی آسان اور

انسان کو اتنا ہی جلد نروان اور رحمٰن مل جاتا ہے۔ وگرنہ عمر بھر گھاٹ گھاٹ کا پانی پیتے رہیں۔۔۔۔۔ گلی گلی کوڑا اُٹھاتے رہیں۔ در در سیس نواتے رہیں۔۔۔۔۔۔ دیوانہ۔۔۔۔۔۔ مجنوں یا پاگل کہلاتے رہیں۔۔۔۔۔۔ حاصل جمع صفر ہی ہے۔۔۔۔۔۔ زندگی اور عبادت۔۔۔۔۔۔ مجاہدہ و ریاضت سب ضائع اور انسان کو خبر بھی نہیں ہوتی۔

میرے اندر بھی بہت ساری کمیاں تھیں۔۔۔۔۔۔ خامیاں تھیں۔۔۔۔۔۔ میں تیس سال کی تنہائی کے بعد ابھی کندن نہیں ہوا تھا۔۔۔۔۔۔ ابھی نامکمل اور کچا تھا۔ میری خواہشیں ابھی مکمل طور پر مری نہیں تھیں۔۔۔۔۔۔ شاید مینڈک کی مانند ''ہائبرنیٹ'' کر گئی تھیں۔۔۔۔۔۔ جو اس کے حصول کے بعد دوبارہ زندہ ہو گئی تھیں۔۔۔۔۔۔ منظرِ عام پر آ گئی تھیں۔ سطح پر دوبارہ آ کر زندہ ہو گئیں تھیں۔ میں یکدم عاشق سے شوہر بن جاتا تھا۔ بالکل مشرقی ''مجازی خدا''۔۔۔۔۔۔

میں جرمنی کے ماحول میں پچیس سال گزارنے والی اور تین بچے پیدا کرنے والی خاتون۔۔۔۔۔۔ جو اس شہرِ بتاں کے رسم و رواج۔۔۔۔۔۔ قوانین۔۔۔۔۔۔ اور کچہری سے بھی بخوبی واقف تھی۔۔۔۔۔۔ جو پٹرول پمپ، ٹیکسی ڈرائیور، بار۔۔۔۔۔۔ ریسٹورنٹ اور دوسرے کئی ملازمت کے تجربے اپنی جوانی میں حاصل کر چکی تھی۔۔۔۔۔۔ ایک آزاد خود مختار زندگی۔۔۔۔۔۔ جس میں میاں بیوی کا رشتہ صرف جسم کے تعلق اور رات کے چند لمحوں کی رفاقت سے زیادہ کچھ نہیں ہوتا۔۔۔۔۔۔ جہاں خیالات اور جذبات کی کوئی خاص وقعت نہیں ہوتی۔ اس ماحول کی مطلقہ کے ساتھ اپنی مرضی سے۔۔۔۔۔۔ پچیس سال کے انتظار کے بعد نکاح کرنے کے بعد اس سے۔۔۔۔۔۔ جلالپور جٹاں کے گاؤں میں کچے گھر میں رہنے والی اٹھارہ سال کی لڑکی جیسے response کی اُمید رکھتا تھا۔۔۔۔۔۔

ایک ایسی لڑکی جس کو زندگی اور اُس کی وجہ کا معلوم نہ ہو۔۔۔۔۔۔ جس نے عمر بھر اپنی ماں کو باپ کی آنکھوں میں آنکھیں ڈال کر باتیں کرتے نہ دیکھا ہو۔ نام سے نہ پکارا ہو۔۔۔۔۔۔ وہ ماں۔۔۔۔۔۔ جو کبھی گھونگھٹ کے بغیر گلی میں تو دور کی بات۔۔۔۔۔۔ گھر کے اندر بھی دادے۔۔۔۔۔۔ چاچے۔۔۔۔۔۔ تائے کے سامنے نہ آتی ہو۔۔۔۔۔۔ جو کبھی باپ تو دور کی بات

دادے اور چاچے کے برابر بھی چار پائی پر نہ بیٹھی ہو۔۔۔۔۔۔جو شوہر کے کپڑے دھوتی ہو۔۔۔۔۔۔ صبح ناشتہ کراتی ہو۔۔۔۔۔۔اور شام کا کھانا خود پکا کر اس کے سامنے رکھتی ہو اور سب گھر والوں کو کھلا کر خود کھاتی ہو۔۔۔۔۔۔جس نے زندگی میں کبھی اپنی ذات کے لیے کچھ نہ مانگا ہو۔۔۔۔۔۔ بلکہ اپنی ذات اپنے شوہر، بچوں اور خاندان کے نام وقف کر دی ہو۔۔۔۔۔۔

میں ان دو انتہاؤں کے درمیان معلق تھا۔۔۔۔۔۔عاشق کا ماسک اتار کر میں نے شاید شوہر والا چہرہ اور بہروپ بھر لیا تھا۔۔۔۔۔۔اس لیے میں شاید عاشقِ صادق نہیں رہا تھا۔۔۔۔۔۔ کیونکہ میرے اندر ابھی خواہش زندہ تھی۔۔۔۔۔۔مر نہیں رہی تھی۔۔۔۔۔۔ وگرنہ محبوب سے سوال۔۔۔۔۔۔اُمید اور توقع۔۔۔۔۔۔ممکن نہیں۔محبوب کے تو حکم کی تعمیل بلا چوں و چراں ہوتی ہے۔۔۔۔۔۔حکم مانا جاتا ہے۔۔۔۔۔۔جان سے جانا ہوتا ہے۔۔۔۔۔۔اپنا اختیار۔۔۔۔۔۔ سانس، زبان، جان سب سے ختم ہو جاتا ہے۔۔۔۔۔۔اس کی سوچ آپ کی سوچ۔۔۔۔۔۔اس کا کام آپ کا کام۔۔۔۔۔۔ اس کا نام آپ کا نام۔۔۔۔۔۔ اس کا خون آپ کی رگوں میں۔۔۔۔۔۔اس کا خیال ایک ایک ریشہ میں اور اس کی باس۔۔۔۔۔۔جسم کے ہر مسام میں ہوتی ہے۔۔۔۔۔۔اس کے رنگ میں رنگ کر ملنگ ہونا ہوتا ہے۔۔۔۔۔۔

مجھے شاید اسی لیے جانا ضروری تھا۔۔۔۔۔۔اس سے دور ہونا ضروری تھا۔سوچنا ضروری تھا۔ایک دوسرے کے بارے میں۔۔۔۔۔۔دور بیٹھ کر۔۔۔۔۔۔کچھ فاصلے پہ رہ کر۔۔۔۔۔۔غور کرنا ضروری تھا۔۔۔۔۔۔اپنی غلطیوں کا ادراک کرنا ضروری تھی۔۔۔۔۔۔خود کو پاک کرنا ضروری تھا۔۔۔۔۔۔محسوس کرنا ضروری تھا کہ ہم نے ایک طویل عمر کے سفر کے بعد۔۔۔۔۔۔جب دونوں کی زندگی اذیت در اذیت سے گزری تھی۔۔۔۔۔۔پھر بھی۔۔۔۔۔۔یہ وصل جو جنت مقام اور انجام ہونا چاہیے تھا اس میں ایک دوسرے کو دکھ کیوں دیئے۔۔۔۔۔۔آنسو کیوں دیئے۔۔۔۔۔۔جو پل سکھ میں۔۔۔۔۔۔ محبت میں۔۔۔۔۔۔ خوبصورتی کے ہو سکتے تھے۔۔۔۔۔۔ وہ تکلیف میں۔۔۔۔۔۔اذیت میں ایک مسلسل صعوبت میں کیوں گزارے۔۔۔۔۔۔اس بات کا تجزیہ کرنا ضروری تھا۔عارضی طور پر جدا ہو کر۔۔۔۔۔۔دُور دُور رہ کر تحمل کے ساتھ۔۔۔۔۔۔سکون کے

ساتھ۔۔۔۔۔۔خود احتسابی۔۔۔۔۔۔خود شناسی ضروری تھی۔۔۔۔۔۔شاید دور رہ کر۔۔۔۔۔۔ ایک لمبے اور طویل ہجر کے بعد۔۔۔۔۔۔مختصر وصال کے بعد۔۔۔۔۔۔پھر ایک ہجر کا دُکھ ہمیں خود آشنا کر دے۔۔۔۔۔۔راہِ راست پر لے آئے۔۔۔۔۔۔خواہشوں سے بالاتر کر دے۔۔۔۔۔۔ توقعات سے آگے کر دے۔۔۔۔۔۔''میں'' سے نکال کر ''تو'' تک لے آئے۔۔۔۔۔۔ذات سے نکل کر حاصلِ ذات کے قریب کر دے۔۔۔۔۔۔محبت کو عظیم کر دے۔۔۔۔۔۔ امر کر دے۔۔۔۔۔۔اس لیے جدائی ضروری تھی۔۔۔۔۔۔ہجر ضروری تھا۔۔۔۔۔۔وصال کے بعد ایک اور طویل اور مکمل وصال کے لیے فراق ضروری تھا۔۔۔۔۔۔ مجھے جانا تھا۔۔۔۔۔۔ جان سے۔۔۔۔۔۔دور!

دو ٹانگوں والا حیوان۔۔۔اور حال میں ماتم

اس طرح ہر روز ہم دونوں جانے کے ماتم میں لگے رہتے۔ زندگی کے زیادہ سال خواہش میں گزار دیے۔ جو وصل ملا تو چند دن اور وہ بھی کچھ جدائی کے خوف میں گزر گئے اور باقی جدائی کا سیاپا کرنے میں۔

میری سمجھ سے یہ بات باہر ہے کہ انسان حال کو خوشگوار طریقے سے کیوں نہیں گزار سکتا۔ کبھی بھی اپنے حال میں نہیں رہتا۔ بد قسمتی یہ ہے کہ حال میں ماضی کا سوچتا رہتا اور خود کو کوستا رہتا ہے یا مستقبل کے منصوبے بناتا اور ان کی تکمیل کے لیے پریشان۔۔۔حال کو خراب کرتا رہتا ہے۔ یعنی یہ دو ٹانگوں والا حیوان۔۔۔حال پر مطمئن نہیں۔۔۔بلکہ ماضی کو یاد کر کے روتا اور مستقبل کو خوشگوار بنانے کا سوچ کر۔۔۔حال میں ماتم کرتا رہتا ہے اور زندگی کے پل روتے ہوئے گزار دیتا ہے۔

میں سوچتا ہوں کہ کومل اگر اپنے ماضی کے دکھوں کو یاد کر کے رونے کی بجائے۔۔۔اور اپنے ساتھ روا رکھے جانے والے سلوک کا بدلہ مجھ سے لینے کی بجائے۔۔۔اور زندگی بھر کی محرومیوں کا مداوا میری تذلیل اور توہین کر کے کرنے کی بجائے صرف یہ سوچتی۔۔۔کہ ہم دونوں نے زندگی میں دکھ دیکھے ہیں۔۔۔غموں کی سیاہ رات ہمارے ماضی پر طاری رہی۔ نحوست کے سائے ایک عمر کے

نصف سے زائد حصّے پر محیط رہے۔ دکھ ہی دکھ ہے اور ہجر ہی ہجر تھا۔۔۔اب وصل میں۔۔۔اصل سے مل کر۔۔۔ گزرے کل اور آنے والے کل کو یکسر فراموش کر کے، صرف آج کو جیتے۔۔۔ لمحے کو جیتے۔۔۔وصل کو جیتے۔۔۔صرف محبت میں جیتے۔۔۔ایک دوسرے کے لیے جیتے۔۔۔سانسوں کو سانسوں میں۔۔۔جسم کو جسم۔۔۔ بدن کو بدن میں۔۔۔۔ مہک کو مہک میں۔۔۔ روح کو روح میں۔۔۔قلب کو قلب میں اور سوچ کو سوچ میں ڈبو کر جیتے تو یہ پل زندگی کے خوبصورت پل ہوتے۔

انسان اگر لڑنے سے پہلے، بات کرنے سے پہلے، کوئی طعنہ اور مہنہ دینے سے پہلے، کوئی زہریلا تیر، کوئی زبان کا نشتر چلانے سے پہلے یہ سوچ لے کہ ہمارے پاس وقت پہلے بھی بہت کم ہے۔ اور جو ہے وہ غنیمت ہے۔۔۔۔نعمتِ خداوندی ہے۔اس کی قدر کریں۔اس کو محبت کے ساتھ ایک دوسرے کے احسان کے ساتھ۔۔۔خلوص کے ساتھ گزاریں تو شاید ہماری زندگی خوبصورت گزر جائے۔شاید ہمیں ماضی تنگ نہ کرے۔شاید ہمیں مستقبل کے لیے کوئی پلاننگ کرنے کی ضرورت نہ پڑے۔کیونکہ ہر گزرا لمحہ جو ماضی بنے گا وہ خوبصورت ہوگا اور ہر گزرتا لمحہ خوبصورت تر اور مستقبل قریب اس سے بھی بہتر ہوتا چلا جائے گا۔۔۔مگر انسان کی فطرت ہے۔حال اور حاصل پر کبھی خوش نہیں رہتا۔

زندگی۔۔۔ہجر ہی ہجر

زندگی ہجر ہی ہجر ہے۔وصل سے پہلے بھی ہجر اور وصل کے بعد بھی ہجر۔فراق مستقل ہے۔ میں بھی جارہاں ہوں۔طویل ہجر کے بعد اور ایک اور ہجر کے لیے۔چند لمحوں کے وصال کے سہارے طویل ہجر کی زندگی لے کر۔

اس نے روتے ہوئے میرا سارا سامان خود پیک کیا۔میں گزرتے لمحوں کے ساتھ زیادہ بے قرار اور مضطرب ہوتا جا رہا تھا۔میرے اندر بھی ایسے تھا جیسے کوئی نشتر چل رہے ہوں جو کاٹ کاٹ کر میرے ٹکڑے باہر پھینک رہے ہوں۔میں بھی خوشی سے نہیں جا رہا تھا۔مگر میں کمزوری کا اظہار کرنا نہیں چاہتا تھا۔بے بسی دکھانا نہیں چاہتا تھا۔ہم دونوں کی آنکھیں عجیب خالی خالی سی تھیں۔لرزتے ہونٹ اور کانپتے ہاتھ عمر سے کم اور دکھ سے زیادہ۔

ایک دوسرے کو اس جدائی کا ذمہ دار ٹھہراتے ہوئے اور کبھی کبھی خود ترسی کا شکار سارے قصور اپنے سر لیتے ہوئے ہم گاڑی میں بیٹھے اور ایئر پورٹ کی طرف روانہ ہو گئے۔

سارا سفر عجب خاموشی اور موت کی سی سکوت کے ساتھ جاری رہا۔ گاڑی کے اندر موسم کی سردی کی جگہ موت کی ٹھنڈک زیادہ تھی۔ ہم ایک بار پھر اجنبیت کا شکار تھے۔ ایک دوسرے کو دیکھتے ضرور۔۔۔ مگر کچھ نہ بولتے۔۔۔ ایسے لگ رہا تھا جیسے چند منٹوں کا سفر ایک مدت بعد کٹا ہو۔۔۔

میں نے ایئر پورٹ کے داخلی دروازے پر کھڑے بیگ کو اس کے ہاتھ سے لیا تو اس کی آنکھیں چھلک رہی تھیں۔ میرے صبر کا دامن لبریز ہو گیا۔۔۔ وہ مجھ سے چمٹ گئی۔۔۔ اور سسک سسک کر رونے لگی۔ میں بھی برداشت کی تمام حدود و قیود پار کر کے اس کے کندھے پر ٹھوڑی ٹکا کر رونے لگ گیا۔

وہ رندھی ہوئی آواز میں بولی۔

نہ جائیں نہ۔۔۔ رک جائیں۔۔۔

معاف کر دیں مجھے۔۔۔ رک جائیں۔۔۔ نہ جائیں۔۔۔ میں مر جاؤں گی۔۔۔۔

میں نے دھیرے سے اس کے ماتھے پر بوسہ دیا۔۔۔ دونوں ہاتھوں سے اس کے گالوں پر چمکتے آنسو سمیٹے۔۔۔ اور کہا۔۔۔

میں تمہارے پاس ہی ہوں۔۔۔ کہیں نہیں جا رہا۔۔۔ چند دن کے بعد میں تمہارے پاس ہوں گا اور میں ایئر پورٹ کی اندرونی طرف چل پڑا۔۔۔

اس کی آنکھیں میری پشت پر گڑی تھیں۔۔۔ اور وہ ہچکیاں لے کر رو رہی تھی۔۔۔ اور میرے آنسوؤں سے بھی میری شرٹ بھیگ گئی تھی۔۔۔ میرے قدم کئی من وزنی ہو گئے تھے۔ اٹھنے سے اٹھتے نہیں تھے جیسے کئی ٹن وزنی مقناطیس نے ان کو اپنی گود لے لیا ہو۔ مگر میں معذور آدمی کی طرح جو دونوں ٹانگوں سے محروم ہو۔۔۔ جو اپنے شریر کو گھسیٹتا ہوا۔۔۔ آگے بڑھتا جاتا ہے۔۔۔۔ بے بسی کے ساتھ۔۔۔ دکھ کے ساتھ۔۔۔ مگر قوتِ ارادی کے بل پر۔۔۔ آگے بڑھتا جاتا ہے۔ میں بھی۔۔۔ ایئر پورٹ کے اندر چلا آیا۔۔۔ بنا مُڑ کے دیکھے کیونکہ اگر میں ایک بار پیچھے مڑ کر دیکھ لیتا تو یقیناً پتھر ہو

جاتا۔۔۔۔گلی کا پتھر جس کو ہر کوئی ٹھوکر پر رکھتا ہے۔

تُوں وی تے کدی آکھیا کر
اِنج رُس کے جاوناں ٹھیک نئیں
مینوں ملاں مفتی آکھدے نیں
نچ یار مناوناں ٹھیک نئیں
میرا تخم تاثیر پکار دا اے
چھڈ یار نوں جاوناں ٹھیک نئیں

(جاری ہے)

۹ جون ۲۰۱۸ء

●●●●●●●